孟繁华 主编

新中国文学
经典丛书 精选本

中篇小说 卷二

作家出版社

出版说明

中国当代文学经过70多年的探索、创作，逐渐形成了具有中国特色和经验的文学世界。这个世界丰富、绚丽、迷人，不仅从一些方面表达了当代中国的思想、情感和精神面貌，而且已经成为世界文学重要的组成部分。为了展示中国文学的巨大成就，进一步树立文化自信和文学自信，我们特别策划了这套具有一定规模的"新中国文学经典丛书·精选本"。

丛书共计十二卷，包含小说（中短篇）、诗歌、散文、报告文学、戏剧五个文学门类，其中短篇小说两卷、中篇小说六卷、诗歌一卷、散文一卷、报告文学一卷、戏剧一卷。在时间上，所选均是1949年新中国成立之后所发表或出版的优秀文学作品。在版式编排上，统一按照当前规范要求，采用简体字横排方式，字词用法也遵照当前最新标准规范。

丛书邀请著名评论家孟繁华担任主编。入选丛书的作品经过了专家论证委员会的认真评审，专家评审从文学性、思想性、时代性等多方面进行综合考察，选取了各个时期、各个体裁最具代表性的作家作品。正是这些作家作品，构筑了中国当代文学最为坚实和亮丽的文学大厦，在一定意义上，它们就是一部特殊形态的中国当代文学史，代表了新中国文学70多年所取得的不凡成就。

文学是时代的一面镜子，通过这套大型丛书，读者一方面可以了解和领略中国当代文学的发展历程和高端成就，满足精神文化发展的需求；也可以更好地了解新中国成立70多年来我们党和人民所走过的光辉道路，了解我们的祖国所发生的翻天覆地的变化。鉴古知今，面向未来，更好地投身于实现中华民族伟大复兴中国梦的新征程中去。

需要特别说明的是，尽管在篇目的遴选上，我们经过了认真的论证和反复的研究，但关于作品优劣的认定和选择的标准见仁见智，正所谓一千个读者眼中有一千个哈姆雷特，每个人心中都有自己认为优秀的作品。因此，这套书仅仅代表的是面对新中国70多年文学成就的一种眼光、一个角度。同时，由于丛书体量有限，遗珠之憾在所难免，恳请读者朋友理解并谅解，同时更盼批评指正。

作家出版社

2023年1月

目录

祸起萧墙

水运宪

本小说纯系虚构。如若您觉得文中某事是写某地某事者，那的的确确是一种非常偶然的巧合。

一

开庭那天，一切都与以往不同。法庭旁听席上，早已经挤满了人，而且其中绝大部分都是省科、局一级的干部。他们不像每次开庭时的那些听众，没有以往那种熙熙攘攘的嘈杂场面。差不多没一个人吸烟。大厅内除了偶尔出现一两声为了让别人进去而轻轻移动椅子的声音外，几乎是绝对安静的。

"到底是省级干部！"肃立在法庭两旁的公安法警内心赞佩地想道，"修养就是好。"

离开庭还有半个钟头，脚跟脚地驶来了三辆小车。车门开处，第一辆车上下来的是省委副书记，第二辆车上伸出头来的是副省长，第三辆车上的那位，身体敏捷，早已站了出来——省经济委员会主任。

三位领导同志心情沉重，一扫过去脸上常能看到的和蔼的微笑。只是稍许交头嘀咕了几句，就悄然走进侧门休息室去。

公安法警本能地感到责任重大，一个反常的细节就是三位领导今天没有乘坐锃光发亮的"红旗"牌轿车，而是一色的"北京"吉普。这种暗绿的色调无疑更加重了此次开庭的肃穆气氛。

法院院长——此次开庭任审判长——照例，出门在法国梧桐树下踱起步来。省委领导的来临，并没有打破他的常规。但是细心的法警还是有新的发现：他手上夹着一支烟！

审判长拎着沉甸甸的卷宗袋，那是开庭时摊在法案上用的。过去在此时此刻，他是从来不去看的。一个审判长，对将要审讯的案情早已了如指掌，完全没有必要在临开庭几分钟时去翻阅它。然而，今天他却破了惯例，踱步时，眼睛从没有离开过卷宗材料。

铃声响了，审判长突然有些慌乱，卷宗袋差点掉在地上。审判长十分恼火，这一有失威严的举动他还史无前例！当他收拾东西时，意识到食指和中指上夹着的那支烟，于是，一腔怒气转嫁于它，没有点燃的烟被重重地踏上了几靴子。

铃声未落，一辆摩托车疾驰而来。引擎声与铃声频率几乎相同，只是低沉一些，正好搭配成一组三度和弦，又同时在第九拍上戛然静止。

从摩托车上跳下来一位五十来岁戴近视眼镜的人，穿一件米黄色的卡其布风衣，急匆匆地奔进法庭。当他觉察到自己失态时，又马上回过身来，掏出身份证给门卫看了看，嘴角向两边扩张了一下，大概是表示歉意的微笑。门卫注意到他的眼白已经全部充满了血丝，眼睑泡肿着，向右披着的头发有不少已垂散到左边额上。当他再次转身走进法庭时，门卫发现他竟然光着脚跶拉着一双橡胶拖鞋……

该入席的已经全部入席。到了法庭上，每一个生疏的人总能很快地熟悉这里的环境和守则。全体工作人员、听众，都集中自己的思想，望着审判长席。确切地说，是望着审判长的嘴，急切地希望从那里面冒出"现在——开庭！"几个字来。

审判长习惯地左右看了看：检察员、陪审员、记录员、公诉人、辩护人……早已坐定。他又扫视了旁听席一眼：下面出现了无数张熟悉的面孔，省里三位领导人既循规蹈矩又不失身份地望着自己。审判长顿时头脑里真空了，好一阵子也没有开口。省人民政府对这桩案子的重视程度是罕见的，他清楚地记得对本案明确的指令要点："一、开庭时由省政府和法院双方约请省级机关有关同志参加旁听。二、要让被告和辩护人作最详尽的辩护。三、……"审判长凝视着法案上那堆沉甸甸的卷宗，不！那是一堆沉甸甸的铅块，重重地压在他心头上！

对法律的天职感使审判长清醒了。他郑重地宣布开庭。一切开始正常下来：宣读此次法庭组成名单、简要介绍分担的法律职责……程序一项项展开着。正当审判长宣令传被告出庭时，一名工作人员焦急地进来向他小声报告道："审判长，被告因心跳过速，突然休克！"

突如其来的消息，使审判长很难保持住自制力：他很清楚被告的身体状况。即使有异常坚定的法律信念，但在他脸上仍然流露出焦虑不安。他转过头去，同检察员等人低声商讨对策，一时间大家也都拿不出决断的意见来。

听众席上骚动起来，人们预感到出了意外。省委领导同志虽然端坐未动，心里也同样在揣测着，并向审判长投以询问的目光。

商议完毕，审判长轻轻敲了敲法案，人们立即鸦雀无声。审判长向大家宣布："被告在即将出庭时突然休克。法医正在对他治疗。现在暂时……"

"不！……不要退庭……"

一个颤抖的声音从过道里传来。法庭上所有的人都循着那个声音看过去……

在两名公安法警的搀扶下，被告出现在侧门边。他脸色蜡黄，脸颊上渗出两块红晕，几乎每一条皱纹都在发着抖；满脸络腮胡被剃得干干净净，焕发出一种体虚多病的人突然获得了健康感觉时的神色。

"我刚才……只是兴奋。审判长，开庭吧。"

场上哗然。

"是他！真是他！"包括审判长在内，与会者心中都在默默地喊着这句话。谁能在开庭之前还不知道被告是谁？全都知道。然而，此次开庭的全体参加者，从早上起来直到现在，无论如何也不能将"被告"二字同他联系起来。所以，当他终于出现在法庭上时，修养再好的干部也本能地嗟叹起来。

最反常态的要数那几个省委领导同志。那位省委副书记在晚年落下了一种神经系统的毛病，只要内心一激动，右半边脸面部就会开始抽搐起来，脖子也不由自主地向右边扭动，频率大概是每秒钟一次。现在，他一见到被告那熟悉的面孔，立即受到了刺激，万分心疼地张大了嘴。

一口凉气吸入丹田，右嘴角猛地向上一抖，跟着，面部肌肉剧烈地痉挛开了，脖子扭动得分不出个节拍，构成了一副极度痛苦的表情。

副省长已经瞥见了他这一明显的变化，唯恐他会失去控制，便悄悄地把手伸过去轻轻地拍拍他的手腕，借以提醒他。奇怪的是，副省长的手竟收不回去了，在副书记的手腕上不住点地拍了起来，像是电报员在敲打着电键一般。其实，他已经完全忘了应该干什么，他的眼睛只顾盯着被告的一举一动，他已经没有别的想法，所有动作都只是下意识的。

经委主任勉强控制住了自己的激动情绪。他的双手紧紧地扳住座椅的后腿，他害怕自己的身子不知什么时候会从那上面弹起来……

审判长自解放以来不知审理过多少重大案件，见过多少惊心动魄的场面，而今天，在被告出现时，他虽然凛然未动，可他那眼角上已经开始潮润。他惊了一下，怕被旁人察觉，于是赶快低下头去假装查看案卷……

然而法庭上已经不可能有任何人会注意到他了。此时此刻，所有的人都在全神贯注地凝视着被告。我敢打赌，如果在这个时候突然间塌了天、陷了地，也绝对不会丝毫分散大家的注意力。

站得远一些的一名公安法警，是一位久经沙场的老同志，他突然注意到整个法庭上的沉闷气氛，心中诧异不已。强烈的好奇心，终于迫使他用刚刚听得见的声音向身旁的伙伴打听起来：

"嗯？他是谁？"

伙伴笔挺着身子，紧紧地咬着嘴唇，声音战栗地告诉他：

"他就是原水电局副局长，现任佳津地区电力工业管理局局长，有名的铁肩膀干部——傅连山哪！"

"哦?!"那名法警心中猛地一沉，紧张地缄了口。

傅连山强支撑着身子，在种种目光交织下走到被告席前，重重地坐下去。他伸手摸摸上衣口袋，这才想起来现在不是开生产会，没有带笔记本。他自觉好笑，习惯地去摸络腮胡子，光秃秃的下巴使他想起来这几天没事，每天都刮了两次脸，不是以前两个月剃一次胡子的时候了。他似乎有点惋惜，过去在这么多人的场合，他总是会议的召集人或主持者啊……

法医走上庭来向审判长轻轻地介绍了被告的身体状况，审判长听着，用审慎的目光足足打量了傅连山一分钟，终于威严地宣布由公诉人宣读起诉书。

　　坐在旁听席最后一排的、那位迟到的穿拖鞋者——佳津地区电业局总工程师梁友汉，听到审判长的宣布，头脑里轰的一声炸开了。看到公诉人站起来，严肃地拿出起诉书，尤其是看到他庄重地向会场一顾，梁友汉再也支撑不住自己的脑袋。他双手紧紧地搂着头……过了一会儿，他抬起头来，脸上有一种单调不变的木然神态。公诉人的起诉词他一句也没有听见。他的思想渐渐地腾跃出法庭之外，追溯到十八个月前……

<h1 style="text-align:center">二</h1>

　　那是多么令人振奋的日子啊！经过了几年拨乱反正，我们的国家下了巨大的决心，要把全副精力转到经济建设上来。上面试验了各种各样的方法，尽可能地调动着人们的满腔热情。几乎所有的人，脸上都挂满着红光。二〇〇〇年要实现四个现代化的强劲口号，对不少人来说，比注射强心剂还有作用。

　　梁友汉原本就是这样的一个。从一九七六年拨乱反正以来，中央的一系列措施，哪一项没有使他激动过？他到部里去开过几次会，上面的整体规划和务实精神，简直使他恨不得捶自己的脑袋：我真是！竟然还坐得安稳？多么激动人心哪！赶快回去干吧！然而，一回到局里，就仿佛跌进了退火炉一般：不高又不低的恒温长时间地烘烤着你，然后，让你按照退火炉的既定俗成规律来"自然冷却"，不能快也不能慢，一切都按操作程序，温温和和地消除你的内应力。王局长不也到部里去开过几次会吗？有两次还是梁友汉陪着去的。并且，就在那次会上，梁友汉发现，王局长并非是过去印象中的行政干部。在他那严肃的外表里面，有着强烈的忧国忧民的责任心，有着熊熊燃烧着的建设热情。可是，一回到省里，忧虑和焦急渐渐从他脸上消失，没多长时间，也只好坦然处之。休要责怪，他也有他不可回避的"退火炉"啊！

　　"问题在哪里？"梁友汉经常思考着，似乎有些领悟，又似乎没有想透。应该这么说：往往有些领悟时，就不愿意再去想透彻了。"非吾辈之力所能及也！"

没有想到，感情已经不大容易激动的梁工程师，突然又神话般地恢复了活力，再也平静不下来了。

这天下午，梁友汉四点多钟就无事可干了。他拎着一个暖水瓶，慢慢悠悠地走出办公楼，到水房去打开水。背后开来了一辆汽车，冲着他直响喇叭。梁友汉没有回头，往路边让了让，继续朝前走。那辆汽车仍不满意，急促地按起汽笛来。梁友汉无意间回头一望：我的妈呀！崭新的"东风"牌载重汽车笔直地冲过来。眼看要顶在背上了！梁友汉慌了手脚，已经无路可让。他一歪身子，不由自主地倒在路边女贞树路篱上。梁友汉心中的火气一蹿老高，刚想发作，那辆大卡车吱地刹住，驾驶室里传出上气不接下气的哈哈笑声。

"傅局长？傅连山！"梁友汉一下就蹦了起来。

"怎么样？这下把你那不紧不慢的温性子吓跑了吧？"傅连山戴着一双纱手套跳下车来。

每次见到傅连山，梁友汉总有一种故友重逢的感觉。这位副局长，其实是一座大型水电站的站长，以"精通业务、作风泼辣的行政干部"著称于全省水电系统。时兴学业务那阵子，让他挂了个副局长的头衔。那座地处深山的水电站，从设计、施工、安装直到发电的整个过程，梁友汉一直同他搭档。开掘工程紧张时，老傅就蹲在开掘队，弄了个四级驾驶员执照。输电网电压升级那会儿，他又蹲线路改装工程队，混了个五级电工操作证。"不能白蹲那么久，总得捞点儿本事回来。"他常常这么说。最近老没见他往省里来，也不知干什么去了。

像今天这种见面方式，梁友汉早已司空见惯：他就是这么一个人，什么时候都喜欢把你的神经绷得紧紧的。梁友汉二话没说，拉着他就往家里走。根本不用打听他来省里是干什么的，到了晚上，他自然会"竹筒倒黄豆一颗不剩"地全告诉你，没错儿！老傅来省里是从不住招待所的，每次都是在梁友汉的书房里搁行军床。"哪个招待所有这么好的条件？"他用贪婪的眼光盯住那满架子的书，赞叹地说。其实，说是睡觉，那也不过是象征性地躺两三个小时。这一对亲密的老搭档见了面，从不把晚上的时间当个数。早先，梁友汉的爱人还经常敲敲墙壁提醒他们。久而久之，大概她也不愿意让手指头上增加老茧了，于是深夜长谈更是无半点干扰了。

不过这一次傅连山却等不到晚上就泄露了天机："我把车丢到库房去，马上就来。你站在这儿别走！"

他刚上车发动了引擎，又转了念，打开另一边车门，"干脆，上来吧！"

梁友汉坐在驾驶室里，打量着这种声望很高的汽车："这是你们买的？"

"不，应该说是我们买的。"傅连山说到"我们"二字时，故意放慢了声音，还神秘地冲梁友汉一笑。

"我们？"梁友汉寻思了一下，"……局里买的？"

"局里？得了吧！像你这种人，别老在机关里消磨了。我替你做了主，咱们又搭上档了！"

"怎么回事？"一听说同老傅搭档，梁友汉兴奋起来。

"别说话！我要倒车了。"

傅连山恰到火候就打住了话头，抿住笑，熟练地推动汽车操纵杆，一退一进一退，三把就将车倒进车库。

锁门的时候，他故意用手指头刮着脸庞上的络腮胡，发出扎扎的声响："不过，我这个情报，是有保密等级的。"

"大概是属于第九级吧？"梁友汉精通他这一类正经的俏皮话，"不是七八九的九，而是六十度的大曲酒。对吗？"

"哈哈，不愧是老搭档！走！"

酒过三巡，已经是深夜一点多钟了。

心里话互相倾吐了大半夜，两人都酒兴正浓。为了不影响旁人休息，傅连山尽量地压低嗓门。越是这样，喉头内咻咻声越重，好像是被堵住了的一股激流，从一个不大的裂缝中挤泻出来，由于不满于压抑，其势更加显得奔放。

"伙计，可别小看这招哇。这可是兜着神龛掀菩萨，动在他娘的根子上了!"老傅抓了一把花生米,一颗一颗地往嘴里扔,"四个现代化怎么搞?光喊不动?小动大不动?能搞上去,才邪呢!就说电力系统吧,先行官哪!不服从老帅行吗?偏偏就左一个卡子、右一个折扣的,怎么干嘛!"

"老傅,要真能把下面几套电力管理班子合并成一套,收归省管,那就对上口了。这对统一调度、统一管理太有利了,早就该这么干了。不过……"老梁放下筷子,"上头到底有没有决心?"

"不是决心,而是决定!我的老伙计!"

傅连山激动得站了起来:"经省里研究决定,从现在起,各地区这一个供电所、那一个供电公司全部合并,成立地区电业局。电业局的行政、业务干部,全部由省局审派。力量薄弱的,直接派人去。不光这样,连全体人员的工资都由省局包下了。跟着,业务干部的调动、任免这些权力,马上就要收归省局。伙计,管理体制彻底改革啦!"

梁友汉头上冒出了汗珠子。他兴奋地扭开电风扇,惬意地吹着凉风。一丝别样的情绪使他稍稍冷静了些:"让我想想……这,是不是太快了点儿?"

"你呀!不动嫌慢了,一动你又嫌快了。书生气倒十足的。"

"我想……唉。"

梁友汉不是庸人,他却常自扰。这件事意味着什么,对搞技术管理的他来说,是再清楚不过了。电这玩意儿可不比其他东西,发、供、用各方面,全凭一个"管"字当家。很长一段时间以来,正是在管理上的支离破碎现象让人不忍心看下去!如果要真心实意地搞好四化建设,不把这号称"第二能源部门"的电力管理好,一切都是妄谈!刚才,梁友汉确实狂喜了好一阵子。这么好的消息,对他来说,不亚于渔夫听到了鱼汛、猎手赶上了兽群。但是也正是这个消息使他又忧天忧地起来:如何才能管好电,除了建立强有力的专业对口管理体制外,没有别的办法。现在终于这么干了,然而这是一件早该这么干的事。为什么长期没这么干,其中之奥妙,梁工可了如指掌:

"我担心,各地区会怎么理解?……当然啰,你们当领导的只在上头坐镇,体会不到……"

"嗨！不用体会我也清楚，阻力不会小！困难更不消说，少不了！至于我嘛，也坐不了什么镇，没这福气。"

傅连山坐了下来，双手尽量向上举起握着拳头，使劲地向后舒展着身子："我到佳津去。毛遂自荐，争取的。"

梁友汉这才联想起他拉自己搭档的事。他有些慌乱：

"佳津？不不！干吗上那儿去？"

梁友汉的顾忌是有根源的。那个地区的情况局里上上下下都很清楚，凡属中央或省属企业单位，都很难同地委搞好关系。曾经有一个某机部的厂子因为同地方某些领导发生了工作上的矛盾，竟被停止了大米供应。借口还非常巧妙，让你有状无处告。这是一件近乎荒诞的事情。很难令人置信，然而它却实实在在地发生了。这个单位饱尝苦头之后，才开始觉悟过来，找上头讨了十来个招工指标，到地属机关去招收他们的子弟，借以缓和紧张关系。然而正月十五贴门神——迟了半个月啦！除了少数几位领导的丈母娘没工作，再也无人可招。水电系统过去也同地委发生过不少矛盾，一提起那里来就头痛。

梁友汉觉得傅连山过于乐观，作为一起工作过多年的老战友，应该提醒他一下。他正在斟酌着字眼，却见老傅早已沉默下来。梁友汉想道，我也糊涂了，这么一位老干部，怎么会不考虑这一点呢？他一定考虑过了。再说，他是个闲不住的人。刚才他还直抱怨说他最近一段时间没有具体工作，挂着个副局长的名儿，搞了半年多企业管理调查，早就摩拳擦掌按捺不住了。他嘲笑自己说："我本来就姓傅，人家一开口就叫我傅副局长，多拗口！再改个名儿，姓傅名福，让人家叫我傅福副局长，多逗？哈，不干事业光吃闲饭我可受不了。"

"是啊，他是不甘清闲的，要不是这样，早调到机关来了。也许他有办法吧？"梁友汉想到傅连山逢山开路、遇水架桥的工作作风，顿时减消了忧虑。

傅连山又恢复了开朗面容："当然啰，这个地区是有些烦人，不是个好剃的头。也许……"他幽默地眨眨眼皮，"还可能要担点风险。"

"风险？"梁友汉倒反过来安慰起他了，"什么风险？别吓唬自己了。难道还会坐牢？杀头？哈哈哈……"

傅连山可没有笑。他又给自己倒了一杯酒："你想这不能？也许吧！"他一仰脖，将酒倒进嘴里。大概是喝得过了量，也可能是灌得太急了，当这口酒咽下喉咙的时候，傅连山皱了皱眉头，露出了一丝痛苦的神色。不过，他一点也没让梁友汉觉察出来，两位老友又敞胸开怀地谈了起来……

三

在上下都具备了很高的积极性时，不少事情是能够打破惯例的。傅连山同梁友汉谈话不到半个月，局里就沸腾起来了。

改革管理体制、调整一些机构，对四化有没有利，还只是理论上的抽象概念。但一触到各机构的人事变动，对每一个人有没有利，却是个实际性的具体问题。

人浮于事的现象，对于每一个稍有事业心的人来说，都是不堪忍受的。动员工作进行得十分顺利。跃跃欲试的技术干部们，充分看到了专业化改组的前途，早已激动起来。有人已递了好几次申请。总之，形势喜人。

又过了一些日子，半数以上的地区班子已搭配完毕。原电管部门的干部有业务能力的就保留下来，差一些的全省调配力量，还有的实在不行就由局里重新委派。这样一动，行政干部、管理干部、技术干部，齐齐整整。一看名单就让人赞叹：真是精兵良将！经过少许一段时间集训，便纷纷开赴第一线去了。

看着一批又一批队伍从自己眼皮子底下雄赳赳地开走，傅连山头皮都快急炸了！四楼办公室尽头有一间贮藏室，临时腾出来让他和梁友汉搭班子。门口贴着梁友汉亲笔写的一张黄纸条："佳津地区电业局筹备处在此报到"。可是，前来问津的除了几名刚从大学毕业分配到这里的学生外，几乎没有其他人。

有一天，傅连山找到两位过去在佳津地区供电部门工作过的技术员，满怀希望地征求他们的意见，不料他们俩早已找好了出路，分别被批准到其他地区工作。一见傅副局长找他们谈话，不由得心惊肉跳起来。最后，两人都觉察到他并没有强迫的成分，这才放下心来，一迭声地表示抱歉。走的时候，傅连山清楚地看见他们刚刚拐到门外，就撒丫子了。那情形就跟那逃出了猎套儿的野兔差不多！

王局长在动员会上并没有用煽起大家热情的方式作空头许诺，而是实事求是地介绍了目前电力管理混乱的局面，反复强调了体制改革的必要性。最后，也特别说了下佳津地区的情况："从电力管理的角度来看，这确实是个烂摊子。条件比其他地区都差。到那儿去的每一个同志都将担负比较艰苦的工作。

"现在，傅连山同志夺了帅印，主动地去挑这副重担。不过他还是个光杆司令，很多同志不大愿意到那里去。但是我也不太担心，"王局长顿了一下，侧头看了看傅连山，"你们瞧他那一脸的大胡子，就像是孙悟空身上的毫毛，拔一根就能变出点儿新玩意儿来。"

会场上哄笑了一下，并不热烈。大家对傅连山是敬佩的，如果他到别的地区，那没二话说，早跟上了。可他偏偏拣了这么块不毛之地。有的人甚至躲避着他那炯炯有神的目光，低下头去，心里祷告着："菩萨保佑，可别让他那对火眼金睛看中了我呀！"

现在，傅连山看着面前这面招兵买马旗，倒是一筹莫展了。他记得梁友汉在写这张纸的时候，手提三寸狼毫，一脸虔诚相，好半天没有下笔。纸贴好后，两人十分舒适地坐在这间临时办公室里，那种自我感觉就仿佛是坐在联合国大厦的软椅上一般。他们谈到下去后的种种设想，从生产到生活，全部囊括在内。有一次谈到购置远动机的事，为买进口的还是买国产的，两人争得脸红脖子粗。后来由远动机联系到操纵远动机的人，这才回到现实中来。是啊，人呢？人还没有哇！

楼下传来嘈杂的谈话声，又是哪个地区在集中人马了。傅连山急得扯起了络腮胡，硬扎扎的胡须并不是孙猴王的毫毛。他想起了王局长在会上的那句话，叹了口气："唉！真能那样，我倒好了！"

人群直奔四楼而来，领头的是梁友汉。他今天的嗓门特别高：

"到了到了。看，老傅在门口恭候着咱们呢！"

"怎么回事？"傅连山丈二和尚摸不着头脑。

"别愣着了，快来看看你的队伍吧！瞧，阵容不差吧？"梁友汉显得特别活跃，"看，设计院的老徐，我的老同学。这位是统计处的周伟。喏，那位女同志是调度技术员，还有他，会计师老张……"

事情来得太突然了，倒把傅连山弄得腼腆起来。他一面打着招呼，一面挨个儿紧紧地握住了他们的手，几位女同志被他握得痛叫起来。老傅咧开嘴笑了，他是怕他们像突然出现那样，又会突然飞走啊！

瞅空子，傅连山把梁友汉拉到一边："你这家伙，玩魔术还是怎么的？"

"我可没有大变活人的本事。"梁友汉凑到傅连山耳边，"各地区调剂的。局长让我去领人，我也不相信。这些同志愿意来，多半是冲着你的名声，少半是我的一些老关系。人都是个顶个的，这下齐啦！"

集训开始了。傅连山亲自开着大卡车，把队伍拉到郊外，逛了好几天风景区。他上了劲，根本没管那些乘客是否高兴。不少人记不清有多少次乘坐着舒适的旅游车到过这些地方，如今扶着冰凉的车帮子兜风，实在激不起多少游兴。有什么办法呢？集训期间一切行动听指挥，谁愿意初次就留下一个不好的印象？不过，老傅的热情倒扎扎实实地感染了大家。

在集训的日子里，傅连山一天到局里去问三次，度日如年。

也真是有点怪，他们集训的日子比其他地区多了一半儿还不止，就是没有接到出发的通知。

星期六晚上，局里给他们发了京戏票：《十八罗汉斗悟空》，算是犒赏大家的。傅连山和梁友汉商量好，给王局长来个突然袭击：不打招呼地闯到他家里去，然后嘻嘻哈哈地"赖"在那儿说要吃葱油饼，再逼着他当面说说，早一点把通知发下去，别让人等白了胡子！

商量好步骤，俩人已经走到了局长门口。正准备伸手敲门，就听得屋内传出吭吭哧哧的谈话声，不知是谁已经捷足先登了。"管他！"傅连山拽着梁友汉闯了进去。

三张双人沙发上整整齐齐地坐着六条大汉。竟然是早已出发到其他地区去搭班子的几位负责同志。

傅连山莫名其妙，顾不上寒暄就嚷开了："见鬼，你们怎么回来了？"

分配到傅连山邻近地区的老杨，轻轻地摆了摆手，冲里屋一扬颏，傅连山这才发现王局长正挽起衣袖，挂着围裙，在一声不响地揉着面。他的老伴切着葱花，飘过来一股引人涎下的香味儿。

"你们什么时候出发？"老杨避而不答傅连山的问话。

"这不，还在待命呢！嗨！真羡慕你老兄啊！"

"我们？"老杨苦笑了一下，"唉，别提了！早知如此，真不该那么急就下去！"

"开什么玩笑？待不下去了？"

"那倒不至于啰。不过……一言难尽哪！"

几句不明不白的话，撩拨得傅连山和梁友汉心里痒痒的，非逼着他们说清楚不可。

"同这几位老弟比较起来，"老杨望望另外几位同志，"我去的那个地区算是最顺利的了。可是这里面有个什么味儿，我也品不清楚。到了地委后，地委很支持，原来的老班子对我们也很客气。没几天正式任命就下来了。嘿嘿，我们二十来个人，全是副职。"

"副职？"傅连山有些不理解。他知道老杨说出这话并不是计较地位，老杨是个事业心很强的人。局里确实指定由他担任业务上的主要负责人。

"哪儿下的任命？"

"地委组织部呗。"

"怎么？"梁友汉有些意外地插嘴了，"业务干部不是由主管局任免吗？"

"梁工真是秀才不出门，不知天下事。"另一位干部口气揶揄地苦笑着说，"除了工资由省局拨发这一条立竿见了影外，其余的……"他做了一个拨算盘的手势，"三下五除二啦！"

"我们那儿更是抓得紧。"分配到西南面去的那位"局长"开了口，"听说由省局发工资，原有编制一下就扩大了六十多个。加上我们新去的十七个人，总共超编了一点六倍，全报给省局了。地方上松了一口大气，有了国家饭，你们全去吃大户吧！"

傅连山感觉很压抑，他不由得想到了自己，马上要兵发佳津了，处境会不会比在座的诸位好？但他还是信心很足，不管怎么说，四化建设的总趋势谁也不会不清楚吧？再说，还有省里的支持嘛。

梁友汉也是这么考虑的。他腰杆很硬地说："你们给省局汇报，不信解决不了。"

"都回来一个多星期了。"老杨又忧又急，"这些事局里也鞭长莫及，得向省委汇报。"

傅连山沉默了，他似乎明白了迟迟不让他出发的原因。在座的人思路都分别回到了自己的窠臼里去，屋内安静下来。厨房内煎烙饼的嗞嗞声和着各种菜肴调味品的香味乘虚而入，然而，谁都没有胃口了。

开饭的时候，王局长却谈笑风生起来。

"连山，听说你用大货车装着子弟兵到处兜风，不怕把人家吹感冒了？"他看了看傅连山不开朗的脸色，"好哇，让你摸到情况了？是啊，不太顺利，他们都回来叫苦了。不过总的说来还不错。来来来，边吃边谈。"

王局长的老伴端上了一盆热汤，大家一看就惊呼起来。这是汤吗？上面厚厚一层葱花把下面的什么东西都盖住了。

"哈哈，你们猜，这是为什么？我们俩今天根本就没协调起来。"王局长笑着说，"我揉了五斤面，她呢？就是要切两斤葱，这不是各吹各的号吗？"

老伴嗔怪地回敬着他："这么多人嘛！"

"不不，你得承认，做饭这一行，你的业务水平不高。有什么办法呢？偏偏刀把子又在你的手上，真难办哪！"

傅连山将盛满汤的羹匙送到嘴里，细细地品味着。是的，这样做出来的汤，并不好喝。

快要吃完饭时，王局长简单地谈了一下局里对出现的问题的态度。

"关键恐怕还在干部问题上。明天我们草拟一个报告，请省委酌定，争取发个文下去。"

大家来了劲儿："发文？那太好了！"

"已经展开的地区，还是得去，有问题再汇报。连山，你那拨人马……"王局长吞下了后半截话，很明显是有顾忌的，"我看还等几天，大概一个星期吧。"

傅连山明白王局长对"一个星期"的不肯定语气，他是想等待省委的明确态度。

一想到他们的省委……傅连山深深地点了一下头，不出声地从鼻孔内长长地叹出一口气来。他和梁友汉心照不宣地交流了一下目光，两人无言自通：没什么好催的，只能这样了。

四

又是三个星期过去了，省委的文始终没有行下来，好难熬的日子啊！

赴佳津的干部们既然决定到那儿去，便横下了一条心。加上傅连山和梁友汉起着劲地鼓动，心里越来越热乎，酿出了一股迫切求战的情绪。但架不住时间的消磨，这种情绪已开始冷淡下来。现在大家已在私下议论：像这样白吃大米饭实在不光彩，倒不如散伙了吧！

老傅和梁工急得像两只跳山猴，四处奔波打听消息。这期间，他们特别重视"情报"工作，大致收集了三方面的内容。

第一方面是省委的态度。他们获悉省委对局里的方案是热情支持的。尤其是负责工业方面的书记，亲口对王局长说过："不要怕有阻力，省委是有决心的。你们那份报告我看了，很好嘛。我认为是必须要这么做的！当然，这不代表组织啰。交常委讨论后再形成决议吧。你们不要有太多的顾虑，放开手脚干吧！"王局长把这些话转告给老傅时，他的嘴唇微微发颤。傅连山想：是啊，省里的决心这么大，发文看来只是个迟早的问题了。再说，只要领导上有决心，也并不完全在乎那一纸公文。

第二方面是收集已经下去了的地区工作的开展情况。综合看来，有好的也有不妙的。问题不断地反映到局里来，给人一种时忧时喜的感觉。谢天谢地，在地委的支持下，老杨和他的总工程师已担任了主要职务。原地区班子中一些有真才实学的业务人员也分别充实到领导班子里来。虽然行政人员大大超编，但总算建立了一个有业务能力的班子。这方面的情报得细心研究，那是佳津的邻居，多少能互相影响啊。

第三方面的情报尤为老傅等人重视，就是佳津地区的态度和动向。令人恼火的恰恰就是对这方面的情况几乎一无所获。通知早发下去了，石沉大海，音信全无。地委有什么打算？原机构有些什么准备？地区还有什么不同意见？至今仍然是个谜。几次想派人去联系一下，又怕一下子弄僵了不好办，干脆等省委下文吧，文到人到，问题可能就不大了吧？可是这个文又哪天能下呢？

佳津倒是十分平静。省经委主任说，不要担心，佳津不是以前那种状况了。他们的一位经委副主任来省里开会时，明确表示过支持成立电业局的事。这固然不是第一手情报，但还是给傅连山和梁友汉等人带来了一阵狂喜。参考老杨那个地区的情况，也许是自己吓自己吧！希望是这样。

"别等了，走吧！"局党委分析了一些情况，征求了几方面的意见，终于下了决心，正式通知老傅他们准备出发。

等出发，盼出发，真正要出发了，那可就不是一件容易的事。

佳津是本省的边远地区，东南与外省交界，西南又与另一省交界，形成一个独立三角洲的状态。全区地势很高，丘陵起伏，交通很不方便。从省城到佳津，除了唯一一条五百五十公里长的公路相通外，既无铁道又无航道。

老傅这帮人马本身倒没有老弱病残，可是"随军家属"成了最大的难题。费了好多心，磨了不少嘴皮子才勉强精简了一小部分。

动身那天，傅连山开着"东风"牌汽车，拉着大家的行李，天不亮就走了。

梁友汉负责率领人马，计划在路上走三天。吃完早饭，一切准备就绪。在车上清点好人数后，梁友汉掏出一盒"伤湿止痛膏"，挨个儿给发了一袋："把这个贴在肚脐眼儿上，比吃'晕海宁'的效果强得多。"

旅途上倒是一帆风顺。即将开展工作的热情、对一个将要在那里生活半辈子的陌生地方的好奇、窗外流进来的在省城不易吸到的新鲜空气，一直持续地维持着大家的兴奋。一路上令行禁止，像军队的作风一样。梁工的偏方十分灵验，加上路面又平坦，还真没有一个晕车的。

"进入佳津地区了！"有人喊了一声。

乘客们沸腾起来，都争先恐后地往窗外望去，有的人趴在窗口，有的人把头伸出了窗外，恨不得把路边的一点一滴都收入印象之中去。

梁友汉觉得这个地区的农业生产抓得十分有条理。粮食作物管理得很出色，一看就知道丰收又笃定了。远处层层叠叠的山峰上，绿茵茵的，没有杂色，全部种上了杉树。离得近一点可以看到都已经长到胳膊粗细了。原来山坡上左一小块右一小块"大寨田"，曾被农民们讥笑为"贴在山上的大字报"，如今已被地毯似的林海所淹没。连山磡边上、田头垄尾都种上了一些整整齐齐、郁郁葱葱的植物。那是什么？梁友汉看不清楚。

"黄豆！"邻座上的人嚷道。这可是个好办法！交一斤黄豆抵四斤粮食，还有奖赏，对国家对集体都有好处。

美丽的绿色世界！绿色是多可爱啊！它常常使人觉得生机盎然，它也常常令人消乏止劳。梁友汉陶醉在大自然的油画面前，越来越对人们传说的谣言愤慨起来："这么好的地区，不简单嘛！领导水平很高嘛！看，路边上闪过一张张健康、开朗的笑脸，农民们是那么心情愉快、信心满怀，我们还有什么好怀疑的呢？哼！让忧虑见鬼去吧！"梁友汉美滋滋地想。

汽车进入佳津市区时，司机放慢了速度，响着喇叭，缓缓地通过一个集市贸易区。乘客们狂呼起来，就像是哥伦布发现了新大陆一般：

"啊呀！好大的市场啊！"

"鱼！看，我的妈呀！水缸里养着卖，活的！"

"比省城便宜，四毛钱一斤哪，乖乖！"

"看这边！团鱼，还有乌龟，大补品嘞！"

"那是什么？喏，那个白的？对了，海蜇。"

"哟哟，荔枝，新鲜的！好大的个儿……"

"什么都有，神啦！……"

……

汽车进站后，大家拥下车来，每个人都像豪饮了几大碗醇香甜美的浓酒琼浆，兴奋异常。车站的规模不小，还是刚竣工的。局部地方的脚手架尚未拆除，愈加衬托出这座现代化车站的气派。

仿佛成心让人醉个痛快似的，梁友汉他们刚下车，争先恐后迎上来三五位女同志，每人手上都举着一块精心制作的牌子，白色泡沫立体字夺目而入：

"佳津地区第×招待所，向您提供舒适方便的住宿条件……"

服务员和气大方地介绍道："……本所备有大小轿车，免费迎送。"

梁友汉一再向她们解释说，我们是调这儿来工作的，不是做客的，单位有住房，一会儿就有人来接我们，非常感谢，等等，等等！费了好大的劲儿才谢绝了她们的盛情。望着她们有点扫兴的背影，梁工很不过意："一切都这么令人鼓舞。"

按照出发前商量好的方案，傅连山应该提前半天到达，为队伍打前站，而后到车站来接他们。梁友汉他们到站后，傅连山还没来，因此，梁友汉把大家安排在候车大厅的长椅上小憩，自己也找了一个正对大门的位置，美滋滋地坐下来。他静候傅连山在几位地方干部陪同下，乐呵呵地走进车站，挥着一双大手欢迎他们的到来……梁工笑了笑，明知这是心底的幻想，但他毫不怀疑这一刻的到来。

也不知过了多长时间，梁友汉猛地惊醒过来。伙伴们耐不住长途旅行的疲劳，已经含着甜蜜蜜的笑意昏昏入睡。只有两三个不知疲倦的小男孩绕着椅子追逐嬉笑着。梁友汉颇觉蹊跷：傅连山是怎么回事？应该来了！是不是有什么事？那也得打个招呼，留个言哪。对，看看旅客留言板去。

还未起身，傅连山来了。不过，没有人陪同，也没有挥手。

梁友汉迎上前去，有几分埋怨地说："你这家伙，成心让大家坐冷板凳！"

"我们那辆新车的临时牌照只能使用一个星期，让监理所给扣了。扣就扣吧，人生地不熟的，正找不到地方停车呢。"

"咱们现在上哪儿去？"梁友汉懒得管车，他只关心这一伙人。瞧着老傅孤孤单单地一个人出现，他觉得有些不好的预兆。

"今天先住招待所吧。"

"什么？"梁友汉张大了嘴巴，"住招待所？你还没去报到？"

"星期五，下午政治学习，不办公。"

"可我们这是特殊情况……"

傅连山挥了挥手："别说了，情况不太妙……住下再慢慢谈吧。"

一伙人只好又回头找到那些接揽生意的女服务员，表示愿意光顾她们那里。可惜晚了一点，没有车接他们了。走着去吧，好在不太远。

在去招待所的路上，这伙人突然中了定身法似的，面对着路边一栋庞大的房屋目瞪口呆：这是一座现代化的碑形建筑物，临街的一面全是六毫米厚的玻璃钢窗，淡黄色颗粒粉刷的洗砂墙面，造型方正巍峨。门口和门框同样高矮挂着一块大招牌，工工整整的仿宋字赫赫醒目：

佳津地区电力工业管理局

间或有些办公事的人员穿进穿出，门外停放着一部小轿车、三部吉普车和一些自行车。左边是侧门，用钢管和钢板网焊成。一部工程车装载着头戴白色晴雨帽、全身披挂着蹬杆踩板等工具的外线电工，从院内驶出来……一切迹象都显示出：这座庄严的大楼，正在有条不紊地行使着权力。

梁友汉觉得脸上的肌肉有些发僵。眼前这一切，是这么荒唐，但又是这么一本正经，没有一丝做作的滑稽感。他脑子里浮现出喜剧大师卓别林创造的流浪汉形象：尽管他做着十分荒诞可笑的事，他却是特别虔诚地一丝不苟地进行着，你很难认为他不是在干正经事，因而，收到了一种格外幽默的喜剧效果。

"走吧。"傅连山手上提了三四个旅行袋，用胳膊肘撞了撞梁友汉，"要看有的是时间。"

梁友汉满腹狐疑地转过身来，他看见傅连山含意很不明确地冲自己眨了眨右眼。为了稳定同行们的情绪，他只好缄口不言地向招待所走去。

熬过了一夜失眠的痛苦，傅连山和梁友汉都觉得头有点儿发涨。天亮以后，他俩带着组织介绍信，还没到上班时间就向地委赶去。

地委大院坐落在离城市两公里远的地方，远远望去，完全没有市内那些正在兴建的"近代化"房屋风格。绿树环绕，偶尔从树缝里看到它那连绵不断的围墙，灰白色的，干干净净，房屋几乎掩隐在各种树木丛中，只是间或露出一两幢楼房的红瓦屋脊。

大门口岗亭外，荷枪实弹的战士挺着胸脯，纹丝不动。设岗的样式好像在哪儿看见过？老梁想起来了，上北京去开会的时候，有一次乘车经过西长安街，国务院新华门前的岗哨正是这个样子。

他走进院内一看，惊诧得伸出了舌头！说来也很费解：不太豪华的办公楼，比较平常的院内花圃，算不上名贵的灌木丛，这一切也无多少可挑剔，但总是显得有些奢侈。什么原因呢？老傅和梁工终于领悟到了其中的奥秘：地盘占得太大了。不少领域完全没有利用，也被堂而皇之地圈在灰白围墙内，以致老傅他们好像进入了一个错综复杂的闹市迷宫，为了找到组织部的房子，问了六七次路，腿都走酸了。

别看院子里人不多，屋子里人可不少。这一栋房子上下两层都是组织部所属各科，而且每间屋子里都有好几个人在伏案工作。

递上介绍信后，老傅和梁友汉被客气地让进一间会客室。这间会客室有点古色古香，紫檀木的国漆沙发，让人看了总有些可惜它那上好的材料，没有做出应有的式样。

一名干部笑容可掬地端来两杯茉莉花茶，还没有放稳，就听得门外有一个纯粹的地方口音在训什么人：

"么子呀？昨夜间就来嘎哒？无么大个事，不跟我哩打个招喝？不得张他！"

端茶的干部神色有点紧张，匆匆对老傅他们点头笑笑，赶快走出门去。

门外的景象从对面房门上方斜撑起来的窗户玻璃上反射到梁友汉的眼里。他看见刚才端茶的那位干部正附在一位短小身材的干部耳旁，轻轻地说着什么，还用手朝这间屋子指指点点。短小身材的干部抬起头来，炯炯发亮的眼睛，一副十分精明强干的外表。他不动声色地往这边望了望，很快，又轻轻地对端茶的干部说了几句什么，伴着手势，干净果断。端茶的干部连连点头，领受指示。最后，大概是问那短小身材的干部要不要见见客人？短小身材的干部稍一犹豫，当机立断地摇了一下头。只摇了一下，表现出坚定的作风。

此后，坐了四十分钟，一直没有人进来。梁友汉发现从门口过路的一些干部，经过这间会客室门外时，都小心地放轻了脚步，并且多少有些好奇地向里面窥视一两眼。连那位端茶的干部也不知去向，两人有些不安起来。

一阵急促的脚步声，那位干部来了。头上冒着热气，连声道歉："对不起，让你们久等了。"

随后进来一位体魄魁梧的高个子干部，五十来岁，白布衬衣，军绿色的确良裤子。未开口，脸上先漾起了热情的笑容。

端茶的干部十分得体地介绍着："这是我们组织部的戚副部长。"

傅连山和梁友汉连忙站起来，同戚副部长握手。

"省里来的？辛苦了辛苦了。"戚副部长很健谈地说道，"我有一个老战友，上半年一起转业的，分配到你们局里工作。姓普，普通一兵的普，认识吗？这位老兄，当时非要拉我一块儿留在省里工作。我不干，那怎么行嘛，地质局的工作技术性很强，咱们还是量力一点吧。对不对？听说你们地质局业务……"

"地质局？"傅连山坠入五里雾中。

那位端茶的干部实在难堪了。但他灵活得像只上了油的轴承："戚副部长，地质局的两位同志……刚刚走了。这二位是省电业局的。"

"哦？电业局啊？哈哈，好！"戚副部长坐下来，"什么事需要我们协作，尽管说吧。"

傅连山递上介绍信，无须多说什么，那上面写得很明白。

戚副部长看完介绍信，十分困惑："怎么？协商建立地区电业局？我们地区的电业局不是早已成立了吗？"

傅连山按照昨夜商量的方案，一方面表示不清楚地区已经成立了电业局，另一方面非常耐心地解释上面的指示和具体措施。言谈中涉及电力管理上的许多专业问题，常常使这位副部长将眼光从对视中移开。费了老大的劲，戚副部长总算抓住了谈话的根本："这么说我们这个电业局不能算数？"这可是个严肃的大事，戚副部长脸上的笑容突然消失了。

"每个地区的电力管理机构都必须由业务主管局审批。"傅连山干脆地说。

"这不又是那个条……条条专政了？不过，关于条条嘛……"戚副部长感觉到近一段时期政策变动性很大，有些方针到底如何看，自己也不敢妄谈，"当然，我刚到地方不久，这样吧，小罗！"

端茶的那位干部站了起来。

"你去请曾部长来同他们谈谈吧。"

"曾部长正在开常委会吧？"

"没有。今天不开。"

"……对了，曾部长说今天下去了。"点拨不通，小罗很着急。

"嗨！刚才还同我说着话嘛。去，就说我找他。"

小罗委实不愿意去，又不敢拗抗戚副部长的指示。正在左右为难之际，曾部长一步跨进了屋内。

梁友汉一眼就认出了他，正是在走廊外对小罗面授机宜的那位精干的地方干部。

"情况我晓得哒。你哩是哪里派来的吗？"

戚副部长将他们的介绍信递给曾部长。曾部长无暇详看内容，一眼就逮准了那底下的公章："省电业局？无就怪哒！派干部来，何哩没得省委组织部的调令？咯省电业局同我哩是平行的嘛！"

傅连山只好耐下心来，把对戚副部长说过的话又重复了一次。曾部长闪烁着明亮的眼睛，并不为别人所左右："都晓得都晓得。我哩电业局已经正式任命嘎哒，名单也报你们局哒。无么大个事，你哩招喝都无得一个就来嘎哒？太随便哒吧？我哩咯里又不是菜园门！"

"省里的通知是怎么说的？那不算是招呼？你们这么草率就……谁太随便……"傅连山渐渐失去了耐性，幸亏梁友汉拉住了他，才没有往下说。

但是这位曾部长看来并不好对付。他目光明亮，口气也显得非常轻松："省里省里，哼哼，哪一个下来的人都是咯号口气。抬着天子压诸侯吗？恐怕我哩也不是吓大的吧？"

傅连山忍住了一句冲到嘴边上的话，他怕把问题扯到岔道上去争个不休。好在曾部长也无意多谈这种话，语锋一转，论起大道理来："搞四化嘛，都是权力往下放，你哩还要往上收，怪不怪？我看，这种主意只怕有点子问题嘞！"

梁友汉转过身来，对着傅连山，将双手插进风衣口袋里，伸出舌尖舔了舔上嘴唇。那含意非常之明显：怎么样？那天咱们深夜小酌时，我的担忧没有错吧？看看，果然就来了！

傅连山烦躁了，不由自主地放开了嗓门："什么叫往下放？什么叫往上收？专业对口不正是把权力往企业里放了吗？照你的意见，那么大一条京广铁路，经过哪个县，哪个县就得管它的业务，这才叫权力下放？"

"我哩这里无得铁路，也管不得那多！"曾部长语不塞气不结，"电业局的事，我哩组织部不晓得那许多，咯是地委研究决定的。咯点权地委还有吧？有意见找书记去，我哩只晓得执行！"

找就找吧！问题既然摊出来了，总得解决嘛。正当傅连山和梁友汉起身的时候，曾部长又毫不客气地补充了几点"决定"：

"第一，你哩的组织关系我哩不得接受。第二，你哩的户口、粮食关系无得地方上。第三，你哩不能直接到电业局去干扰他们的工作。咯些丑话我哩要讲在前头。万一出嘎哒问题，"曾部长语气严厉，"那咯是要负责的！"

老傅先后朝拜了三名地委书记，那情形正好像是朝鸭子背上泼水——不沾。对头越找越大，温度越升越高。到主要负责同志那儿，他的牢骚格外旺盛："这算什么事嘛！省里这些个局也太自大了嘛！唵？我们也是一级党的机构嘛！就不把我们放在眼里了？我不是说你们二位啰。搞四化嘛，还是要两个积极性嘛！两个总比一个好嘛！唵？就你们能？那么你们干去吧！像什么话！"

发泄完了，他又很亲热地问他们："住哪儿的？条件怎么样？就在这儿吃了饭再走吧？你们打算什么时候回省里去？有车吗？"

在老傅和梁工听来，这最后几句话简直是下了逐客令！憋着一肚子窝囊气，两个人焦头烂额地回到招待所，引起了人们好一阵骚乱。

傅连山饭也不吃，直奔电信局，一个长途电话直接挂到省城王局长家里。两个多钟头才接通，而且对方的声音微弱得几乎听不见。傅连山放开喉咙，声嘶力竭地讲述着这里的情况。为了使对方能听清楚，一句话往往要重复好几次，这次电话足足打了二十五分钟。

王局长在电话里告诉傅连山，就在他们出发的第二天，省局收到了佳津报来的名单。文头上写着"关于成立佳津地区电业局的通知",所谓"通知",也就是说,这是既成事实。文尾上注明:"报:省经委。抄送:省电业局。"既是"抄送",那么就根本不存在省局审批二字。省局为此专门开了紧急会议:完全不承认它!

"伙计,你们要顶住。要反复对地委讲清楚你们是代表局里去的嘛!这不是开玩笑的事,是原则问题。还有,要尊重地委。你那个脾气可得压住,这不比在省里,千万不要弄僵了。有些交涉我们出面,记清楚啦。"

往后一段日子,省局和地委动用了各种通信方式展开了争夺战。双方互不退让,愈演愈烈!傅连山这伙人夹在其中,可尝够了苦头。争夺越紧张,他们就越受气,在当地是叫天天不应,呼地地不灵,真是饱受白眼。

跟着,队伍和当地的摩擦就不可避免地发生了。一天,两名性情急躁的干部到面馆去吃面,旁边饭桌上几位顾客正在大声谈论着这桩轰动全城的新闻。谈着谈着,话语就忘了形:"这些人也太狂妄了,竟敢欺到我们头上来,岂有此理!"一位顾客义愤填膺。

"这叫作不自量力,"另一位用炫耀的口气说,"强龙也压不住地头蛇嘛,哈哈……"

这两位干部忍无可忍,随即搭上腔去驳斥了几句。好,非常见效,麻烦招惹上了。当天傍晚,"有关部门"就把老傅找到电话机旁"规劝"了一顿:"你们有些同志也太过分了,公然在社会上散布说我们的机构没能力,不合法?同志!要注意影响嘞!不要故意寻事端嘛!关系弄坏了对你们就没有好处哟!"

接踵而来的是队伍内部发生了经济危机。招待所的条件确实很好,但当你舒坦地享受着这一切时,你可不能不意识到这是需要交付昂贵的房费的。带来的旅费很有限,也压根儿没有想到要带更多些。时间一长,人们恐慌起来,为了节省开支,早几天已搬到两个大间去了,男的一间、女的一间,每间二十几个床位。随着时间无情地继续推移,不少同志已经借了一些公款。现在一清账,剩下的钱连吃饭带住宿只能维持三天了。

然而三天也不让你维持下去。早上,还是那位到车站去迎客的服务员，非常客气地找到了傅连山："非常对不起，我们昨晚上接到一个紧急通知，本所从明天起，奉命要接待一个重要会议，只好……"

傅连山毫无办法，到市区跑了一个上午，其他招待所以及大小旅店，都接到了同样的通知。老傅急昏了头，只好又在吃午饭时给王局长挂了一个长途电话。

"撤回来！"王局长异常恼怒，扔下了听筒。

所有的人都像王局长一样，积压在胸的怒气爆发了！大家慷慨解囊，凑足了回程路费，愤然上路了。

车开动时，没有一个人吭气，默默地回顾着这座城市，说不出是惋惜，愤恨，留恋，还是不甘心。只有一点是共同想到了的：挺好的那辆新车还扣押在这儿，什么时候再来取它呢？……

五

王局长见到傅连山的第一句话很有点意思："吓！胡子已经刮得干干净净了？"然后，抱起了自己的双膀，打量了他俩好一阵子。望着他们那明显消瘦下去的面容，他说不上是什么滋味。王局长很了解自己的下属，眼前这两名干部，一位是直通通的火炮性子，一位是实实在在的读书人。尽管他们精通于电力管理，但在各种复杂微妙的人事交涉上，显然是同擀面杖差不多，一窍不通！

眼下他们寄满腔希望于省里，这是自然的。又不是为了私家利益，也不是一件小事，谁能相信亿万人民心心相向的宏图大业会遇到这点小阻力就停步不前了？笑话，四化呀！谁提到这几个字时，口气不是格外自豪呢？

该对他们说些什么才好呢？王局长叹了口气……隔了好大一阵子，才斟字酌句地开了口："上次呈报给省委的那份文件……常委已经通过了。"

"噢！"傅连山惊喜了片刻，又有些奇怪：这么振奋人心的消息，王局长竟然守口如瓶？这人怎么啦？对了，他在磨我的急性子吧？

"什么时候发文？"傅连山可不愿意磨下去，兴奋地紧追了一句。

"发文？还得征求各地区同意才行。"王局长怪不得这么冷静，原来是张空头支票!

"什么?"傅连山跳了起来。他想到了佳津那座威风凛凛的地委大院,"那……那不是白费劲儿吗?"

"唉!真是乱弹琴,省委常委同意了,还要地委同意才行?地区不同意,省委就不办事儿了?我看关键还在省里,决心不大嘛!"王局长对省里的意见特别大。

梁友汉一直听着,没有发表意见。他敏感地意识到,这个问题是行政干部们讨论的范畴,他们言谈中提到的那个文,是涉及干部任免权的事,自己还是不开口的好。只是觉得这样一来,事情就复杂化了:省委不表硬态,佳津的事能解决?想到这里,一阵凉意侵袭到背脊,蔓延到全身。

王局长不打算对他们隐瞒什么。他端起茶杯,吹开浮在面上的茉莉花瓣:"佳津的情况,你们没有估计到,我也没有估计到。你们反映上来的情况,我们还没来得及向省委汇报,省里倒先找上门来。唉!……"

王局长告诉他们,省里对局里的态度是褒贬各半。首先肯定了局里的良好意愿,也承认这种改革是必要的,接着又批评了局里太仓促了,操之过急。

"我国的现状就好比是……这个这个……就好比是害了一场大病,啊,刚刚好过来的病人吧,"一位省委领导同志忧心忡忡地说,"大补大泻都是不行的嘛。补急了会补得人虚肿起来,那不要了命?大泻呢,会把人泻断了气,也是要命的。只能慢慢来,慢慢地这个这个……调理嘛。"

组织部门的态度更是明朗,干脆支持自己的下属。没有理由怀疑嘛。各地组织部门都是经过党的长期考验的,他们有坚定的组织信念和丰富的工作经验。要害部门,哪能随便就更动章程呢?

"省委因此有顾虑……还有一些原因就不便明说了。"王局长摇了摇头,不胜感慨。

王局长不明说,傅连山也确实不大了解这其中的隐衷。佳津地区可是一块"圣地",历史上出过好些重要人物。现在中央还有两三位要人,他们的祖籍就是佳津,尽管他们出去了好几十年。尤其在省委中,有好几名领导同志都是从那儿提拔上来的,因此,别看它远离省城,芝麻粒大点的事，不知道从哪条渠道就通上天来了。王局长在这次"争夺战"中，深深体会到了对方的不可动摇性，只能望洋兴叹了。

回省城暂时待命，傅连山闲得坐立不安。爱人已经把家安好，他可以不必再在梁友汉的行军床上过夜了。

每天的日程表几乎没有新的内容：早上起来，到市场上去买点菜，总算知道了鸡蛋、猪肝多少钱一斤，也是收获吧。吃完早饭到局里去"例行散步"，顺便取报纸。中午嘛，稀里糊涂睡它两三个小时。晚饭后，端着一碗小米去喂喂鸡。爱人不知什么时候从哪儿弄来了一窝小鸡，毛茸茸的倒也惹人喜爱。七点半关鸡笼，这可不能忘记，听说这里有野猫子，可爱拖小鸡呢。

每天晚上，都有几位从佳津败下阵来的待命人员来这儿闲聊。他们倒是带来了不少"动态"。如局里同佳津已经不打电话啦，问题已经完全弄僵啦，佳津根本不管局里的意见啦，如此等等。

有一天，梁友汉带来了一个重要消息："知道了吗？局里把佳津电业局的工资报表全部退回去了，佳津局的人没地方发工资了！"

"他娘的。就是要强硬一点！"傅连山愤愤地嚷着。多少天来，这才解了一点点气。

"可是，捅了娄子啦！这儿……"梁友汉指了指天花板，"发脾气啦！"

"真是邪门儿！我们让人家赶回来那阵子，他的脾气哪儿去了？心里还有没有四化嘛。"

"唉……"梁友汉报以一声长叹。他毫不怀疑：眼下王局长、傅连山以及自己，又一次被投进了"退火炉"。

时间一天天地流逝着，意志一点点地被消磨掉。纠纷并不因傅连山等人退避三舍而平息，省电力中心调度所终于同佳津地区调度室发生了直接冲突！

这一天，中心调度所发现一条二十二万伏输电线路负载很大，正是枯水季节，几座大型水电站被迫减少了运行机组，造成电力暂时紧张。这条线是送往佳津地区的，中调值班员立即查询佳津地区调度室，要他们报总负荷数。几处核对，报上来的数总是与表上反映的不相符。中调怀疑他们报少了，言语中流露出不相信的意思，地调大发雷霆："你们来看好了！可惜我们没有直升机来接你们这些贵客，又没有高级招待所接待你们！"

傅连山败下阵来的消息早已使局里的人愤愤不平。眼下听到这种挖苦话，中调气坏了："你有什么好得意的？这不是你们的地盘！中调有权查询你们！赶快压负荷，不然就拉你们的闸！"

"谅你也不敢！"对方毫不示弱。他们知道，这条线路穿过两个地区，两个地区都报告没有超负荷，你又没有凭证，算到谁头上？闸就那么好拉的？中调明明是在吓人嘛。

中调气咻咻地还没转过神来，发电厂里传出叭的一声，事故光电排亮了一片！负荷因大大超过额定值，周波猛降，三类负荷的开关终于跳开了！

分析事故时，没有根据的怀疑是只好排除的。结果，写上了"中调情况掌握不准确，调度不果断，造成事故"的结论。冤天枉地，省里背了黑锅！

神圣的责任感，严重的局面，使局领导再也不能容忍下去！党委整整开了一天会。进去的时候劲头十足，出来的时候火气大减。很明显，最根本的办法只能是下决心改造业务管理机构，可这一点并非没有进行，而是根本行不通。会上，除了再一次（已记不清是第几次了）向上面写报告外，一点新招儿也没有。

从党委会出来，傅连山脑海里突地蹦出了一个新的办法。他摇了摇头，怀疑自己是不是还清醒着。他赶忙命令自己将这个讨厌的想法赶走，可是当他回到家里，这个想法非但没有被摆脱掉，相反已经牢牢地占据了整个思想，他只好认真琢磨起来。越琢磨还越觉得它真有点实用价值。

他打定主意，决心试用一下。但先不跟任何人说。如果出现了"奇迹"，大家一高兴也不会追问原因。万一没有用，也无声无息地没人知道。万般无奈了嘛，去试试吧。不知为什么，傅连山有几分把握，他相信这一招多多少少是有些促进力的。

从老傅如此慎重地掂量这一步棋来看，完全可以证明他不是个聪明人。其实他不过是想起了去找一找省委的一位副书记——抗战时期自己的老上级，希望他对管理体制改革的事"帮帮忙"。老傅在这个时候才开始悔恨自己：这么多年了，也没有去看望过他一次。这下可好，有事相求就找上门去了。他暗暗下了决心，今后，得多往老上级那里去跑跑，平时多烧几炷香，抱起佛脚来就灵得多了。

省委副书记从自己的办公桌上抬起头来，眯着眼睛，连打量加回忆，好半天才追忆起这位老部下的原形："哦！哦！小傅？好家伙，这么多年也不来看看我？风风雨雨的，我还以为你交完了伙食账了！瞧这一脸的胡子，差点认不出来啦！"

傅连山心头涌起阵阵亲切感。望着这位老上级，他何尝不是面貌大改了？头发白如银丝，脸上的肌肉已经松弛，鬓角下隐隐约约现出了点点寿斑。那些年里，零零星星传说着他被整得九死一生。傅连山鼻子有点发酸，也真亏他熬过来了！

听完老部下的来意，副书记惊讶地望着他："啊？跑到佳津去瞎胡闹的，原来是你呀？"

"瞎胡闹？"傅连山万万没想到自己竟会得到这么一种恭维，"谁说我瞎胡闹？谁？"

"瞧瞧你这性子！唉，人家告上来了！我原来不大相信，这会儿你让我相信了。你呀！"

副书记扬扬手，止住了傅连山的辩解："如今地方工作不好搞哇！跟不上四化建设的形势，这是事实。可是有些人成天喊喊叫叫的，什么外行不能领导内行啰，这要改组啰，那要整顿啰，还要客观一点嘛。听说你们到佳津去，就全盘把地委的意见否了，根据什么？仗着内行的牌子，眼睛长到头顶上去了，连人家电业局的大门都不进去，还非要人家任命你们当这个那个的，这不瞎胡闹吗？"

说着说着，他的右眼角不知怎么就抖动起来，脑袋一个劲儿向右摇动，看样子生了很大的气。

傅连山只觉得喉头堵得慌。天哪！这是从哪个通天人物那里捅上来的呀？

副书记缓和了一些，他到底还是爱护自己的老部下的。他十分慈爱地拍拍傅连山的肩膀："小傅同志，不管你有天大的本事，尊重地方这一条可是无论如何也不能忘记哟。你还记得当年'百团大战'吗？没有地方上的配合，主力部队就不可能取得那么关键的胜利嘛。当年南下的时候，尊重地方党组织就定成了一条纪律呀。还有当年由供给制改成薪金制，中央一再强调要经过地方同意，哪个省同意了哪个省就改。当年……"

傅连山插不上嘴，一连听他说了十来次"当年如何如何"。他不由得对此次造访之举后悔起来，这位老上级看来并不容易交谈入港。

"当然啰，有人可能认为我们的思想不够解放，这要看怎么说。当年打江山，流血流汗，还不是为了大家生活得更好些？四化搞不上去，谁心里不着急？我还恨不得明天就到了共产主义呢！可是中国的情况特殊，应该怎么搞，中央也在摸索嘛。你一句我一句就行了？艄公多了要翻船的哟！前不久，你们局报了一个什么文，非要省委批……"

"常委不是同意了吗？"

"不同意？那还不被人家说是四化建设的绊脚石？谁愿背那个名？"

傅连山立即猜着了老上级的本意，这么久一直怀抱着的唯一希望突然幻灭了。

副书记眼光回到这位英勇善战的老部下身上，心里油然而生出一种凄凉感觉：他变了，变得老成多了。也许，他也有不少难言的苦衷吧？记得当年抗战时期，他是自己麾下的一名青抗先。第一次参加战斗，他是提着一口铡刀冲上去的。战斗结束时，他左臂让鬼子擦了一刺刀，而手中那口铡刀上，已溅满了红白血浆，还粘着几根头发！他了解自己的老部下，这个人要不是遇到了无法逾越的障碍，是不会轻易向人求援的。唉，曾经多少次出生入死，到今天还如此忘命地在第一线奔劳，也实在不容易啊！想到这里，副书记心里充满怜悯。

"好啦好啦。一见面就批评你，我也是太急躁了。错误人人难免嘛，也不要太难过。既然你想去佳津工作，这也不是太困难的事，我跟他们谈谈吧。不过，要吸取教训哟，再不要毛毛躁躁地瞎……反正不要凭个人意气办事，不是战争年代了，要有科学态度嘛。"

老上级完全误解了傅连山的意思，但傅连山根本不想解释。他只是在心中翻来覆去地觅寻过去老上级的相貌，越想越增加了陌生感。

不知为什么，傅连山感到自己突然变得非常卑贱！这会儿好像是一个无业游民，耍了很多无赖手段，在向一位有权势的人乞求着赏赐职业！他没有丝毫感谢心理，只是厌恶自己，他觉得良心上受了极大的侮辱，脑袋里头嗡嗡作响，眼前一阵阵发黑。

傅连山记不清自己是怎样从老上级那儿走出来的。总之，出了省委大门后，他身上黏糊糊的，胸口一阵阵地绞痛起来，呼吸也很不均匀了。这可是从来没有过的。傅连山害怕会病倒下去……不，可不能病倒在路上啊！他顽强地支撑着身子，一步一步地向公共汽车站挨去……

六

傅连山果然病倒了。

人家说，从小常害病的人到老来没什么大病，抗惯了。而那些从来不害病的人不病则已，一病就不会轻。不管这条定律有没有科学根据，反正，老傅这条从不害病的壮汉，一倒床就是几天几夜没醒过来。这可把他老伴儿吓得不轻哪！

傅连山的老伴儿其实并不算老，论年纪还不到五十，比老傅小十来岁。她姓方名贞园，冲这名字就知道准是个知识分子。她是老傅在南方续弦过来的。

早在抗战爆发前，家里就给老傅包办了一位土生土长的农村媳妇儿。谁知老傅梭镖一扛，出去就是好多年。抗战胜利后，傅连山回到家乡一看，村子早已被夷为平地，人影都没一个了。区公所的人告诉他，有一次鬼子扫荡时，把全村的人都用毒气熏死在地道里，二百多口人，埋得一个不剩！从那以后，老傅就更无牵挂了，动员南下时，傅连山心一横就报了名。

光杆一条，傅连山一直挨到三十来岁。个儿早不长了，可下巴底下的胡子却放了马似的往外猛着劲儿蹿，那相貌比年龄更显老。到了地方上，清匪、土改、进城、"三反""五反"，忙得脚跟不着地，根本没时间考虑自己的事儿。

以后，各地办了一些政治干校，一方面培养干部的政治水平，另一方面也努力提高他们的文化。傅连山是第一批学员，当时政治干校的组织科长是同老傅一起南下的一位老同志，南下前任命为县长。他对傅连山格外地关心："我说呀，你那条腿怎么样了？看样子还挺来劲儿？哎呀呀，南下的时候，让人好一阵急哟！抬着你走了几百里路呢！有一次，碰上了土匪，噼里啪啦打了半个多小时。回头一看，你呀，好家伙，躺在担架上比我们打仗的人出的汗还要多，发着高烧哪！醒来还直问我刚才是哪儿出殡，哈哈，你命大！"

就是这位老县长，一听说傅连山的媳妇儿早牺牲了，就可着劲儿埋怨开了："哎呀呀！你这家伙，怎么也没听你吭一声呢？咱们这些人，学习一毕业就要担任更重要的工作了嘛！身边没个人料理家务咋行呢？哎呀呀，你这个人……好好，我揽下这活儿了！就在政治干校解决！哎呀呀，真是……"

这件事就这么稀里哗啦地开始了。老县长又是给他看照片，又是领他转宿舍，还经常派他到小组里去组织讨论。老傅每次去都感到十分别扭，那些小组经常有几位不曾重复的女同志。

"算了吧我的老县长！人家俊俊俏俏的大姑娘，咱搭不上。"傅连山终于求饶了。

"你给我住嘴！"老县长发火了，"瞧不上眼了？哎呀呀，你以为这些个大姑娘，刚从学校出来是不是！人家政治上挺要求进步的哪！听着，别走神儿！哎呀呀，你这思想太封建了，跟不上趟了。三天之内，你告诉我谁行。其余的你别管了，哎呀呀，真是……"

三天之后，傅连山真的去找老县长了。政治干校有一名女学员，平时不大合群，大家也有些嫌她，常常在背后指她的脊梁骨。

"瞧她那身打扮，好像就她行似的。仗着多喝了几口文化水儿！"

"她呀，资本家的大小姐嘛，眼睛光知道看书本，不知哪天才能改造过来。"

也说不出为什么，傅连山中了邪，就是相中了她。

在老县长面前，傅连山生平第一次结巴起来。他一个劲地解释说："有文化……肚子里有墨水，这不算坏事……反正……比我强多了。"

老县长沉吟了半天，一连问了好几次："再没你中意的了?"或者："再没有比她好的了?"

傅连山说："就定她吧……你看不行……就甭再费神了。"说完真的要走了。

老县长一拍大腿："得啦! 哎呀呀，你这个人，真是……唉!"

既然看中了她，怎么看就怎么让人舒服。傅连山又是生平第一次被一个女人迷住了，饭也吃不香，觉也睡不稳。每天晚饭后，总要找点借口到老县长那里去坐坐，希望老县长能主动地透露点消息。老县长偏偏在这一段就是没有说话，连"哎呀呀"也没有了。傅连山急得抓耳挠腮，终于忍不住了："老县长……嘿嘿，那个事儿……"

"那个事那个事! 真他娘的不好办! 哎呀呀，我给她谈过了，人家不愿意!"

"什么? ……不……不愿意?"

傅连山真好比三九天吃冰棍，从里凉到外。这条五大三粗的汉子，竟像小孩似的央求起老县长来，无论如何也要老县长想办法。而老县长却把头摇得像只货郎鼓，他碰了个软钉子，说出大天来也不愿意再去了。

"您瞧，您开口闭口包了包了的，要不是您，我也不会起这个心，谁知您……这么没能耐!"

"什么? 我没能耐? 你说的? 哎呀呀，这……"老县长一拍屁股，走了。

激将法蛮灵，老县长就怕人家说自己没能耐。他下了决心，打了一个多星期的"持久战"，软的硬的都搬出来了。最后，他干脆摊了牌："哎呀呀，实话跟你说吧，像你这样的家庭出身、社会背景，能找到小傅这样的同志，"他把"小"字咬得特别响亮，"这对你今后的进步是有好处的嘛! 怎么样? ……哎呀呀，听我的没错! 啊? ……别不吭气! 告诉你，这次行也得行，不行也得行，这是……"

他脑子里忽地拐了个弯儿，到底没把"组织决定"四个字说出来："这是我们几个人的决定!"

傅连山终于同她结婚了。当然，这人就是方贞园。

不知是因为这门亲事带有强迫性，还是因为南方人和北方人"水土不服"，婚后两人的关系总有些不大协调。方贞园的脾气很大，尤其当她知道老傅曾经结过婚，更觉得自己委屈，动不动就吵开了。而傅连山却心甘情愿在她面前服服帖帖、温温顺顺，从不同她顶嘴。久而久之，老傅的忠厚、朴实、勤奋好学，以及他那种永不疲倦的工作作风，叩开了方贞园的心扉，两人越来越融洽了。虽然方贞园仍然未改那种盛气凌人的样子，傅连山却越来越喜欢听她发脾气。

　　"我警告你啊！莫以为抗过几天战就了不起了，连三角函数也弄不通！到了被人欺的那一天，莫怪我做得出来哟！"方贞园嚷道。瞪得圆溜溜的眼珠里，流露出只有傅连山才看得出来的柔情蜜意。

　　"是喽！拜你为师还不行吗？"老傅来了个九十度大鞠躬，两人头挨头地学习到深夜。

　　等到傅连山做完习题时，砰的一声，一碗热腾腾的牛奶冲鸡蛋被重重地搁到面前桌子上。方贞园就是这样一个人，即使是给人好处也是那么气冲冲的。至于做了好事能不能落得人家说句好，她压根儿也不考虑。

　　到了两人形影不能离的时候，劈头劈脸地遇上了那场史无前例的"文化大革命"。奇灾大难连绵不绝，生离死别周而复始。这一对老夫妻有时你为了我受欺，有时我为了你挨整，受尽了磨难，生死与共，休戚相关。当他们惊魂未定地从噩梦中复苏过来以后，泪眼相对，只有庆幸余生的份儿了。两人都已不再年轻，很快做出了决定：抓紧在有生之年，多干点事业吧！打那以后，老两口更是体贴入微、如胶似漆。只是有一条：方贞园那火暴的秉性不但没有收敛，反而更加放肆。而傅连山简直一天也离不得这种悦耳的声调了。

　　现在，傅连山突然倒了床，方贞园可不敢等闲视之！人面前，方贞园从来不提傅连山有什么病痛："别的我还有几分担心，身体嘛，我才不担心呢！他健壮得像头牛。"

　　虽然这句话能让傅连山笑逐颜开，过后总要感谢她好大一阵子，但从内心来说，方贞园唯一放心不下的正是他的身体啊！他常常悄悄地捂着头，血压一定低不了，说不定心血管也有毛病！看看那脸色，肝脏一定有问题，他还老喝酒！听听呼吸声，肺叶和支气管不知怎么样了！方贞园自叹在这一点上不得不认输：你就是使尽了浑身的解数，也无法让他进医院大门一步！像现在这样总发作，方贞园早已提心吊胆地恭候着了。

只是有一点百思不得其解：他到底是什么原因犯的病？方贞园想问问王局长，还没待她开口，王局长却焦急地反问过来："他吃了些什么没有？你怎么不问问他？梁工知道吗？"

梁友汉更是摸不到头脑："他到什么地方去过？病倒的时候谁在边上？"

方贞园急傻了眼，趁傅连山醒过来时，左一句右一句地紧追。傅连山除了叹叹气，摆摆手，就是紧紧地闭上眼睛，一句也不肯说。

"不说我也知道！还是到佳津去的事。你这个人哪，像块木头！关键时候一句话也讲不出来！如今办事，哪能那么老实？人善被人欺，马善被人骑！光闷在心里把自己闷病了，值得？是我呀，拍桌打椅跟他闹！光明正大的事儿，我就不信会输官司！人家为什么那么粗的气儿？背上扎着硬靠子呢。你也去找找人嘛，老县长现在是副省长了，找他去嘛！啊？……我知道你是死要面子活受罪，你不去，我去！……"方贞园真的要走。

"你敢！"傅连山一拳擂在床沿上，把自己也吓了一大跳。

方贞园停住了脚步，慑服地回过头来。盘古开天地，她第一次被傅连山镇住了。

主将一倒，乱了三军。从佳津撤回来的那些人，一直闲在家里，不管从哪方面分析，再次出发也是遥遥无期了。从季节上看，农村已开始"双抢"，这个省以农业为主，粮食是万万丢不得的。改革的事只好缓一步再说。局里也好像平静下来。加上傅连山一病，就算是一切都解决了，走也是不可能的。

有几位同志找到梁友汉，告假几天。梁友汉怕引起傅连山不愉快，架不住人家几次请求，便自己做主准了假，反正闲着也没事干。跟着，更严重的事来了。一名干部递来了一份报告："梁工，请你考虑一下。不是不愿意跟老傅和你走，实在是拖不起呀！还让我回设计院吧。"

梁友汉摘下眼镜，掏出手帕战战兢兢地擦着鼻尖上的汗珠："这……这不好吧？"

实在没有办法了，梁友汉只好一百二十个不情愿地往局长办公室走去，打算把困难往上交。

在办公室门口，正碰到王局长出门，一辆小车停在门口。见到梁友汉那满面愁容，王局长哈哈大笑。笑得那么开怀，梁友汉简直要愤怒起来了。

"哈哈，梁工啊，瞧你这副模样，哈哈，还有气？好！不让你纳闷了。告诉你，部里来人了！"

"部里来人了？"梁友汉还没转过劲儿来，"干什么来的？"

"你真健忘。上次我们到部里去开会，不是布置了五省并网的事儿吗？这次是来检查各省的准备工作的。"

"天哪！"梁友汉叫了起来，这么快的速度使梁友汉根本无法相信。他很清楚部里的计划，靠这边五个省是全国范围内尚未将电网联并起来的几个区域之一。中央的计划是首先将一大片一大片的省先联起来，再扩展到片与片联网，这样一来，全国的供电系统就联成一个整体了。到那个时候，通过巨大的电网，各地都能互相补偿，互相利用，整个用电情况将彻底改观了！梁友汉曾经被这个庞大的计划振奋得失眠了好几天！然而，作为一个电气工程师的梁友汉，也深知其中技术、经济力量等方面的一切困难。如果仅仅是规划，还没有什么，一旦要实施，绝不是吹一口气的事。比如说吧，各省的省内电网至少得首先联并。我们省怎么样？根本还谈不上！尤其没料到这次到佳津去，使自己见识到了这么多非技术性的阻力，一直到现在回想起来就心悸！……他不能不钦佩部里的勇气，说干就干起来了。但他又觉得这仿佛不大实际，总感到在如此宏大的方针面前，上下的步调根本就没有协调起来，能行吗？！

"我到机场去了。梁工啊，这次我们要排演一出戏，叫作'借东风'。"王局长坐进车内，伸出头来，"你马上去告诉傅连山。这对他来说，是一服灵丹妙药啊！"

王局长说准了。梁友汉到傅连山家里去的时候，傅连山刚刚喝下一大碗中药，苦涩涩的药水残留在舌根牙缝中，使他展不开眉根。看见梁友汉走进来，他躺在床上，伸手指了指沙发，一副萎靡不振的样子。梁友汉只说了"部里来人了"五个字，奇迹就发生了！傅连山一个鹞子翻身坐了起来，稳稳当当的，好像这么多天躺在床上，不过是午睡了两个小时一般。当他听完梁友汉详细叙完毕后，竟麻利地下了地，一步蹿到梁友汉面前，双手抱紧了他的双肩，底气顿时充沛起来："好哇！伙计！这就叫'山重水复疑无路，柳暗花明又一村'，咱们那班人马呢？这一阵子都急坏了吧！哈哈，快去告诉他们准备出发吧！他娘的，可把我憋得不轻，走！到局里等他们去！"

好多日子没有听见老傅这样大声说话了。方贞园不知出了什么事，慌慌张张地赶出来。

梁友汉说什么也不让傅连山去："就算现在去能起作用，我去还不行吗？哟，这么不信任我，今后还要一起工作的呢！你有病，躺着听好消息吧！"

"不行！我的老伙计，这会儿不让我去，比害病还难受。谁说我有病？早好了。"傅连山执拗地向方贞园求助，"不信，你问她！"

方贞园立即响应："梁工，别大惊小怪的，他一点小病早好了。你们一起去吧。"

她给傅连山穿上外衣，若无其事地送他们出了门。看着傅连山瞅空子回过头来对自己无限感激地一笑，看着他微微有些踉跄的步伐，方贞园鼻子一阵发酸，失神地倚在门框上……

七

见到这两位不速之客，王局长冲着梁友汉直笑："我没说错吧？连山这家伙，说一句话，走一步路，我也能掐算出来。这不，病也没了。我还知道，你们准会到局里来找我，又让我算中了。好吧，既然来了，趁热打铁，咱们仨先聊聊。"

王局长把他们让到办公室，三个人容光焕发。这么多天来压在胸口上的沉甸甸的包袱，使他很难透过气来。现在，他们感到呼吸十分畅快。部里的同志一来，很多问题就可以由他们出面协商了。不管怎么说，比自己出面强得多。特别是在问题弄僵了以后，双方都十分敏感，三两句话不对头，什么都谈不下去。在这种时候，部里的同志，一来可以调整一下关系，二来可以直截了当地同省委协商，三来嘛，他们是"上头"来的，王麻子剪刀——招牌响亮！你别小看，地方上不少人就吃这一套。正经地说吧，部里来的同志肯定要将部里的统筹规划、具体安排、必要性等当面向省委汇报。从全局利益着眼，省委一定会引起重视的。王局长和傅连山他们正是深深知道这一点，才如此兴奋和轻松起来。

但是，有长期工作经验和全面分析能力的王局长，兴奋过后，却并未过分地乐观："刚才我从宾馆出来的时候，经委的负责同志也赶到那里，去看望部里的同志去了。唉，凭良心说吧，省委难道会不支持部里的工作？不可能的嘛。反过来说，部里难道会完全摆脱地方，不依靠下面的力量？这更不可能嘛，看起来，这次……一般原则性地谈谈是没问题的，怕就怕不会接触到实际问题上来哟……"

几句话说得傅连山和梁友汉又是点头又是摇头，刚刚升起的热度又开始下降。傅连山被王局长几句话触发，他想得更多。显而易见，中央和地方是存在着一些矛盾，长期以来，两方面都做过一些努力，但从未很好地解决过。

傅连山回想起那天拜访老上级时的情景，在当时听来，他那些话真是不可理解，毫不为别人设身处地地想一想！但是，按照王局长这个"反过来说"的逻辑，傅连山稍许跳到老上级的立场上，立即又觉得自己也丝毫没有设身处地地为他想一想：他的话哪一句不对呢？

"他娘的，也是！公说公有理，婆说婆有理，讲不清楚！就说那天……"

傅连山出了点冷汗，那天的事可万万不能往外端！幸好王局长和梁友汉没有追问下去。老傅轻轻将手捂在胸口上，那里面又开始隐隐作痛。

看着两位话友情绪陡然低落下去，王局长觉得自己说得不太妥当。他笑了笑，口气变得愉快、诙谐了些。

"我们这些人哪，二、八月的天，娃娃的脸，一天三变。说声晴就晴，说声雨就雨。什么办法呢？风向多变嘛。我看，不用发愁。正是阴天转多云的时候，又来了这么一阵好风，日头准得出来，对不对？哈哈哈哈。"

王局长本想发出点开朗些的笑声，不料事与愿违。这几声哈哈在他自己听来都觉得是那么干巴。傅连山和梁友汉也报以笑声，竟是一种无可奈何的苦笑。

傅连山毕竟是个在基层工作多年的同志，考虑问题就喜欢具体化："王局长，这次部里的同志来，得想法让他们解决一点实际问题。光是看看走走，那是蜻蜓点水、鱼打花，没有用。"

梁友汉说话有他的角度："人家是负责技术方面工作的，能向省委说什么呢？"

傅连山已经想好了一条"锦囊妙计"，他决定不顾自己的身体，也毫不顾虑前车之鉴。既然是为了工作，完全应该于心无愧嘛。一想到这里，他那偏脾气又恶性发作：豁出去了！

"王局长，你不是当着大伙儿说我就是孙悟空的毫毛吗？"傅连山摸着自己的络腮胡，"我可又要变点儿新玩意儿啰。怎么样？得看你敢不敢点头喽！"

跟着，一五一十，老傅把自己的打算和盘托了出来。

王局长直勾勾地盯住了傅连山的脸，好大一阵工夫没有说话：人哪，竟然有这么丰富的想象力！或者说，亏他能想出这么绝的办法来，近乎恶作剧呀！

梁友汉更是怀疑自己的耳朵。同他朝夕相处了这么多年，在自己的记忆中，他这个人差不多没有一件事不是经过慎重考虑才说的。虽然有时候提得很突然，细细一想，又入情入理。可是今天，梁工发现自己这个结论下得过早了。亏他还是经过一阵算计才提出来的"锦囊妙计"，简直缺乏起码的常识！他这是存心想给几方面都造成一种难堪的局面哪！问题能不能解决另当别论，至少这是在拿自己的职务开玩笑！急傻眼了还是怎么回事嘛！

一直到晚上开完了研究汇报内容的会，王局长才对傅连山的"妙计"

表了个态。他反复斟酌了利与弊，终于下了决心："连山，你那个招儿，我考虑了很久。我觉得这样做……不妥当。是的，很不妥当！你别插嘴！我看你会把事情弄糟的，算了吧！就这样决定了。"

王局长坚决地否定了傅连山的意见。为了不让他更多地纠缠，王局长甚至没再对傅连山看一眼，插上钢笔就走了。

第二天上午，省局把近段时期的工作情况向部里来的同志汇报了。

下午的安排是省经委组织的，由省委负责同志接见部里来的人，并且共同听取本省电力工业情况汇报，交换意见。

吃过午饭，还没到上班时间，王局长就赶到了局里，亲自把住门卫入口处，严防傅连山混入局里来。

去省委汇报的同志快上车时，王局长拦住了大家，自己首先登上旅行车，仔仔细细地检查着车内，连座位底下也没放过。然后，像验票的乘务员似的牢牢把住车门，一个个将乘客辨别得明明白白才让上车。

临开车时，王局长还专门指派办公室主任等候傅连山："等他来了，叫他到水文总站去参加他们的会议，这是党委的指派。记住，一定要等着他。"

一直等到车子开进了省委，王局长和梁友汉才算彻底放下心来：傅连山的锦囊妙计到底不能实现了。

部里的同志只比他们晚到一步。一辆日本"丰田"小轿车从宾馆驶进省委院内停下。王局长迎上前去，拉开车门……

像是被电触了一下似的，王局长全身肌肉一阵痉挛：傅连山笑盈盈地从车内跨出来。他今天格外精神，衣冠楚楚，印堂发亮，很有一副机关干部的派头。

更使王局长哭笑不得的是，他居然一下车，就将右手臂文雅地向上抬起，摇了摇手腕子，那么彬彬有礼地对下面的同志致着意。并且俨然像是第一次见面的老首长，主动而又热情地伸出巴掌来同王局长握着手……

当着部里来的同志，又是在省委机关内，王局长实在不好发作。心里那股火呀！握手的时候，脸上倒没有什么，大拇指一使劲，将傅连山的虎口狠狠地按了三下，鼻子里出着粗气："哼！哼！哼！"

其实这次是不能责备傅连山的。自从局长不让他草率行事并做了决定以后，傅连山虽然有些不甘心，但他也没有那么胆大妄为，硬要违抗局长的旨意。上午开完会，他也只不过想送送部里的同志。没想到从局里到宾馆的路上，几句话就同部里来的同志投上了机，他们俩非留老傅在宾馆吃饭不可。吃完饭，谈兴更浓，部里来的两位同志干脆放弃了午休，一直谈到动身之前。这两位同志一位姓林，是留学美国专攻电力运行的；另一位姓诸葛，在部计划司任副司长。别看是中央来的，可爱扯淡啦。碰到傅连山也是这么一个健谈的角色，又加上他们对老傅提供的有关基层的情况非常感兴趣，另外，对老傅一些发自内心的见解又十分赞赏，正所谓情投意合，一见如故，相会恨晚！哪能一下子就刹得住？

傅连山更是如此。部里的同志热情泼辣，高瞻远瞩，耳聪目明，他非常钦佩。谈着谈着，已经打消了的念头开始死灰复燃，心里又痒痒起来，对自己的锦囊妙计再一次估价了一番。还没最后拿定主意，老林和诸葛就邀他同车前往省委。也难怪，在他们的心目中，还以为这位傅副局长是专程来陪同前往的。傅连山尽管稍有踌躇，却正好借风过河，何乐而不为呢？"到那儿再看，人是活的嘛。"他想道。于是乎，就这么来了。

省委的工作程序安排得很严密，领导同志按时来到了会议室。接见、合影、入座，都有专人丝丝入扣地张罗，一点误差也没有。

各就各位以后，梁友汉细细地打量着这间会议室：茶几上盖着白色的确良桌布，洁净无瑕，地上铺着海蓝色地毯，四面墙壁上天衣无缝地裱着淡紫色的印花纸，既富丽堂皇又恬静肃然。屋内舒适而又清新，装有空调设备。最能引起注意的是沙发扶手上罩着白纱钩成的网巾，沙发靠背上也罩了一大块。不适应的人手不敢往上搁，头也不敢往后枕。在这种大雅之堂万一把这样雅致的装饰品弄到地上，将是十分难堪的憾事。

梁友汉望了傅连山一眼，还好，他正是那种不适应的人，屁股只敢坐在沙发垫前半截，两只胳膊没地方放，只好撑在自己的大腿上，十指交叉托住下巴，指头还不自然地动弹着。尤其当互相让座的嗡嗡声停下来后，会场上短时间格外安静的一刹那，他更是无所适从。大概是为了摆脱这种心境，他轻轻地干咳了两声，屋内产生了空箱共鸣，一下把这两声咳嗽扩大了几倍，竟把大家的视线都引到他身上来。梁友汉发现老傅的脸红得厉害，老天保佑！他大概再也不敢提什么"计"不"计"的了。

会议开始了。这并不是平时那种例行会议，即便是汇报，也近乎座谈的形式。没有谁主持会议，也没有安排发言次序。上下十分融洽，谈笑风生。越来越亲切，越来越自然，任何人都毫无拘束。

谈话的中心议题正是千百万人关注的四化建设问题。共同的目标、共同的责任使大家暂时忘却了不同的手段及不同的途径。气氛热烈得使人难以忘怀。从目前电力供不应求谈到本省正在动工的两座大型水电站，从两座大型水电站又扯到一百二十项重点工程。接着便放眼全国：什么远程运载火箭啰、农村新经济政策啰、工业战线的保护竞争啰、国际市场啰、人才问题啰、教育战线啰、渤海二号啰，等等，等等，无所不包，既切题又离题！

这种不着边际的漫谈正是王局长担心的局面。他斜视了傅连山一眼，真糟糕！他的双眉不知什么时候已经串成了一条线，腮帮子上的肌肉上下抖动着，看来他早已不能忍耐了。

王局长赶快抽出钢笔，在自己的左手背上画了一个惊叹号，再打上一把叉。这是在挨批斗时他同傅连山留下来的"默契"，表示"不准鸣笛！"王局长把左手伸到傅连山的沙发扶手上，食指轻轻地敲打着扶手，以便引起傅连山的注意。在别人看来，又是个无意的动作。

但是已经晚了！傅连山噌的一下站了起来，为了压倒人们激昂的议论声，他把嗓音提高了八度："我来打断大家一下！我有几个问题要说！"

会场上安静了一些，大家先后将目光集中到傅连山身上。每个人的脸上分明还滞留着对刚才议论的大好形势的兴奋表情。

"请坐下谈，坐下谈。"一位省委领导同志向傅连山招着手，矜持的手势显得那么随和而又稳重。旋即，他认出来了，"傅连山？吓！变年轻了，我又没认出来，这家伙。"

但是傅连山却早已认出了自己的老上级。在座的经委、计委、建委、还有些部、办的负责同志他都认识。这些同志也许没有注意到他，也许只顾同部里的同志谈话去了，反正没有谁向他单独打招呼。只是让老上级一点名，倒使傅连山突然想到：从开会起，没有人站起来发言的，自己一激动，也太出格了。他坐了下来，这才发现王局长手背上画的"密码"。怎么办？引信已经点着了，这一炮还爆不爆？

部里来的老林给加了一把火，他向大家介绍说："老傅同志对电力管理体制的改革，很有些高见，我们欢迎他谈谈吧？"

这下子傅连山再也稳不住了：疮疖子不捅破，脓水挤不出来。他娘的，豁出去了！

"高见？咱有自知之明，不敢说。意见倒有几条，也不敢说！刚才在座的领导、专家们谈到我们国家的四化建设，不知为什么，我听着听着总不对劲儿，好像那些个东西是另外一个国家的事儿，又好像是离我们很远很远的事儿。我倒想提问一下，我们怎么办？眼下怎么办？是不是请大家谈谈这个问题？合适不合适，请领导考虑一下。"

姓诸葛的那位副司长初来乍到，根本不知道原委。凭直感，他认为这个问题提得好，于是，带头响应："对！这是个实际问题，有必要谈，很有必要谈一谈。"理智突然提醒了他：这是在地方上！他于是又转向身边的几位领导同志："你们的意见呢？"

一片赞成声。谁能不赞成呢？傅连山把人家逼到老虎背上去了！

不能再犹豫了！王局长抢先发了言。这是自从进了这个会场后，他反复思考的应急措施。傅连山的所谓"锦囊妙计"，就是要利用部里的同志与省委领导见面的机会，三头对六面地把矛盾挑开，越直接越好，越尖锐越好，干脆把一些顾着面子的脓疮挤出来！他的看法是，尽管不大可能当面就解决所有的问题，至少省领导总得有句话吧？他说这着棋叫"将军见面"，是一步杀着，很可能会打开僵持局面。王局长之所以反对这一步棋，是担心弄得领导下不来台，事情反而不好办。要是人家口头上说这件事确实应该如此这般，好吧，我们研究研究再说吧。在内心深处，王局长还有一层担忧：当面激怒了领导，不能不考虑后果啊！偏偏傅连山这么不明事理！不让他来他非来不可，不让他说他就是要说。万般无奈，只好自己硬着头皮扛着吧。

"具体谈到我们省的电力管理情况，比其他省是要落下一大截。主要是在改革管理体制方面，进行得较缓慢。个别地区还没有实行专业化改组，拖了全省的后腿，这固然给区域大并网工作带来了些影响。这个问题嘛……当然是省电业局没有抓紧，特别是作为主管业务工作的人，我应该负主要责任……"

这一番不疼不痒的话连王局长自己都不满意。有什么法子嘛，既要指出点问题，又不能太为难省委领导；既要有点事例，又不能具体指名道姓；既要尊重客观，又要多揽点主观责任。更恼火的是，既要发言，还要不断地对傅连山使眼色：他简直像一匹听到冲锋号的战马，早就焦躁地蹬蹄子啦。可以设想，这一段斟字酌句的发言，能谈出什么名堂来呢？

真是小看了芸芸众生，在座的诸君中，忧国忧民者大有人在。王局长发言刚落音，好几位其他部、办的同志相继表示支持。他们比王局长谈得更具体、更直接。针对省委前一段的工作，十分恳切地谈了自己的意见。看来，大家胸中都有郁积，家家都有一本难念的经哪！

领导同志认真地听取着大家的意见，频频地点着头。手上的铅笔顺过来倒过去，也没往小本儿上记。没有什么好记的，这些都不是新问题了。

有一位领导同志瞅空子打断了大家的发言，朝这边喊道："傅连山，谈谈你的意见吧。"

"那我就不客气了。"傅连山求之不得，"我认为，电力是四化建设的先行官，是工农业生产的命脉，必须强调专业化、系统化。可是，在这次体制改革中，我们却遇到了很多不应该遇到的矛盾……"

傅连山以自己的佳津之行为例子，一点一滴地指出问题所在："……有矛盾是必然的，这不奇怪。奇怪的是在对这些矛盾的处理上，有些领导却那么不重视专业化改组的必要性，而是片面地袒护自己的下属部门。可不可以说，这就人为地给四化建设造成了障碍呢？"

人们开始交头接耳起来。梁友汉特别注意观察领导们的反应。这个平素小心谨慎的知识分子，刚才还在一直为傅连山提心吊胆，说来也怪，这会儿，炮放响了，他不但不怕了，反而暗暗叫起好来。后面那几句话，他分明觉得老傅说得过分了，但听着就是带劲儿！甚至他心中在盘算着，必要时我是不是也来他几句？

一条、两条、三条……傅连山清晰明了地提出自己的意见，不蔓不枝，一针见血。虽然有些话缺乏语言上的修饰，但谁都承认，这些话是正确的。

"一句话，如果是真心实意要把四化建设搞上去，必须要树立全局观念。对势在必行的改革工作，一定要给以组织上的保证。否则，哄着孩子买月亮——全是假的！"

不少人原来以为今天下午就是同省委领导和部里来的同志见见面，随便谈谈就完事了的，没想到蹦出这么一个傅连山，一下就把整个和谐的气氛破坏了。会场上沉闷起来，对傅连山这片赤诚之心，说不清是佩服，是同情，还是担心。

但是，省一级的负责同志，大多都是从枪林弹雨中过来的人。尤其在十年浩劫中，什么刺激没经受过？何况傅连山这几句话，到底比那些要顺耳一些。于是，他们总算始终保持住了宽豁大度的神态。

"……好嘛，敢说话，说真话，反映了我们党内活跃的民主风气，省委支持。"省委副书记，也就是傅连山那位老上级顿了一下，用目光扫了扫身边坐的几位领导。他们都含着可亲的微笑，深深地点着头表示同意。

"电业局提出的这个问题，很值得考虑。前一段，我们对专业化改组是重视得不够，有些保守。到底应该怎么做，省委也在研究，又要专业化、系统化，又要保证地方上的自主权，如何掌握这些关系，还需要一个认识过程嘛。"

他恳切地希望在座的各位多多体谅一下省委的困难。末了，还用轻松的口气对傅连山说："我很理解你的心情，就不知道你是不是也理解我们？目前，一切都发生了变化，我们要对工业、农业、商业、文化教育等方面做通盘考虑，可不像你们只管好那几条电线一样简单啰！"说完，他的头又开始向右扭摆起来。

这句话给部里来的人和电业局的同志都带来了不愉快。副书记也觉得说得不是地方，便赶快结束了他的话："好吧，你们提的问题，我想是能够尽快地解决的。我这些话完全是个人的意见啰，不代表省委。不过，我会把大家的意见提交常委，再认真地研究研究。"

得！果然不出王局长之所料！

八

谁要是认为傅连山的锦囊妙计失算了，或者是认为没有收到什么效果，那他就完全想错了。别看他粗三大四的蛮样子，心里想得可深着呢。他觉得当着部里同志的面，还有各部、办的同志都在场，自己提出那么多问题来，根本不需要部里的同志再发什么言，已经就是很大的压力了，省委非重视不可。对省委领导同志是应该充分相信的，但是非要他们面对各种各样的习惯势力毫无顾忌地快刀斩乱麻，也是不现实的。傅连山正是看准了这一点，才敢于放了一炮。也许有人要对他那些偏激的话进行挑剔：这不能算是胸有城府的人吧？也不尽然。这一段时间的倒床，傅连山尝到了吃药的甜头，对那些瘟瘟疲疲的病就是要强刺激。常言说："良药苦口利于病，忠言逆耳利于行"嘛。

从省委出来，王局长好大的牢骚，足足把傅连山训了半个钟头，他真的动肝火啦！后来到了家门口，梁友汉想缓和一下气氛，笑嘻嘻地说要到局长家再"混"一顿饭吃，王局长说什么也不让他们进去："山珍海味我也吃不下去！再倔的人也架不住三次劝吧？你倒好，使起性子来闸都闸不住！你知道在你生病的那些日子里，我到省委去吃了多少熏鱼吗？人家说咱们在搞独立王国哪！乱弹琴！人事任免权是个很敏感的问题，不到火候你就在会上瞎捅一气！你能脱离地方吗？你就能够代表中央吗？昏了头了！别忘了，连省局的干部任免都要由省委决定呢！我真不知怎么说你才好！走吧，今天我没有你们的饭吃。"

傅连山可不是那么容易被局长几句话就"熏"趴下的人。他转过身就对梁友汉打了赌："局长说得太吓人了。专业化改组只能给地方上带来好处，这点远见省委是有的嘛。瞧着吧，地区那些小道理要管住了大道理，我把这八斤半输给你！"他指了指自己的脑袋。

脑袋是件顶要紧的玩意儿，可不能输掉。事实到底证明了傅连山棋高一着。星期天一过，局办公室就接到省委组织部电话通知，请负责同志到他们那里去一趟。王局长走之前还满脸阴云，回来时却豁然开朗。

而且这次是他主动地找到傅连山家里讨烙饼吃了。

"喂，伙计！"他一进门就板着脸，拍拍傅连山的肩膀，"你要倒霉啦！"

王局长到组织部去的事儿，傅连山知道。到底为了什么事儿，他可说不上来。从王局长那装腔作势的神气上看，绝不是倒霉的事。他故意做出漫不经心的样子，很随便地说："得了，我早就知道了。什么好消息瞒得了我？"

王局长乐了："哈哈，凭你这鱼不跳、水不动的温样子，还说知道了？告诉你吧，到佳津去的事马上就要解决了。"

"什么？"傅连山闪电般地回过头来，"你再说一遍！"

"这可不行，肚子里还空着呢。烙完饼再说。"王局长心里一高兴，卖起关子来。

傅连山像个魔术师，一伸手不知从什么地方摸出了一瓶"五粮液"："甭烙饼了，来这个！"说完，硬把王局长按到藤椅上，嗖嗖嗖地端来几个冷盘，迫不及待地就着酒打听起来。

王局长告诉傅连山，自从前天他噼噼啪啪放了那么一阵炮以后，省委负责同志感觉到了问题的严重性：一个地区拖着，全省的事都受影响，并且还拖了国家的后腿，这怎么行呢？省委下了决心，应该尽快地解决这个问题。这不，今天就开始动起来了。组织部对王局长说，关于班子搭配的问题，省委强调了业务能力。组织部表示一定按这个前提去办，已经通知佳津地委了。他们也已经闻风而动，地委负责同志愿意来省里协商这个问题，并且已经动身了！

"嘿嘿，这着棋还真叫你撞对了！"王局长抿了一小口酒，故意用"撞"字来形容傅连山那着棋。意思是：即使对了，也很带偶然性，不可多用。

傅连山还想更多地从王局长嘴里捞出一些细节，可惜王局长在那里待的时间不长，除了这些以外，其余的确实无可奉告。

"行啊，只要动起来了，其他的就好办。真没想到，省委这么重视，说动就动了！"

傅连山回想起前天在省委开会时，自己那毛毛糙糙的态度，心中十分内疚。无论自己的出发点怎么样，应该承认当时对省委是怀有成见的。省委是不是一味袒护下属部门？太冒失了，根据也不足。问题到底在不在省委？人为的成分到底有多少？谁也说不清楚。但是从今天的行动看来，不管自己批评得对不对，省委不但没有计较，而且雷厉风行，马上着手解决，这就不由得让人回头检查一下自己了。

傅连山怀疑自己对省委是误解了，怀疑自己挑水找错了码头，甚至怀疑当初该不该从佳津撤回来。如果继续在那里坚持一段时间，耐心一点，反复找找地委协商，问题或许早就解决了，现在地委的态度不是很积极吗？当时自己凭什么肯定非回来不可呢？对了，王局长下了命令。但他又没有在当地，情况还是自己反映的嘛。是的，当时确实遇到了很大的困难，这些困难是不是就无法克服了呢？就说经费问题吧，那么大一个地区，还借不到这么几个钱？笑话！……傅连山越想越觉得自己有责任，差不多够得上"临阵脱逃"四个字。他脸上开始发烧，心中暗暗发着誓："这一次，只要能下去把工作展开，绝不提更多的条件。他娘的，不管有多大困难，再往回撤就不是人养的！"

佳津地区来了三名同志。一位是地委书记，就是那天当着傅连山和梁友汉发牢骚，后来还强调"不是说你们二位啰"的那位书记，现在知道了，他姓郭，地委主要负责人。再一位就是上次到地委组织部去的时候，那位退避门外的曾部长。还有一位，没见过。姓郑，名叫义桐，身份不太详细，据说也是地委机关的一名负责干部。

为了尽快地达成协议，为了更好地开展工作，也为了将关系解解冻，省电业局非常隆重地欢迎了他们，做出了很高的姿态。

第一天见面，双方寒暄了十五分钟，然后一起坐到会议室去品尝龙井。大概是表示"洗尘"的意思吧，局里破例举行了一次盛大宴会，一下就把会见推向了高潮。几杯酒下肚，情绪热烈起来，一时间觥筹交错、兴致勃勃。

傅连山和梁友汉双双拉着手，川流不息地来往于宾主之间。有一次，他俩端着酒杯走到地委郭书记面前，说什么也要敬他三杯酒。郭书记十分爽快，三杯酒下肚，喝蜜汁一般，眉头也没有皱一下，大家高兴地鼓掌喝彩起来。

敬到曾部长面前时，曾部长虽然自称"滴酒不沾"，但也没让大家扫兴。他拿起勺子，满满地盛了一大碗鸡汤，权且以汤代酒，一口气喝了下去，又博得一阵喝彩声。

散席的时候，天已经完全黑了下来。王局长、傅连山、梁友汉等人一直把客人送上车，到车开得看不见影子才回过身来，三人相互望了一眼，缓缓地踱回局机关。

一轮圆月不知什么时候从办公楼那梯形屋顶后面冒了出来，仿佛就架在办公楼上一般，特别大，又特别红……

"好兆头！好兆头！"王局长兴高采烈地指着那月亮，"看！圆圆满满的。啧啧！这个头开得好！"

看着他那虔诚的样子，傅连山和梁友汉忍不住扑哧一声笑了起来。是啊，开端是良好的，但愿一切如意。

九

酒是一种什么东西？怎么就能把人弄醉了呢？据医生说，主要是那里面有一定比例的"乙醇"，说白了，就是酒精。这玩意儿喝下去，能使人的大脑皮层兴奋，喝多了还会使中枢神经麻痹。所以往往一遇到欢乐的场合，为了使气氛更加热烈，人们就用它作为上乘饮料，来刺激自己和对方。

但是人与人却不同：有的人，他的血液对酒精的溶解和吸收能力特强，酒喝得多一点也不会醉倒，人们称之为"海量"，佳津的郭书记就属这一类。还有的人对酒精的吸收能力很差，他也不容易醉倒，因为他总有长处——自我克制能力很强，比如曾部长就是这样，鸡汤喝得再多些也是不醉人的，那里面绝无"乙醇"，只有另外一种物质，医生那儿也有名字——"胆固醇"。

可能是因为上述原因吧，反正宴会上的欢乐气氛并没有带到谈判桌上去。一接触到实际问题，大家都严肃得不行。鼓作鼓打，锣当锣敲嘛。不能认为谈工作就一定不能轻松些，而是佳津地区同省电业局根本就谈不到一起去!

首先,佳津一连串提出了几个问题,一下就把大家推到了浪尖上:我们批准的那套班子,你们有什么理由不承认?原来在地委领导下的供电公司,管了那么多年电,偏偏你们就认为缺乏业务能力,根据在哪里?你们完全置地委意见于不顾,武断地拒绝批准他们的工资计划,这种做法算什么?说呀!

局里的代表被这几问弄了个冷不防,气不打一处来!针尖对麦芒,也回敬了三条,以攻代守:各地成立电业局应由省局审批,这有明文规定,你们为什么不同主管局研究就先斩后奏?即使你们那个班子有业务能力,省局从全局整体出发,调剂平衡一下,加强业务力量,为什么就不行?第三点简直有点像小孩子吵架了:我们不批你们的工资还有道理可言,你们竟把我们派出去的人都赶回来了,这有什么道理?你们说呀!

紧跟着,一句强于一句,你来我往地争论开了。不知是谁一激动先拍了一下桌子,大家马上发现了这个动作来劲,于是争相效仿。乒乒乓乓的击桌声伴随着越提越高的嗓门,厅内陡然出现了爆炸性的局面。就像是一支庞大的交响乐队演奏到高潮乐章时,吊镲、大镲、小军鼓、定音鼓一齐加入进来一般。

"行了行了,行了!"省经委主任听不下去了,他像乐队总指挥一样站起来,使劲地压着手势,好大一会儿才安静下来。

"你们我们,我们你们!谁呀?不都是我们自己的事儿吗?首先你们思想上就没有一个全局嘛!这样乱下去能讨论出个什么结果呢?从现在起,宣布一条纪律:过去了的事儿,谁也不准再提!向前看嘛。"他看了看沉默下来的双方,缓和了一下自己的语气,"现在继续谈吧。"

双方冷静了一点,接着发言。由于纪律的约束,都不太情愿地避开了以前的事,开始接触到具体方案上来。谈着谈着,矛盾又出现了:不是你不同意我的方案,就是我不同意你的方案,铺在枕木上的两条铁轨,总拧不到一块儿去。

在省电业局看来,佳津没有半点让步的意思。已经建立的班子一根毫毛也不能动,他们来省里的宗旨仅仅是要你承认也得承认,不承认也得承认。目的也很明确：批工资！以取得完全合法的地位。

　　而在佳津地区看来，省电业局全力以赴就是想吞掉他们的地区电业局。通过这么多年群众办电、群众管电，辛辛苦苦花了那么多人力物力建立起来的单位，他们说收就要收，这个亏万万吃不得！今后抵在眼皮子下的电衙门，看得着管不着，地区一点主动权也没有了，那不等于让人卡住了脖子吗？不，绝不能让步！

　　整个协商过程一直呈波浪形进展着。隔不了一会儿出现一个小高潮，经委主任就站了起来，又开双腿，向两边平伸出手去。那样子使人想起了"大"字的形状。这一波平息了，那一波又起来了，于是，"大"字又出现了……如此反复了不知多少次，大家才想起来：肚子饿了。

　　第二天接着协商，又是像头一天一样，而且更加尖锐。因为晚上回去后，双方都想出了很多驳斥对方的新理由，挖出了另外一些刁难对方的新问题，架势一拉开比头天更加激烈。挨到散会时，经委主任的耳朵都快震聋了。

　　第三天跟头两天一般无二……

　　第四天毫无进展……

　　第五天外甥打灯笼——照旧（舅）……

　　第六天……

　　一个星期就这么晕头转向地过去了！

　　星期天是法定公休日，为了养精蓄锐，双方"停止炮击一天"。

　　佳津来的同志抓紧这一宝贵的战斗间隙，挨家挨户拜访老首长去了。王局长和傅连山、梁友汉坐着小车到省委接待处去对他们作"礼节性拜访"时，扑了个空。王局长立即想到他们是从"圣地"来的，要达到个什么目的，绝不会像自己这样只吊在一棵树上。他们路子广着呢，连省委负责同志也得时不时地将就着他们一点。想到这里，王局长马上意识到对方此举的厉害性，不由得抽了口寒气。

　　回来的路上，王局长忧心忡忡："连山啊，我真担心。根据这个情况看来，你到了佳津后，不会有好果子吃啊！"

　　"我倒是担心还去不去得成。"傅连山天生地不服硬，"根据这个情况看来，我是非去不可的。梁工，你要是怯阵了，我不拉你垫背。局长在当面，现在正好提出来。"

梁友汉自尊心很强，一听到"怯阵"二字，白皙的脸皮立即涨红了："笑话！看我架了一副眼镜是不是？这点志气还是有的。只是……像这样无休止地争下去，还要拖到哪一天才算个了呢？"

正当大家将养好元气、劲头很足地继续开会时，经委主任陪同着省委副书记走进了会场。他没让大家谈下去，一开始就摆出了"大"字形，来了段开场白：

"省委很关心我们的协商情况。同志们哪，现在，在我们面前还有很多重要工作要做，我们要有紧迫感哪！这个会明天结束，不能再拖下去了。"

他俯下头来低声征求了一下副书记的意见："那么，就请省委副书记谈谈省委的意见吧。"

副书记没有多少客套话，直截了当地开了头：

"情况了解了一些。听说矛盾不少，摊出来是好事，引起大家注意，对今后的工作有好处嘛。电力管理不是件小事，它直接关系到整个国计民生。大家开了几天会，之所以争论不休，就是都已经认识到它的重要性了嘛，这也是好事。省委意见，会议不要延长了，工作很紧，要干起来。纸上谈兵是无济于事的。怎么办呢？还是得靠你们协商。我提一个大的原则吧：双方都要妥协，都要让步。这是经过我们几位在家的同志研究了的，请你们遵守。具体做法也研究了几条，请经委主任和组织部对大家传达。"

他的话刚落音，一辆小轿车就开到门外了。他看了看表，向大家点点头："还有个会，我就不能陪大家了。总之，希望你们团结一致，把我省的电力管理工作搞得更好。"

副书记走后，经委主任花了很长一段时间做说服工作。谈到前一段省电业局同佳津地区的矛盾时，他用了大量的事实对双方进行了同等程度的批评，分量就像是用精确的天平称过一样。也就是常说的各打五十大板吧。这一段话结束时，上午还剩两个小时的时间。他抬起手腕看了看液晶数字显示电子表，对下面的议程做了安排：

"上午不开会了。大家分头讨论两个小时。题目是不是这三方面呢：

第一，认真领会省委的指示精神。第二，如何提高认识、服从全局。第三嘛，加强组织观念，开展自我批评。现在就分组吧，散会的时候，省局老王，佳津老郭，你们到我这儿来碰碰讨论的情况。这个安排也是省委的意见，大家要尽快地打通思想，准备迎接下一步的工作。什么时候思想彻底通了，什么时候再宣布省里的决定。上午讨论完了，下午宣布。上午讨论不完，思想上还有疙瘩，下午继续讨论，明天上午宣布。就这样吧。"

你说怪不怪？这阵营分明的两方，平时要不是工作关系，那是很不愿意坐在一起的，巴不得早点散会离开会场。但是今天经委主任已经明白地宣布分头去讨论，而且又催了一次，他们却又像不愿意分开似的，你望望我这边，我望望你那边。论战即将结束，一切就要揭晓，必然要到来的时刻突然到了，使人们一下子就手足无措了。

省电业局这一组找了一间安静一点的房子，大家坐了下来，沉默了一下后，开始讨论起来。经委主任提的几个题目早就抛到脑后，小组会变成了猜灯谜活动，省里秘而不宣的决定到底会有些什么内容？

傅连山在小组会上告了个便，心事重重地沿着走廊向卫生间走去，正好面对面碰见佳津的曾部长从那儿出来。走廊很宽敞，当然不能算窄路；宝还押着没揭开，也难说是冤家还是亲家。两人心照不宣地对视着，脸上都有点似笑非笑的表示。

到了碰头的时间了，王局长来到经委主任这里。等了一会儿，郭书记还没有来。经委主任亲自去催。一会儿，他折回身来："那么，先谈谈你们的讨论情况吧。"

"等郭书记来了一块儿说吧！"王局长想推却一下。

"他上午没参加讨论，说是看病去了。不用等他了。"

"那我简单地说说。我们的态度是，完全信任省委，怎么决定就怎么干。说实话，真烦人哪！中心调度所反映：近一段来电网事故又增多了，没时间拖下去了！"

完了以后，王局长又回过头来补充了一句："但是我得说明，我们的意见还是要保留的。"

下午两点半钟，两路人马一个不漏地在会议室里集中，共同迎接那庄严的宣布。

心里分明像揣着一只小兔子，大家却故意显得比往日轻松。在等待省委有关同志到来的时候，双方竟亲昵地搭讪起来：

"你们都是回家吃的饭吧？自己做？"

"听说省委接待处伙食不错？"

"省城嘛，有这个样子就可以了。"

"那种弹簧秤小巧，买菜挺方便的。"

"富强粉？它的营养还不如二粉呢！"

"用水竹席子换粮票？……"

"八十斤换一床席子？啧啧啧！"

……

突然，传来一阵脚步声。

省委组织部部长、经委主任等一行人进入了会场。在人们眼里，他们今天是上帝的使者，他们将要主宰大家的命运，因而觉得他们脸上显得格外呆板。这就自然而然地感染了每一名代表。一切杂音戛然消失，大家很快地坐正了身子，像在机场上列队迎接贵宾的陆、海、空三军仪仗队，听到一声令下，唰地转过头来，向贵宾行着注目礼。

神圣而庄严的时刻终于到来了！

"现在宣布省委意见。佳津地区成立电业局，要以能不能适应四个现代化建设为标准，而不要以单方面的人数比例为标准。这是第一条。"

双方缄口不言，静静地听着。

"省电业局应该指派业务干部到佳津地区去，加强技术管理能力。佳津地委要切实配合好这项工作，服从全局的统筹安排。"

梁友汉微微侧过头来看了傅连山一眼。傅连山会意地闭了闭眼睛，又微微侧头去望了望王局长。王局长却朝佳津的同志望过去……

佳津地委郭书记点着头，在小本子上飞快地记录着。

"第三条，佳津地区已经成立了电业局，这是急四化之所急，应该肯定。省电业局要尽快地配合他们调整好班子。建议马上批准他们的工资计划。"

曾部长抬起头来，眼睛望着天花板，似乎这一条格外与他无关，一副若无其事的样子。

"最后强调一点，目前正是整顿时期，要严格地控制编制，不能超编。老郭，你们电业局现在超编了多少？"

"二三十个吧？"

"你看看，这怎么行呢？现在省电业局还得派人去，怎么办呢？我的意见，请省局考虑一下：能不派的尽量少派，五六个怎么样？这是一方面喽。另外，地区要马上把超编人员调整出来。工资计划只能按编制批！不能含糊。"

梁友汉心里盘算开了：原定派去十七个人，多不多呢？从数字看可能多了点，但从技术管理的要求来看，还远远不够呢！这些同志既有理论知识又有实践经验，尤其难得的是他们对系统的情况非常熟悉，几十年埋头于管理工作，不容易啊，这才是有丰富积累的专业人才哪。现在，一句话就砍走了十多个，打场也不够了呀！下去以后再培养吗？那也来不及嘛，好容易的事？想到这里，作为负责技术方面工作的总工程师，梁友汉心里一下就空空如也了。

紧接着就是由组织部部长宣布有关干部组织领导问题。

"我们认为，对各地区电业局，还是要实行双重领导……"

这次轮到王局长心中空空如也了。所谓双重领导，是指业务上由主管局领导，组织上属地方党委领导。很多人形容这是矛盾的焦点时打了个比方：就像是一个人的扁桃体有习惯性炎症一样。全身其他地方有点什么病，如感冒什么的，那个地方就注定要并发出问题来，引起高烧，久久不退。王局长叹了口气：一个跟头翻去了十万八千里，没想到还是在如来佛的手心上。

"……有的同志可能在想：这不和以前一样吗？这正是我下面要解释的。同志们，并不是完全一样！成立了电业局，专业化要求就不同了。因此，干部的任免，特别是业务干部的调动，应该首先经过双方协商。再强调一句：双方协商！然后报地委批准，再由地委组织部下正式任命书。目前，省委有些新的设想，今后在这些方面会不会有些改革，以省委正式文件为准。"

不知大家曾经留神过没有，生活中往往出现这么一种情况：一个人在下棋的时候，一大群热心的旁观者七嘴八舌地给你出主意，有时候他们之间还为你争执起来，弄得你不知听谁的好。稍稍失去了主见，非输棋不可。有的人却不是这样，他有副异常冷静的头脑，能从旁观者的不同意见中发现真知灼见，突地受了启发，进而更深入地看出了第三、四、五步甚至更多几着。在这个时候，他才下了决心，摒弃纷纭，果断出手。也许完全出乎旁观者的意料，直到再往下一步，旁观者才慢慢悟出其中之奥妙，不由得赞叹曰："真乃高手。"殊不知当时若是盲从了某一种意见，或者是举棋不定，岂不误了大事？可见"一言堂"并非十恶不赦，群言也绝不是手到病除的神丹仙方，就看你怎么去掌握和使用罢了，总不能一概而论吧？

组织部部长和经委主任把有关决定一宣布，立即解脱了大家心头的烦恼。散会时，紧张气氛已经烟消云散。双方握手言欢，一扫几天来的对立情绪。人人心情舒畅，轻松愉快——至少没有一个不带笑容的。如果谁心中还有什么狐疑，那他只不过还没有看出高手的奥妙之处来，走几步自然也就明白了。

晚饭之前，佳津地区的同志到局里来回访，比起来的那一天，态度坦率多了。"既然过了门，就是一家人嘛。"

"我们明天一早就回佳津去了。"郭书记告诉王局长，"家里工作堆成了山，真恨不得有分身术才好哇！"

"可是派到你们那里去的干部，还没来得及协商，您看……"

"哎呀！你看你，这是怎么说的嘛！协商不协商的，听着都嫌夹生！省委不是有指示了吗？咱们就按这个办嘛。你们是老大哥了，派谁来我也信得着，你就放心吧！今后见面的日子多了，有时间还要请你来多加指导哟！"

临走时，他非要请他们到省委接待处去出席他们的"答谢宴会"。说是也请了组织部部长、经委主任等领导。还一再声明这是便饭，是他们几个人私人办的。恭敬不如从命，去就去吧！

晶亮透明的高脚酒杯，满盛着黄澄澄的名贵佳酿——竹叶青。主人轮番向大家敬酒，响亮的祝酒词更使人振奋不已：

"为早日实现四化，来来来，干杯!"

"为你们的紧密团结合作，来! 干杯!"

"希望地委今后多多帮助，来来! 干杯!"

"欢迎派优秀的干部到我们地区来! 干!"

……

吃着喝着，王局长突然想起了一件事。他偷眼端详了郭书记一阵子，但见他精力充沛、气色生辉。正所谓"三杯竹叶穿肠过，两朵桃花上脸来"。

"上午不是说他病了吗? 连小组会也没参加。这家伙，上哪儿去了? 神出鬼没的。"王局长不由得沉吟起来，"还有那位叫郑义桐的干部，开了这么多天的会，几乎没有发言，老是在观察、思考着什么。与这件事无关的人是不会来的，那么，他到底是干什么的呢? ……"

十

不久，从双方协商的名单上，王局长又看到了他的名字。顶着的头衔把王局长吓了一跳：郑义桐，佳津地区电业局党委书记兼局长!

简历也附上了：佳津县人。家庭出身：佃农。本人成分：雇农。一九四六年参加革命，同年入党。一九四九年入伍。一九五〇年参加抗美援朝，任电话班班长。转业之前，任通信连指导员。到地方后，历任地委办公室副主任、劳动局副局长、地委机关党委组织委员、地区工交办主任……

据介绍，这个同志党性很强，办事特别有原则性，在地委中是个过硬的领导干部。地委把这样的干部派到电业局来，确实是咬了牙的，足见对专业化改组的决心了。

因为是"协商名单"，局里提出了不同意见：对老郑担任党委书记没有意见，但这局长，应由傅连山担任。反复几个回合后，地委让步了。

梁友汉担任总工程师，这一点地区没有异议。但省局提出建议要明确梁工的副局长职务，地区就不吭声了。"研究研究"吧。

最棘手的问题是局里到底派多少人去。地区一句话把门关得死死的：按省委指示办！磨破了嘴皮子也无济于事，多半个也不行。

协商来协商去，又是一个多月过去了。傅连山和梁友汉再也沉不住气了："算了吧我的局长！不要为这些事再耽误了，修得庙来老了鬼。去了再说吧！"

局党委分析了傅连山和梁友汉的意见，这两个同志是有工作能力的。从他俩配合在一起工作以来，很少有打不开局面的情况。只要他们先去立住脚，往后的事就好办了，打一拳进一步嘛。

一个星期以后，傅连山再次兵发佳津。

这一次可不能同前一次相提并论啰。那是过时的皇历了。就说交通工具一项吧，根本就用不着傅连山去开车。成何体统？堂堂的地区电业局长啦。汽车全是佳津电业局派来的，一辆小吉普，是接局长和总工程师的专车。一辆旅行车，供其他同志乘坐。还有一辆大轿车，是家属们坐的。洋洋洒洒，真够气派！

看着这支特混车队，面对车上空空荡荡的座位，傅连山心里一阵凄楚。想想第一次开赴佳津时，像一只羽毛丰满的雄鹰。待到左一个周折右一个筋斗以后，翅膀上已经没剩下几根强翎啦。

更加讨厌的是自己的身体，偏偏在这时候不给争气！什么怪毛病嘛，吃药、打针搞了老长时间，就是不见好。真就这么垮下去了？不，绝不可能。

临上车的时候，老傅好像还是自己开车似的，蹲下来仔细地查看着汽车的前后桥装置。没想到站起来时猛了一点，眼前竟一片漆黑，什么也看不见。只觉得无数个小亮点在眼珠内乱蹦，差一点栽倒在地上。傅连山心里直发毛：不服气不行哪！

两次出发，中间隔了一段时间，长不长呢？这要以人的意志为转移。嫌它长了的人是这么说的："已经九十七天了！"不嫌它长的人又是另外一种语气："才三个月嘛。"同样一段时间竟可以用悬殊这么大的两个数字来表达它，也是有趣。

光阴既逝，不可复得，谈它何益？算了！透过汽车的钢化玻璃板朝前方看哪。看哪！那个欣欣向荣、物质丰富的风水宝地在向大家招手呢！

出发的人们再一次查点了随身行包，再一次撕下一张伤湿止痛膏贴在肚脐眼上，又再一次向送行的人挥着手：别了！别了！可爱的省城！下一次见面，我就是您的客人了！

一位随着车队来接傅连山他们的女同志，引起了傅连山的注意。出发前，她来了一段不同一般的自我介绍："我姓代，单名一个冰字。声明一下，是冷若冰霜的'冰'，不是士兵的'兵'。不要同'带兵'两个字混同了。你们都是官儿，我可不敢带哟。"她口齿伶俐地说了这么几句，不冷又不热，"路上由我负责，有什么困难找我好了。"

第一天傍晚，车停在一座城市宿下营来，傅连山又看见了她。分配房间，安排膳宿，井井有条，又快又令人满意。傅连山很欣赏这种作风，走过去问道：

"你在哪个科工作？"

"五官科。"代冰说完一阵风又去忙别的去了。

"嚯！这电业局够大的了。还有职工医院？"傅连山想道。

正巧梁友汉来找傅连山，说是有一位同志患牙痛。傅连山便拉着他又找到代冰，请她给治一治。

"我？哎哟，对医学可是一窍不通。"

"你不是五官科的医生吗？"傅连山奇怪了。

"哦？哈哈，你误会了。我在行政科工作。因为我们行政科有正副五名大科长，所以我称它是五官科，五个官儿。我是唯一的一名科员。"

"原来如此。"傅连山和梁友汉憋不住笑了。

"不过，等我这次回去，就有舒服日子过了。又有四名干部要调到我们科来。"她非常高兴地讥讽着说，"家大业大油水大，人多才能干四化嘛。"

第二天，傅连山起了个绝早，走到院子里去呼吸新鲜空气。过了一座园门，突然发现花园内假石山后好像有一个人。傅连山停止脚步，仔细一看，又是代冰。她身穿一件黑色尼龙上衣，把体态勾现得十分匀称。一个人坐在石凳上，像是在看书，还不时地用钢笔在那上面画着什么。

傅连山轻轻地咳嗽了一声,代冰警觉地回过头来。

"是老傅同志啊?"

老傅发现她是来接他们的人中唯一不称自己"局长"的人。他走过去,同她搭起话来:"看什么书啊?"

代冰合上书皮儿给老傅看:《家庭日用大全》。

"没事了,研究一下挺有趣。这一辈子还不就是吃点穿点?别的也没意思。"

傅连山不愿意听这些话,年纪轻轻的谈这个未免太扫兴了。但他没说什么,只想侧面了解一下佳津的情况。

"怎么样?局里还好吧?"老傅转移了话题。

代冰抬起头来,脸上现出了不屑一顾的神色,但旋即就消失了。她将书放进兜里,站了起来:"该叫司机换水了,对不起。"说完,客客气气地走了。

"嗯?有意思!"傅连山对她产生了很大的兴趣。

路上比第一次去多了一天时间。这是代冰安排的。她解释说:"为了使你们在路上不至于太疲劳。这是局里党委交代的,我谨遵钧旨。"

老远就望见那座碑形建筑物了。

自从上次在它面前瞻仰了一会儿,又被通知"不准进去"以后,这座淡黄色大楼就被罩上了一层神秘的色彩。而现在,车队直奔大楼。

好像让大家看个够似的,汽车载着大家差不多围着大楼绕了一个整圈。从正面开过去,开上了侧面的大路,再转到另一面,才是那座钢管焊成的侧门。开进侧门后,这才到院子里头停了下来。

傅连山第一眼就看见那辆被扣下的新车。配了正式牌照,喷上了新的色彩,车门上几个大字耀眼夺目。这个没有生命、没有头脑的家伙倒是属于"来者不拒,多多益善"那一类。

郑义桐差不多是把全局的人马都拉了出来,列队似的欢迎傅连山一行。也不知是司机急于赶路还是代冰在前一站忘了向家里打招呼,局里的欢迎工作很有些手忙脚乱。直到大家在休息室里寒暄了半个多钟头,局大门上方才悬上一幅横幅:"热烈欢迎省局派同志来我局工作"。郑义桐望了望向下流滴着墨汁的标语,窝了一肚子的火,十分不满意地皱了皱眉头。不过，他不易溢于言表。再说还有更紧迫的事，于是就忙于张罗着众人给傅连山他们安家去了。

十一

重新安个家是件格外费神的事儿，杂碎烦琐的大事小事一忙就是好多天。

梁友汉别的不说，光那堆书就够他折腾的了。书多倒是小事，他还有个毛病：所有的书都要分门别类。哪种书放在哪一柜哪一层，哪本书挨着哪本放，哪几本书中要插个条子……还真够复杂的。这件事别人还真帮不上忙，唯有傅连山行。

一连两天，老傅都在帮他清理各种书籍。至于他自己的家，两个小时就安排妥了。要不是这几年做家具之风盛行，老伴儿赶紧操持了几件家具，那就会更简单一些。

地委的任命书还没有正式下达，傅连山也就没有正式到任。抓住这个当口，傅连山拉着梁友汉，围着整个机关大院前前后后地研究起来。

这栋气派不凡的碑形大楼是半年之前建成的。在这座城市里，已经建了不少这样的楼房。从外观上看，时代再往前发展二三十年，它大概也不会显得落伍。但当你走到面前，或者走进到房子里面，就会感到其建筑水平同国内一些大城市比较起来，要落后相当大一段距离。

傅连山和梁友汉第一脚迈进休息室，就发现水泥混凝土地面粗糙极了，那上面有一层厚厚的扫不完的灰。傅连山知道这是工匠们施工时没有及时不断地润水而造成的，行话叫作"烧坏了"。临街的那一面，所有的窗户框子都是用小角钢焊制而成的，远看十分明亮整齐。但当傅连山站在走廊上细细一打量，就发现问题百出：有的框子关不严，有的框子打不开。即使打开了，因为撑架的角度完全不对，只好又关上它。楼上有几层楼地面原来设计是水磨石的，但由于施工工艺较差，磨出来后灰蒙蒙的，毫无光感。四层楼以上的卫生间，不知是管子装细了还是水压不够，根本不能使用，挺好的抽水马桶也成了聋子的耳朵——摆设物。

"这是毫无办法的了。"傅连山惋惜地说，"造价这么高，很难再改造它了。"

房子就是这样了。人怎么样呢？这是他们更为关心的事。走！转转去。

所有的行政机构都设在这座楼里面。拐过一层楼梯，迎面挂着一块玻璃牌子。

"技术科?"梁友汉极感兴趣，一头撞了进去。

房子里面有几位技术员，团团转转地围在一张桌子前，正在研究一张图纸。那天列队迎接省局来的同志时，他们见过面。一见傅连山和梁友汉进来，他们就站了起来："梁总来了！傅局长，请坐吧。"

梁友汉赶快让他们坐下，自己也乐滋滋地走到桌子跟前坐了下来。第一次与这儿的技术员接触，给了他一个很不坏的印象：年轻的同行们认真地钻研着图纸，这在他们的同龄人中是难能可贵的。

捧着技术员们递上来的热茶，梁友汉饶有兴趣地斜视了那张图纸一眼，不由得心中一愣，这不是供变电部门的图纸，而是一张五灯交流收音机音箱的设计图！梁友汉有些不快：工人在上班的时间是不能干私活儿的，更何况干部？这点儿思想觉悟都没有，一个个人长得树大的了，难道还要别人跟着你数说！

技术员们从梁总那冷却下来的面部表情中发觉到泄了天机。他们互相暗暗地挤着眉弄着眼，又像是有点负疚，又像是幸灾乐祸。

"梁总，您……这张图纸是我画的。"靠桌子角那边站起来一位青年，二十四五岁，细皮嫩肉，稚气未脱。但满头的头发一个接一个地卷着大花，鬓角也卷曲着。这种青年很容易被人列入"不屑挂齿"的那一类型中去。梁友汉不想多看他，心里很是腻味：这种人也塞到技术科来了！瞧他那无所谓的样子，干了不该干的事他还大言不惭！虽然这也算是诚实的表现，可是老天！他能分清楚哪是应该做的哪是不应该做的吗？唉，无知啊！

"你……姓什么?"梁友汉冷冰冰地问道。

"姓郭，郭小成。今后请梁总多多帮助啊。"

这种语调，又让梁友汉好一阵反胃：这不是那些讲哥儿们义气的人惯用的一种油腔滑调吗？梁友汉转过脸，正视了他足足几分钟。可是郭小成丝毫没有在这严厉的目光下表现一丁点难为情的神色。

"你的文化程度？"

"我？……"郭小成答不上来了。

旁边几位技术员七嘴八舌地插了嘴：

"他是大学生！"

"七六年毕业的呢！"

"嘻嘻嘻……"

梁友汉立刻明白了他答不上来的原因，根据这一点，他又马上猜测到这位花花公子一定有点家庭背景，心中越发鄙视起来："你爸爸是干什么的？"

郭小成突然现出了迷惑的样子，慌慌张张地往后退着。他似乎不想回答这个问题。

"这还不知道啊？"又是其他人帮他回答着，"他是地委郭书记的儿子！"

梁友汉差点没叫出声来，地委书记的儿子！纨绔子弟！靠着自己的好爸爸，哪儿舒服往哪儿安，见得多了！碍于第一次见面，尚未发现更多越轨之处，要不是这样，说不定他会狠狠剋他一顿，什么了不起的嘛！地委书记的儿子凭着二两颜料也想开染行？他狠狠地盯了郭小成一眼，发现郭小成已经低下了头去，看来这次倒有些难为情了！好吧，今后再说。

接着，梁友汉仔细地看了看他们的资料室，又同其他技术员谈了好一阵。出来以后，梁友汉沉吟了一会儿，心情比较沉重。

"大学生倒是不少，可都是些……"他摇了摇头。

老傅心里明白梁友汉想说而没说的下文是什么，同时也明白梁工为什么要把那几个即将脱口而出的字吞进肚内。老傅笑了。

"技术资料很混乱，档案都没有健全起来。得想个法子呀……"

"我不担心，只要咱们梁总每顿能吃三大碗，法子总会有的。"

说着话，他们走到了政治处门前。傅连山又拉着梁友汉挤了进去。

"哟，开会哪？你们开吧，我没事。"看见坐了一屋子人，傅连山道歉不迭地要往外退。

"没有没有。傅局长，快请进来吧。"一位干部连忙上前拽住了他们。

拖的人异常热情，被拖的人又求之不得，就这样，两位不速之客合情合理地进到了屋内。

政治部门的气氛就是与其他部门不同，无论你到什么地方，无论哪一级单位，绝不会误把政治处当成其他科室。墙上除了几幅关于政治思想工作的教导标语外，最有特点的是那些规定。如"保密规定"啦，"查阅档案规定"啦，"武器保管规定"啦，等等。再就是那墙上挂得整整齐齐、一望无边的各种本子，例如干部思想动态、各科室花名册、人员动向，一直到失盗记录、拾金不昧登记……反正，一个单位无非就是人、钱、物三方面的管理，这儿是重中之重，管人的。

除了气氛以外，更主要的是这儿的工作人员与其他任何部门的工作人员在气质上又特别不同。首先，因为在政治上都已经很成熟了，几乎每个人在外表上都极其端庄稳重。其次，工作态度都十分认真。钉是钉，铆是铆，没有什么稀稀拉拉的。机关每次要求革命化，哪一次不是由这里布置下去的？不以身作则行吗？再就是这些同志的生活作风也是很严肃的。单从衣着来看吧，朴素、大方，里里外外春夏秋冬，都是劳动人民的本色。你见过西服领带牛仔裤大喇叭腿的政工干部吗？绝不会有的。

眼下这间屋子里坐了九位同志，不用问，全是干这一行的。他们都具备了政治工作人员的条件，从外表看，一个更比一个像。

看见局长和总工程师进来了，平素不苟言笑的这些同志，都毕恭毕敬地站了起来，让座的让座，递烟的递烟，倒茶的倒茶，忙得不可开交。

"别别，我不会抽烟，梁总也不抽。你们继续开会吧。"傅连山一边打量着这间屋子，一边对大家说。

"开什么会呀！趁着还没下班，政治部门的几位负责人随便碰碰情况，谈谈学准则的事。"一个同志递过来一张办公椅，"您请坐。傅局长，省局在学准则方面有些什么宝贵经验，可要给我们传传经哟！"

傅连山没有坐下去，也无意回答那个同志的话，他发现有些异样：光是政治部门的几位负责人？满满一屋子呀！他扫了众人一眼，耳朵里又浮响起代冰的声音来。"五官科"一说，看来并非是句俏皮话。他走了几步，挨个儿询问起那几位同志来：

"你是……"

"政治处副主任兼政工科科长，老赵。"又是那位同志自告奋勇担任了解说员。

"你呢?"老傅问下一个。

"政工科副科长，分工抓档案的。"

"哦! 那么……你呢?"

"他是保卫科科长。那位是保卫科副科长，分工管外调……"

其余的全问到了：三个人事科科长、三个保卫科科长外加三个政工科科长。

"三三制? 哈! 那么，政治处各科在编人员一共有多少?"傅连山心中憋着火盘起底来。

那位担当解说员的同志沉默了。他正在心中揣测着新局长的意图，却没料到人事科科长开口了，而且显示了精干的工作能力：

"傅局长，到前天为止，总共实到三十二人了。"

"嗯? '实到'是什么意思? 还有没到的吗?"傅连山的火气快压不住了。

"不是，郑书记交代过，还会有……"人事科科长忽然不说了。傅连山顺着他那怯懦的目光一看，那位担任解说员的干部竖起了剑眉。看来他是很有威望的，而且很能将一些难以圆说的话圆说过来："傅局长，老郑是这么考虑的：局里正是调整阶段，调进调出，数字很难稳定。比如说本来已经稳定了，突然又调来了你们这些同志，原来的人员表又被冲乱了。所以只能说截至眼前的数字啰。"

"对对，就是这样。"人事科科长乘机下了台。

"吓吓!"傅连山内心发出了一声喝彩：别看其貌不扬，这个人还真不马虎! 应该正眼见识见识。

老傅锐利的目光一扫到对方身上，立刻就觉得他很像谁的模样，五短身材，利利索索的，对了，像组织部的曾部长。但是稍稍过细一打量，又不大像。看这张脸，要笑你就笑，不笑你干脆板起来吧? 似笑非笑，至少这就没有曾部长那么坚定果断嘛。还有，这个人的眉毛生得太浓了，说起话来又不大看着听话的人，很难说是瞧得起你还是瞧不起你。不过也有偶尔的时候，突然就盯住了你，就像是鹞鹰的眼睛盯住了小鸡一般，令人战栗。刚才人事科科长就出了一身冷汗。但不论怎么观察，从外表上很难捉摸出他的真正性格来。看他那未现皱纹的前额，最多四十岁出头吧，却有这么大的魅力，更是让人无法捉摸出其中之原委来。

"如果我没有看错的话，"傅连山迎着他跨上了一步，伸出右手，张开巴掌很有力量地递了过去，"你，就是政治处的主任啰？"

"哪里哪里，临时负责召集一下。"对方也伸出了巴掌紧紧地握住了老傅的手。老傅感到他的臂力不小，尤其是腕力，大得惊人。握着手，他又现出了那种笑容："我姓王。叫我小王吧，我又大了点；叫我老王吧，我又小了点。所以，嘿嘿，他们都叫我大王。"

管他叫什么王，傅连山一点兴趣也没有了。他勉强地向屋内诸位科长点头告别，便赶快拉着梁友汉离开了这个令人心烦的地方。

从政治处出来，傅连山不无抱怨："怎么得了？机构比省局还庞大，真叫人没办法！"

"我也不担心！只要咱们傅局长不倒床，还能没办法？"

梁友汉抓准机会回敬了傅连山一句。两人相视一笑：怎么样？来到这么一个地方，不会是让你来养老的吧？

一名电工扛着人字形楼梯，在走廊尽头一拐弯不见了。这人真勤快，老傅他们在外面看窗户，他在门底下修开关。老傅他们进了技术科，他又在走廊上换灯头。刚从政治处出来，又看见了他的身影。怎么回事？梁友汉心中纳闷了一下：这些电器为什么老追着我们背后出毛病？害得这名电工紧跟着修个不停。

转了几个科室，梁友汉提议再到地区调度室去看看，那是全区供电的心脏，他很想去见识一下这块很使省中调所头痛的宝地。

傅连山正有此意，但是不知道在什么地方。找人一打听，他们犹豫了。地调室所在地叫"马嘶桥"，离这儿还有二十公里路呢。走着去吧，太远了。骑自行车吧，人家上下班要用，不好开口借。市内公共汽车还没有开辟那条线路，听说快有了。那也解决不了眼前的问题呀。

正在迟疑，只见对面走来了一个人。老傅认出了他，那天来这儿时他和一些同志忙忙碌碌地接待过他们。听人家叫他科长，那一定是行政科长了。老傅喊住了他："车队是由行政科安排吧？"

"是啊。您有什么事吗？"

"能派个车吗？"

"您瞧，这当然可以嘛。不过，我是专管分配住房的。喏，行政科在那儿，请您去找他们吧。实在对不起啊，傅局长。"

到了行政科，里面坐了两个人，都是科长。听明来意后，两个人一个劲地道歉："对不起对不起，我是专管办公用品的，他是专管家具的。还有一位刚走，他是专管招待所的。派车嘛，得找一位姓萧的科长。"

傅连山烦透了，竟忘记了自己的身份："哪有这么啰唆嘛！每个人管多少事？……"

梁友汉赶快悄悄地扯了一下他的衣服。正在这个时候，萧科长进来了。后面跟着那个唯一的科员——代冰。

坐在那里的两名科长像是见到了救星，赶快把局长要车的事对萧科长说了。萧科长一听，满脸堆笑，一口答应下来。

"您看，还劳您亲自来说？打个电话就行了。"他从抽屉里摸出一本派车单，"您上哪儿？"

"调度室。"

"啊？"萧科长眼珠一转，"那我马上跟汽车队联系一下，看看有车没有。"

他出去打了个转转，很快就回来了："哎哟，傅局长，不巧得很，车都出去了。您看……"

这还有什么好看的？只好作罢吧！傅连山和梁友汉失望地走了出来。不一会儿，代冰追了上来："不打算去看看？"

"没车怎么去？"傅连山看了看她那狡黠的面孔，"怎么？你有办法？"

"你们到局外面去，走过去几家，有个米粉店，就在那里等着。"代冰说完，转身就不见了。

傅连山和梁友汉莫名其妙，将信将疑地走到代冰指定的地点。没多大工夫，一辆小吉普从局里开出来，停在他们身边。

代冰跳下车："请上去吧。"

"咦？有车？可萧科长为什么……"

“不能怪他。如果你们到别处去，要几台车他也不会为难。”

“为什么?”

“哼哼，特别的关照。大概是保护你们的安全吧? 别问了，走吧。”代冰替他们关好车门，催着司机把车开走了。

到了马嘶桥，吉普车拐了个弯，向调度室开去。

调度室院墙大门紧闭。一名老门卫从窗子里伸出头来，向小车内查看：“你们是……”

“快开门吧。”司机不耐烦了，“这是新调来的局长。”

“新局长?”门卫犹豫了一下，还是没有动弹，“……可是，保卫科说了，没有他们的条子，亲娘老子来也不让进呀。”

“哪有这种事? 以前不是都可以进去吗?”司机也糊涂了。

背后一声喇叭响，又赶来了一辆吉普车，郑义桐来了。他把头伸出门外：“老王，开门吧。”

大概这位郑书记比亲娘老子还要大一辈，没有条子，门也很快地打开了，两辆小车开进了院内。

“哎，老傅啊，不是让你们多休息几天吗? 你可真是个急性子啊。”郑义桐亲切地又向梁友汉打着招呼，“梁总啊，你是专家，多多指导啊。一家人了，就严格点，不用客气。”

郑义桐亲自带路，把调度室里里外外、前前后后都看了个遍。

本来是想随随便便地看看，自由自在地了解一下情况，无拘无束地找人扯扯，可郑义桐一来，就全盘改变了性质，变得很严肃，又很隆重。只能像参观展览馆似的，听听讲解员的讲解，走马观花看看实物图片罢了。

参观完毕，梁友汉除了不了解调度员的具体情况外，对其他技术方面心里倒有了个大概，入了他的行了嘛。他觉得这个调度室比其他地区的不会差，条件还很不错。尤其是对自己设计中的某些改进，如建立远动机、改装自动切换器等各方面，大有施展余地。

傅连山也是一样，虽然只是过了一遍目，他却看得很细致。比如调度员的职责分得不太明确，载波电话机没有专职人员，记录表格上还需要添几项什么内容，他都一一看在眼里。连操纵台角落里藏着的一副象棋也没能逃脱他那犀利的目光。

从调度室回来，天已经快黑了。傅连山觉得非常困倦，只想早点睡觉。洗完澡，就仰天倒在床上了。

方贞园走了进来。她先打开桌头那盏小台灯，再关掉室内的大吊灯，又轻轻地走到门外两边查看了一下，才走进屋内，插紧门销。然后走到床前，推了推傅连山，声音小得只有他们两人刚刚听得见："哎！告诉你一件古怪事儿。"她凑到老傅耳朵边，"吃完晚饭，我到厨房去洗碗，突然发现灶面上有个这玩意儿。"

她把拳头伸过来，慢慢地展开五指。傅连山一看，那是一个小纸团。他连忙抓过来，小心地展开，凑到台灯下一看，上面用铅笔写了四个字："停止私访。"

"这到底是劝阻呢还是警告？"方贞园猜测着，"根据后面那个句号看，是善意的劝阻。可是，送纸条的人是谁呢？"

傅连山看着纸条，也在心中犯疑："会不会是代冰？这个女同志很有些不平常。她对这里的情况一定有些看法，可她又总是闭口不说，行动上、语言上却常常流露出一些不满。"

傅连山又想起了今天要车去马嘶桥的事，勾起了很多问号：萧科长已经将派车单都拿出来了，一听说去调度室，为什么又找借口不派车了？代冰也很怪，既然她敢于违抗科长的意见，主动找上来想办法，为什么又那么神秘地要我们到门外去上车？对了，调度室突然不让进去，不是没有原因的。还有，那名扛着人字梯子跟在后面修电灯的人到底是干什么的？啊！我们前脚刚到调度室，郑义桐后脚就跟了上来，有这么巧的事儿？……一连串的事涌上脑际，傅连山的睡意无影无踪了。

"连山，这里的情况很复杂呀！"方贞园有点担心。

"是啊。你看该怎么办呢？"傅连山将那张纸条夹进日记本内，故意问。

"我看哪，既然开步走了，就不要收腿。骑马上了独木桥，回不得头了。我今天碰到几个职工，悄悄地对我说：你们这次来，人家都看着你们有没有绝招呢。这个单位，转起来是台好电机，转不起来就是块死废铁。哼，我就不信玩不转它！只是……唉，这该死的任命书怎么还不下来嘛！"

十二

没有等太长的时间，任命书作为正式文件下达了。

"任命郑义桐同志为佳津地区电业局党委书记，兼第一副局长。

"任命傅连山同志为佳津地区电业局党委副书记，兼局长。……"

这是一种见怪不觉怪的任命方式，人们对此早已司空见惯。在党内，郑义桐是第一把手；在行政上，傅连山又是第一把手。但是党内一把手兼着行政二把手，行政一把手又兼着党内二把手。这种目前唯在本土流行的职务交叉式，原意可能是要加强一种领导，在他们中间形成一种互相监督、互相制约，以便更好地开展工作吧！反正一些见识短浅的老百姓就喜欢议论谁的权力大些，并且一眼就看得出来。

任命书上排在第三位的是名姓沈的副书记兼副局长，他原来是本地区某县的县委副书记。据介绍是本地区内最熟悉工业情况的行政领导干部。傅连山前两天见过他，言谈之中，傅连山确实觉得老沈有几下子。他抓过多年工业生产，这个地区有一个金沟水电站就是他自始至终负责建成的。虽然这个水电站是以排灌为主，发电量不过八千瓦，同整个系统比较起来不过是九牛一毛，但麻雀虽小，五脏俱全。因此老沈谈起水涡轮、励磁机、一次变二次变、继电保护、开关运行等这些技术问题来，一套一套的，十分在行。不过，老沈对省中调所意见特别大，简直有一种对立情绪。这也应该谅解：他在抓工业时曾经吃够了缺电的苦头嘛。而且强将手下无弱兵，屡次对中调命令软拖硬抗的那些地区调度员，就是老沈带出来的人。他们身上毛病是多一点，可业务能力却是在本地区内拔尖的，傅连山爱才，从内心说，对这些同志还是满意的。

一个单位应该任命几个书记，这倒没有一定之规。可能是感到一个巴掌五个指头非常灵巧，又非常有力，因而受了启发吧？除了以上三人外，另外又任命了两名副书记。其中一名就是政治处的大王主任，分管政治工作那条线。另外一位傅连山就不认识了。

关于梁友汉任副局长的事，开始就有人提出怀疑：一个非党员当副局长，这是不是有点不合适？把傅连山弄得啼笑皆非。他只好告诉他们：

梁友汉已经有十几年党龄了。对方当然很尴尬，但因他们的组织关系都未转到，也就不知者不为怪了。后来研究了很多次，都没有明确的答复，大概这种情况在当地还没有先例，于是当副局长一事便束之高阁。

省局知道这件事后，除了给地委打电话协商外，王局长还两次专程找了省委组织部。地区给了省委一个天大的面子，在电业局党委委员审批名单的最下面一排上，总算添上了"梁友汉"三个字。

第一次党委会，在任命书下达的当天下午隆重召开。

全体党委委员，像是过年吃团圆饭似的，济济一堂。大家以无比喜悦的心情，出席了这次具有深远意义的党委会。

傅连山被大家让到了上席。因为他毕竟不太熟悉情况，更多的时间还是听取大家的发言。他发现，几乎每个委员都有相当的工作热情，更有相当的语言组织能力。每个人对今后的工作、自己的态度，谈得诚恳生动，发自肺腑。并且不用发言提纲，也能口若悬河，梁友汉在这种情形下就相形见绌了，他结结巴巴半天也没理清自己的语言脉络。

看来郑义桐确实是有能力的。在省里谈判时，老傅觉得他举止非常稳重，让人捉摸不透；来佳津那一天，老傅又觉得他待人接物十分热情，使你深受感动；到马嘶桥去的时候，老傅又觉得他处理事情反应异常敏捷，当机立断，使你有些紧张。今天在党委会上，更是觉得他有一种驾驭全盘的非凡的气魄，令人望而生畏。

还是在会议刚刚开始时，郑义桐就给了大家一个"下马威"。由于大家都是相处比较久的熟人了，说话也就很随便，互相之间还免不了打趣几句。特别是那位沈副局长，生来一副大大咧咧的性子，进了会场后又是笑又是骂的，非常活跃："好哇，往后就靠咱们这些二百五的大将军滚在一起干啦！我×！俺这人毛病多，往后有个三差两错的，各位照直给点点。一个锅里抢马勺，不用包涵，啊？哈哈哈哈……"

砰的一声，大家愣了。郑义桐把一个厚厚的文件夹子摔在桌面上，脸色严肃得吓人。一时间谈笑声全停息下来，他却好大一阵没有讲话。一直等到有的同志差不多觉得呼吸有点困难起来的时候，他才开了口。语调低沉、缓慢，但力度饱满，富有弹性："同志们！今天是中国共产党佳津地区电业局委员会第一次全体会议。我作为会议的主持者，应该提醒大家一句：这次会议非常重要！在这个会上，我们要统一全体同志的思想，要确定今后的工作方针和路线，要研究我们的工作任务和步骤，以及如何领导全局同志开展工作，所以……"他威严地看了看全体与会成员，"这不是开茶话会，更不是开联欢会！今后，请大家记住：凡召开党委会时，一定要紧张、严肃。团结要不要呢？我们开会就是要达到团结的目的，而在会上就应该展开积极的思想争论和斗争，这才能达到真正的团结。活泼要不要？要的！散会以后你爱怎么活泼就怎么活泼，没人管你。都是老同志了，这些话我今后就不说了。现在，请大家畅所欲言吧……"

有一名胆子比较小的委员，听着听着鼻子就不通气了。为了使自己镇静一些，他不由自主地掏出了烟锅。还没有送到嘴边上，郑义桐立即下了禁令："注意：还有一点非常重要，开会时请大家不要抽烟。这是个不好的习惯，但是，也有法子克服。那就是在第一次党委会上，一定要形成一种风气，作为今后的楷模。新党委嘛，要有个新的精神面貌，坏风气一旦形成了是很难扭转过来的。人家说'不能坏了坯子'就是这个道理。"

往下，大家开始了谨慎的发言，而郑义桐却很少开口了。他非常仔细地倾听每个委员的讲话，一字一句也不漏掉。必要时，偶尔只是很简练地插一两句言，就能牢牢地稳住会议的舵把："请你谈具体点。""谈得不错。请下面发言的同志谈得更实在一些。""有热情，是不是太乐观了？""梁总的发言我喜欢。很朴实！"……

等到大家谈得差不多了，轮到党委书记做总结的时候，只见郑义桐不慌不忙地插好钢笔，没有清一下嗓子，也没有动一动身子，稳如泰山地开了口。他不知出席过多少次这样的会议，也不知组织过多少个新党委，丰富的经历将他磨炼得格外精干，他深得不同场合下抓不同关键的要领，对人严，对己更严。发言中，该繁则繁，该简则简，就像是一名医术烂熟的老郎中给人针灸一样，无一针不是准确地扎在了穴位上。

无可非议，郑义桐的领导能力是出类拔萃的，几乎达到了艺术的境界。就连也曾多年从事领导工作的傅连山，看着郑义桐那胸有成竹、运筹帷幄的气概，听着郑义桐那言简意赅、落地有声的发言，心中也不由得连连叫起好来。

不过，傅连山听到郑义桐结尾时的那段话，就觉得有些煞风景了。

这段话与前面的整个发言不大协调，比重过大了。十来句话几乎每句都提到了地委，没有必要如此过分地强调吧？比如：我们这个班子是经过地委反复酝酿的哪，我们每个同志都是经过地委仔细考察过的哪，地委对电业管理非常重视哪，地委对我们寄予了很大的希望哪，地委充分信任我们哪……后面几句甚至有些不大妥当了：我们应该本着对地委负责的原则哪，不折不扣地服从地委的领导哪，坚决执行地委的正确指示哪，等等。

离下班只差五分钟的时候，郑义桐恰到好处地结束了自己的谈话。他环视了一下会场："还有什么不同意见吗？"

"我来说两句吧！"

大家愕然一愣：谁这么不识时务？

梁友汉一看，又是傅连山！唉！你怎么啦？党委书记的总结是压台戏，发完言就达到了会议高峰。那句问大家有没有意见的话，最初是想征求意见的，经过时间的演变，慢慢就变成了尊重大家的客气话。发展到现在，已经成了"可以散会了"的同义语。你为什么偏偏要越这个位？看，这位郑书记已经很不愉快了。还有，已经到了下班的时间，大家心已飞回家了。你这一发言，大家只好走不成，瞧他们那不耐烦的样子，你何苦得罪众人呢？

但是梁友汉还没有想到第三重：傅连山竟毫不客气地挑剔起书记的发言来。

"郑义桐同志的发言，我同意的方面就不说了。有两点不同的意见，请老郑和大家考虑。第一，关于局务工作的问题。我认为每次召开局务会都要经过党委研究批准，这是不合适的。党委对正常的行政工作不要干涉太多，以免束缚了职能部门的手脚。第二，对郑义桐同志发言中提到的不折不扣地服从地委领导，我有不同的看法。如果指党的组织生活这些方面，这是无疑问的。具体到业务上的事，根据电力工业的管理特点，我们应该保持相对的独立性。请党委考虑。"

"独立性"三个字把大家骇了一跳。什么？跟地委闹独立？嗬嗬！大家面面相觑，不敢出声了。

郑义桐看了看傅连山，显得很平静。隔了片刻，郑义桐向大家说："老傅同志在党委会上畅所欲言，是值得提倡的。他的意见，请大家考虑。我对老傅同志的发言，持保留意见。"

他转过头，盯住傅连山的脸："说完了吗？"

"就谈到这里吧。"

"散会！"郑义桐谁都不看，大踏步地走了。

十三

在这样的单位，党委书记持保留意见可不是好玩的。你还指望有商量余地？别做梦了，这就是表示党委已经否定你的意见。

没奈何，傅连山通过了十来天的调查，准备召开一次局务工作会议，还得向党委提请批准。也许傅连山的担心是多余的吧？其实这也很简单，党委马上就研究同意了。

全局干部大会是在六楼大会议室召开的，这下可苦了那些干部同志。有不少年老体弱的同志爬得脸色苍白，汗水淋漓，扶着楼梯张开嘴吐粗气，一个劲儿地抱怨：为什么要把大会议室建在六楼？谁设计的？真缺德！将来养下儿子准没屁眼儿！

经郑义桐向大家一介绍，傅连山就在一阵掌声中上了讲台。他居高临下，仔仔细细地看着到会的干部们，没有坐下，也没有出声。

到会的人当中，很多还是第一次见到这位新上任的局长。不过他们通过各种渠道，早已风闻了不少关于这位新局长的情况。有人说这个人器宇轩昂，魄力极大，说到做到。有人说他手眼通天、四通八达，什么事不顺心他一来火就闹到省委去了，连省委书记也得让他三分。也有人说他博览群书，浑身都是本事，光电气方面，几个工程师都考不倒他。还有的人不知怎么了解到有一次处理事故，他没有采取一点绝缘措施，牙一咬，伸手就拉开了高压开关。弧光射起一丈多高，照亮了几里路远，他却安然无恙！七谈八论，这位相貌堂堂、美髯连鬓的汉子，差不多成了传奇式的人物。大家早就希望见识见识他的手段，一听说要开干部会，新局长与大家见面，便趋之若鹜。哪怕有六层高楼攀登之苦也在所不辞。

"果然名不虚传哪！你看他那双眼睛就是不一般，炯炯发亮，多有神！"他们心中赞叹道。

傅连山把这支干部队伍检阅了一遍，未曾开口，先笑了起来。大家不知所以然，心里有些纳闷：他怎么了？

"同志们哪，我刚才想起了一个笑话，憋不住先乐了。趁开会之前，给大家聊聊怎么样？"

没想到这位新局长竟如此随和，第一次开会就讲笑话。大家活跃起来，一片叫好声。傅连山清了清嗓子，讲起笑话来："不知是在哪一朝了，有一位封建脑瓜挺顽固的县官，到一个地方去上任。一了解风土民情，那个地方的老百姓有个毛病：凡属是男人都怕老婆，没有一个不怕的。"

干部们乐了，津津有味地往下听。

"这个县官一听，大发雷霆！男子汉大丈夫，仪表堂堂，凛凛一躯，岂有怕老婆的道理？本官却是不信！第二天，他把全县结了婚的男人都传到县衙门外面，想考察一下到底有没有不怕老婆的。县官在地下画了一条线，吩咐那些怕老婆的站左边，不怕的站右边。只听见一声锣响，人们哗的一下都站到左边去了……"

"嘻嘻……"干部们越听越有兴趣。

"这可把县官气坏了，他刚想发作，咦？就看见线右边站了一个人。这下他又高兴了，心想我可要重重地奖赏一下这个人。于是他把那个人叫到面前问道：'你不同他们站在一起，一定是不怕老婆的了？'那人一听，噗地跪倒下去：'启禀老爷，您弄错了，小人不敢站过去，是因为小人的老婆多次教训小人，不准到人多的地方去。'"

开会的人哄的一声哈哈大笑，有的人连眼泪也笑了出来。郑义桐是个挺严肃的人，也忍不住笑出了声。

傅连山等大家缓过气来，向下压压手，让会场内安静下来，言归正传。

"笑归笑，开会归开会，人人都有高兴的时候，也有不高兴的时候。我想，干什么事也都得这样，匀着都来一点。我怎么想到了这个笑话呢？因为我想看看我们干部队伍中领导和群众的比例，我也想把大家分两边坐坐。现在就请副科长以上的中层干部靠这边坐，一般行管干部靠那边坐，大家调调位置吧。"

吓！绕了那么大的一个圈，他在这儿等着哪！干部们脸上的笑意还没有消失，不少人心中突然就变了滋味儿。但也有很多人更加兴奋，闻风而动，立即换到另一边去了。

"请大家迅速点。我不是县太爷，地下也没画线。职务只是表示分工不同，坐哪边都光荣嘛！"傅连山没有笑容，连声催促着。

郑义桐站了起来，向下面挥着手："大家动一动。按老傅的划分，赶快换换，快一点！"

于是，情愿的，不情愿的，都站了起来，向自己该去的那边走去。这有什么呢？还有不情愿的？有，而且正是那些科长和副科长在这种场合下很不想动。本来在一个部门负点责任，是群众的信任、领导的委托，光明正大的事，但那些不想动的中层领导谁也说不清为什么这样难为情。

分成两边坐好后，科长们这边的座位从第一排到最后一排全部满座。科员那边呢？六人一排的座位整整空了八排出来。

傅连山飞快地清点了两边的人数："副科长以上的干部应到一百五十一人，实到一百四十四人，缺席七人。一般干部应到九十六人，实到九十六人，无人缺席。"

包括郑义桐在内，会场上的人都惊讶起来。对傅连山能这样精确地掌握会场情况和如此迅速的思维能力，发出了一片啧啧啧的赞佩声。

"安静一点，同志们。我想请大家看看我们的会场，也就是说，看看我们佳津地区电业局的行政管理机构，看看我们的干部队伍。在这里，副科长以上的干部占了五分之三，成了大多数。干部多不算坏事，目前我们国家真正有业务能力，有事业心，能在一个部门独当一面的干部不是太多，而是太少了。在座的同志们也许要问：我们这样的情况到底好不好呢？我说，这是很不好的。为什么？我又想说一句笑话了，一个科里科长多了，反而不如一个科员的权力大，你们信不信？"

傅连山停了一下，看了看会场，大家正在聚精会神地等着他的下文。

"打个比喻吧，咱们行政科有五位科长，各人管各人一行。你管办公用品，就无权过问分配房子的事。我管家具，也不能过问招待所的来客接待，这不要误事吗？但是唯一一个办事员却能样样过问，每个科长都要给她安排事，因此她一出马就可以任意代表某一科长。这么看起来，哪个科长的权力比她大？她倒成了实际上的科长了。这当然是句笑话，可是同志们哪，别忘了一个和尚挑水吃，两个和尚抬水吃，三个和尚没水吃哟！在其位不谋其政，或者是占着位置无能为政，这不是好事啊，同志们！"

郑义桐提着一个开水瓶，走到讲台旁给傅连山的杯子里续水。他好像是无意地把茶杯碰出了响声，但傅连山根本没看是谁，点了下头表示谢意，又继续谈下去：

"现在的问题是怎么办。原来听——"他停了一下，没把名点出来，"听说超编了二三十人，现在才知道，实际超编人数是一百零八人，整整一个梁山寨。这一点是不能含糊的，省委有明确指示，一个人也不能超。"

干部们不安起来，纷纷交头接耳，不知在议论些什么。傅连山没有急于要大家安静，一直等到嗡嗡嗡的声音自然平息下来才接着发言：

"有点坐不稳了吧？不用担心嘛。这种局面不难扭转，就看有没有决心。第一，从现在起，人事科要对外关门，一个人也不能接收了。第二，人浮于事的现象必须根除。超编的同志要另做安排，请大家做好思想准备。第三，关于去和留，完全以业务能力和工作需要为标准。全体同志都要分别参加业务考核。同志们哪，好长一段时间以来，我们的干部建设，都存在着很多问题。这些问题不解决不行了。再像过去那样能说不能干，或者不能说又不能干，成天唱着高调，昏昏庸庸，上得下不得，占着茅坑不拉屎，能适应四化建设的需要吗？有人说这得慢慢来，我说不！人家怎么来我虽然管不着，我们这个单位就不能慢，必须马上进行。……看来有的同志开始背包袱了？我不劝他放下包袱来。有压力多好哇！你要是怕自己落伍，就咬着牙赶上去嘛。实在赶不上，只好委屈一下啰。今天我只打算专门谈谈干部问题，完啦！"

又是一阵掌声。和初上来那次比较起来，掌声单调了一些。但是时间比那次长，局部地方的声音比那次要焦脆、响亮，听得出是使着劲儿拍的。

散会的时候，有的人站起来，不愿意马上离开会场，仿佛有点留恋着什么。有的人站起来后，只是下意识地随着人流挪动着自己的脚步，脑子里一味地思考着问题。还有的人恨不得把脚板底下涂上一层油，从六楼到一楼，吱溜一下就下来了。他们这才省悟到，上去时爬得汗流水滴，下来竟是这么容易！

但是不管是哪种人，有一个共识还是达成了：总算见识了新局长，的确身手不凡！

十四

善于发现苗头，又善于做思想工作的郑义桐，经过一番考虑，选取了一种对老傅提出忠告的方式。当天晚上，他把傅连山一个人请到自己家里来做客。傅连山是个很随便的人，"见官不向前，做客不落后"，加上正有几件事想同他商量，于是没有推辞就去了。

郑义桐的家庭环境使老傅顿时产生了一种久别重逢的亲切感。

正面墙上，朝大门挂一幅放得很大的照片，用几乎是黑色的框子框着。照片恐怕有些年月了，已经微微泛黄，但图像十分清晰：毛泽东同志身着白色衬衣，和蔼可亲地握着一位青年干部的手。青年干部虽然大半个脸都朝里侧着，但是一眼就能看出来，这是郑义桐。镜框下写着方方正正的黑体字："世世代代牢记毛主席的恩情！"令人肃然起敬。

家具摆设很朴素，很整洁。老郑卧室内那张床，是当地农村中比较典型的一种架子床。这种床高大、壮实、古板，从四面看都是方框形的。床边一个书架，那是竹质的。上面放着不少的书，除了齐齐全全地陈列着伟人的著作外，还有不少新增添的有关电力方面的技术书籍。有一本没有放进架子内，封皮上印着书名：《超高压输电线路》。屋内绝无盛行于市的时新家具，大部分是竹质的。几把矮矮的靠背椅还是手工用杨木弯制而成的。

小桌上放着一件未补完的军装，上面补丁压补丁。军装是的确良的，当然不是老郑转业时的纪念品，那个时候还没有的确良布呢。不过老郑喜欢穿这种衣服，总丢不了本色。

"看着觉得土气吧？"郑义桐并不自弃地说，"不知为什么，我倒觉得这样还自在一些。可能是我这思想太僵化了吧？啊？哈哈哈！"

"哪里哪里。有的人……生来爱吃素，各有各的口味，那又何必强迫他开荤呢？"傅连山只好这样回答。

饭还没有摆上来。郑义桐给傅连山沏上茶，开门见山地谈起心来："老傅啊，我对你这个人很佩服哟。从上次到省里第一次见面，你就给我留下了很深的印象。不过……"他乜斜了傅连山一眼，"咱们都是党员干部，我说话就不客气了。"

"好哇，有啥说啥嘛！"

"我觉得你今天在会上的发言……怎么说呢？是不是太……那个了点？啊？"

"老郑，你觉得我说得不对？"

"对不对那是另外一回事啰。你想想，话说得那么直截了当，干部们受得了吗？还是要注意方式方法嘛……"

"哦……"傅连山想了一下，刚要开口，老郑的爱人端上饭菜来，喊他们吃饭。

老傅是第一次上门的贵客，菜做得很丰盛。中间长盘子上一条肥鲜的糖醋鳜鱼，其余四盘四碗，鸡鸭肉蛋，色味俱全。

"来来来，吃着谈，吃着谈。"郑义桐把老傅让到桌前，"哎呀！实在没有菜，你就别见怪哟！"

"哈哈！这就是你说话的方式方法吧？要是我用这桌菜招待你，我就会说：'请吧，因为你初次来，我特意为你准备了很多菜。这条鱼是我夫人的拿手菜。'你看这么说不是更直率吗？你说呢，老郑？哈哈哈……"

傅连山很容易忘记所处的场合，只顾说得痛快，把郑义桐弄得很狼狈。

真是酒逢知己千杯少，话不投机半句多。这一顿饭，两人都是尽量多动筷子，少动嘴唇，酒不过三盅，饭不过两碗，都觉得量满欲足了。

吃过饭，郑义桐又谈起干部会来。

"干部的确是多了点。这些同志自己又有什么责任呢？辛辛苦苦为党工作了一辈子，现在工作刚刚舒适了点我们就……"

"不。老郑哪，你说错了。往后的工作不是更舒适，而是更艰苦。"老傅纠正着他的话，"我们也不是责怪他们本人，而是根据各人的工作能力，让他们担任比较合适些的工作。我相信：只要我们讲清道理，他们也是想得通的。"

郑义桐衡量了一下自己的力量，觉得这么说下去，很难使老傅转过弯来。他稍稍沉默了一会儿，又用非常推心置腹的口气劝告起傅连山来："老傅同志，你刚来不久，可能对这儿的情况还不大了解吧？我何尝不是这样看呢？可是……有些事我应该向你交个底哟。我们局里这些中层干部，很多都是地委领导同志指名安排来的呀。他们都有一定的工作资历，你想想，能那么随随便便地就动了吗？"

傅连山看着郑义桐，感到这个同志心肠不知道为什么这样慈善。他记得听谁说过，郑义桐是地委委员，可能他的顾虑多一些吧？还记得听谁介绍过，说老郑这个人不管在哪儿工作，对自己都很严格，清水衙门，无懈可击。这样的同志一般是求稳。自己这种大刀阔斧的作风要强加于他也不现实。还是耐心地谈吧。

"老郑，你有些过虑了。地委那儿倒好办，关键是我们党委。电业局这样的单位，对干部的专业化要求是不比一般的。我建议党委拿出个意见来向地委汇报一下……"

"不行。"郑义桐坚决起来，"党委不能向地委施加压力。不能把包袱向上甩。"

"可我们这儿不是收容所，上面也不能把包袱向下压嘛。"傅连山也坚决起来。

郑义桐诧异了。对方软硬不吃，使他又难堪又上火。他鼻孔内出着粗气，脖子上的青筋鼓胀起来，像是一根根红豆荚。终于，他忍不住了，忽地站了起来，恶从心头起，怒向脸边生："同志！心中要有党委！集体领导，不能一人说了算！"

"什么?"傅连山怎么也没想到郑义桐会发这么大的火。光是火就很让人受不了啦,他还拉到原则上去了。这可把傅连山撩发了!但他还是保持了理智,虽然语气并没软下来:"压缩编制的事,党委是研究同意了的。"

"但是什么时候压,压多少,怎么压,什么时候向群众宣布,这完全是你自己的意见,连我都不知道!"

"积极设法执行党委的既定方针,这是我的职责范围!"

"咱们说话、办事是要负责任的!"

"我随时准备对党委负责!"

"那好吧,明天就开党委会,咱们会上见。"

郑义桐推开椅子,走回自己的房间去了。他自己也没料到竟会这样来了结这场不愉快的家宴。在他的工作经历史上,诸如此种难以啃动的同僚,他还不曾遇见过!

傅连山窝了一肚子火,从郑义桐家不欢而散后,直奔梁友汉家。以前,老傅遇到了不顺心的事,总是要找梁友汉唠上一气,心境才能平静一些。现在,他更恨不得马上找到他。

到了梁友汉门边,傅连山停了下来,心里默了默神:明天要开党委会,这个时候到他家去,人家会不会说是私下串联?他想到这里,又回忆起那个忠实的背梯子的电工,那张神秘的不知来路的纸条……这个大大咧咧的人,很不习惯如此小心谨慎地思考问题。既然背后有那么几只眼睛在窥视着自己,那就算了吧!他一抬脚,向旁边岔道上走去。

围墙内已经开始精心绿化,移栽了不少花草树木。傅连山信步走到一排小树前,心不在焉地打量起树苗来。

这是一种比较普通的常青树——香樟。看样子栽下去还没几天。树根周围刚刚浇了水,泥土浸湿了一块黑圈圈。树干还很细嫩,最粗的也只不过同墨水瓶的直径差不多。为了加强树干的耐风力,每棵树干都绑上了一两根竹棍。枝叶倒是十分繁茂,蓬成了一个圆球状。但是,树梢已经开始发黄,有些树叶已经拳曲,用手一捏,嚓嚓作响。怪不得人们拼命地往根上浇水,原来是试图挽救这些树垂危的命运啊。

"揪着耳朵擤鼻涕。劲儿使得不对地方!"傅连山自言自语地说了这么一句。当年在干校时，他种过这种树，懂得一些经路。像这样移栽过来的树苗，根须受了些损伤，吸收水分和养料的能力大大减弱了，无法满足茎叶的需要。必须打掉很大一部分枝枝叶叶，才能使这些小树成活、苗壮，长成栋梁之材。否则，再浇水、再加撑都是枉费心机。如果迷恋于这些枝叶昌盛的暂时的外表，下不了狠心，那就将导致整棵树的毁灭。

傅连山感慨系之。他伸出手来，开始给小树苗打枝……

回家的时候，已经是晚上九点多钟了。老远就看见家里灯光通亮，走近一点，还听到一些人的谈笑声。这会是谁呢？人还来得不少？

傅连山疾走了几步，推开房门。呵，十来个人把小客厅挤得满满的，都是些生人。认识的人当中，除了老伴、梁友汉以外，还有那天在技术科见过一面的青年技术员，地委书记的儿子郭小成。

说来也有些好笑，第一次到技术科去的时候，梁友汉最不满意的就是郭小成。但是没隔多久，梁友汉对技术科里最满意的技术员也是这位郭小成。有一次，他非常意外地对老傅说："咦，小郭那一脑袋的头发卷儿，是天生的呢！"又过了不久，梁友汉竟央求起傅连山来，他就是看中了郭小成，非调他当自己的助手不可。他首先自我批评了一顿，说自己不细致，不深入，以貌取人，差点错怪了对方。而后又举了许多理由来说服老傅，说小郭这个青年底子并不差，为人有主见，忠厚、老实，大智若愚。最后，他吞吞吐吐地对老傅说，带着这个还有些"好处"。当老傅故意问他有些什么好处时，这个大书呆子脸都红了："人常说……上吊也得找棵粗大的树嘛！"傅连山摇着头笑了。谁知郑义桐却很爽快，马上同意了梁友汉的请求。

"你上哪儿去了？客人们都等你老半天了！"一见老傅回来，方贞园立即迎了上去，"我到郑书记家去问过，他说你出来好久了。"

客人们纷纷站起来，向傅连山打着招呼。梁友汉心花怒放，劈头就是一句："老傅，猜猜他们是谁？哈，知道你猜不着。这是局里的职工们挖地三尺，推荐来的专业技术人才。怎么样？敢不敢要？"

梁友汉这一段时间，完全陷到各个技术部门去了。经过一段时间的调查，他深感技术人才欠缺。最近，局里很多人被梁工这种求贤若渴的精神所感动，先后向他提供了不少本地区原来从事电力事业的人。这些人因为几次政治局面的大波动，已忍痛离弃了自己的专业。

郭小成把一位老同志拉到前面："傅局长，这是我们地区'文革'以前供电所的工程师。解放前就从大学毕了业，是专攻自动化专业的。"

傅连山赶快握住他的手，望着他那满头已有七成白的头发，热情地问道："您现在在哪儿工作？"

"唉，地区花纱布公司的采购员。多年没同电打交道，怕是不行啦！"他话意既伤感又自谦。但他紧紧盯着傅连山的那双眼睛，却有些潮润，充满了怀疑，也充满着希望。

另外几个人，有以前专门研究仪器电表的，有专学变压器的，也有搞过很长时间外线设计的。他们有的是原来就在本地区的，有的是从别地区转过来的，也有的是从某研究所下放的。

老傅心里一阵发热：原来以为这个地区缺少技术力量，这不都埋在脚底下了吗？只要能下力气把他们挖出来，都是价值连城的珍珠啊！他感动地望了望梁友汉，这家伙真有能耐，不吭不响，步步走在实处，这下可解决大问题了。

猛然间，老傅发现上衣口袋盖上，沾了一片樟树叶，是打枝时无意留下的。他的心一下就像失去依托似的往下一跌，半句话也说不出来。白天在干部大会上，自己当众宣布要人事科关门。当务之急还有百十名干部要往外安排，为了这件事，刚刚还同郑义桐发生了分歧。明天党委会上，不可避免地又有一场争辩。在这种情况下，能接收眼前这几位同志吗？

嗨！难办的事，为什么尽是些非办不可的事？真他娘的让人头疼啊……

十五

像一瓢冷水突然倒进滚开的油锅里，佳津电业局哗的一声翻腾起来。

傅连山和梁友汉刚刚走进办公楼，就见院内院外楼上楼下吵成了一锅粥。争论的内容十分奇怪，直通通地就说到精减谁不精减谁的上头去了，好像有谁递了什么内部消息似的。人们自动地分成了几派，你说我是混饭吃的，我说你是大草包，争得不亦乐乎。

党委成员各怀着各的心事，受外界争论的影响，互相都带着戒备心走进了会议室。刚要开会，大王一步跨了进来，手中挥动着一大摞纸条子："你们看看你们看看！二十几位科室负责人，请病假的，请事假的，都不干啦！谁干的好事嘛，这下全乱套了！大家说怎么办吧！"说完，非常生气地将纸条摔在郑义桐的座位前。

事情继续向高潮发展！党委成员们刚刚坐定，哗啦一声，会议室的大门被冲开了，带着风挂着火地闯进来六个男女，自称是干部推选的"代表"，情绪非常激动，理直气壮地责问党委"居心何在"。

室内不少人神经一下就紧张起来。这六个人可不一般，他们都是有来头的，各有各的功底，非同小可！闯进了党委会议室，他们毫无顾忌，满屋子的人谁也不放在眼里，如入无人之境。其中有位六十多岁的"代表"，操着地地道道的本地方言，口吐白沫，不知心里哪来的这么多委屈：

"我哩那时季就搞起农会，脑壳子系到裤带带高处，一年四季闹革命。咯扎干部我就硬是当不得呀？咯就是呷冤枉饭哒？呷几碗冤枉饭又何是呢？我哩有得文化，毛主席不嫌我，省里不嫌我，地委不嫌我，就是你哩无么大个新党委嫌我何是？无得这种事！考！考！考他外婆的一条鬼哟！"

跟着，一名体态肥胖的女干部又嚎天嚎地地哭闹起来：

"是哪个缺德的角色，搞起我的名堂来哒？呜——！我一冇犯错误，二冇出问题，三冇偷东西，就把我写到名单高处哒？不得好死！呜——！老子要同他打官司！打到地委去！打到法院去！呜——！咯样欺负人哪？不晓得锅是铁打的呀？呜——！"

其他四个人，有的质问党委，有的大声抗议，有的捶胸顿足，有的拍桌打椅，把个党委会议室搅得一塌糊涂。

"出去！都给我出去！"

郑义桐火冒三丈，拍着桌子怒吼起来。这六个人闯进会议室来，的确是他完全没有料到的。开始他没有吭气，倒不是对他们畏惧。他觉得让这些人说说话也不无好处。后来看见他们闹得越来越不像话了，简直到了肆无忌惮的程度，于是就不管三七二十一，暴怒地将这几个人轰了出去，把站在一边沾沾自喜的大王闹了个大惑不解。

不久，各科室相继平静下来，因为大家的注意力都被引向了党委会议室，那里面爆发出比所有房间都要激昂的争论声。由于大家都争着发言，你一句我一句，像几挺重机枪，打起来分不出个点，争论的内容混成了嗡嗡一片，听不明白。

"嘿嘿，有意思。"代冰冲着党委会议室，又说起俏皮话来，"原以为新党委是个坚强的战斗堡垒，谁知他们在堡垒里面战斗起来了。"

话音未落，新局长傅连山铁青着脸，大步流星地冲进行政科来："给我派个车！"

"哎哎。"萧科长不敢怠慢，"您上哪儿？"

傅连山浓眉往上一竖："这也该你管？"

"不不……我……这就去给您叫。"萧科长连忙转身……

傅连山一把抓住了他的胳膊："这儿有电话！你当着我的面对车队说！"

傅连山气坏了！这叫什么党委会嘛，简直无法谈到工作上去。只要自己提出一点什么意见、看法来，必然得到一致的否定，不管正确不正确。人员超编的问题，是非如此明显，就是没有商量的余地。傅连山还没敢把昨晚上那些人归队的事往外说，看那架势，说也白搭。没想到他不说，人家早就一清二楚了。开会的时候，这一点便成了他们强有力的根据：你不是说人多了吗？那你为什么还要悄悄地在外面物色人？你已经发号施令要赶走一批人，没有同党委通气这倒不说，又私下招兵买马，什么意思？

沈局长最听不得人家说他不懂业务，也听不得人家说这里没有技术力量。他对傅连山最大的意见也在这里：你想干什么？我们不行，你行？你物色人，硬塞进来，这不是拉帮结派、排挤我们吗？

更令人受不了的是政治处的那位大王，说话真叫个凸牙齿啃西瓜——挖肚！他十分激动地提醒大家"不要搞宗派"。说现在有人为了站住脚，就独断专行，想排斥一大批党的忠实干部，同时又想安插自己的亲信。这些人就是利用"压缩编制"这面合法的旗帜做掩护，我们要"透过现象看本质"，不能"就事论事"。他还沉痛地回顾了当年当公社书记的时候，一些造反派就是用这种手段夺了人民公社的权。最后，他正颜厉色地提出忠告："现在党心民心都希望安定团结，正是向社会主义四个现代化迈进的时候，谁想拉山头，搞宗派，那是绝不能得逞的！'四人帮'那一套吃不开了！"

郑义桐呢？他倒是没说这一类话。大概他知道这些话自有别人去说，或者这些话与自己身份稍有不符吧，反正他一直没发表自己的看法。但是，在压缩编制这个原则问题上，他的态度是非常强硬的。该不该压这是小事，如何压，一定不能由谁说了算。"现在是开党委会，意见不能统一，那就开始付诸表决吧！"郑义桐宣布着。

一听付诸表决，梁友汉仿佛被人家突然抽掉了脊柱骨，差不多要瘫下去了。

傅连山呼地站起来："付诸表决是什么意思？要大家肯定或者否定一条明明白白的道理吗？你们根本不从工作出发，强行依仗多数，表决会是什么结果，那还不是秃子顶上的疥疮，明摆着的吗？我反对这种不负责任的做法！"

"如果你认为党委不如你一个人正确，那么只好请你保留你那唯一英明的意见啰。"大王的语气充满了揶揄嘲讽，"但是，党委形成决议后，一定要执行。这是组织原则！"

"你这是在同谁说话?！唵！"傅连山的火一下就冲到了脑门子上。你算什么角色？教训起人来了？阴一句阳一句，忍了你半天还不识相，反而越来越放肆，如此盛气凌人，这还了得？抛开我是局长、党委副书记不说，年纪也要比你大一大把，你就可以任意戏谑我？像猫戏老鼠一样，真他娘的……

傅连山还是忍住了。心里一个声音在喊他：不要冲动！不要冲动！面前顶要紧的是工作问题！他强咽了一大口酸气，按下无名怒火，用钢珠般的眸子紧盯着大王："你指的决议是什么？顶住省委指示，反对压缩编制？嗯？……"

大王语塞了："那……反正……"

"在没经过地委同意之前，任何人无权随便削减干部，这就是决议。"郑义桐头脑很清醒，思维也很严谨，"现在请大家举手表决……好。十五个委员，十三票同意，两票反对。同意票占压倒多数，那么就通过了。

我可把话说在前头，形成决议的事，如果有人还在行动上反对，那是要受纪律处分的。这一点对谁都一样。"

"我有意见！……"

"有意见也不行！不服气可以找地委去！"

"找地委？找玉皇大帝也别想吓住谁！等着吧！"傅连山一抬脚就冲出了会场……

萧科长哪知道这些关节？风头上挨了老傅这一呛，再也不敢来小聪明，赶快伸手抓起了电话听筒。

不到两分钟，傅连山就跳上了汽车，箭一般地向地委驶去……

吉普车有很大的越野能力，时速也非常之快。但它比起某些现代化的东西，就不行了。比如电话，通起话来比任何交通工具都快得多，在傅连山赶到地委之前，郑义桐的电话早就挂通。车开进那座门时，郭书记已经听完汇报，放下听筒，从办公室走出来，站在草坪等候着这位气不忿的"老对手、新下级"了。

刚接到电话时，郭书记心里非常不高兴。你傅连山也太过分了，这儿是佳津地区，不是在你家里，怎么就能由你自己想怎么干就怎么干呢？你碰了钉子就往这里来，来就来吧！正好提醒你一句：不要太刚愎自用了。

但是，当郭书记出得门来，看见傅连山那辆车开进院内，又看见他下了车，噔噔噔地走过来的时候，郭书记心里突然一热：多么坚定的步伐，多么顽强的人哪！哪怕在他面前的是悬崖、是峭岭，他也决不会回头半步！郭书记又不由得在心里赞叹：这样的干部，你上哪儿去找啊？别说是郑义桐他们，就是自己，也难得有这样百折不挠的魄力呀！昨天晚上，儿子郭小成回到家里，一个劲儿地佩服新来的局长和总工程师。不是宠爱儿子，而是的确被他说动了心：如果这位同志能够与我们同心同德，为地区的工作多出点力，那该多好哇！

郭书记心里一下就有了主意。他完全修正了自己的表情，老远就喊开了："连山哪——！"他记得省电业局的王局长是这么称呼他的，既上口又亲切，"怎么？遇到困难了？老郑这个同志，是有点固执，我们经常提醒他。你是知道的，有些同志完全是一片好心，就是不大懂业务，伤脑筋啦！来来来，咱们进去谈谈。"

傅连山的火气除非上不来，上来了就不容易下去。进了屋子，粗大的嗓门就打开了："郭书记呀，党委会强行否定了我的意见，我可是赌着气来的呀！如果问题解决不了，我又灰溜溜地回去了，这个例我可不开。你看着办吧，没个答复，我就在这间房子里过夜了！"

"哟哟，这火气还不小？哈哈，什么事你就说吧，只要是能由我答复的，就算你没有在这儿过夜的缘分了。哈哈哈……"郭书记亲手泡了一杯茶，端到傅连山面前。

傅连山见他如此亲切，心中的气渐渐消了一些。

"郭书记，地委对省里的指示到底有些什么打算吗？电业局成了疗养院、成了敬老院了！其实，人多一点关我什么事？还能让我私人出钱给他们发工资？可是要干事啊，我的书记！说声要考核一下，比捅了马蜂窝还要命！为什么？麻布袋绣花，底子太差了。心里害怕。就这德行，业务还抓得上去吗？原来供电所那些老底子就是不错，可怎么回得来？这家国营大旅社客满了还不算，走廊里都搁了行铺，差不多要膨胀了，像话吗？"

"党委怎么研究的？"郭书记皱起了眉头。

"党委！……嗨！"一提起党委，傅连山又来了火，"马尾穿豆腐，别提它了！反正十三对二，少数服从多数，形成决议了。没有地委的指示，谁也不能动。这不，我等着你的指示呢！"

未等傅连山发泄完毕，郭书记就陷入了沉思。想一阵，点几下头，鼻子里发出嗯嗯嗯的声音。然后又想一阵，又点几下头，又嗯嗯嗯地发出鼻音……末了，郭书记下定决心似的站了起来：

"连山哪，这件事你放心，我负责给义桐同志谈谈。党委首先得想通，不能像个家庭妇女那样，什么坛坛罐罐也舍不得扔。地委嘛，当然不能由我一个人说了算。那不成了封建家长了？哈哈。但是我想嘛，我是应该尽到责任的。来！我和你一起去找曾部长商量一下。咱们这就去，不要再拖了。"

郭书记如此体贴入微，痛快淋漓，这可是傅连山万万没有料到的。

他自从进这个门起，就做好了思想准备，以为同郭书记必有一场争执，至少也要打几句嘴皮子官司。他简直不相信自己的感觉器官，听到郭书记这一段话后，竟迟迟没有起身。

事实总归是事实。郭书记已经收拾好笔记本，向门外走去。傅连山这才惊醒过来，一弹而起，紧紧地尾随而去……

十六

组织部大楼里，人来人往，熙攘不绝。夹杂着打字机的咔嚓声，一片兴旺昌盛的景象。

郭书记带着傅连山穿过走廊，登上"U"形楼梯，来到了部长办公室。

门敞开着，曾部长坐在办公桌后面。左手支撑在玻璃板上，托住自己偏向左边的脑袋，右手捏成了拳头，向自己的前额轻轻地、不停地捶着。眼睛使劲地闭得紧紧的，下嘴唇被咬进门牙内，现出一副痛苦的神色。

"怎么啦老曾？哪儿不舒服？"郭书记看见他这个模样，吓了一跳。

曾部长睁开眼睛，发现是他们来了，马上恢复了正常："蛮好的，蛮好的，无得事。你哩请坐吧。喔唷，老傅也来嘎哒，么事情哪？"

傅连山望了望郭书记，没有吭声。这种地方当然还是由郭书记说话合适些。

"老曾哪，上次到省里去协商，谈到了电业局超编的事。你们是怎么考虑的？"郭书记不但义不容辞，而且开门见山。

曾部长略略有点奇怪，但他只扫视了郭书记一眼，那双精明的眼珠子立即转了过来，已经心领神会。

"咯个问题，昨夜里都研究过哒。我哩正在积极想办法。老傅来得好嘛……来来来，呷杯茶叶子再讲。"

曾部长对傅连山特别热情，边泡茶边夸奖他："老傅啊，你哩的组织关系跟哒档案，都寄来嘎哒。不简单呢，你还是'三八'式的老革命呢，这下子我哩地区又增加力量哒！来来，呷茶。"

在同别人打交道时，傅连山最怕两件事：一是人家太客气；二是人家当面提自己的经历。这下全凑齐了。他皱了皱眉，心里很不舒服：有什么意思？翻来覆去早说腻了。好汉不提当年勇，是英雄是狗熊还得看以后嘛。

好在曾部长并非那种一味奉承别人的人，恭维话点到为止，见好就收。他冲好茶，走到门边把门关上，以免有人来干扰谈话。然后，就陪着他们坐了下来。

"老傅同志，如今呢，你哩调到我哩地区来哒，我哩就是一家子人哒，话我就不收起来讲哒。咯个家丑也要让你晓得哒。唉，我哩地区咯个干部队伍……伤脑筋嘞！电业局超哒编，那算什么哟，不晓得有些单位还要超得多些嘞，无得办法呀。我哩地区的干部，我算给你听听：一解放就发展得蛮快，那个时季，只要你斗争性强，就发展当干部，农村里一下子就上来嘎哒一大批哟。到哒土改，又发展哒一批，剿匪又发展哒一批；'三反''五反'又一批；公私合营又一批；反右派补哒一批；朝鲜回来一批；搞'四清'又是一批；到哒无个砍脑壳的'文化大革命'，又不晓得上哒好多……老傅呃，你是清白的，咯个干部，无得错误，无得问题，何是下得去啰？你要我哩如何安排？就讲你哩电业局，中层干部多，你何是办？都是那个级别嘞！你哩局架子大，还算安下哒。我咯里还有百把个无得地方去安排哒嘞！"

曾部长吹了吹杯子面上浮着的茉莉花瓣，叹息不已。

傅连山是搞过多年行政工作的，干部这本经文好不好念，他心里是知道的。是啊，一个单位是那样，何况一个地区的组织部？成天扯的麻纱都要用磅秤称了。

"你哩看啰，刚才我正在为咯些头痛呢！"曾部长眼光落到办公桌上，又焦躁起来，他走过去抓起桌上几张表格，牢骚满腹，"郭书记嘛，你看何是搞嘛？又分来哒四十个转业干部。上一批还冇安排完哒！唉！年年有，一年几十。他还动不动就是一个团级，叫我哩往哪里摆？有的县十几个书记哒，硬是不要。我哩组织部无得法，自己留吧？昨年子留哒三个，今年子留哒四个，还不得完，又加哒一个老戚。老郭嘛，咯个事还是想下子办法嘞！我哩地区又不是疗养院，又不是敬老院！何是搞嘛？"

这一句一句，都是实打实的真话。组织部离书记楼二百多米远，曾部长根本不可能看见傅连山到郭书记那里去说了些什么。他提到"疗养院、敬老院"，完全与傅连山的话重合，这就十分有力地堵住了傅连山的嘴，老傅再也不好说什么了。曾部长最后那句"何是搞嘛？"是真心实意地向郭书记讨主意，语气中充满着焦虑不安，确实是发自肺腑。

傅连山开始同情起曾部长来。地方上有这么多难处，也难怪不肯接收省局的干部了。有些问题，牵涉整个干部体制，一个地区也不敢擅作主张。想到这里，老傅有点动摇起来：这一趟是不是来得唐突了点儿？

郭书记一直侧着头，边听曾部长诉苦，边暗暗观察着傅连山脸上的任何一个微小的反应。至于曾部长说些什么，那无甚紧要。既是老生常谈又是无法解决。现在重要的是如何把傅连山这一名不可多得的骁将争取过来。他知道这一点不是很容易做到的，作为在省局工作过多年的同志，考虑问题是比较从全局出发的。但是郭书记很难辩证地看出转化的契机：任何人在任何部门工作，不可避免地要考虑本部门的利益。你老傅即使在省局考虑问题很全面，如果范围扩大一点，在全省来说，你也只是仅仅站在电力这个角度上为电力部门的利益考虑。省委考虑问题够全面了吧？在全国范围来说，也只能是为本省利益考虑得多些。哪怕是国务院，在全世界这个范围内，当然得首先考虑我们国家的利益啦！

曾部长也有同样想法。当他看见郭书记带老傅进了门，又听到郭书记那句明知故问的话，便知道该如何做了。于是，他滔滔不绝地大谈其苦衷。客观地说，他介绍的情况句句是实话，说到由衷处，还真动了感情。美中不足的就是只谈了尚存在的问题，而对那些稍有改善的地方和眼见得一步步即将扭转的乐观的一面，却没有涉及。他认为这样做有好处，更有利于争取傅连山站到本地区立场上来。

从郭书记的脸色和傅连山的反应看来，这番话是奏效了。曾部长心里一高兴，话就挑得更加明朗：

"老傅嘛，你哩是屋里的人哩，咯个家如何当，你哩也要多想点嘎子办法哟。电业局嘛，呷的省里的钱，端的省里的碗，不占我哩的编制，还归我哩管，咯么个好地方……"曾部长突然住了嘴，警觉起来。真是智者千虑，必有一失，差点把底和盘给托了出来！

郭书记心里有数，想要真正让老傅成为地区的臂膀，除了让他看到难处、尝点苦头之外，还要给他加油打气，吃些甜头。不过下一步还不到换口味的时候，还得带他到几个部门去转转。组织部这里不宜久留，但应该加点"味精"。郭书记临走时表了个硬态：

"老曾，你给义桐挂个电话，就说我说的，干部的业务考核一定得考。各考各一行嘛，怕什么？又不是要你去考科技大学。减员的事，等考核一结束就着手进行。还有，听说为工作上的事，同连山闹了点矛盾。这事儿我不管谁对，首先就要批评义桐！不像话嘛！连山同志搞电力这一行是全省有名的，你为什么不尊重人家嘛！对他说，今后业务上的事儿，多听听连山的。乱弹琴！"

说完，他余怒未消地看了傅连山一眼："连山，你还有什么要补充的？"

这太不过意了！傅连山赶忙摇头不迭。

从组织部出来，郭书记又要拉老傅到地区经委去"熟悉熟悉情况"。两人穿过花圃，向经委大楼走去。

经委主任到下面县里去了。统计科的科长接待了他们。

这位科长四十六七年纪，前额宽大，但脸下半部却很窄小，人也很单瘦。鼻梁上的那副眼镜，镜片上有两道圈。因为长期埋头于计划、报表，加上熬夜太多，已显出未老先衰的迹象。但他精力却是非常充沛。

"这个月产值怎么样？"郭书记问道。

"正在统计。"

"估计比上个月呢？"

"郭书记，很对不起。'估计'是领导的事，我们只认数字。"

傅连山暗暗吃了一惊。这样的同志，实在难得。你就是把一担米交给他，他也不会数错一粒的。

"那你就谈谈上个月电业局的情况吧。"郭书记同样喜欢这种人，丝毫也不见怪。

统计科科长从办公桌抽屉上拔出钥匙，打开背后一个文件柜，一伸手就从无数个格层里抽出来一份表格，连封皮也不看，就关上了柜子。其熟练程度够惊人的了。

他翻开表格，向郭书记介绍了很多具体数字，如上个月向上级电管部门共缴电费多少多少，然后卖给用户时增加管理费多少多少，增加其他费用多少多少，共收入多少多少，然后收支两碰，盈余纯收入多少多少……真是小葱拌豆腐，一清二白。

傅连山原来知道，地区供电部门通过这么一转手，能赚不少钱。但具体赚多少就不清楚了。今天一听，真是不敢相信，油水这么大？

"这是上个月供电公司的收入情况，现在已经结束。这个月的情况，应由他们自己统计，对口上缴省电业局。只要抄送一份给我们就行了。因为已改为电业局，就不存在地区收入了。"统计科科长补充完毕，仍然站在那儿，等待着新的提问。

郭书记再也没有问什么。他只对傅连山说了一句"我们走吧！"就径直先向门外走去。

"原来如此！"傅连山心里想道。怪不得各地区对成立电业局都或多或少地不感兴趣，一下子断绝了人家的一条财路，能痛快得了吗？看来地区并非不支持专业化改组，只是因为那不是他们的直接责任。他们考虑得更多的是如何把一个地区的经济搞活，如何把一个地区建设好。这当然是天经地义的事。

傅连山赶快走了几步，跟上了郭书记。

刚刚走到经委楼外，面对面地碰到了一位干部。他一见到郭书记就嚷开了，声如洪钟：

"哎！郭书记，怎么搞的？听说省里还是把供电公司收上去了，你们这些当领导的，怎么就不替我们想想呢？生产没有电，让工人打赤膊去摇马达？电衙门厉害呢！什么时候卡你，你就只好干瞪眼。书记啊，这个权就要抓……"

"好了好了！"郭书记怕他越说越难听，就把傅连山介绍给他。傅连山这才知道，他是经委管生产的副主任。

这位副主任审慎地回顾了自己刚才说的话，还好，没有太多得罪对方的地方，便马上爽朗起来：

"哈哈，有眼不识金尊。这下就好了，有老傅到咱们这里来，事就好办了。你老兄是省里来的，人熟嘛！不定明天后天，遇到要压负荷、拉闸等七关八卡的，你老兄一个电话去准保线路畅通！哈哈，老傅啊，今后咱们地区的生产全靠你了！好！好哇！活路多了。"

接二连三地带傅连山转了几处地方，钢的柔的，让傅连山见识了几个人，郭书记已经感觉到自己的步骤正在发生效力。

再下一步，他没有急于迈下去，把傅连山送上吉普车，自己也跟着上了车："连山哪，我同你一起到电业局去！"

这句话的分量傅连山是掂估得到的。只要郭书记同自己在局里一露面，这就等于明明白白地告诉大家：地委是完全支持我的，你们看我有多么厉害！我傅某人是不好反对的，今后你们都得小心一点！傅连山想到这里，立即觉得自己太卑鄙，太可耻，如同狐狸领着老虎走进森林一样。

傅连山跳下车来，无论如何也不肯陪郭书记到局里去。由于好胜心、自信心、责任心、自尊心同时受到了无意的损伤，他差不多要变脸了。

"那好吧，到我家里去，正是吃饭的时间了，看我来烙顿饼给你吃，这不反对吧？"

不好再说什么了，傅连山只得又跨进车内。

可能是奔波了大半天肚子饿了，也可能是这个地方葱的品种优良些，傅连山吃着郭书记烙的饼就是觉得香。

"连山哪，我想在下次地委全会上，提名增补你为地委委员……别别，你别推！"郭书记挥了挥手，不让傅连山开口，把一张卷着鸡蛋的烙饼塞到他手上，"工作需要嘛。今天你对我们的困难可能有些了解了吧？还多着哪。靠谁来解决？我是不行的啰，得靠大家。你当我是像送烙饼似的随便就送你个头衔？哈哈，今后，得靠你这位实干家来给地委分担责任啦！往后地委的工作，也就是你分内的事了，要请你多拿主意。希望你不要辜负地委的期望啊！"

傅连山嚼着烙饼，心中很清楚郭书记的意思。这位说话向来同办事一样果断的人，一时间竟不知该如何开口才好。过了好一阵子，他才说了一句："尽力而为吧，郭书记。"

十七

几个月以后，事实证明傅连山是尽了浑身的力气的。然而事实也同样无情地证明，他越是尽力，离"地委委员"的宝座就越远，正像郭书记说的那样——无缘分。这件事还得回头从那天去地委回来时说起。

曾部长显然已经给郑义桐挂了电话，也许还很严厉地批评了他。当天晚上，郑义桐就到傅连山家里来了。

"老傅，我想同你谈谈。有时间吗？"他朝方贞园望了一眼。

等方贞园退到里屋去后，郑义桐说话了。未曾开口，先叹了声气："唉！我这个人是不大好合作，毛病也不少。新单位新班子，一开始矛盾是很多的。我也是几头受……好吧，地委批评了我们党委，不管问题在哪儿吧，反正我是责无旁贷啰！老傅，你对我还有些什么意见，当面提吧。"

傅连山听得出他这一番自我批评带有很大的强制性。也罢，带气的不责赔笑的，何况傅连山早已没气了。只要能出以公心谈到工作上去，还计较个人恩怨干什么？两人哈哈一打，又心平气和起来。

当他们再次谈到解决人浮于事的问题时，傅连山简直高兴得手舞足蹈起来。郑义桐不但同意在全局搞业务考核，也赞成马上着手摸底，准备压缩编制。尤其是谈到那七八个同志的技术归队问题时，郑义桐的态度非常明朗。

"白天，有人说你另外物色了什么人，我还不知道是指谁呢。后来听梁总一介绍，我想起了。这几位同志那我是了解的，都是些打着锣也找不到的硬角色呀！唉，这么多年来，冤冤枉枉地垮了下去，有什么问题吗？现在看来都算不得什么。还不说有技术，落实政策也得让他们回来！"

郑义桐紧接着告诉傅连山，这件事已经向曾部长汇报了，曾部长大力支持。他说只要省局同意接收，调回来的事他负责。

"不过，这又有个问题了。"郑义桐在傅连山听得兴起的时候，冷不丁冒了一句，"编制怎么办？"

"如果确实生产需要，又是这种情况……"老傅想了一下，比较有把握地说，"我看问题不大，报请省局在原编制上再扩大它几个嘛。"

"嗯……有道理。"

郑义桐心里暗笑着：就等你这一句话。他记得曾部长在电话里给他出这个主意时，自己也是说的"嗯……有道理"这句话。在决定找傅连山谈话之前，自己牢牢抓住了他爱才如命这一点，果然套中了。看来这个对手不难对付，了不起在业务上他熟悉些吧，那又有什么关系？重大一点的事都要由党委决定，还怕罩不住他？

郑义桐立即抓住这个机会，进一步把老傅向里面引：

"老傅，咱们说动就动。"

"好哇！"

"是不是马上让他们填个表，送省局去报批？"

"对，越快越好。"

"不过，送省局得有个得力的人，谁去呢？"

"老郑，你考虑一下，我去一趟吧！"傅连山哪儿知道，找的正是你。

"哎呀，这怎么行？你刚来，还没休息几天，太劳累了。不行不行，无论如何也不行！"

郑义桐的头摇得像个货郎鼓，一个劲儿地推说他太辛苦了。他知道，越是这样说，越能激将对方。

不出所料，傅连山铁了心！非去不可！

"实在你要去，是再合适也没有了的。那我就强人所难了。"郑义桐显得很无可奈何地摇了摇头，"如果你打定了主意，我可要得寸进尺了哟，明天就动身吧？"

"可以，今天能走也行。"

"说定了，我告诉行政科准备车子。对了，我准备让大王陪你去。你动口，他动腿，已经让他替你准备报表去了。"

一听要大王陪自己去，傅连山心里踌躇了好长一阵，他对大王太没有好感了。这哪像一个政治处主任？业务上屁都不懂，满门子心思都用到如何趋炎附势上去了。一张嘴皮子愣能把死人说得站起来，把活人说得倒下去！哼，要是能由自己当家，早撤他娘的职了！偏偏上头对这个宝贝就是那么宠爱！

但是傅连山又不便在脸上流露出憎恶的意思来。前些日子，七零八碎地听说过大王的一些战斗历程，对此人为什么有那么大的魅力明白了个十之八九。听说在"四人帮"横行时，这个人的爱憎格外地分明，曾经"以革命的两手对付过反革命的两手"。在众口齐伐"走资派"的时期，他却满怀着无产阶级的感情，非常巧妙地掩护过地委主要负责干部。单拿保护郭书记为例吧，就很能让人钦佩他的机智。那个时候，郭书记每天都被勒令挂着大黑牌，自己出去示众。早上撕给他一张白纸，晚上白纸上没有六十个造反组织盖的章就不准回来睡觉。在这个严峻的时刻，大王显示了超越常人的卓绝本领。他每天在没人看见时便悄悄把郭书记救到一个秘密的安乐窝里去养息身体，然后骑上自行车，拿着那张白纸，仗着自己的合法身份和一些老关系，不到一个钟头便在纸上盖满了公章。后来为了省事，他将这种盖满了公章的纸弄了一大捆准备在家里，使郭书记免受了多少皮肉之苦，免遭了多少奔波之劳啊！事后，地委领导干部提起这桩事来又是感激又是夸赞，如此立场坚定的年轻干部当然应该充分信任和大胆提拔啰。这是闲话了，反正傅连山对这些事总有些不以为然，但碍于很多原因，也不好强行推托。人事上批指标的事，本来又属政治处主任的职责范围，只得同意让大王一起去了。

派大王陪同着去，里面还有些原因，恐怕谁也猜不到。最多大家以为他的任务是明送报表，暗暗钳制傅连山。其实，这里头有一个并非不可告人，但暂时还不能说的秘密。

大王可不比郭书记、曾部长等人，别看在地方上派头十足，到了省城就两眼一抹黑了。那地方他还是好多年前来过一两次，这回再看，东西南北都分不清。不管是走在大街上，还是住在招待所里，总是寸步不离傅连山的屁股，活怕迷了路。成天到晚双手紧紧地护住那个公文提包，活怕被人偷走。那里面是一点差旅费和报表，他看得比生命还贵。

来的路上，傅连山已经想好了应该先找谁，后找谁。到了省里以后，三拳两脚就打通了道路。在别人看来差不多是毫无指望的事，居然很快就被同意了。局里通知他们，已经同意佳津扩大点编制，以便让技术人才归队，让老傅他们第二天到局里去办审批手续。

就在这天晚上，大王开始准时发挥起作用来。

吃过晚饭，两人坐在招待所聊天。大王伸出大拇指，把老傅从头夸到脚，足足佩服了半个多小时。然后，从公文包里抽出了一封信："哎哟！真该死！曾部长让我转交给你一封信，我都忘到九霄云外了。该死！该死！"

傅连山拆开信，好一笔工整而又秀丽的字体！小楷毛笔写的，一丝不苟。写信是用的通俗语言，因而比听曾部长讲那口浓重的地方方言容易多了。老傅扭亮台灯，读起信来：

连山同志：

　　辛苦了。

　　老郭向我谈了那件事，我由衷赞同。只要我们做做工作，估计地委全会是能够通过的，务请放心。

傅连山抬起头，想了好大一会儿，终于明白了他指的"那件事"是什么。他摸了摸胡子，淡淡地笑了一下，又接着看下去：

　　这一次有劳你赴省办事，目的有二。一、解决人才归队问题；二、扩大编制问题。地委考虑，这两件事可以同时争取，请你灵活掌握，尽可能多地替地区解决一些干部安插问题。

　　来不及同你面谈，相信你能设法圆满完成任务。具体情况由小王向你汇报。

　　祝你成功！

　　握手

曾庭儒
×月×日

傅连山这才明白了自己的真正使命：他们的如意算盘是想借人归队的机会趁机多批点编制下去，真是用心良苦啊！

要在早几天，傅连山一定会火冒三丈，搞些什么名堂嘛！什么怕我劳累？早就瞄上我了！什么忘记把信交给我了？明明是诸葛亮使子龙送刘备过江东，三封锦囊依计而行！这不成心耍弄人吗？

不过，前后不到几天的工夫，傅连山已经判若两人了。这股火只在他心中闪了一下就熄灭下去，根本没让大王看出来。不好责难曾部长，也不好责难其他人。就算他们用了心机吧，要不是为了工作，他们又何苦呢？

傅连山只好随遇而安了。他像吞下了一条毛虫似的，转过头来问道："那么……报来了多少人？"

"老郑考虑，把超的全报上可能批不了。连那八名在内，总共只报来六十八人。"

"什么？"傅连山倒抽了一口凉气，"你以为这是赶集吗？人越多越能凑热闹还是怎么回事？"

"哎！这跟我没关系。我只奉命跑腿嘛。"大王一股脑儿推了。

傅连山叹了口气，满脸聪明相，一肚子糊涂汤！能批得了那么多吗？唉，既然来了，不办也说不过去。还是那句话：尽力而为吧。这么多人肯定是批不了的，但是能多批几个也给地区减轻了一点负担。今后长期在下面工作，关系不搞好也是恼火事。他万般无奈地把信收进口袋里："那就碰碰运气吧。这可是瞎子打锣，撞到哪里算哪里，事先说不准的事儿。能批多少算多少吧。"

"哎！傅局长，能批多少算多少可不行哟。只要你不松口，省局还能不批？你这个省里副局长的职还没有免哪。曾部长说了：现在对人才问题强调得紧。他让我告诉你，要批都得批，不批，我们也不少了那几个人。他还说你是有办法的，交给你他就放心了。"

傅连山心里一阵阵想作呕，实在不愿再听下去。这个草包大王，倒是把底托出来了！为了使自己不至于暴怒起来，他赶快摆了摆手，一头钻进了蚊帐内。

第二天清早，老傅要大王一起到局里去批指标。大王推说要给人家代买东西，把一大本干部呈报表塞到傅连山手上，就自己上街去了。傅连山心里本来就不喜欢让他一同去，接过表就走了。

得！换了个人，无论如何也不会像他这样缺心眼儿。为什么不拉他一起去？当着他的面，把表递上去，人家批不批、批多少，他都亲眼看见的，怪不到自己头上了吧？偏偏傅连山就这么不世故，真是愧对那五十多年吃下去的大米白面儿！

到了局里，还没等傅连山开口，王局长就千叮咛万嘱咐地唠叨开了。什么现在是调整时期啰，省里专门成立了编制委员会啰，你们那里就是塌了天也只能批几个啰，这是照顾边远地区啰，其他地区做梦都想不到啰，知道了还不晓得有多大意见啰……把个憨老傅堵得严严实实，上下嘴唇就像长到一起去了，根本不可能再张开。

这个时候，本来还有退路的，偏偏他又一次失了策。既然省局多批无望，你就可以暂时不忙报，回头找大王去商量商量嘛。可他没有，八个就八个，抽出表来就让他们批了。

回到招待所，按说还有一步"上仕垫车"的棋，你就说这次实在没有办法，我磨破了嘴唇也不行，人家怎么样也只批八个，不信你去试试……这也能抵挡个大概了吧？傅连山就是蠢到了极点，死榆木疙瘩！他不但没有推，反而还当着大王的面一个劲儿地反省自己：什么不该有这种想法呀，人家都没加，自己加了还为什么想多加呀，怎么不想想这给省里增加了多少压力呀，缺少全局观念呀，等等。最后还很严肃地说："说批归队编制，当然只能报归队人员嘛。为什么想乘机要挟省里呢？什么事都得讲究个光明正大嘛。所以我就只报了八个，其余的我不能往外拿。"

行了，回到佳津，大王向地委一汇报，根本用不着添油加醋就足够老傅喝一壶的了。当时曾部长那个气呀，脸都歪了！郭书记呢，当场就拂袖而去！

这是第一件事。

第二件事发生在局里内部，它却震到地委大院去了。经过七讨价八还价，局里还是分科室搞完了业务考核。这种考核能说明什么问题，人人都是瞎子吃汤圆，心中有数的。傅连山对党委说，这次考核，我们只能把它作为鞭策干部更加重视业务学习的一种手段。他心里明白，要真以它为个什么标准，还不考倒一大批。

事情就是那么怪！考试成绩一公布，科长、副科长们统统名列前茅。这一下可了不得，陡然之间就抬高了这次考试的意义，成了"重要的""里程碑式的""划时代的"一次考试，非得刻入档案不可了。

傅连山对其中的奥秘洞若观火，他知道有很多人是连同答案一起得到试卷的。他不动声色，等到考试成绩一公布，就把主要业务部门的负责人，如生产科几名科长、用管科几名科长、计划科几名科长叫到局长办公室，当着郑义桐和几名党委委员的面，亲自对他们进行口试。他的目的很简单，看看这些人的水平全考出来了没有。结论更简单，大多数人瞠目结舌，自我否定了这次业务考核的赫赫战果。

接着，傅连山发动了全局干部对科室负责人实行选举，要求是有业务能力和工作经验。有的科不是有好几位科长吗？不管他，都是选民，最后只能选一正一副。

"选不上，照样拿你的科级工资，一分不少。而且还少管些事，这还不好吗？"傅连山说。

结果，一半以上的科室负责人落选。当局里将选举结果用红纸公布于众以后，大家才开始相信：这次选举真的生效了。

选举中，有一件引起全局瞩目的事。一名平时很不得领导青睐，思想也不怎么的，只是愤世嫉俗的小人物，被一举选为计划科科长，一名少妇毫不迟疑地将一位老妪取而代之。少妇就是行政科那名唯一的科员——代冰。老妪呢？她就是地委组织部曾部长的夫人，原计划科带职休养的第一科长。

"她？那怕不行吧？成天埋头在小说、菜谱、服装剪裁法里头……"有人提出怀疑。

傅连山将一本书递给大家看：在《家庭日用大全》的封皮下，是一本翻得旧烂不堪的《工业计划管理》。

"凭那本破书？哼！让她说说，她有什么能耐？"原计划科科长太不服气了。

傅连山立即组织了一次自愿参加的大会，让代冰发表她的"施政演说"，并且可以自由地提出业务上的问题，当场由她解答。众人亲眼见到她的能力以后，全信服了。

组织部来电话：这份名单应由组织部审批后才能正式任命。不少人松了口气，对嘛！我们单位并没有对中层干部的任免权！差点忘了！上帝啊，您是至高无上的！

但是，上头最终还是承认了这份名单。那些刚刚在脸前画完十字的人，这才明白过来，救世主也没有了。什么原因？为什么要承认？不少人分析这与郭小成也当选为技术科副科长一事有直接关系。郭小成以优异的成绩和越来越出色的工作赢得了技术员的信任，这就讨厌了！不承认这份名单，必然要殃及郭小成，岂不驳了郭书记的面子？当然谁也不敢抱怨小郭，一物降一物嘛，再厉害的角色也有个怕处吧！这正是无心插柳柳成荫，梁友汉也没有想到，当时带小郭会有这么大的威力。就只靠这点儿小窍窍，竟能一通百通。傍着郭小成的福荫，一支由本局人马组成的新军突地而起，精神振奋地投入了工作之中，开始脚踏实地地改造起机关和业务部门的作风来。而在那些人眼中，更是确认了傅连山的帮派山头已经筑起，自己的天堂已经失去。虽然工资照拿，但鸿鹄之志岂在这区区沟壑之中？于是乎，嗟叹哀怨之余，都暗暗地对傅连山咬牙：冤有头，债有主，你等着吧，总有那么一天……

傅连山确实没有想到这批下野的人中，有不少是地委各部门负责人的直系或旁系亲属。无意之中，与这些人结下了不解之怨。

这是第二件事。

最让地委生气的是第三件事。地委认为这件事直接损害了地区的利益，简直不堪容忍。

矛盾的起源在梁友汉和沈副局长之间。沈副局长是分工抓技术改革工作的，近来也就偕同梁友汉、郭小成等人一起进行技术调查。开始还合作得比较顺利，慢慢地，由于梁友汉毫不客气地指出某种设备匹配不合理、某个开关站不符合系统要求、某些材料需要更新、某些操作者急需培训，沈副局长就很不高兴了。他认为梁友汉以权威自居，对自己原来的工作是鸡蛋里头挑刺，横加指责，眼中根本就没有自己这么一个内行干部！于是，发生了一些小摩擦，有几次都争执起来，很有崩裂的趋势。

这天，梁工和技术科副科长小郭、计划科科长代冰一起来找沈副局长，提交了一份需要购置的设备单，请沈副局长签字。

"你是总工程师，还要我签什么呢？"沈副局长语气中不无得意，又不无讥笑。

代冰马上抽回设备单，反唇相讥："对！这本来就是总工程师的权力嘛。那我就列入计划啦！"说罢，真的要走。

"回来！"沈副局长狠狠白了代冰一眼，他才不愿放弃审批权呢！

他拿起一支红铅笔——仿佛是过去监刑官手上的朱毫——以十分内

行的眼光审视着设备单。上面很多项目他是比较了解其用途的，好吧，笔下留情。下一项呢……

突然，他发现了漏洞，心里有点鄙夷地将"直流录音机"这项一笔画去，抬起头来，嘲笑地说："梁总，你怎么管起工会的事来了？真成了总管？哈哈哈……"

"哪里哪里。沈局长，这台录音机是生产上用的呀。"梁友汉老老实实地解释着。

"生产？当然啰，也许我是外行吧？但是开关那玩意儿又不会唱歌，电流也不会开舞会，这点我还是懂的吧？"

郭小成对这种取笑人的口气实在听不惯："沈局长，录音机是记录中调所调度员的口令的。出了事故后留有磁带备查，责任就清楚了。"

"……"

沈副局长语塞了。但他并未脸红，只是在内心对自己说了一句不在行的话有点伤脑筋。他固执地摆摆手："知道知道！我是说，有值班笔记就行了嘛！何必花几百块钱？搞得同志之间那么不信任，像是那个……克格勃搞窃听器一样？啊？"沈局长特别欣赏自己最后这句信口说出来的话。

梁友汉哭笑不得，欲言又止。他心里明白，这一段不知为什么得罪了沈副局长，说多了又怕惹起他的火来，只好缓一步再提吧。

沈副局长继续审阅设备单。"嗯？运动机？"他觉得这是个陌生的东西。仔细一看，不是"运"字，是"远"字，"远动机"。幸好没有念出声来。他搜肠刮肚地回忆了自己干这一行以来的各种印象，硬是没有听见过这个名字。由于录音机的事说了句门外话，这一次倒是没敢轻易取笑。心想开口问问吧，又怕失了威信，越让他们看不起。想来想去，扬长避短，说了一句并不显得外行的话："嗬！这玩意儿……不便宜啊。啊？"

郭小成向他解释说，远动机是为了实现电网管理自动化用的，有遥讯、遥测、遥控、遥调等功能。反正装上这个以后，下面各发、变、供电部门的几种主要数据就可以在省中调所直接看到，不须由下面的值班人员从电话里往上报了。这就减少了误差，提高调度精确性。这是遥讯和遥测。今后，逐步实现遥控、遥调后，自动化程度就更高，基本上可以实现无人值班……

"什么什么？"沈副局长迅速启动了大脑思维部分：这可得认真想想。远动机这东西看来确实先进，这种先进眼下对我们地区有什么益处？……完全没有！非但无益，反而有害！你想想，装上这玩意儿，省中调所就能直接监视我们的用电量，这不糟糕吗？好多年来，我们的调度人员就为这个同上头闹矛盾。上头说我们用多了，我们说没有多，有电表为证，那就报吧。一报读数，两头不对。上头又说我们少报了，我们又怪上头的表不准确，最后这笔糊涂账还是记在他们的"线路损耗"上一了了之。要是装了这"远动机"，那还能瞒得了？将来再上遥控，得！非死猴儿不可！

沈副局长非常讨厌起这些录音机、远动机来。他愠怒地望了梁友汉一眼，心里说："妈的！这些人一心想来控制我们地区，直接控制还不满足，他还要遥控？哼！"但他苦于一时又找不出有点根据的理由来拒绝签字。难道自己真的只能算个土专家，就这样让他们给唬住了吗？他太不甘心了。急切中，灵机一动。代冰不是本地区的人吗？对，找她帮一把："小代，你们计划科跟财务部门商量过吗？他们同意购买吗？"沈副局长故意问了这么一句，还暗暗对代冰眨了两下眼皮。

"本来财务部门是按我们的计划拨款，不用同他们商量的。但是，我还是事先征求了他们的意见……"

"怎么样？"沈副局长高兴了，看来代冰脑瓜子很灵活，到底顺着自己的意思来了，"他们不同意吧？"

"完全同意。就等着我们下计划了。"代冰一个圈子兜了回来，再也没朝沈副局长望一眼，竟安安闲闲地坐到一边，拉着郭小成小声聊起天来。

沈副局长翻着白眼，恨不得一口把代冰吞进肚内！真是"得势的猫儿强似虎，败翎的凤凰不如鸡啊"。小小一个代冰，早一晌能算得个什么角色？如今她也在我面前抖起来了？仗谁的势嘛！别看你今天跟在姓傅的背后挺欢实的，这么吃里扒外，总有一天你要吃大亏！还有郭小成，你也跟着起什么哄？非对你爸爸说说，让他好好地教训教训你。

沈副局长死劲把铅笔往口袋里一插，收起设备单："事关重大，暂时不能批！"便愤然离去。把梁友汉弄得窘迫不堪，百思不得其解。

"找郭书记去了。肯定！"代冰眨眨眼睛，一副料事如神的样子，"小郭，你也去找找你爸爸，看看你们俩谁说话灵验。"

郭书记虽然宠爱儿子，但他更爱自己的管区。因此，郭小成第一次挨了爸爸的呵斥。郭书记对沈副局长说，电业局业务上已经不受地区管了。因此，远动机的事，要他去找郑义桐阐明利害，党委顶住它！郭书记心里还有一句话没说："这批人，净出些馊主意，跟我们离心离德。得想个办法才行……"

这只是第三件事的前奏曲，紧接着就冒出了主旋律。

傅连山和梁友汉经过现场考察，结合系统情况，提出了一个使人瞠目结舌的改造方案：金沟水电站目前的线路连接方式不利于大电网运行，必须改并到整个网络中来。这好比一锄头挖到了沈副局长的脚背上！

金沟水电站是本区一个大灌区的一部分。原来由国家投资承建，拖了好多年，就是没建成。原因嘛……雷打下来朝树指，一股脑儿归咎到那几个"干扰、破坏"上头了。后来下放给地方建，立即见了成效。地区把它列入重点工程中的重点工程，提出了"宁可不交产，也要发出电"的口号，一鼓作气抓了上去。地方投了不少资，费了不少血汗，终于开垦出了这块肥沃的"自留地"。这块"自留地"可给地区带来了不少好处啊，在国家电（他们这样称网络电）不够时，自留电（对金沟电的爱称）就起作用了。

傅连山指的"联结方式"，是沈副局长费了不少脑汁设计的。电站有一组开关与电网相连，在不缺水的季节，整个电网电力很足时，这组开关就推了上去，拼命往电网上送。管你需要不需要，我完成我的发电指标了。傅连山认为这样一来，供过于求，只好让火电厂停机，但是煤还要照样烧，而且再启动又要很多很多煤。这对国家来讲是不合算的。再者，到了枯水季节，整个电网电力不足了，需要它出点力时，那组开关却拉了下来，它发的电从另外的开关送到本地区的小系统内。对不起，不是不化斋与你，先填饱洒家自己的肚皮要紧。

傅连山提出的改造方案包括三点：一、金沟电站只保留与电网联系的部分，其余的全部拆除。电站近区的用电由本系统供给。二、本区尚未联网的小系统不能再存在下去，必须立即改造，与大系统合理联并。三、根据本地区偏远、直配主线电压降较大的情况，金沟电站要改为调相机运行。

"调相机"三个字又难住了一批人。梁友汉对那些党委委员做了尽可能通俗的解释："就是……先开动水轮机，带动发电机发出电以后，同电网并起来，然后再关掉水轮机。大概就这么回事。"

"那……发电机不成了电动机了？"有人问。

"……也可以这么认为。"梁友汉回答道。

人们议论起来：

"那得耗多少电哪？"

"八千千瓦多嘞！"

"电本来就紧张，有粉不抹在脸上，有电不用在点子上，为么子嘛！"

"这划不来！要亏多少钱哪？"

……

用不着多解释，这么一改造将意味着什么，党委成员们都顺着自己的一知半解"弄清楚了"。大家不谋而合地统一着口径："自留地"不能动，祖坟不准挖，明亏暗亏都不要吃！

会还没开完，郭书记和经委那位管生产的副主任一行人就开到了局里，大兴问罪之师。

这个场面有些异样，虽然有几分别致，气氛却非常紧张。为了捍卫集体的利益，大家都理直气壮、气冲牛斗。没有谁提议，会议室的藤椅不知什么时候就摆成了一个圆弧形。圆弧的顶部，威威赫赫地坐着全地区几百万人口的总管，右左两厢挤挤密密地拥坐着以郑义桐为首的所有电业局党委委员和随着郭书记赶来的地委干部，一个个把眼睛瞪得圆鼓鼓的，紧盯着圆弧内。圆弧里头，由沈副局长出面同傅连山进行针锋相对的"答辩"。那情景就像是丹麦王带着他的大臣们观看哈姆雷特和他的对手决斗一般。

"我们的系统经过实践证明是协调的，现在还没有必要纳入大电网。"

"电网少了，一个电厂出问题，整个电网就会受影响。电网越大，大电厂越多，一两个厂出事退出，对电网也不会有太大的波动，这是常识。"

"但是那将丧失地区的主动权！"

"不对，并入大电网不但不被动，供电反而更稳定可靠，更加主动。"

第一回合，一人两剑，沈副局长破绽已现。

"金沟电站是地方投资的，不能随便放弃，一旦网络缺电，它就能顶上去！"

"我们全地区用电高峰负荷是三十二万八千千瓦，正常负荷也有二十五万千瓦。金沟电站只能发八千五百千瓦，不靠大电网，它顶得了吗？"

第二回合，傅连山出剑刚劲稳健。

"可是大电网说停就得停、说压就得压，你能保证今后不卡我们的负荷？"沈副局长横扫一剑。

"这谁也不能保证。"傅连山侧身让过。

"那你为什么还要把金沟作调相机用？这是我们的自备电源！"剑锋突然一转。

"为了提高电网供电质量。"

"怎么提高？"

"做调相机运行，消耗一点有功，却能补偿无功。"

观众们悄然起哄："什么有功无功？蒙人！""有电就有功，没电就无功！""管自己都管不过来，还有功？瞎说！"……

"所谓发无功……"梁友汉忍不住拔刀相助，"也就是能提高电压，多送点电。"

"电压低一点，电灯照样亮，马达照样转，抽水照样抽，打米照样打，总比没电好！"几个人立即迎战他。

其中，大王一句话就归到底："什么这个道理那个道理，说穿了，就是要替省电业局考虑，心中根本没有我们地区！"

郭书记实在忍不住了，他将手中茶杯里的剩茶哗地泼在地下，发出了指令："郑义桐，你听着：电业局党委继续开会！这么重大一件事情，一定要认真考虑，做出正确的决定。开完会马上向地委汇报！"说完，紧绷着脸，准备离去。

"等一等！"傅连山更加忍不住了，他一步抢到郭书记面前，挡住了他的去路，"业务上的事，我有权决定！"

郑义桐立即赶过来反驳："地委早有指示，凡属重大事情，一定得通过党委批准！"

傅连山毫不示弱："我得提醒大家，电业局属双重领导，这是省委的指示。因此，业务上的事，由省主管局决定。地方党委无权干涉！"

"什么！！！"郭书记倏地回过身来，只觉得头脑里震得山响。他在这个地区，说话向来是掷地有声的。全区任何重大一点的事，他除非不拍板，一旦考虑成熟，就是他一锤定音，说一不二！像今天这样竟然有人敢当着自己的面亵渎自己的权威，历史上还没有过！他只觉得血往上涌，千针刺面，铁青的脸一下就变成了紫红色。

但是郭书记也算彻底领教了傅连山的胆识，他知道在这种场合下发火，非但不能制服这个对手，反而会使自己更加下不来台。终于，腮帮子上的肌肉死命地紧了紧，两只拳头关节咔咔地响了响，便头也不回地冲出了门外。

几天以后，省电业局批准了佳津的联网计划，党委到底没有抵住这股洪流。与此同时，省报又发表了扩大企业自主权的社论，风向不对，地委也不便强令阻止了。傅连山向来雷厉风行，借着这阵东风，已经组织力量动了工。

这三件事，一件胜过一件，终于导致了傅连山同郭书记的彻底反目。不言而喻，郭书记亲口许下的"那件事"，当然成了水中之月喽！

郭书记面对这越来越难以控制的电业局，面对着手中伤了元气的权柄，已经是怒发冲冠，忍无可忍！他想，必须采取一些根本性的措施，才能挽回局势，保证地委的绝对领导。看来……非动用某些要害权不可了！

十八

傅连山索性带了一床小铺盖，搬到金沟搁了个铺，亲自坐镇线路改装指挥部。他一会儿定方位，一会儿调材料，一会儿检查工程质量，忙得屁股不沾凳子。

瞅个空子，傅连山不声不响地翻上一座山头，专心致志地研究起金沟水电站这颗夜明珠来。金沟，多好的名字！然而这里的山山水水并不那么美好。坚硬的岩层断壁，几乎没有庄稼的立锥之地。但傅连山爱它。这是建筑拦江大坝再理想不过的基础了。水库的容量还可以，狭长狭长的，一眼望不到头。大坝脚下就是发电机房，几组输电电缆将厂房、"羊"字形线塔和开关站串成一体，小巧玲珑，十分可观。常言说：外行看热闹，内行看门道。这么漂亮一座水电站，到了傅连山的眼里，所有的弱点都暴露无遗。他舒了一口气，充满了说不出的爱抚又充满了说不出的心疼：金沟啊金沟，你真是小姐身体丫鬟命！如此娇滴滴的模样，人们却要你来干那些无法胜任的粗活儿，不定哪一天把你累倒了该多可惜呀！傅连山下了决心，这一次要一干到底，线路一定得改装起来。

"第一我要保住你，第二我还得让你献出你的技艺来。等着吧，心肝宝贝！同你的兄弟姐妹拧在一起试试。那时候，你一定会轻松愉快地笑起来。金沟就会变出真正的金子来，闪着金灿灿的光辉，更加令人喜爱了！"

但是，世界上几乎没有一件事是绝对顺人心愿的。电杆立起来后，工人们刚刚开始往光溜溜的杆身上安装金具，傅连山就接到通知，地委要他去参加即将开始的这一期负责干部轮训班。从后天开学到下个月的今天，时间一个月。线路改装工作由局里另外派人来接手。

傅连山在线路工地上徘徊了半天，去还是不去呢？他看见一串串悬式瓷瓶已经挂到了横担的两端，像一串串冰糖葫芦似的。再过几天，母线就要架上去了，真舍不得走啊！

老傅来到一根电杆前，杆脚下摆着三只准备吊上去的避雷器。不走行吗？电线也怕雷击，人就不避一避？

前面是根转角杆，两个工人正在用一个紧固卡子收紧拉线。这种卡子的一头是顺螺纹，另一头是反螺纹，收紧的时候，用一根铁棍插在中间，越拧越紧。前一段时间，自己同某些人也是弄反了螺纹，还这样拧下去吗？

他计算了一下，还有二十来天，这条线路就要完工了，已约好省局来人做技术鉴定。万一中间有点延误呢？现在工地上还差几吨规格线，也得靠自己去跑。还有很多事情，也是离不开自己的。干部轮训班嘛，一期接着一期，这次去不成下次去不也一样吗？他觉得请假是有理由的，于是给曾部长挂了一个电话。

"请假？不行！这是常委定的，学习关于扩大地方自主权的文件，任何人不准缺席。"曾部长冷冰冰、硬邦邦地挂了听筒。

傅连山只好打电话找郭书记，很委婉地申述了请假原因。

"你是不是不放心哪？唵？怕人家偷偷地修改你的方案？唵？不会那么没有觉悟吧！"郭书记语气中没有半点开玩笑的成分。最后那句话好呛人，"双重领导不是省里的指示吗？唵！组织管理由地方党委决定，也应该无权干涉吧？"

放下听筒，傅连山终于明白过来，现在指东往西，已经由不得自己了。他隐隐约约地感受到眼下正有一种异样的东西在向自己逼近。这种东西既不同于郑义桐他们的多数结盟，也不同于郭书记平日的肝火盛怒。这是一种实实在在的力量，就像是潜水员下到深海后耳膜内感觉到的压疼，又像是锻工打开辐射炉时面部感觉到的灼热。反正，不能等闲视之！

傅连山开始卷起铺盖来。此刻，他迫切希望见到派来接替这一重担的人。局里将派谁来呢？当然只能派线路工区的干部了。听说线路工区的人比较认真负责，但老傅跟他们不太熟。这不要紧，当面仔细交代清楚就行了。拾掇完了行李，老傅走出门来，向公路尽头眺望着。远处，一股黄蒙蒙的尘土升腾起来，尘土前面，飞也似的驰来一辆小吉普。傅连山迎着灰尘跑上前去，停车处，立着一个人。傅连山一见就吃了一惊："郭小成？是你？"

郭小成仍旧是那副厚厚道道的样子。但是今天却有些异常，老是回避着傅连山的眼光，好像害怕多看他几眼似的。傅连山发现他的眼神中淤满了忧虑，似乎又含着一些委屈。傅连山寻思着这里头的变故，一时也没有开口。

"傅局长……我调到线路工区去了。"郭小成望着自己的脚尖，喃喃地说道。

"是吗？因为什么？"傅连山出着粗气。

"因为……"郭小成猛地仰起头，直愣愣地望着傅连山，眼珠子挂着泪光颤动个不停，"……爸爸说我是嫩竹子扁担，应该下基层去锻炼锻炼，局里就……"

"什么？"傅连山已经深解其意了。他一把扶住郭小成的双肩，顾不上抚慰他，却为老战友担心起来："那，梁总呢？"

"病了。躺在家里，谁也不见。"

"啊？"傅连山只觉得头皮在向外扩张。他赶忙把工地施工方案和图纸摺给郭小成，简单交代了几句，便心急如焚地向佳津赶去。

梁友汉的卧室门口贴着一张纸条："本人突然觉得时冷时热，恐怕是流行性疟疾，为免传染，谢绝入内！"

老傅呼地推门闯入，梁友汉躺在床上，头上盖着一条毛巾，正在熟睡。他爱人把老傅拉到一边，小声告诉他说，梁友汉一直发烧，刚刚才睡着。看来病得不轻，吃过药又打过了针，如果没有什么急事，是不是让他睡一会儿？

傅连山心里有些奇怪：这个女人比较脆弱，平日最怕梁友汉有个三病两疼的，老梁稍有不舒服她就暗暗地流泪，打个喷嚏也恨不得要他去住院的人，今天眼看梁友汉已倒了床，而且"病得不轻"，她倒稳得住台子？说起梁友汉的病情来，她不但不着急，反倒那么平静，说得那么流利？

傅连山相信了自己的判断，放下心来。只要没大病，抽空再来看他吧。从工地回来还没回家去，明天要去学习了，抓紧回去换换衣服。这一身也够模样了，方贞园看见了肯定要发火，那句话他都猜得到："你看看你看看！衣领子成了剃头匠的鏾刀布！人家不会说你啰，还不知道你家堂客有多么邋遢！"

从梁友汉家出门，还有一段路才是傅连山的家。快到屋时，老傅奇怪地发现妻子倚在门口，不停地朝外张望，心神不定的，像是在等谁。她一见傅连山出现了，先是重重地叹了口气，然后几步抢出门来，不管人家看没看见，二话不说，拉着老傅的手进了屋。进门以后，头也不回，右脚向后一蹬，砰地踢上了房门，把傅连山弄了个丈二和尚摸不着头脑。

进了门，方贞园才定下心来。她轻轻地将傅连山按在椅子上，满面温柔地对他端详着，怎么看也看不够……

老傅被她看得不好意思起来，心里直劲地叫怪，今天是怎么啦？净碰上些反常的事儿！妻子突然变得如此温文尔雅，特别是当她心满意足地转身去张罗饭菜时，还悄悄撩起衣襟拭了拭眼角，老傅更加怀疑起来。

"贞园，出了什么事了？"

方贞园端上菜，淡淡地一笑："没什么，吃饭吧。"

"不，闷在葫芦里我吃不下。"傅连山放下筷子。

"不行，吃饱了肚子我再告诉你。"方贞园非常固执，"吃吧，啊？我坐在这儿陪着你。"

她双手抱住自己的膀子，伏在桌子对面，像哄孩子似的劝丈夫吃饭。傅连山不愿违拗她的一片真情，只想快点弄明白原因，就没再多说，提起筷子吃起饭来。

看着傅连山狼吞虎咽地吃着自己亲手做的饭，方贞园心里格外舒畅。平素在她外表上很难流露出来的一种妻子特有的无限柔情蜜意，此刻正从她脸上表现得淋漓尽致。她直勾勾地盯着傅连山的脸，疼不尽又爱不完：

"……连山，你瘦了。"

"嗯。"

"胡子一长，脸显得更窄了。"

"嗯。"

"学习多长时间？"

"一个月。"

"……唉，阿弥陀佛，退灾免祸。"

"你说什么？"

"哦……我说去学习学习也好。"

"为什么？"

"……我怕你身体吃不消，近来工作挺累的。"

"这不像你说的话。"

"……好了好了，不说了。吃饭。"

接下去是一阵沉默……

吃完饭，傅连山想提起话头，一边剔着牙缝，一边故作轻松地打着趣："贞园哪，我说今天回来怎么就浑身不舒服呢？原来是没有听见你的吵吵声，哈哈。"

"你嫌人家吵你还没吵够？你这个人天生就是不得安宁的命！"

"看看，哈哈，又来了。你呀，吃饶人，穿饶人，就那张嘴不饶人……"

没有听到妻子的回答，倒是听见了一阵压抑着的抽泣声。傅连山吓了一跳，赶忙住了嘴。"你……"

"我……苦能受，难能受，就那冤枉气不能受！"方贞园抑制不住了，"连山！几十年来，我没有拉过你的后腿，枪口指在脊梁上，我没让你低过头。可是……连山，听我一句话吧，调回省里去，调到别的地方去，蹲山沟沟我也情愿，这儿不是人来的地方！走吧，趁这个机会，快走！我们还有一口气，千万别咽在这里呀！"

丈夫是了解自己的妻子的，方贞园尽管经常吵吵，总是有些道理的。她平素气度豁达，一般事情根本不屑落泪。人说树怕伤根，人怕伤心，不用说，一定有什么事伤在她心里了。傅连山急得两眼冒火星，一把扳过方贞园那丰腴的肩膀：

"贞园，一定出了事了，快告诉我！说呀！你怎么啦？梁友汉怎么了？啊？"

"连山……这一晌，局里快翻天了。你知道人家说什么了吗？一般的人说说我还不管他，可是……连山，何苦呢？急流勇退吧，现在还不迟……"

方贞园好容易忍住了抽泣，一点一滴地对傅连山诉说起来。

开始，为那八名技术归队的同志调来的事，一批下野的科长就议论开了。党委开会研究这件事时，又一次被几位"代表"冲了，于是他们始终被拒之大门外，一个也没调回来。梁友汉为之奔波呼吁，却遭到了一些同志的围攻。说来说去，指名道姓地点到傅连山头上，说他是家长式的作风，在局里独断专行，依仗自己是抗日干部，摆老资格，架空郑义桐，凌驾于党委之上，甚至根本不把地委放在眼里！地委为了顾全大局，一让再让，他竟顺着鼻子上了脸。看那样子，还想再顺着脸爬到头顶上去呢！堂堂一个地委机关，他居然就那么闯进闯出，不可一世！听说有一次还打了地委机关门卫一个耳光，真是飞扬跋扈！等着瞧吧，有好下场的。

方贞园听到这些话，最初并不在意。说就说吧，反正也无法堵住他们的嘴。老傅到这里来，除非撒手不管，只要想工作，不得罪人是假的。谁料到这并不是几句说说而已的玩笑话！

头一天，有人漏出风来说要把郭小成调走。传说的人认为，郭小成是个难得的干部子弟，为人憨厚、老实，一点也不搞特殊化；现在却开始自高自大起来，居然还有了"官瘾"。他爸爸怕他学坏了，很生气，决心让他离那些人远一点。

这话可不可靠？听的人也并未往心里去。谁知没过两天，真把郭小成调走了。公开理由是线路工区需要技术员，实际效果是验证了那些传说。你说怪不怪？

小郭走了，又有一种传说出现了。由于第一个传说得到了证实，第二个传说不由得不让人担忧。有人说梁友汉充当了傅连山的智囊，为了个人搞出点名堂，处处损害地区的利益。地委很不满意，认为他并不适合在电业局工作。还有人煞有介事地说，通过外调，发现梁友汉并不是什么真正的技术权威。这个人精怪很多，阴阴阳阳的，在省电力系统很臭，到处都不要他。省局无法安排了，才硬塞到佳津来的。你们看，他到这儿以后，一心想捞个副局长当当，没有如自己的愿，他就处处想搞垮党委。他是摇鹅毛扇子的，暗地里出主意；傅连山是唱红花脸的，专门出前台……

梁友汉的爱人一听到这些话，吓得浑身发抖，赶忙回家去告诉梁友汉。梁友汉一听气得七窍生烟，幸亏方贞园左劝右劝，才平了一些。他们分析：一个总工程师，那么容易就调走？还不是少数人由于忌恨造的谣？唉！怀才遭妒啊！

第二天一早去上班，政治处通知梁友汉"荣调地区科技委员会工作"！

蓦地，梁友汉浑身打起了寒战，随后又发起了高烧。干脆，回避牌一挂，躺下了！

紧接着又出现了第三种传说。不，说是传说还不准确，应该说是一件骇人听闻的号外！人们虽然没有到过美国，但谁都相信：白宫发生"水门事件"后，公民们震惊地传说这桩丑闻时的情形，也不过就是现在这个样子。

"嗯，你们知道吗？听说代冰要调走了。"

"是吗？我倒听到过一点风声。早知有这一天的。"

"她是什么东西？也能当科长？呸！"

"哼！没有党的领导了还差不多。"

"……也许，还要受处分呢！"

"哦，为什么？"

"嘘——！"有人压低了声音，打了个惊天雷，"她同傅局长有不正当的男女关系！"

"啊？！……怪不得！哈哈，好！"竟然为丑事叫好，又是一怪。

"丑闻"不胫而走。你一言我一语，经过若干轮重复、提炼、加工，故事竟有根有据，合乎情理起来：

"……你们还记得他第一次到马嘶桥去的事吗？她为什么敢违抗科长的命令就私自派车？她早就知道自己要当科长了！到省里去接他，就是她去的呀。她对他一见钟情，路上眉来眼去，频递秋波，司机都看见了。有一天清早，起来解手的人在招待所花园里看见他们俩在接吻，她衣裳都没穿。可见整整鬼混了一通宵！唉！英雄难过美人关，'三八'式也得倒在石榴裙下，可惜！当时还有人听见他亲口对她许愿，保证给她个科长。为了让人家服气，他将自己的旧书找了几本，撕下她的书皮贴在上面，日后当王牌用……"

听到这里，有人突然一拍大腿："对呀！那天她还搞什么施政演说，怪不得，早背得烂熟了！自由提问也有鬼，净是省里来的人提。加上净提些技术问题，别人又听不懂，还不糊弄过去了？我们真是木脑壳，当时还佩服得不得了呢！咳！"

"真的，你们发现没有？就她不喊他局长，什么关系？"

"这还不一目了然了吗？哼哼，好景不长了，有人告到地委去了！看吧，很快就要处理啦！"

方贞园再明事理也忍不住呀，人言可畏啊！她倒是非常了解傅连山的。几十年了，这条铁铮铮的汉子，心端性直，绝无邪念。记得自己当年被老县长半强半就与他成亲时，说心里话，唯一让他看得上眼的就是这一条。从恋爱、结婚直到今天，她一想起老傅就有些好笑：这个人真像千里送京娘的赵匡胤！那天早上的事，自己一清二楚，所有流言，无稽至极！可是自己怎么办？向大家解释？没有人信不说，还要招人耻笑。跟人家翻脸？你根本就找不到债主冤头，无从谈起。唉！刀架心头上——忍吧！难道毫无根据就真要处理了？不可能，在这点上是可以相信组织的。

不管是不是处理吧，反正这一次更快。当天下午，政治处就通知代冰移交工作。组织部来了调令，要她到"支援铁路建设办公室"去上班。

这一下，人们哄地震翻了！信与不信，大家都在心里写下了四个字"真有此事"。稍有不同的是有的画的问号，有的画的是惊叹号。

方贞园什么都不顾了，直奔党委而去。有人如此不负责任地诬蔑党委副书记，他们还不闻不问，太不像话了！

"郑书记，局里有人说老傅的脏话，你们没听说？为什么不解释？"

郑义桐是属于在心里对这件事画问号的人，不过他很严肃，没有方贞园那么激动："冷静一点，冷静一点！方贞园同志！有组织嘛，啊？……我们要解释的，你放心。不过，怎么解释？多大范围？向谁说？……不好办啊。"

"不管怎么样，代冰的调令一下来，不就更证实了那些谣言了吗？"

"方贞园同志，你看看你这是干什么嘛！你和老傅同志是多年的夫妇了，连你听到这个谣言也是这么冲动，人家会怎么想呢？你首先就应该信任他嘛！"郑义桐看了看满腹委屈的方贞园，有些同情地走到她面前，十分关切地开导她，"老傅是一局之长，我们要多替他想想嘛。个人问题事小，工作问题事大嘛。他现在正在第一线，工作很忙，我们能让他再分心吗？"

看见郑义桐这么体贴别人，方贞园趁机提出了要求，在没向群众解释清楚之前，暂时不要让代冰走，这才是对老傅负责的做法。恰恰在这一点上，郑义桐没有丝毫让步的余地："不行！调令已下，成命不能收回！"他转而又显出了关心，"这不过是一种巧合嘛。也好，赶快让代冰走了，这些流言蜚语也就自然而然地消失了。党委是相信老傅的，你就放心吧。"

难道事情真有那么巧？巧得就像将一粒芝麻从屋顶上扔下来，正好落在一根针眼儿里一样！代冰刚刚办完手续，局里就听说地委已经停止了傅局长的工作，让他火速赶回来反省问题。人们还没敢确信，就亲眼看见郭小成登上了吉普车，去接替傅局长的工作。望着远去的小车，人们惊悸地咋着舌头，三个一堆、五个一群地公开讨论起来，连给个什么处分也列入争论的议程上了。……

方贞园对老傅说着这些话时，泪水一遍又一遍地淌湿了她的面颊。几天来郁积在胸中的一股恶水，当着亲人的面尽情地倾泻了出来。

傅连山听说那八个人被人作梗还未落实，很不高兴；听到郭小成走了，又为梁友汉失去了一名好助手叹惜；霎时间就是梁友汉泥菩萨过河，自己都保不住了。这是要砍掉自己的臂膀啊！他震惊了。紧接着又挨了劈面一闷棍，污言秽语直冲自己而来！傅连山不由得指尖发冷，毛发倒竖，豹眼圆睁，鼻翼翕动！他盛怒地在屋内无目的地搜寻着，像头发了狂的雄狮急于要找到对手一样。如果造出这些无聊言语的角色就在这间屋子里，他一定会毫不迟疑地猛扑过去，当胸就是一拳！

方贞园从来没有看见过他这样子，他已经失了态！他受了刺激！方贞园后怕起来，担心他的神经要出毛病。她赶快把他的茶杯续满热水，递到他手上，声音都在打战："连……连山，你怎……怎么了？你呀，比我还……还听不得冤枉话吗？算……算了。别让脏水污……污了自己的耳……耳朵……"

叭——茶杯柄在傅连山手上断作两截！

"连山——！"

方贞园扑到他身上，紧紧地搂着他，放声痛哭起来。她急啊，再待下去天知道还会出什么事！她疼啊，看见自己精神上和感情上唯一的支柱受到这么大的伤害，她剜心挖骨一般地疼啊。

砰砰砰。

外面有人敲门……

方贞园一弹而起，用自己的身体护住老傅，像是怕被人抢去似的。

"谁?"

没有回答,又敲了两下门。夜静更深,敲门声显得格外响。

傅连山将方贞园轻轻拉开,站起身来。但没等他迈步,方贞园就抢在他前头,走过去打开房门……

"哦?!……"方贞园一掩口,轻轻惊叫了一声,傅连山一看也愣住了。夫妇俩万万没有想到,来人竟会是她——代冰!

"明天一早我就走了。有几句话想对你们说说,"代冰脸庞略略消瘦了一些,但神态尚自若,只是口气有几分凄凉,"可以吗?"

"可以可以,快请进来吧!"

方贞园亲昵地把代冰让进了屋内。这些天,她受了多少委屈啊!作为一个女人,方贞园知道要顶住这些,需要多么大的勇气,换了一个人,说不定早上吊了!都是受了老傅的连累,她才蒙受了这不白之冤哪!方贞园望着代冰那苍白的脸,望着她那微微颤动着的、失去了血色的嘴唇,心中万分不忍。她赶快把代冰拉到长沙发上,让她紧紧地依偎在自己身旁,伸出一只手去搭在她的后颈上,仿佛一位大姐姐温柔地守护着自己的受了惊的小妹妹一般。

代冰突然获得了方贞园无瑕的信任,无异于从冰窟里突然掉进了火炉中。她解除了长期以来冷若冰霜的表情,内心中深深埋藏的真情实感再也堵抑不住,一齐奔放出来。她一头扑进方贞园的怀里,哇的一声,泪涌如泉,差点哭闭了气。

"小代!小代!不要哭。身正不怕影子斜,啊?世上只有鬼怕人,哪有人怕鬼的道理?啊?别……别哭……"方贞园嘴里说得很硬,眼泪却陪着她扑扑地往外流……

傅连山一直沉默着。让她哭吧,把冤屈寄托在泪水中,总可以流出来一些吧?他转过身去,倒了一杯开水,冲了点麦乳精,无声地端过来,放在代冰的面前。

代冰渐渐地缓过气来,她看了看傅连山,又看了看方贞园,木讷自语道:"我这是怎么了?我这是在干什么?"

她强笑了一下,擦干了自己的眼泪:"有件事,想告诉你们。那张纸条子,是我悄悄地放到你们家里的。可惜你们没有听我的劝告……而且我自己也没有那样做。老傅同志，现在，因为你，牵涉了一批人，不客气地说，我也……"

代冰叹了口气，语气突然自怨自艾、自悲自怜起来："我当然不怪别人。谁想欺负我还不容易？一个孤孀独寡，又是一身的刺……嘿嘿，我真想死了脸皮，再嫁给一个土皇帝，偏偏我又像个人，唉，毫无办法！"

"小代……"

"老傅同志，他们说我对你一见钟情，好像你就是个天生的美男子、活潘安，真好笑！不过，他们倒说对了一半。你知道吗？我见到你来这里后雄心勃勃地想干一番事业，马上就想起了我那死去九年多的丈夫……"

代冰哽了一下，还是接着说了下去："他刚从大学毕业分配到这里的时候，仗着一身的本事，出身又好，一来就在县技术革新办公室当了个小官，那气势就跟你一样，雄心比你不会差。可是……他什么也没干成。空有满身技术，就是施展不开。这头按下去了，那头又翘起来。直到临死之前，他才明白过来。弥留之际……他眼睛里已经没有了泪水，没有了光泽……他拉着我的手，指着窗外幼儿园的跷跷板，他说，你……发现没有？跷跷板为什么总是一头下地，一头跷起？你看，你看，因为它直……它宁折不弯。如果它像弓那样弯曲了自己的脊梁骨，不就能两头着地了？……不能直啊，小代，记住。千万不能直啊……他死了！让他死吧……可是老傅同志，你还活着呀，活着多好！为什么要不得好死？……像黄牛一样地为他们效劳，又像黄牛一样地被他们屠宰掉……那真叫不得好死啊！"

代冰说得极平淡又缓慢，始终是一个节奏。傅连山夫妇静静地听着，只能是听，欲劝无词。

"我为什么要说他呢？说到他，我……我这心里就……老傅同志，我发现你在步他的后尘，才……提醒你一下。我佩服你的勇气和魄力，我也佩服你的为人，刚正不阿！……可是，在某些地方，热情和才智是会遭到习惯的嫉恨的，是会受到权势的压抑的，如果你锋芒太露，最终只能得到个被碾碎的悲惨结局，比如我丈夫……他就没有看穿红尘。时髦的口号、雄伟的目标是可以随时更动的。而那些人的命根子却是不能变迁的。权，权啊！神圣不可逾越。我丈夫千不该、万不该的就是把国家呀、人民呀看得大了点，把地方呀、顶头上司呀，看得小了点。也好，他总算解脱了。老傅，你打算什么时候解脱呢，你这个未亡人？"

不知什么时候，傅连山把那只折断了的茶杯柄拿到了手上，颠过来倒过去地把玩着。代冰的话，听起来有些偏激，但有些人生的哲理却是现实的，人人心中都有的，只是表达方式不同而已。

"天晚了，我也不说废话了。本来想开导你几句的，也是开导我自己吧。明天，我要去修铁路了。我能吃能喝，也能干。留下你们二位哥嫂，放心不下，丢几句话做纪念吧。对眼下这些风言风语，你们只能吃了暗亏不作声，打落门牙肚里吞。搞人身攻击、造谣诬蔑的人是不会负责任的。下调令的人当然要负责任，但他们只对调令负责。工作需要，名正言顺！虽然有人未卜先知，也不要奇怪。官办的、民办的一齐上，就当是巧合吧。为什么这么巧？因为我们把天看得太大了，把地看得太小了。中国几千年来的封建统治，诸侯割据，占地集权，这一切是不以朝代的变迁为转移的。历史上也有那么几位文韬武略的英烈人物，曾经想统一天下，但是合久必分，宏图大业挡不住诸侯争权，终究还是毁于一旦。祖先这些'精华'，今天仍然根深蒂固，有的因袭下来，有的潜移默化过来，有的竟被合法地保护起来……老傅啊，佳津不是马虎地方，山高皇帝远哪！俗话说：入山问禁，入乡随俗啊！我知道你是个顶天立地的人，从内心来说，我也不想劝你回头。可是眼下……唉！你……好自为之吧！"

代冰想不出什么话来表达自己的意思，也实在不想再说下去。但她毕竟没有尽意，站起来后，半天没有挪步。她望望傅连山，又望望方贞园，这两口子，曾经以他们的身体力行，点燃了自己对事业的希望之火，他们是自己这一生中难得再遇的好人！她喉头一阵阵发紧，明天就要分别了，什么时候能再相逢呢？

"再见……"代冰声音发着抖。

傅连山觉得胸中一阵痉挛，推上一股热流来，直冲鼻梁，酸楚交加，眼眶内已盈满眼泪。他紧握着代冰那小而粗糙的手，久久没有松开。

"谢谢你对我的信任，"代冰转向方贞园，"我的好嫂子……等到我大哥……终于解脱了的那一天，小妹来给你做伴……"

代冰被自己的话弄得张皇失措起来，竟然像是诀别，她无从解答，只觉得地在转动，房屋也在摇晃。她缄了口，默默地走到门边，呆滞的目光愣愣地望着门外……

门外，那黑的夜幕底下，有一个闪着磷光的淡蓝色的影子在飘荡着，时而着地又时而弹起，像气球一样轻，像风筝一样稳……啊！看清楚了，那是她丈夫的幽灵哪！看啊，他那么无忧无虑！他多么幸福啊！

十九

昨晚，正当代冰满腔愤怒地向傅连山夫妇发表那番"醒世恒言"时，地委郭书记正好把郑义桐和大王喊到自己家里，对他们告诫了不少"喻世明言"。

"党委里头有人传这种谣言吗？"郭书记冷冷地问道。由于他是背对着他们的，所以看不清他脸上的表情。

"没有。这个我清楚。"郑义桐担保道。

"对这种话……你有什么看法？"

"这是不可能的事。"郑义桐未加思索，"像傅连山这种类型的干部，在生活作风上倒是可以信任的。这个人我摸得准。尤其在目前，他的处境并不……就更不可能把心思用在这些弯弯拐拐上了。"

"那为什么不向群众做解释工作？"

"什么？"郑义桐很意外。他一眼看见了从外屋里拎了一瓶开水走进来的大王，便很严肃地责问起来："小王！我昨天让你给他们说说，不许不负责任地说这些话，你怎么……"

"唉！叫我怎么说嘛！"大王放下暖壶，好像非常为难，"俗语说得有道理呀，无风不起浪嘛。完全断定是谣言……嘿嘿，恐怕……"

"乱弹琴！"郭书记突然怒发冲冠地转过身来，脸色很难看，"你这是帮倒忙！瞎胡闹！干了这么多年政治工作了，眼光还是这么短浅？你知道这些谣言会引起什么后果吗？唵！"

这一嚷，可把大王吓得不轻，嘴张开了半天没合拢来。他急速地转动着眼珠子，怎么也想不出自己卡在哪个地方了，引得郭书记这么大伤脑筋。

郭书记愤愤地走到椅子旁，一屁股就坐了上去。他狠狠地瞪着大王，好一阵子才缓了一口气，伸过手将另一把椅子拖到自己身边：

"坐下吧！"

"哎哎！"大王忙不迭地依傍着郭书记坐了下来，诚恐诚惶地看着郭书记的脸，聚精会神地期待着他的指教。

"你呀！叫我怎么说你才好呢？唵？过去我们挨了林彪、'四人帮'多少整哪！他们就专靠制造莫须有的罪名过日子。算什么玩意儿？可耻！我最反对搞小动作背后伤人。要光明正大嘛！地委有地委的安排，工作需要嘛，还怕调人不动？听任这么一些谣言夹在当中凑热闹，干什么这是？唵？明白的人倒好，不明白的人呢？还当是我们想着法子整人，我用得着吗？哼！"

郭书记手上的烟头积了好长一截白灰，由于气愤，不小心掉到了那条涤纶裤子上。他一口气就把烟灰吹得无影无踪。

"啊——"大王如梦初醒，"对对对！我怎么就没重视这个呢？真是！光看到这么多人传谣，就觉得他太不得人心了，怕解释起来有困难，就知难而退……失职，严重的失职！"

郑义桐也觉得实在不像话，越来越坐不住了。他看了看表，站起身来："我马上去布置一下，明天上班第一件事就处理这些谣言。"

这些事傅连山当然不知道。今天，他天不亮就起了床。他觉得有很多应了而未了的事，不能让它就这样不了了之。吃完早饭，清点好东西，提着包就出了门。

他顺着路走着，来到一个交叉路口，他站住了，往哪边走呢？

往右是去梁友汉家的路。从昨天晚上直到今天早上，他最挂记的还是梁友汉。他知道梁友汉那不发则已，一发惊人的死犟劲上来了，除了自己没人能劝醒他。想到这里，脚向右边迈去……

且慢！人家正在说自己同他一前一后地搞名堂，这一去，好！又有话柄了。梁友汉的一举一动，又会说是我们密谋的，自己倒无所谓，对他可大不利了。不，不能去。

中间这条路是往局办公楼去的。对，应该同郭书记谈谈，梁友汉不能调走。这不是我的什么臂膀，他是局里的技术大梁，党委应该向组织部提出不同的意见来……

等一等！几个月来，自己对党委这些同志已经从不满变成了同情，他们实在应该引起大家的怜悯才好。在这些同志的心目中，再也没有谁比郭书记更英明的了，人们不但对他的话言听计从，而且奉为《圣经》。你要他们提出不同的意见？我的祖宗爷，您免开尊口吧！但是……还得去找找他，有些事还要说说，个人委屈事小，搞得全局人心惶惶，对工作不利嘛……

别急！这话自己说算怎么回事？你害怕了？心中有冷病见不得冰碴儿了？呸，去你的吧！不信几把纸扇子就能扇倒了城墙！不去了！

左边这条路可以通到地委，嗯，找郭书记去……

站住！你怎么了？全地区四百多万张嘴就他那张说了算数，这一点还没领教够？目前局里有些人正在说自己藐视地委，难道还要给他们提供口实？说"打了一个耳光"嫌轻了，非要人家说成"捅了门卫一刀"才够劲儿？

傅连山在路口徘徊了大半天，怎么也拿不定主意，他愤恨起自己来。真见鬼！日头出来好高了，天空是通亮的，大地是明朗的，脚底下就是路，方向是清楚的，路面是平坦的，为什么就是迈不开步子？

不，路是要走的！给省里挂个电话去。王局长也真是的，这里快撑不住了，你倒安闲起来了。问也不问一声，你还得管嘛！我都不怕难道你倒害怕了？也可能他不大了解情况？对，应该找找他。这没有什么嘛，要不，进邮局时先看清楚周围有没有局里的人……不，不怕，万一有人问起，我就说是汇报业务工作……唉！什么业务工作？简直跟地下工作差不多了！

走出电业局的大门时，门卫把傅连山叫住了："傅局长，您上哪儿去？"

"啊？……你问这个干什么？"老傅十分敏感地反问道。

"这儿有您的一封信，来了好几天了。您在工地上，没法送。"

傅连山这才放下心来，接过了信。一看封皮上的字，他就知道，是王局长写来的。他赶快拆开，抽开信纸，夹在信中的一张小纸条飘落在地上。他弯腰拾起，一看就愣了：那上面画了一个惊叹号，加上了一把叉。又是什么事？他赶快读起信来：

连山:

　　我马上要走了。对你很不放心，特意赶着写来一封信，告诉你几件事，好让你心中有底，以避免一些麻烦。

　　目前的各种改革，是在整个经济体制没有动的前提下，自下而上从局部和单线开始的。成效固然很大，好处也不少。但若触犯到那些暂时无法改动的部分时，阻力也是不小的，须量力而行。

　　省委党委同意的那份报告，至今没有下文。据悉，暂时不可能下了。除了各地区有意见外，省里还有两层顾虑：一、担心其他各局也效仿此举。二、根据发展看来，不久省电业局也将归口中央电力部，属网局领导。因此，一旦省局独立，他们怕无法控制。故希望加强各地区的控制权。这是省里个别领导同志流露的，你知道就行了。唯恐你办事过于性急，特此提醒！

　　鉴于上述情况，我们应该注重处理好同地方的关系，切不能弄得太僵，反而无法工作，甚至会惹起很多麻烦。还告诉你一件事，中央在我省确建的那座大型水电站，因蓄水浸淹面积大，移民多，现施工刚开始就被迫暂停。省里为一些损失补偿问题，需再次同部里协商。也就是地方上要待价而沽。我们在其中，感到压力很大，身不由己，只好代表地方去向中央加码讨价。我尚如此，何况你呢？

　　连山：我们都快退休了，尽量多为党做些工作吧。再提醒你一句：无论如何要同地方搞好关系，不要把脸弄黑了再去见马克思就不好了！慎记！

　　祝　平安！

王复功
×月×日

　　傅连山陡地打了个寒噤，只觉得一套无形的桎梏已经牢牢地枷住了自己。王局长的信同昨晚代冰的牢骚奇妙地印证着，差不多他的每一个字都能从代冰的话中找到意义相同的不同词语。傅连山沮丧起来。

"难道说真是船到桥头了，不顺也得顺，不直也得直？"他很难服气，"好吧，暂时避一避，到轮训班去吧。我倒要看看这个根深到了什么地步，这个蒂固到了什么程度！"

中国人喜欢说："骑驴看唱本，咱走着瞧吧！"傅连山正是带着这种心情到干部轮训班去的。

傅连山到轮训班后，没过多少日子，就遇到了另外一件无论如何也意料不到的事。这不亚于一发长了眼睛的炮弹，准确无误地击中了仅存的一所堡垒，几乎要导致最后崩溃了。

负责干部轮训班原定在佳津地委第一招待所举办，后来不知什么原因，通知改地点，搬到下面一个县里去办。据说那个县离地区远，比较落后，大家边学习还可以边结合具体情况实地考察。还有个原因，大家都是负责干部，离单位近了，总有些藕断丝不断的具体工作要找到轮训班来。下去就省心了，集中思想嘛。

搬下去后，学习了十几天。生活很不错，学习也很轻松。读读文件，听听报告，小组讨论发发言，就那么回事。养精蓄锐，学完了照样使着劲干就是了。

这天傍晚，傅连山吃过饭，想到外面去散散步。这个县城有一种小黑蚊子很厉害，看又不容易看见，咬人的速度快得惊人，当你觉得痒起来时，它早已不见踪影。最讨厌的是毒很大，别看蚊子小，咬个坨总有大拇指头那么大，还是长圆形的。有时候一个连一个的红坨拼成一块板状，看了就让人肉麻。散步回来，顺便买盒蚊香，晚上熏它一熏可能会好点。

出了县招待所，斜对面第四个铺子就是县蚊香厂的门市部，门外立着一块牌子，好醒目：

　　我厂为了提高产品质量，试制了"金枪"牌蚊香，广泛征求用户意见。试销期间，实行优惠价供应，欢迎试用。

屋内柜台后面，除了营业员外，还有两名厂负责人在亲自推销，征询改进意见。

正好求之不得。傅连山赶紧走进了门市部，掏出钱来买蚊香。一位负责干部热情地站起来，准备接待……突然，他瞪大了眼睛："老傅！"

在这个地方谁认识自己呢？傅连山抬起头，不觉大吃一惊："沈副局长？是你？"鬼使神差般的奇遇，把傅连山闹蒙了。

"别叫副局长了！嘿嘿……"沈副局长脸上五官极不协调地苦笑了两声，"撤了！"

"什么？开玩笑！"傅连山根本就不相信。

沈副局长指着货架上一堆堆的蚊香，苦中作乐："这叫开玩笑？一个地区电业局的副局长会到这儿来当推销员？有这种事？嘿嘿，老傅，我已经荣调到这个大集体单位来了！县蚊香厂的厂长，够意思吧？哈哈哈哈！"

"你？怎么回事？为什么？啊？……"眼前的事实，完全不像是闹着玩的。傅连山无论如何也想不出其中的原因。心里一急，把沈副局长拉到门外，非要问出个究竟不可。

"也难怪！别说是你不信，谁听了也以为是开玩笑的。连我自己，到这会儿也没缓过劲儿来，嘿嘿……唉！"他舒出一口长气，看了看店铺内外，自嘲地一笑，伸手取过两盒蚊香塞到傅连山手上，"白送你了。没事儿可以熏熏头脑。嗨，不要钱！这儿是我的地盘，现在由我说了算！走，咱们到河边上去聊聊。"

沈副局长是千真万确地被撤职了，也是千真万确地被调到这个县来当蚊香厂的厂长了！怎么撤的？很简单，一个调令下来，连免带任就解决了。为什么要下调令？更简单，一句话说出口，立即见效，又干净又果断！如果你在走路的时候，无意中被一块小石子硌痛了脚，你就抬起脚来将那块小石子踢到路边水沟中去。这一系列连贯反应，难道还不容易吗？难道还用得着更多地考虑吗？

原来，自从傅连山到轮训班去以后，局里的生产就由沈副局长理所当然地担负起来。对他来说，这是轻车熟路。局长室椅子的皮垫上似乎还残留着热气，他舒坦地坐在上面，想到傅局长的离任，心里既痛快又有些惘然。凭良心说，这个人的工作能力是值得自己钦佩的，作风也很对自己的胃口。就是太死板了一点，老跟我们憋着劲儿，当然没你的好处了。局长就那么好当的？

几天以后，沈副局长有点顶不住神了。他觉得很多具体事务同以前大不一般，很难得心应手。必须对一些重要情况尽快地拿主意。比如说，省中调所经常发下来一些运行方案，地区调度室就要根据情况做出配合。但由于自己不了解整个系统的情况，往往很难拿出一两条正确的意见来，常常弄得很尴尬。全局上下，由于突然摆脱了傅连山的约束，轻松之余，也正集中目光注视着自己：看你这三把火如何烧？党委倒是一个劲地给自己打气，怎奈一碰到具体事务，谁也帮不上忙，只能干着急。

尤其使他失去了主见的是自己带来的那帮技术干部和工人。他们跟着梁友汉干了些日子，又到省里和几个地区去培训了一段时间，现在对他们可得"士别三日，当以刮目相待"了。你想指挥他们，要说出个道道来才行。否则，发火也没有用。有一次，沈副局长到马嘶桥调度室去，要他们给一个电厂下命令，让他们的备用机组半小时之内投入运行，调度人员马上提出异议：

"沈副局长，这不行。备用机刚检修完毕，投入运行前应该不带负荷空转一段时间。"

"来不及了，让它马上启动吧。备用机没问题，我知道。"

"那也不行，至少要从零级逐步升压。"

"用不着，下命令吧。"

"不符合规程的命令我不能下。"

"听你的还是听我的？啊？"

"照章办事。出了事故是要负法律责任的。如果您硬要违章，请您签个字吧。"

真厉害！钢笔都递过来了，看你怎么办。沈副局长进退维谷，好不为难！幸亏一位从前沾领过他的恩惠的技术员灵机一动，打了个圆场："不带负荷空转，只从零级升压，也是可以的。不过技术部门得同意才行。沈副局长，你是不是同他们商量一下？"

这就暗示他：从零升压是不能违规的，你就同意吧。这样一来你"不准空转"的命令也能生效，既修正了自己的意见，又保住了面子。至于同技术科商量，分明是给你一个下台阶的梯子嘛。

"那……我去找技术科商量一下就来。"沈副局长假装找技术科"商量"，走到外面，吸了支烟，蹲了一刻钟的茅坑，又走进了调度室，"我们商量的意见：不用空转，从零级升压，运转正常后投入运行。就这样下命令吧!"

好家伙，差点没憋出毛病来! 这样的事三天内就发生了四起，弄得沈副局长精疲力竭。他妈的，看来这真菩萨面前是烧不得假香的啊! 空闲的时候，他还真怀念起傅连山来。不久前自己还面对面地当着众人同他较量，实在有些羞愧。想不到那句话应到了自己头上：这个局长就那么好当的啊! 不过，沈副局长也是个有志气的人，他并不自暴自弃，你傅连山也没有两个脑袋，你能行我就不行? 瞧着吧，总要赶上你!

又过了几天，沈副局长突然接到了郭书记的电话：

"怎么搞的? 郊区银盆公社为什么停电了?"

"我问问看。"

沈副局长一问，原来是这一段时间天气久旱不雨，电力紧张起来。地调接到上头的命令，压了市区近郊的负荷，以保证下面县里的抗旱用电。

"那你想想办法，压别处的。银盆公社要马上送电去。"郭书记又对他下了命令。

压哪儿的呢? 农村千百吨粮食要水喝，这不能压。市区还有另外两条线，其中一条连着米厂、水厂等单位，那是不能停的；另一路更不能停，那里有几座冶炼厂、军工单位，还有几家医院，人命关天。银盆公社那条线眼下并没有特殊情况嘛。

沈副局长只好又给郭书记挂了个电话，暂时无法可想。

他哪儿知道，郭书记此刻正在银盆公社机械化养鸡场里满面春风地拍电影呢! 有一家制片厂到佳津来，准备拍一部反映开展多种经营，由穷变富的新闻片。其中有一组镜头是介绍地委领导亲自抓多种经营的内容，因此郭书记非常重视。他亲自陪同摄制组开到银盆公社，很简单地吃了两个钟头的便饭，刚到拍摄现场，正好停了电，一下就傻了眼。饲料机不转了，输送带不走了，强光灯不亮了，摄影机也跟废铁差不多了。还有更严重的呢，有一批鸡蛋经过孵化，毛茸茸的小鸡崽马上就要啄壳而出了！电影脚本上就分了不少这样的镜头："特写：一只蛋壳破为两半，小鸡抖动着绒毛走出来……拉成中近景：地委主要负责人伸手托起小鸡……拉：地委领导喜悦地撒着细饲料……摇：地委领导笑逐颜开的脸……"这下可好，一停电，你就是撒完所有的细饲料，也是枉费精神！不过，郭书记并不着急，一顺手就给沈副局长挂了这个电话。

一听说无法可想，郭书记就来火了："什么无法可想？唵？电是死的人是活的嘛。大活人还能让尿给憋死了？唵？这儿的工作非常重要，成绩向全国一宣传，将给我们地区带来多大的好处？你明白吗？唵？明白还说这些干什么？把闸推上去嘛！……什么？超了？超就超嘛，多给几个钱的事，算得了什么？……"

这可不是那么简单的事哟！几个钱就解决了？可是对他又很难说清楚，真要命！要在以前，沈副局长说不定就推闸送电了。但是这一段时间以来，他对系统情况也瞥出了个大概，现在可不敢乱来了：

"郭书记，恐怕不行……你听我说，这得请示中调所同意……"

"什么中调？唵？地委说话就不算数了？听你的还是听我的？唵？"

"……不不，不能这么说，组织领导上当然听你的。但这是业务上的事，还得听中调的……"

郭书记最忌讳的就是这句话，他的火一蹿就上来了！正想发作，那位电影导演过来浇油了：

"郭书记呀，怕不行了。小鸡啄破蛋壳的镜头没法拍了，您看，全出来了！"

郭书记一看，可不，全砸了！那几位摄像师已经开始收捡着机子，准备往箱子里装……

"你们等一下，稍等一下！"郭书记急得手足无措，对着电话话筒猛喊起来，"你马上给我送电来，再困难也得送！……什么？你敢这样？我不管！十分钟之内，不送电我撤了你！"

"就这么回事。"沈副局长的故事说完了，他弯腰捡起一块瓦片，"中调没同意，我也没有推闸。行了！说撤就撤啦！"

他将手中的瓦片向河面掷去，瓦片在水面上只划了几圈漪纹，便无声无息地沉入了水底，泡泡都没冒起一个。

傅连山眼光追随着那块瓦片，一直到它沉了下去，才抬起头来，望着沈副局长，心里像翻了五味瓶，说不出是什么滋味。就是他，处处忠心耿耿地维护地区的利益，甚至不惜肝脑涂地！就是他，为了巩固地区对电业局的控制，曾经特别卖力地与自己设梗作对！这么一个人，也会被挤出庭外？他是地方上一手培养出来的干部，又深得上级信任，这应当怎么解释？这也是地方上排挤省局的人吗？这也是过去人们认为的"地方派"和"外来派"的矛盾吗？

不对！这是一种可怕的专制统治！它不容许任何冒犯！它用它的锄头经营着它的宝地，一切有碍于它的既得利益的，不管是外面扔进来的石头还是自己宝地里生出来的杂草，都在被铲除之列！尽管杂草还吸收过它的养料。

傅连山毛骨悚然，现在就剩下我了！恐怕也是盘子里的小菜，要吃也不过就是一伸筷子的事了。轮训班还剩十来天就要结业了，能延长一个月，不，再延长半年或者一年该有多好哇……

二十

傅连山没有听到轮训班要延期的消息，却接到了要他提前回局里去工作的通知。他什么也没说，不能说二话，这在他心里早已领教够了。

通知来了后，间或他也有点高兴，工作终究是比闲着要愉快些的。好比一个抽了多年烟的人，瘾头生了根，尽管医生、同志、家人一齐劝阻，甚至自己也知道再抽烟就会生癌症，一想起它的后果就怵怕，但是只要人家又递上烟来，他总是高兴抽的。除非他根本就不会抽烟。

来接傅连山的吉普车刚上路，乌云就像铺地毯似的滚了过来。转眼之间，蚕豆粒儿大的雨点噼噼啪啪地甩在小车的玻璃挡板上。不一会儿工夫，大雨倾盆而至，来势那么凶猛，像是无数条高压水龙向地面喷射的水柱，路面上溅起了厚厚一层雾气。云越压越低，几乎与路面的水雾合为一体。

这种怪天气，大白天行车，几步远的地方就看不清了。司机降低车速，打开车灯，伸直了脖子，大睁着眼睛，嘴里咕咕哝哝地咒骂着。刮雨器早已不起作用了，刮过来刮过去都是泡在水中，一片模糊。

由于车体的接合部不严密，有几处地方同时漏进水来。水滴到仪表盘上，飞起了一阵阵水沫，直溅到傅连山的脸上，他觉得冷起来。

一连下了几天雨，昨天刚停，偏偏今天要回局里去，雨又下了，下得这么邪门儿！这又是个什么兆头？记得来佳津前，王局长指着月亮说是好兆头，还说是圆圆满满的。哼！看来他打卦还没入门。倒不如自己来测测字，占个凶吉消遣消遣。反正在车上也无事可做嘛。测什么字呢？傅连山看了看窗外，好大的雨啊！对，就测"大雨"二字吧。嗯……"大""雨"。大字拆开是"一"字和"人"字，"一人"是什么意思？指的是谁？不管它，再看看"雨"字。这个"雨"字可不好拆，怎么拆怎么不像个意思……慢！"雨"字下半部中间是"口"字不要下面一横，像个天篷罩。里头有四小点，全被罩在下面了。不知是自觉自愿还是被迫，总不出来看看罩子外头是什么天地，反正法定只能在天篷罩的统治之内，弓着身子，俯首听命。正中间那一竖倒是很有寓意，它就是不甘束缚，顽强地突破了割据起来的天篷罩，就是要联系到更广大一些的天地。但是，道高一尺，魔高一丈。上面那一横把它压得死去活来，它只好到此死心了。这是天经地义的。要是这一竖出头，就是不折不扣的大逆不道：祖祖辈辈几千年传下来的字就是这么写的！哦，前面那"一人"二字，就是指这个天篷罩的领主了。"雨"字中的一切，都由一个人来主宰！

"不不！怎么测成了这个意思呢？"傅连山自言自语起来。这一定是自己的主观意识在作怪！赶快把思路同"大雨"斩断吧。我怎么啦！为什么要测字呢？测字能说明什么吗？荒唐！太荒唐了！

傅连山测字的初衷是想玩玩无稽的游戏来消磨一下时间，丝毫也没有当真的念头。不知道为什么，信手拈来的字一下就测成了这种解释。他当然是不会信奉这种愚昧至极的玩意儿的，但是这么一测，倒把他测得忧悒起来。

说声"回去"，车就来了，倒是非常便当的。回去以后怎么工作，恐怕就不那么便当了吧？本来，电业局这种改革是能够加快四化建设的，可是目前这种经过刀砍斧凿的班子，一眼看上去就是不伦不类、非驴非马。各种作用力互相钳制、互相抵消。管理方法远远落后于形势的要求，但因为有很多微妙的人事关系牵扯，根本无法啃动。技术设计很不合理，但因为眼前能给地方上带来一些薄利，就被视为家珍。数不清的矛盾、说不尽的难处、吐不完的苦衷……唉！辛辛苦苦点起来的一把烈火，还未将水烧热，就被人釜底抽薪、冷水淋头。还谈什么加快步伐？已经成了阻碍四化的障碍物了！

是因为自己的工作不够细致？嗯，这也应该承认。可是最初好端端地同你商量，不同意你就说不同意的道理吧，偏偏要动不动就以权势压人，一次、两次、三次！谁吃这个？泥人也有个土性嘛！

这个性子嘛……可能就是吃了他的亏？王局长再三提醒要同地方搞好关系，怎么搞才搞得好？当然，首先要尊重他。不过什么才叫尊重？要像过去那样君君臣臣父父子子，礼仪周全？不！在自己看来，同志之间，真诚相待，为了党的利益，敢于阐述不同意见，不脱离客观实际，不搞老子天下第一，不搞个人恩怨，这就是尊重嘛。可是在郭书记看来，他就是指黑为白，也要求人家绝对服从，别人只能绝对盲从。他就是地方，尊重他才叫尊重了地方，这怎么办得到？郭书记是有些缺点的，他那工作作风和工作方法，还有那脾气……但这又仿佛算不了什么，常常是因为维护本辖区利益而引起的。作为地方父母官，也无多指责之处。怪就怪在地方和全局有那么多不可调和的矛盾吗？俗话说，大河涨水小河满，大河无水小河干，难道全局好了，地方就非吃亏不可？同样，地方利益保住了，全局就一定搞不好？全局不也是一块块的地方组成的吗？不，问题不在这里。在哪儿呢？

傅连山被这个简单的道理纠缠得迷惑起来，他觉得在目前这种状况下，你的着眼点不知搁在哪儿才好。恰好比你带一部照相机来到野外，需要给一个人照一个特写镜头。你把焦距定远了，背景看得清清楚楚，可是面前这个人头就模糊得没一点轮廓。你若把焦距定近一点，这个人的头部，鼻眼耳嘴甚至连眼睫毛都清晰起来，但是整个背景却成了灰乎乎的一片，完全同这个人头脱离了。那么，这一次回去，自己的焦距应该如何定？

傅连山头绪还没有理出来，昏昏晕晕地就回到了电业局。

怪不得如此急如星火地把傅连山召了回来，这几天来，由于各种各样的原因，本区系统内的电网犹如金蛇狂舞，四处翻滚，简直招架不住了！

随着暴雨连天，不少地方洪水猛涨猛跌，水电厂紧张得透不过气来。有些地方围堰内积水如湖，吞没了大片农田。大型排灌站一起开动抽水机，负荷猛增，电表指针经常打到了顶！电压也无法升起来，马达使用的电压比额定值低了一二十伏，温度剧升，接二连三地烧了不少台。

调度室乱了套！一会儿这里不行了，一会儿那里又告急了。开关不断跳开，保险经常熔掉，报警器此伏彼起地叫，电话铃追着屁股响，真是焦头烂额，"不亦乐乎"！有一次，竟把大电网直配线的总开关跳了。大电网突然甩掉了一个地区二三十万负荷，立即打乱了同步平衡，引起了波动。这些够上"事故"的事几天内就记录了不少，还有够不上事故、运行部门叫作"障碍"的事，就不知道有多少了。还有一种糟糕情况：一个事故出现，运行人员头脑中分析不出原因来，还得赶快处理。匆忙之中，一个操作错误，立即引起连锁反应，事故越扩越大。当事人那个急呀！鼻尖上吊着黄豆粒大的汗珠，背心上像火灼一般。越急就越怕，越怕就越不知该怎么办才好，绝望之余，真恨不得一刀抹了脖子！

局里动员了所有的力量来应付这个险情。但是，有经验的人做不了主，懂得一些的人不敢做主，而做得了主又敢做主的人恰好是既无经验又一窍不通。政治处的大王主任在这危急关头，一马当先，精神抖擞，接连几天几夜地守在调度室，嗓子都喊哑了。他起的作用就是不断地将郭书记的命令颁布给大家，电话听筒被他握出了五个指印。

郭书记这一段时间忘了吃饭，忘了睡觉，来往奔波于狂风暴雨中的抗洪抢险第一线。眼看刚刚插下去的晚稻田成了一片汪洋，他眼睛都红了！"排涝！快！筑堤！快！送电来！送电来！快！"步话机装在吉普车上，一道一道的命令直接下到大王的耳朵里。没有比这更紧急的了，因此也无法考虑你能不能执行，或者执行了有没有作用，根本不用考虑这个问题，除非不说！天可怜见，一个人的力气有多大？你霸蛮地在他左肩上压三百斤，右肩上扛四百斤，头上再压五百斤，两手再提六百斤，他怎么能不塌下去？

正在全区电网危如累卵的时候，傅连山奉诏回兵解围，赶到了局里。

路上太难走了。有些低洼处，水漫上路面一两尺高，吉普车开上去，轮子都看不见了，差不多成了一条船，老傅和司机就听天由命地泡在水里。幸亏走得早，再晚一步，水就会漫到车顶上。一路上饱经折磨，晚上九点才赶回佳津。

汽车开到局里后，机关里已经看不见几个人影。老傅关照司机快去换衣服，不要受凉感冒了，自己也提着旅行袋，磕着门牙向家里跑去。

暴雨一直没有停，连弱下来的意思也没有。院子里下水道排水不及，也涨起了齐脚背深的水，走在上面，鞋子里呱唧呱唧地响。伞也没有一把，只好硬着头皮淋吧。好在全身早已经湿透，打伞也强不了多少。

刚刚走进宿舍区，可怕的情景出现了！漆漆黑黑的天空猛地发出雪亮的、惨白的光来，是那么强，犹如成千上万只巨型探照灯同时打开；又是那么亮，远近的一切景物霎时变得清清楚楚。只不过都是淡蓝色的，使人觉得好像突然跌进了阴间世界，心惊肉跳！

这阵吓人的光忽闪了几次，余光未尽，天空中又一道刺人眼底的断缝般的强光颤抖地闪现了，像一根巨大无比的枯树枝从天上一直连到地上。宿舍区里发出了尖叫声，无论是男人还是女人，都被这种恐怖的现象吓得胆战心惊！

人们还没缓过气来，天灵盖上突然爆发了一声巨响，整个宇宙都共鸣起来，耳朵都要震聋了。傅连山站在水里，虽然已做了思想准备，张大着嘴等待着这声霹雳，但当雷声惊天动地地炸响时，他只觉得两腿一软，差点瘫痪下去。跟着，从远处又传来一阵哗哗哗的声音，像一大堆竹子从上面滚泄下来，到了头顶上，又是一阵更大的爆裂声……大地颤动着，窗户上的玻璃发出了刺耳的响声。

最后那声巨雷最为可怕，其势如劈山倒海，人的骨头都差点被它击散了架！更吓人的是，随着巨雷的炸响，大地霎时间一点光亮也没有了！路灯一齐熄灭，能看见的所有窗户眼同时黑了！老天似乎达到了目的，到这个时候才将淫威发泄完毕。一时间，停了闪电，住了惊雷，天空墨一般地黑，四周死一般地静，就仿佛到了世界的末日……

"糟糕！出事啦！"

凭着多年的经验，傅连山一下就判断出来，一定是电网的哪个部分遭到了雷击破坏。他只觉得自己的心在喉咙管里跳动！他什么也没考虑，回过头就向院子外头跑去。

吉普车还停在屋檐下，司机早已跑回家避寒去了。来不及喊他了！傅连山一拧车门把手，已经上了锁，车门纹丝不动。他没有半点犹豫，攥紧拳头，砰的一下把车门玻璃打得碎片横飞。接着，跳上车去，咔咔几下拧下了电门开关，摸着黑几把就将电源线绞在一起，发动引擎，腾的一下冲出了局大门，风驰电掣般地向马嘶桥飞奔而去……

市区所有的街道上，几乎没有一个行人。傅连山驾驶着汽车，挂上了最高挡，油门踏到了底，脚上还在使劲，恨不得将车底钢板蹬穿才好。路上的积水被车轮辗得向两边人行道上溅去好高，远远望去，像是一辆发了狂的洒水车。

一个急转弯，路中心突然出现了一个人！狂奔而来的吉普车，强烈刺眼的灯光，猛然间把他吓得惊慌失措，不知应该往哪边躲才好。

吉普车由于速度太快，眨眼之间就冲到他的背后。喇叭再也来不及按了，傅连山两脚一齐动作，左脚蹬开离合器，右脚死死地踏住刹车，手上同时拉住了手刹杆，四只轮子一下就卡得紧紧的，发出了刺耳的啸叫声……

意外的现象发生了：因为下雨，路面太滑，车速太快，突然来这么一个急刹车，惯性驱使着车子在路面上奇怪地滑行着。车头向左边猛地一歪，车尾又向右边猛地一扭，车身横了过来，仍在以很快的速度向前冲刺而去！老傅头上冷汗都冒出来了！

那人回头一看，无论躲向哪一边，无论有多快的速度，也逃脱不了死神的魔爪了！绝望之中，一种本能的、强烈的求生欲使他产生了奇特的功能：就在小车撞到他身上的一刹那，他猛地向上一个鱼跃，就像杂技运动员扑过架满钢刀和火把的圈子一样，极准确地腾起身来，继而落到吉普车引擎盖上，双手死命地抠住盖板，身子紧贴在盖板上，一动也不动，牢牢地粘在车体上随车滑行了十来米远。

汽车终于头朝后、屁股朝前地停止了滑动。那人三魂六魄都吓得飞出了体外，一动也不敢动。傅连山跳下车来，借着灯光一看，惊叫起来：

"梁友汉？"

"啊？！……啊，老……老傅……哦呀！"梁友汉惊魂未定从引擎盖上爬下来。

一见到梁友汉，傅连山不知从哪儿来了那么大一股火：

"梁友汉！你是干什么的？局里这一段时间一个一个的事故出现，作为一个总工程师，竟然敢在家里装病？啊？明明知道老沈也走了，没人顶得上去，你却赌气不管，你跟谁赌气？啊？他娘的，这电业局又不是哪一个人的，你不懂吗？你的良心到哪儿去了嘛！"

梁友汉刚才一惊一吓，还没清醒过来，又兜头受了这么冲的一番数落，心里好不委屈。

"调令下了是不错，可你还没有走嘛！眼面前要死人了，你也不管？啊，发犟脾气比吃巧克力糖还有味儿，是不是？非要人家跪下来求你，是不是？"

梁友汉扑棱着布满红丝的眼睛，望着傅连山，一句话也说不出来，嗫嚅地低下头去。

傅连山这才注意打量了他一眼，他全身像只落汤鸡一般，头发被雨水淋得紧贴在前额上，衣服领子上沾满了泥垢，单瘦的身子在雨中战栗着。怎么好过多地指责他呢？别说调令下了不便插手，就是插上手去，在这积患成堆的地方，他又能起多大作用？更何况从他走的方向来看，他也正是往调度室去的。唉，在这个时候，每一个有良心的人都不忍撒手啊！

"……上车吧。"傅连山再也没有说什么。时间不饶人。他调正车身，又向马嘶桥驰去。

雷电只稍稍喘息了片刻，又发起威来。马嘶桥调度室内，混乱不已。人们正在手忙脚乱地查找事故地点。总开关站里，跳下了好几把开关，由于出过几次误操作，运行人员胆子特别小，谁都害怕判断不准落个"扩大事故"的责任。

大王在这里，显得比任何人都着急，他只顾叫嚷着，一会儿催着大家赶快推闸，一会儿又催着值班长立即处理事故，开口闭口就是"工农业生产的损失""郭书记的指示"，把那些运行人员搅得人心惶惶，更加拿不定主意。

第一眼看见傅连山和梁友汉走进来的人是蹲在门边给大家烧开水的党委书记郑义桐。

"傅局长来啦！梁总，你也来了？"郑义桐一弹而起，紧紧地握住了他俩的手。

"傅局长和梁总来了！""啊！这就好了！""快！请傅局长和梁总来看看！"……

人们松了一口气，自动地让开了一条路。大王昂首挺胸地从这条路上向他们迎上来，地上虽然是铺的绝缘橡皮垫，却好像是那种迎宾用的红地毯。

"傅连山同志，刚才郭书记说你马上就来。这一下，全区的重担就交给你了。"他握了握傅连山的手，只恨自己为什么还不发胖，就差那一点与这种首长的气派不太相符，其他都像。

傅连山和梁友汉迅速地查看了各种仪表和设备，根据记录的数据分析，老傅认为事故原因是"瞬时过流"。

"梁总，继电保护系统有什么异常现象？"

"瞬间电流太大，继电器已动作。"梁友汉从开关板后面伸出头来回答道。

他们又详细询查了事故前后的现象和经过，两人商量了几句，立即下了命令：

"A组开关跳开后，自动重复合闸后又运行了一段时间，属于外界原因引起的瞬时过流。C组情况也是这样。可以合闸！注意，严密监视仪表！"

操作人员马上行动起来。

A组开关合上了，仪表指针只略略抬了一下，又回到正常位置。没有问题！

C组也合上了，一切正常！

人们轻松起来，故障果然没在这两处！

"E组开关暂不合闸，马上给七号开关站打电话询问线路情况！"梁友汉吩咐着。

七号开关站回话：停电后情况不明，正在查巡之中。

傅连山记得，上一次到那儿去时，发现七号开关站的那台降压变压器已超过检修期限，是不是它的绝缘老化，被雷电击穿了呢？他接过听筒：

"七号开关站，立即用摇表测试变压器的绝缘指数。"

"变压器？这不可能吧？它前面装了避雷器，保护系统也没有动作呀。"七号不太相信。

"别提那些破玩意儿啦！你们的设备已长期失修，动作不一定灵敏可靠，测试吧！"

几分钟后，七号开关站报告：降压变压器的高压线圈绝缘被击穿，匝间短路。保护开关确实失了灵，没有动作，因此引起了前几段的开头跳了闸。

事实完全证实了老傅和梁总的判断，果然是一次"越级跳闸"事故。

运行人员互相对视了一眼，由衷信服地点着头：这位局长胸有悬镜，明察秋毫。如此迅速而又准确地查出了事故因果，名不虚传！了不起！

"切开事故变压器开关，备用变压器准备投入运行！"傅连山查出了故障后，果断地甩掉溃烂点。

"准备！合上主闸！"梁总下了命令。

运行人员各就各位。经过一连串节奏鲜明、准确的操作后，电网恢复了正常供电。

人人脸上绽出了笑容，交换着欣悦的目光。

"哦。来来来！喝茶！"郑义桐递上一杯茶，傅连山伸手刚要去接，他却递给了梁友汉，"这是他的。你的在这儿呢。"

郑义桐从桌子底下取出一个行军水壶，上面的绿色油漆早已脱落，因为年岁太久，磨得白花花的了。他拧开盖子，一股浓烈的曲酒香味飘了出来：

"来吧，六十五度！够劲了吧？"

"算了吧老郑。我今天坐了一天车，已经不胜酒量了。"

"酒壮英雄胆嘛，来一口吧！"大王倒了半茶杯酒，双手献到傅连山面前……

突然，报警的蜂鸣器发出了嘟嘟的响声，红灯一熄一亮，情况又紧急起来！

傅连山呼地立起，推开茶杯，转身冲进调度室。

载波电话机铃声急促地响了起来……

"打开录音机！"老傅喊道。

"录音机？还没买呢。"

"什么？……那就口述中调命令，用笔录！"

"是！"值班长取过听筒。

"中调，中调，我是佳津，请讲。……我重复你的命令：因六十万千瓦主力电站水泵房进水，需暂退出网络，各区必须在五分钟之内削减负荷。佳津地区，除一级负荷外，二、三级负荷全部拉闸。完了。接到命令时间：二十三点五十三分。"

值长记录完毕，用请示的口气问傅连山："执行吧？"

"马上……"傅连山的手在半空中突然停住了，"……等一等。"

他大概是疯了！中调的命令还用得着等一等吗？本来他是要说"马上执行"的，但他一下子看见了自己那个打开了的旅行袋，而且他清清楚楚地看见了那两盒"金枪"牌蚊香，似乎在提醒他，不要忘了这个蚊香厂的新厂长。他犹豫了："……稍稍地等一等。"

傅连山赶快找来了郑义桐和梁友汉，对他们简明扼要地讲述了中调的命令：二、三级负荷要全部压下来，怎么办？

尾随而来的大王问道："一级为什么不压？"

"那是不能压的。一级是矿井、军事等要害用户。"值长向他解释。

"这就好办了！给中调说说，目前我们这里情况特殊，都是要害，就往上升它两级嘛，全部都是一级！"

"商量紧急事情，严肃一点！"傅连山觉得他可笑又可怜。他转向郑义桐："中调命令不能延误，马上执行吧？"

大王被傅连山抢白了一句，脸上红一阵白一阵的。他抢在郑义桐前面插了一楔子："这是大事，要请示地委同意才能执行！"

傅连山火又上来了：偏偏又被他触痛了这根敏感神经！他干脆地说："本来是可以不征求你们的意见的，考虑到……快决定吧，没时间了！"

"我马上给郭书记挂电话！"郑义桐更加着急，一转身跑向电话间。

"你……唉！"傅连山一捶大腿，干瞪眼。

"局长，中调电话，要我们马上执行命令。"值长喊道。

"……知道了。"傅连山像热锅上的蚂蚁。他想了一下，也向电话间跑去。

时间一秒钟一秒钟地过去了，郑义桐还没有与郭书记联系上。他的头发上冒出了阵阵热气。一面对着听筒"喂喂"地叫着，一面急不可耐地拍着电话机，看来他的心里也快燃烧起来了。傅连山只好也守在电话旁，急得团团转。

值长又跑了出来："局长，中调电话，主力电厂水泵房快淹没了，情况非常危急，必须停机，但就是我们的负荷没有压，中调发脾气了。"

傅连山再也忍不住了："老郑！……"

"通啦！"郑义桐赶快向老傅摆了摆手。为了听得更清楚些，他用手指堵住了另一只耳朵孔。他已经找到了郭书记，把中调的命令向他汇报。

"是的，情况就是这样，你看呢……哦……是啊，也得停，对。……什么？啊……这可能不行……对，对对。什么……哦，哦哦。……是，是是……知道了。那就这样吧。好，好。"

谢天谢地！电话总算打完了。

"郭书记指示：怎么执行，由我们决定。"郑义桐说，"咱们三个人……哦，连梁总共四个人研究一下吧。"

"不行了，我的老郑同志，再拖下去整个系统出了大事谁负责？"

"我看，是不是给中调说说，少压一点？"郑义桐只好长话短说了。

"你！来来来！"傅连山不知怎么说才好，干脆把郑义桐拉到载波电话机前，"你自己对中调说吧！"

"呃呃！这是干什么嘛！老傅！我这是传达郭书记的意见！"郑义桐变了脸。

"郭书记郭书记！他就是……嗨！刚才你是说他让我们决定吗？"

"话我反正都说了。你看着办吧，我又不干涉你！"

"那好吧！"傅连山又豁出来了，他一转身，刚要喊值长，大王拦住了他。

"我说，你敢负责吗？啊？"

"敢！敢！由我向郭书记交代，没你们的事还不行吗？"他推开大王，猛喝了一声：

"值长！"

"到！"值长憋足了劲，早就等着这一声唤了。

"拉掉主三闸、主二闸、主六闸！"傅连山下着命令，语气里充满了厌恶，"记录执行时间，算出延误时差。延误原因是……"他瞪了郑义桐和大王一眼，吞下了一口恶腥气，"延误原因，业务负责人傅连山指挥不果断。就这样写！"

负荷减下来了。傅连山知道，用不了几分钟，所有的电话就要开始"大齐唱"了。各县供电所一定会同时打电话来叫苦，要地调多给他们分配一点电。各种各样的"特殊情况"都会出现，这些"特殊情况"常常都是被夸大了的，甚至会要命啰、会死人啰，无奇不有。

怪哉！今天为什么这么安静？傅连山立即觉得不妙！他正想同梁友汉研究一下，有一架电话机刺耳地震响起来……

"哪里？我是地调。什么？金沟水电站？……什么什么？你说清楚点！……啊?!"

值长惊慌起来，赶快把听筒递给了傅连山："局……局长！"

傅连山心中已明白了八九分。他接过电话，心里直发毛："喂！你不要慌，说清楚！……什么？发电机严重超载？带不起了？温升多少？……啊？周波呢？……什么?!"傅连山捂住话筒，眼睛里射出了怒火：

"老郑！金沟电站的联结方式为什么还没有改过来？"

郑义桐茫然地睁大了眼睛："什么联结方式？"

"就是我在那里搞了一多半的那个改装工程哪！"

"哦……你不是学习去了吗？"

"让郭小成接着干的呢？为什么停了？啊？"

"小郭上海南岛去学习了，地委派的。"

"我×他娘……这不是成心要……嗨！我说今天怎么没有听见满田的蛤蟆叫！断了大电网的电，又让金沟顶了上来，这不是要金沟的命吗？金沟为什么不送大电网？改变了运行方式为什么不报地调？一直瞒到现在，出了事才打电话来？这是开玩笑的事？烧了发电机谁负责？啊？"

傅连山急得直跺脚，他再也不敢延误，到了千钧一发的时刻了：

"金沟！立即甩掉现有的所有负载！打开同步指示，并入系统运行！……什么？我是谁？傅！连！山！……啊？我说了还不算数？为什么不算数？……谁说我撤了？放他娘的屁！……没时间了，立即执行！……你敢！好好好，我的同志爷！这是国家财产，你就不心痛？"

简直反啦！一个堂堂的局长说话竟然不能算数？傅连山钢牙咬得咔咔响，他心里很清楚，千般怒、万般火，现在已经不是发作的时候了！就算是三口浓痰也只能强迫自己咽进去！发电机！发电机呀！抢救发电机要紧哪！傅连山仿佛被一块巨大的石头不偏不倚地压住了，绝望之余，只好胡乱搜寻着能帮自己一把的人。他一回头，看见大王正好站在自己身后。

"大……王主任哪！"为了救急，傅连山竟不惜降低自己的身价，尊称起他的官衔来，"你能给他们说说吗？这是要命的时候啦！……"

"哦？嘿嘿，生产问题，我怎么好干涉呢？"一直在这里吼天吼地的大王主任，现在却悠悠然起来。他认准了一定之规：在这个时候，最好一言不发，光站在你背后，就是最好的监视站！

傅连山一下就感到了自己的失策：我怎么找到他了？成事不足败事有余的角色，呸！他骂了自己一句难听的话，掉过头去，一眼看见了郑义桐。对呀！老郑倒是目前能解救危机的可靠力量。傅连山慌不择语地呼叫起来：

"郑义桐书记同志……"

"啊？啊。"郑义桐眉头结出了两个疙瘩，看见傅连山急成了那副模样，他立即意识到了事情的严重性。他明明知道金沟的事没有自己开口还真行不通，但他就是没有开口。这，可不是儿戏！瞬间，一个一个的镜头飞快地在脑子里转了起来。他想起了地委对省电业部门的成见，想起了傅连山跟地区的矛盾，想起了郭书记那张铁青的脸，想起了刚才从电话里接到的严酷的训令，立即坚决起来：

"不！我不管这个。你知道，业务上的事我是不懂的，不能瞎指挥。"郑义桐的双手摆个不停，干干净净地表达出爱莫能助的意思。

唯有梁友汉急得背如针锥。金沟的事，连老傅说话也不灵，何况自己一个撤了职的工程师？他知道郑义桐和大王不可能出面，也知道这里头的关键在什么地方，更清楚老傅这时候的处境，心不由得提到了嗓子眼儿上！这儿的电网糟透了，全身都有慢性病。一到这种时候，百孔千疮一齐发作。而傅连山正好比是一位硬气功表演者，自己立起了一块石碑，又要用自己的脑袋来撞断它！糟糕的是他并没有运一点气，他以为面前立着的是微孔泡沫块！梁友汉再也不忍看下去了：

"老傅！快！先让他们甩掉负荷！就说不送到大电网去。只能这样了。别犹豫，救下发电机再说！"

傅连山突然被梁友汉的话提醒，没有第二条路可走了！他把这道被更改的命令下达下去。这一次灵了，金沟立即执行。

一块压在身的巨石被抛到井里。身上轻松了，井内却翻腾起来。调度室内陡然四处告急，各个县叫苦连天，呼天喊地地要电，比逼债还要凶十倍。

而金沟电站的发电机却已经安安闲闲地打起空转来。他们的控制室来电话，温度恢复正常，可以送电了。往哪儿送？电量如何分配？

傅连山已经感到自己的话在他们那里行不通了。他万般无奈，走到郑义桐面前："老郑，你来说吧，让他们送电网。整个网络吃紧，我们无论如何也得送。顾全大局要紧哪！"

"不不不！我说过了，这是业务上的事，我不便插手。"

"那你就对他们说！让他们听我的！！！"傅连山嗓子发沙，愤怒得吼了起来。

"哎！我可从来没让他们不听你的呀！你这话是怎么说的？啊？不相信党委？"郑义桐正色地说道，"党委早有分工，各负其责嘛！怎么能随便就推卸责任呢？"

大王又扔出了阴阳话："唉！我要懂生产就好了。我起码不会那么吃里扒外！不去向锅里讨，反而向碗里夺。老郑，咱们外行说不起话，别在这里碍事了。走吧。"说完，真的拽住郑义桐的胳膊要走。

傅连山气得脖颈发直，只有喘气的份儿。他像是被人关进了铁罐子里，闷得头昏眼花！心中的熊熊怒火，烤干了被雨淋透湿的衣服，燃上了冒着蒸气的头顶：

"郑义桐！姓王的！你们都是共产党员，你们的党性呢？狗叼去了？实话跟你们说，好歹熬过这一晚上，咱们根盘根，底盘底，不论出个是非曲直来，算我傅连山不是他妈人养的！今晚没工夫同你们磨，我现在要找郭书记！给我挂电话！不挂通电话，出了任何事我都不负责！"

傅连山狂怒起来眼珠通红，十分吓人。郑义桐不敢走，只好挂通了电话。没想到郭书记的火气更大：

"郑义桐！你好大的胆子！我说的话就那么不起作用了？唵？现在我是泡在水里同你通电话，你知道吗？你知道你的责任吗？唵？人家成心卡我们，你是吃干饭的？唵！上头拉闸，自己也拉闸？向上面讨不到，我们还有个金沟嘛，金沟电站是吃素的？为什么也拉了？唵？还要送给别处？谁这么大的胆子？唵？我早就知道傅连山会来这一手，可我对你是怎么布置的？唵？这么重要的部门在你手上，全地区几百万人民的命运也在你手上，你知道这个分量吗？看着姓傅的在挖我们的墙根，你的骨头呢？软了？散了？唵？！"

电话里的声音格外清晰，站在边上，每一个字都听得一清二楚。傅连山的心透凉透凉了。郭书记的话，一句就是一刀，刀刀穿进了他的胸膛。明白了，彻底明白了！还有什么好说的呢？傅连山只觉得遍身都在发麻，耳朵里唯有一阵响似一阵的轰鸣声，什么也听不见。空气越来越稀薄，肺叶被憋得发出嘶嘶嘶的响声……

"郭书记，傅连山要同你通话。"郑义桐毕恭毕敬地听完训话，马上补充这么一句。这句话在此时翻出来，用意很微妙：既可转移对方的怒气，又可将责任推给傅连山，还可以让傅连山"清醒清醒"，一箭三雕。

傅连山一切都不知道了：不知道现在还该不该接电话，不知道现在还该不该说点什么，总之是什么思想也没有。只是木然地将听筒贴到耳边……

窗外，雷声滚滚，耳机里雷声更震人，到处都在轰响着，混浊不清……

"谁？傅连山吗？你是很有本事的人，我还能对你说什么呢？顺便提醒你一句吧！我们这个小小的地区，地只有那么几垄，田只有那么几丘，人也只有那么几个，上不上得了你的眼那是你的事。不过我想，要是有人恣意违抗地委指示，玩忽职守，造成了损失，就不要怪我不事先打招呼。到了那个时候，就是我的事了！你看着办吧！"

咯噔一声，对方扔下了听筒。

傅连山的听筒仍然紧紧地贴在耳边……

"局长！各县告急……"值长大声叫起来。

傅连山站在原地，一动不动……

"局长！金沟请示运行方案！"值长又喊道。

傅连山还是那样站着，无动于衷……

"局长，中调询问运行情况！"

傅连山呆若木鸡……

梁友汉缓缓地走到他面前，望着他那麻木不仁的脸，心如刀绞：

"连山……不要太……太认真了。我在你身边，咱们……一起扛吧。"

"你有火柴吗？"傅连山突然伸出了巴掌，"给我！"

梁友汉狐疑了，他不知道傅连山想干什么："你……想抽烟？"

"不，不抽。给我吧，火柴！"

梁友汉从兜里掏出火柴，惶惑地递给他。

傅连山接过火柴，痴痴地走到桌子旁，从旅行袋里取出一盒蚊香，哆哆嗦嗦地点燃了一盘，搁在屋子正当中。他虔诚地注视着冉冉飘起的缕缕青烟，任凭那芳香刺鼻的怪味萦绕在自己的脸边、头上……

"友汉，这下就好了，不会有什么事了。你回去吧。"

"轰隆！——"

一声巨雷，陡地炸响在调度室的屋顶上。雷声惊醒了梁友汉，他猛然明白了一点什么，极恐怖地抬起头，心慌得透不过气来："连山，你要怎么……不能啊！不不！我不走！"

傅连山朝梁友汉身边靠了靠，无限深情地伸出手去，搭在他那消瘦的肩头上，语气格外亲切："友汉哪，你是应该回去的。别忘记了我这个一二十年的老伙计对你的……你听，这雷声……真大。"傅连山压下了千言万语，静默了好大一会儿，终于轻轻地推了推梁友汉，"快走吧。对了，告诉贞园，我回来了……算了，不告诉她吧。……万一她问起，你就说……我很好，叫她不要担心，不要……等……去吧。"

雨点子突发性地大了起来，敲在玻璃上，发出很响很响的哗哗声。闪电一次又一次地染白了窗外黑洞洞的天空。借着闪电光，梁友汉发现傅连山像一尊青石浮雕像，脸上棱角分明，刻板得没有一丝丝生气，是那么阴森，那么可怕！

梁友汉只觉得寒气彻骨，浑身打着哆嗦，几乎站立不稳了。他扑过去，紧紧地抓住傅连山的双臂，死劲地摇晃起来：

"连山！连山……"

"回去！"傅连山语气突然严厉得吓人，"梁友汉！你已经免去了总工程师的职务，不能再待在这里了！请走吧！"

梁友汉呆了。他很僵硬地从傅连山身上松开手，脚步机械地往后退了两步，死死地盯住傅连山的脸……终于，他服从了。

"……好，我走。连山……你还有什么话……要对我说吗?"梁友汉忍住了哽咽，尽量显得平静些。

"没有！"傅连山想都不想，硬邦邦地说了这么两个字，再也没朝梁友汉望一眼。

梁友汉的眼泪忽地夺眶而出，他死劲地咬着嘴唇，冲出了门外……

傅连山听得脚步响，突然觉得失去了什么。他追到窗口边，一直目送着梁友汉踉踉跄跄地消失在滂沱的大雨之中才转过身来。

"值长！值长！"傅连山嗓子快哑了。

"我在这儿呢，局长……"

"立即命令金沟电站断开网络，全部送往本区小系统，全部！"

值长吃惊了："这……"

"执行！"

"……是。"值长吓住了。他怎么啦？明明知道发电机带不起呀！

傅连山摘下载波电话听筒："中调！佳津地区情况紧急，请求增加负荷！"

"主力电站尚未恢复供电，系统情况更紧急，暂时不能增加。"

"我是傅连山！我要你给我加！"

郑义桐和大王突然睁开了惺忪的双眼，瞌睡一下就无影无踪了：还是郭书记厉害！到底把他制服了！

中调十分诧异："傅局长，你怎么……"

"金沟水电站你知道吗？它是佳津地区的你知道吗？现在已经不行了。你给我增加一点负荷保一保这个宝贝！别的也不要多问了。我等着你的答复。"

虽然是老领导，中调也不敢擅作主张，马上找所长汇报。所长对佳津的详细情况非常了解，根本不须多问，就深知傅连山的处境了。他摇了好一阵电话，总算从其他地区一点一滴地调出两万千瓦。

"傅局长，无论如何不能超，这是从大家的嘴里挤出来的呀！"中调叮嘱了一句。他知道这句话是多余的，傅局长还不懂吗？可他还是说了。

傅连山放下听筒，干咳了两声，马上行动："值长，对二级负荷送电！"

"可是……才两万哪！"

"要你送你就送！哪来那么多废话？"傅连山暴跳如雷。

"……是。"

值长对地区的用电情况心里有本明细账，如果按傅局长的命令送，那么用电量就不是两万，而是二十万！下面急需用电，只要一送，肯定要抢着用，说不定一下子就要达到高峰！过去，他们经常这样超着用，真正用多少总是瞒着，只向上报个假数据。但是值长无论如何也不敢想象傅局长竟然也来这一手，而且胆子比以前那么做的人还要大十倍！又是在整个系统如此吃紧的今天！他怀疑傅局长精神失常了，但他又那么地清醒；他又怀疑自己听错了，但同时还有郑义桐和大王主任也听见了，他俩笑逐颜开。看来是不会听错……

值长战战兢兢地发出了这两道命令。他觉得一个十分凶险的不祥之兆已经笼罩住了这间屋子，并且马上就要降在自己的头上了……

值班记录上有一格值长签字栏，空出一个长方形的框子。值长拿起钢笔，眼睛发花，那个框子像什么东西？监狱的大门？犯人的镣铐？法官的审判桌？

一只手把钢笔夺了过去，两笔画掉了"值长"二字，粗粗的笔尖在白纸上落下了洗不掉的五个黑字：局长：傅连山。

傅连山把钢笔伸过去，交给值长。他紧紧地握住了值长的手，那么庄重，那么吓人。

"记住！意外情况一发生，马上告诉中调，火速切掉佳津线路，就可以恢复整个电网供电，尽可能减少损失。还有……不要慌乱，按事故处理方案行动。……调查时，把这个交上去，你就没事。拜托你了！记住，给中调打电话要快，要快……"

值长接过值班记录本，热泪早已涌了出来："局长，你不能这样……"

"不这样，又怎样呢？"傅连山心里在滴血，他嘴角动了动，把话咽在肚里，"是的，这是要受法律制裁的。但是，在别人对我起诉时，我本身不就是对封建残余的强有力的控诉吗？"

傅连山狠着心不理睬他了。他转过身，走到休息室。郑义桐和大王正在这里聊着天，有电了，交差是没问题的了。特别是降服了傅连山，这是值得庆贺的。明天，他们就可以大言不惭地向领导汇报这一难得的战绩了。

"你们出来！"傅连山在门口阴沉地喊。

"老傅，有什么事吗？"

"我现在要给姓郭的打电话！"

"可以可以。你自己挂就行了。"

"挂什么地方？"

"现在是……凌晨三点十七分，嗯……你挂金沟电站。他应该到了那儿。"

"你们一起来，我当着你们的面讲话！"

"嗨！老傅啊，别多心嘛，咱们……"

"出来！！！这话你们非听不可！"

郑义桐望望大王，大王望望郑义桐：来真格儿的了？"好吧好吧，哈哈，还生我们的气？"

郭书记这一次接到电话可就大不相同了，亲热劲真让人受不了："连山哪？是你吗？哎呀，嗓子都哑了？别太累着了，啊？你可解决大问题了！我代表地委……"

"够了！别老把地委顶在自己头上，磨秃了毛就不暖和了！"傅连山横了心，不横也来不及了，吐个痛快吧！

"尊敬的郭书记！请你耐心一点，听听我这几句话，听完了，也许会有点作用吧？这是一个人把自己的心戳破了，淌滴出来的血！"

郭书记一怔："连山，你说吧……"

"我今天干了一件事，这件事触犯了刑事法，这件事足以毁掉我的一切！现在还能挽救，但是我想了很久，虽然我一直不愿意让它发生，可是，挽救了这件事，今后还会有更大的损失出现，我不去挽救它，不去！"

郑义桐和大王在旁边听得毛发都竖起来了！他干了些什么？我的妈呀！这么吓人？

"姓郭的，你不是很有权力吗？你可以任意撤换别人，你可以任意处分别人，我倒嫌这些太轻了，自己挑了一个更重些的：进监狱去！这你该满意了吧？你不是要别人绝对服从你吗？你不是要维护山寨的绝对利益吗？今天我来了个百分之二百的服从，这你该满意了吧？告诉你吧，眼下北西大电网主力电站退出后，负荷满到了极限，竹子扁担压弯了！破裂了！只差一点就要断了！我在你的高压下，把全区的负荷一股脑儿都压在这根破扁担上了！我欺骗了中调，这是为了你！万一出了事，几个地区同时受损失，这也是为了你！看吧！很快……"

突然，他张大了嘴：什么声音？不好——！

——咔嚓！

霎时，开关站的所有开关像是接到了口令，又像是遭到了炮击，一齐跳开了！

各种电器全部停止运动！照明电也没有了！连信号指示也没有了！

北西电网由于巨大的过电流，终于压断了扁担！主回路开关砰地跳开，电网平衡受到了致命的震荡，整个系统立即土崩瓦解！各段开关连锁反应，一把接一把地自动切离，把一个大电网割裂成无数个小块！供电运行中最可怕的事故突如其来地发生了！

"啊！啊！啊——！"

傅连山发出撕心裂肺的几声惨叫，猛然转过身来，后脑勺死命地撞着墙壁，左手屈勾着五指，痉挛地揪住自己的喉管，右手高举着话筒，差不多要把它捏成粉末！

像一只被屠宰了的鸡，一阵挣扎之后，到底不动了。傅连山昏厥过去！

"老傅！连山！……值长！快拿手电来，傅局长出事了！"

郑义桐慌忙中摸向傅连山，头一下就碰到门框子上，金星直冒。

"啊？傅连山……他……死啦——！"大王惊乍地嚎叫起来。

"傅局长！傅局长啊——！"

值长心都碎了！多么难得的干部，竟然落得了这么一个下场！全局上下多少有良心的人都盼着的，盼着有一天能向你说说心里的话啊！盼着有一天能痛痛快快地跟着你干一点事业啊！碍着那些人当着道，这些话还没来得及对你说，你就……

值长什么都不顾了，黑暗中他一把揪住大王的衣领："是你们把他逼死的！你们太狠心了——！"

"胡……胡说！他是畏罪自杀！"大王心里又虚又空，挣开值长的手，只想逃出这是非之地。没想到一转身撞到一个人身上，电灯突然亮了！大王吓得叫了起来："有鬼——！"

傅连山复苏过来，摸着黑打开了蓄电池照明灯。他指着值长，说不出话来，心里一急，又是一阵昏眩……

郑义桐一个箭步赶上前来，用整个身体托住了傅连山："你……连山，你怎么啦？没……没什么事儿吧？……"

值长明白了傅连山的意思。为了使他放心，立即奔回调度室，按他的布置处理事故。

正在这个时候，郭书记火速赶到。

"老郑呢？发生了什么事？唵？这可怎么办？唵？老傅呢？连山，连山，怎么得了？啊？谁的责任？啊？"

傅连山基本上恢复过来。他心里明白，大错已经铸成，罪过无法赦免，后果不堪饶恕。他什么也不怕了，心中只有恨！恨得全身血管都要爆裂了！

"你，你们，害怕吗？应该害怕！十分可怕！……可惜，太晚了！"

"姓……姓傅的！话可得说清楚，我们可没让你干什么啊，我们一直没……没插手，要凭良心……"大王差点忘了自己的老行当，顾不上去想如何整材料，却先开脱起自己来。

郑义桐阻止了大王的嚎叫："连山哪，这……是正常的工作事故吧？对，一定是的。需要党委承担的，你就……啊？"

"不要玷辱党委，这不是正常事故，这是人为的责任事故！谁造成的？谁？谁！哈哈哈！哈哈哈哈！"

傅连山站了起来，他直勾勾地盯着郭书记，盯着郑义桐，直言不讳：

"别紧张！是我，是我！看你们这个样子！哈哈哈，敢做就敢当嘛！我为什么要这样做？我没办法了！我绝路了！我要用我的毁灭来震醒你们！我，付出的代价太小……国家付出的代价太大了！太大了啊！"

风雨雷电被这场惊心动魄的人间事故吓得无影无踪……

世界上凡有生命的物质刹那间几乎一齐停止了新陈代谢。

万籁俱寂……

唯独傅连山这凄惨的哀鸣声，突过了空旷的大气层，直升上太空，长久地回荡着，弥留着，令人窒息……

我实在不想再将读者引回到法庭上去，因为……该结束了！

为了表示这种结尾并非太草率，笔者似乎有义务还要解释一些疑问。非常遗憾的是本人自己尚未辨析清楚，故无以为答。

《收获》1981 年 1 期

人生

路 遥

人生的道路虽然漫长，但紧要处常常只有几步，特别是当人年轻的时候。

没有一个人的生活道路是笔直的、没有岔道的。有些岔道口，譬如政治上的岔道口，事业上的岔道口，个人生活上的岔道口，你走错一步，可以影响人生的一个时期，也可以影响一生。

——柳青

上 篇

第一章

农历六月初十，一个阴云密布的傍晚，盛夏热闹纷繁的大地突然沉寂下来，连一些最爱叫唤的虫子也都悄没声响了，似乎处在一种急躁不安的等待中。地上没一丝风尘，河里的青蛙纷纷跳上岸，没命地向两岸的庄稼地和公路上蹦窜着。天闷热得像一口大蒸笼，黑沉沉的乌云正从西边的老牛山那边铺过来。地平线上，已经有一些零碎而短促的闪电，但还没有打雷。只听见那低沉的、连续不断的嗡嗡声从远方的天空传来，带给人一种恐怖的信息—— 一场大雷雨就要到来了。

这时候，高家村高玉德当民办教师的独生儿子高加林，正光着上身，从村前的小河里蹚水过来，几乎是跑着向自己家里走去。他是刚从公社开毕教师会回来的，此刻，浑身大汗淋漓，汗衫和那件漂亮的深蓝的确良夏衣提在手里，匆忙地进了村，上了埝畔，一头扑进了家门。他刚站在自家窑里的脚地上，就听见外面传来一声低沉的闷雷的吼声。

他父亲正赤着脚片儿蹲在炕上抽旱烟，一只手悠闲地捋着下巴上的一撮白胡子。他母亲颠着小脚往炕上端饭。

老两口见儿子回来，两张核桃皮皱脸立刻笑得像两朵花。他们显然庆幸儿子赶在大雨之前进了家门。同时，在他们看来，亲爱的儿子走了不是五天，而是五年，像是从什么天涯海角归来似的。

老父亲立刻凑到煤油灯前，笑嘻嘻地用小指头上专心留下的那个长指甲打掉了一朵灯花，满窑里立刻亮堂了许多。他喜爱地看着儿子，嘴张了几下，也没有说出什么来。老母亲赶紧把端上炕的玉米面馍又重新端下去，放到锅台上，开始张罗着给儿子炒鸡蛋，烙白面饼。她还用她那爱得过分的感情，跌跌撞撞走过来，把儿子放在炕上的衫子披在他汗水直淌的光身子上，嗔怒地说："二杆子！操心凉了！"

高加林什么话也没说。他把母亲披在他身上的衣服重新放在炕上，连鞋也没脱，就躺在了前炕的铺盖卷上。他脸对着黑洞洞的窗户，说："妈，你别做饭了，我什么也不想吃。"

老两口的脸顿时又都恢复了核桃皮状，不由得相互交换了一下眼色，都在心里说：娃娃今儿个不知出了什么事，心里不畅快？一道闪电几乎把整个窗户都照亮了，接着，像山崩地陷一般响了一声可怕的炸雷。听见外面立刻刮起了大风，沙尘把窗户纸打得啪啪作响。

老两口愣怔地望了半天儿子的背影，不知他倒究咋啦。

"加林，你是不是身上不舒服？"母亲用颤音问他，一只手拿着舀面瓢。

"不是……"他回答。

"和谁吵架啦？"父亲接着母亲问。

"没……"

"那倒究咋啦？"老两口几乎同时问。

"……"

唉！加林可从来都没有这样啊！他每次从城里回来，总是给他们说长道短的，还给他们带一堆吃食：面包啦，蛋糕啦，硬给他们手里塞；说他们牙口不好，这些东西又有"养料"，又绵软，吃到肚子里好消化。今儿个显然发生什么大事了，看把娃娃愁成个啥！高玉德看了一眼老婆的愁眉苦脸，顾不得抽烟了。他把烟灰在炕栏石上磕掉，用挽在胸前纽扣上的手帕揩去鼻尖上的一滴清鼻涕，身子往儿子躺的地方挪了挪，问："加林，倒究出了什么事啦？你给我们说说嘛！你看把你妈都急成啥啦！"

高加林一条胳膊撑着，慢慢爬起来，身体沉重得像受了重伤一般。他靠在铺盖卷上，也不看父母亲，眼睛茫然地望着对面墙，开口说："我的书教不成了……"

"什么？"老两口同时惊叫一声，张开的嘴巴半天也合不拢了。

加林仍然保持着那个姿势，说："我的民办教师被下了。今天会上宣布的。"

"你犯了什么王法？老天爷呀……"老母亲手里的舀面瓢一下子掉在锅台上，摔成了两瓣。

"是不是减教师哩？这几年民办教师不是一直都增加吗？怎么一下子又减开了？"父亲紧张地问他。

"没减……"

"那马店学校不是少了一个教师？"他母亲也凑到他跟前来了。

"没少……"

"那怎么能没少？不让你教了，那它不是就少了？"他父亲一脸的奇怪。

高加林烦躁地转过脸，对他父母亲发开了火："你们真笨！不让我教了，人家不会叫旁人教？"

老两口这下子才恍然大悟。他父亲急得用瘦手摸着赤脚片，偷声缓气地问："那他们叫谁教哩？"

"谁？谁！再有个谁！三星！"高加林又猛地躺在了铺盖上，拉了被子的一角，把头蒙起来。

老两口一下子木然了，满窑里一片死气沉沉。

这时候，听见外面雨点已经急促地敲打起了大地，风声和雨声逐渐加大，越来越猛烈。窗户纸不时被闪电照亮，暴烈的雷声接二连三地吼叫着。外面的整个天地似乎都淹没在了一片混乱中。

高加林仍然蒙着头。他父亲鼻尖上的一滴清鼻涕颤动着，眼看要掉下来了，老汉也顾不得去揩；那只粗糙的手再也顾不得悠闲地捋下巴上的那撮白胡子了，转而一个劲地摸着赤脚片儿。他母亲身子佝偻着伏在炕栏石上，不断用围裙擦眼睛。窑里静悄悄的，只听见锅台后面那只老黄猫的呼噜声。

外面暴风雨的喧嚣更猛烈了。风雨声中，突然传来了一阵"轰隆轰隆"的声音——这是山洪从河道里涌下来了。

足足有一刻钟，这个灯光摇晃的土窑洞失去了任何生气，三个人都陷入难受和痛苦中。

这个打击对这个家庭来说显然是严重的。对于高加林来说，他高中毕业没有考上大学，已经受了很大的精神创伤。亏得这三年教书，他既不要参加繁重的体力劳动，又有时间继续学习，对他喜爱的文科深入钻研。他最近在地区报上已经发表过两三篇诗歌和散文，全是这段时间苦钻苦熬的结果。现在这一切都结束了，他将不得不像父亲一样开始自己的农民生涯。他虽然没有认真地在土地上劳动过，但他是农民的儿子，知道在这贫瘠的山区当个农民意味着什么。农民啊，他们那全部伟大的艰辛他都一清二楚！他虽然从来也没鄙视过任何一个农民，但他自己从来都没有当农民的精神准备！不必隐瞒，他十几年拼命读书，就是为了不像他父亲一样一辈子当土地的主人（或者按他的另一种说法是奴隶）。虽然这几年当民办教师，但这个职业对他来说还是充满希望的。几年以后，通过考试，他或许会转为正式的国家教师。到那时，他再努力，争取做他认为更好的工作。可是现在，他所抱有的幻想和希望彻底破灭了。此刻，他躺在这里，脸在被角下面痛苦地抽搐着，一只手狠狠地揪着自己的头发。

对于高玉德老两口来说，今晚上这不幸的消息就像谁在他们的头上敲了一棍。他们首先心疼自己的独生子：他从小娇生惯养，没受过苦，嫩皮嫩肉的，往后漫长的艰苦劳动怎能熬下去呀！再说，加林这几年教书，挣的全劳力工分，他们一家三口的日子过得并不紧巴。要是儿子不教书了，又不习惯劳动，他们往后的日子肯定不好过。他们老两口都老了，再不像往年，只靠四只手在地里刨挖，也能供养儿子上学"求功名"。想到所有这些可怕的后果，他们又难受，又恐慌。加林他妈在无声地啜泣，他爸虽然没哭，但看起来比哭还难受。老汉手把赤脚片摸了半天，开始自言自语叫起苦来："明楼啊，你精过分了！你能过分了！你强过分了！仗你当个四大队书记，什么不讲理的事你都敢做嘛！我加林好好地教了三年书，你三星今年才高中毕业嘛！你怎好意思整造我的娃娃哩？你不要理了，连脸也不要了？明楼！你做这事伤天理哩！老天爷总有一天要睁眼呀！可怜我那苦命的娃娃啊！啊嘿嘿嘿嘿嘿……"

高玉德老汉终于忍不住哭出声来，两行浑浊的老泪在皱纹脸上淌下来，流进了下巴上那一撮白胡子中间。

高加林听见他父母亲哭，猛地从铺盖上爬起来，两只眼睛里闪着怕人的凶光。他对父母吼叫说："你们哭什么！我豁出这条命，也要和他高明楼小子拼个高低！"说罢他便一纵身跳下炕来。

这一下子慌坏了高玉德。他也赤脚片跳下炕来，赶忙捉住了儿子的光胳膊。同时，他妈也颠着小脚绕过来，脊背抵在了门板上。老两口把光着上身的儿子堵在了脚地当中。

高加林急躁地对慌了手脚的两个老人说："哎呀呀！我并不是要去杀人嘛！我是要写状子告他！妈，你去把书桌里我的钢笔拿来！"

高玉德听见儿子说这话，比看见儿子操起家具行凶还恐慌。他死死按着儿子的光胳膊，央告他说："好我的小老子哩！你可千万不要闯这乱子呀！人家通天着哩！公社、县上都踩得地皮响。你告他，除什么事也不顶，往后可把咱扣掐死呀！我老了，争不得这口气了；你还嫩，招架不住人家的打击报复。你可千万不能做这事啊……"

他妈也过来扯着他的另一条光胳膊，顺着他爸的话，也央告他说："好我的娃娃哩，你爸说得对对的！高明楼心眼子不对，你告他，咱这家人往后就没活路了……"

高加林浑身硬得像一截子树桩，他鼻子口里喷着热气，根本不听二老的规劝，大声说："反正这样活受气，还不如和他狗日的拼了！兔子急了还咬一口哩，咱这人活成个啥了！我不管顶事不顶事，非告他不行！"他说着，竭力想把两条光胳膊从四只衰老的手里挣脱出来。但那四只手把他抓得更紧了。两个老人哭成一气。他母亲摇摇晃晃的，几乎要摔倒了，嘴里一股劲央告说："好我的娃娃哩，你再犟，妈就给你下跪呀……"

高加林一看父母亲的可怜相，鼻子一酸，一把扶住快要栽倒的母亲，头痛苦地摇了几下，说："妈妈，你别这样，我听你们的话，不告了……"

两个老人这才放开儿子，用手背手掌擦拭着脸上的泪水。高加林身子僵硬地靠在炕栏石上，沉重地低下了头。外面，虽然不再打闪吼雷，雨仍然像瓢泼一样哗哗地倾倒着。河道里传来像怪兽一般咆哮的山洪声，令人毛骨悚然。

他妈见他平息下来，便从箱子里翻出一件蓝布衣服，披在他冰凉的光身子上，然后叹了一口气，转到后面锅台上给他做饭去了。他父亲摸索着装起一锅烟，手抖得划了十几根火柴才点着——而忘记了煤油灯的火苗就在他的眼前跳荡。他吸了一口烟，弯腰弓背地转到儿子面前，若有所思地说："咱千万不敢告人家。可是，就这样还不行……是的，就这样还不行！"他决断地喊叫说。

高加林抬起头来，认真地听父亲另外还有什么惩罚高明楼的高见。

高玉德头低倾着吸烟，一副老谋深算的样子。过了好一会儿，他才扬起那饱经世故的庄稼人的老皱脸，对儿子说："你听着！你不光不敢告人家，以后见了明楼还要主动叫人家叔叔哩！脸不要沉，要笑！人家现在肯定留心咱们的态度哩！"他又转过白发苍苍的头，给正在做饭的老伴安咐："加林他妈，你听着！你往后见了明楼家里的人，要给人家笑脸！明楼今年没栽起茄子，你明天把咱自留地的茄子摘上一筐送过去。可不要叫人家看出咱是专意讨好人家啊！唉！说来说去，咱加林今后的前途还要看人家照顾哩！人活低了，就要按低的来哩……加林妈，你听见了没？"

"嗯……"锅台那边传来一声几乎是哭一般的应承。

泪水终于从高加林的眼里涌出来了。他猛地转过身，一头扑在炕栏石上，伤心地痛哭起来。

外面的雨不知什么时候停了，只听见大地上淙淙的流水声和河道里山洪的怒吼声混交在一起，使得这个夜晚久久地平静不下来了……

第二章

高加林醒来以后，他自己并不知道时光已经接近中午了。

近一个月来，他每天都是这样，睡得很早，起得很迟。其实真正睡眠的时间倒并不多：他整晚整晚在黑暗中大睁着眼睛。从绞得乱翻翻的被褥看来，这种痛苦的休息简直等于活受罪。只是临近天明，当父母亲摸索着要起床，村里也开始有了嘈杂的人声时，他才开始迷糊起来。他朦胧地听见母亲从院子里抱回柴火，吧嗒吧嗒地拉起了风箱；又听见父亲的瘸腿一轻一重地在地上走来走去，收拾出山的工具，并且还安咐他母亲给他把饭做好一点……他于是就眼里噙着泪水睡着了。

现在他虽然醒了，头脑仍然是昏沉沉的。睡是再睡不着了，但又不想爬起来。

他从枕头边摸出只剩了几根的纸烟盒，抽出一支点着，贪婪地吸着，向土窑顶上喷着烟雾。他最近的烟瘾越来越大了，右手的两个手指头熏得焦黄。可是纸烟却没有了——准确地说，是他没有买纸烟的钱了。当民办教师时，每月除过工分，还有几块钱的补贴，足够他买纸烟吸的。

接连抽了两支烟，他才感到他完全醒了。本来最好再抽一支更解馋，但烟盒里只剩了最后一支——这要留给刷牙以后享用。

他开始穿衣服。每穿完一件，总要愣怔半天，才穿另一件。

好长时间他才磨磨蹭蹭下了炕，在水瓮里舀了一勺凉水往干毛巾上一浇，用毛巾中间湿了的那一小片对付着擦擦肿胀的眼睛。然后他舀一缸子凉水，到院子里去刷牙。

外面的阳光多刺眼啊！他好像一下子来到了另一个世界。天蓝得像水洗过一般。雪白的云朵静静地飘浮在空中。大川道里，连片的玉米绿毡似的一直铺到西面的老牛山下。川道两边的大山挡住了视线，更远的天边弥漫着一层淡蓝色的雾霭。向阳的山坡大部分是麦田，有的已经翻过，土是深棕色的；有的没有翻过，被太阳晒得白花花的，像刚熟过的羊皮。所有麦田里复种的糜子和荞麦都已经出齐，泛出一层淡淡的浅绿。川道上下的几个村庄，全都罩在枣树的绿荫中，很少看得见房屋；只看见每个村前的打麦场上，都立着密集的麦秸垛，远远望去像黄色的蘑菇一般。

他的视线被远处一片绿色水潭似的枣林吸引住了。他怕看见那地方，但又由不得看。在那一片绿荫中，隐隐约约露出两排整齐的石窑洞。那就是他曾工作和生活了三年的学校。

这学校是周围几个村子共同办的，共有一百多学生，最高是五年级，每年都要向城关公社中学输送一批初中学生。高加林一直当五年级的班主任，这个年级的算术和语文课也都由他代。他还给全校各年级上音乐和图画课——他在那里曾是一个很受尊重的角色。别了，这一切！

他无精打采地转过脸，蹲在塄畔上开始刷牙。

村子里静悄悄的。男人们都出山劳动去了，孩子们都在村外放野。村里已经有零星的吧嗒吧嗒拉风箱的声音，这里那里的窑顶上，也开始升起了一缕一缕蓝色的炊烟。这是一些麻利的妇女开始为自己的男人和孩子们准备午饭了。河道里，密集的杨柳丛中，叫蚂蚱间隔地发出了那种叫人心烦的单调的大合唱。

高加林刷牙的时候，看见他母亲正佝偻着身子，在对面自留地的茄子畦里拔草，满头白发在阳光下那么显眼。一种难受和羞愧使他的胸部一阵绞痛。他很快把牙刷从嘴里拔出来，在心里说：我这一个月实在不像话了！两个老人整天在地里操磨，我怎能老待在家里闹情绪呢？不出山，让全村人笑话！是的，他已经感到全村人都在另眼看他了。大家对高明楼做的不讲理的事已经习以为常了，但对村里任何一个不劳动的二流子都反感。庄稼人嘛，不出山劳动，那是叫任何人都瞧不起的。加林痛苦地想：他可再不能这样下去了！生活是严酷的，他必须承认他目前的地位——他已经是一个地地道道的农民了！

高加林这样想着，正准备转身往回走，听见背后有人说："高老师，你在家哩?"

他转身一看，认出是后川马店村一队的生产队长马拴。

马拴虽然不识字，但是代表马店大队参加学校管理委员会，常来学校开会，他们很熟悉。这是一个老实后生，心地善良，但人又不死板，做庄稼和搞买卖都是一把好手。

他看见平时淳朴的马拴今天一反常态。他推一辆崭新的自行车，车子被彩色塑料带缠得花花绿绿，连辐条上都缠着一些色彩鲜艳的绒球，讲究得给人一种俗气的感觉。他本人打扮得也和自行车一样体面：大热的天，一件灰的确良衬衣外面又套一件蓝涤卡罩衣；头上戴着黄的确良军式帽，晒得焦黑的手腕上撑一只明晃晃的镀金链手表。他大概自己也为自己的打扮和行装有点不好意思，别扭地笑着。加林此刻虽然心情不好，也为马拴这身扎眼的装束忍不住笑了，问："你打扮得像新女婿一样，干啥去了？"

马拴脸通红，笑了笑说："看媳妇去了！人家正给我说你们村刘立本的二女子哩！"

加林这才明白为什么他今天里外一崭新。眼下农民看对象都是这种打扮。他问："是巧珍吗？"

"就是的。"

"那你这把川道里的头梢子拔了！你不听人家说，巧珍是'盖满川'吗？"加林开玩笑说。

"果子是颗好果子，就怕吃不到咱嘴里！"憨厚的马拴笑嘻嘻地说了句粗话。

"看得怎样？成了吧？"

"离城还有十五里！咱跑了几回，看他们家里大人倒没啥意见，就是本人连一次面也不露。大概嫌咱没文化，脸黑。脸是没人家白，论文化，她也和我一样，斗大字不识几升！唉，现在女的心都高了！"

"慢慢来，别着急！"

"对对对！"马拴哈哈大笑了。

"回我们家喝点水吧？"

"不了，在我老丈人家里喝过了！"

这回轮上高加林哈哈大笑了。他想不到这个不识字的农民说话这么幽默。

马拴戴手表的胳膊扬了扬，给他打了告别，便跨上车子，向川道里的架子车路飞奔而去了。

加林靠在埝畔的一棵枣树上，一直望着他的背影没入了玉米的绿色海洋里。他忍不住扭过头向后村刘立本家的院子望了望。

刘立本绰号叫"二能人"，队里什么官也不当，但全村人尊罢高明楼就最敬他。他人心眼活泛，前几年投机倒把，这二年堂堂皇皇做起了生意，挣钱快得马都撵不上，家里的光景是全村最好的。高明楼虽然是村里的"大能人"，但在经济战线上，远远赶不上"二能人"。对于有钱人，庄稼人一般都是很尊重的。不过，村里人尊重刘立本，也还有另外一个原因。立本的大女儿巧英前年和高明楼的大儿子结婚了，所以他的身份在村里又高了一截。"大能人"和"二能人"一联亲，两家简直成了村里的主宰。全村只有他们两家圈围墙，盖门楼，一家在前村，一家在后村，虎踞龙盘，俨然是这川道里像样的大户人家。

从内心说，高加林可不像一般庄稼人那样羡慕和尊重这两家人。他虽然出身寒门，但他没本事的父亲用劳动换来的钱供养他上学，已经把他身上的泥土味冲洗得差不多了。他已经有了一般人们所说的知识分子的"清高"。在他看来，高明楼和刘立本都不值得尊敬，他们的精神甚至连一些光景不好的庄稼人都不如。高明楼人不正派，仗着有点权，欺上压下，已经有点"乡霸"的味道；刘立本只知道攒钱，前面两个女儿连书都不让念——他认为念书是白花钱。只是后来，才把三女儿巧玲送学校，现在算高中快毕业了。这两家的子弟他也不放在眼里。高明楼把精能全占了，两个儿子脑子都很迟笨。二儿子三星要不是走后门，怕连高中都上不了。刘立本的三个女儿都长得像花朵一样好看，人也都精精明明的，可惜有两个是文盲。

虽然这样，加林此刻站在崾畔上只是恼恨地想：他们虽然被他瞧不起，但他自己现在又是个什么光景呢？

一种强烈的心理上的报复情绪使他忍不住咬牙切齿。他突然产生了这样的思想：假若没有高明楼，命运如果让他当农民，他也许会死心塌地在土地上生活一辈子！可是现在，只要高家村有高明楼，他就非要比他更有出息不可！要比高明楼他们强，非得离开高家村不行！这里很难比过他们！他决心要在精神上，要在社会的面前，和高明楼他们比个一高二低！

他把缸子牙刷送回窑，打开箱子找一件外衣，准备到前川菜园下面的那个水潭里洗个澡。

他翻出一件黄色的军用上衣，眼睛突然亮了。这件衣服是他叔父从新疆部队上寄回的，他宝贵得一直舍不得穿。他父亲唯一的弟弟从小出去当兵，解放以后才和家里联系上，几十年没回一次家。一年通几次信，年底给他们寄一点零花钱，关系仅此而已。听说叔父是副师政委，这是他们家的光荣和骄傲，只是离家远，在他们的生活中不起什么作用。

高加林拿起这件衣服，突然想起要给叔父写一封信，告诉一下他目前的处境，看叔父能不能在新疆给他找个工作。当然，他立刻想到，父母亲就他一个独苗儿，就是叔父在那里能给他找下工作，他们也不会让他去的。但他决定还是要给叔父写信。他渴望远走高飞——到时候，他会说服父母亲的。

他于是很快伏在桌子上，用他文科方面的专长，很动感情地给叔父写了一封信，放在了箱子里。他想明天县城逢集，他托人把信在城里很快寄出去。

这个突然冒出来的想法，给他精神上带来很大的安慰。他立刻觉得轻松起来，甚至有点高兴。

他把这件黄军衣穿在身上，愉快地出了门，沿着通往前川的架子车路，向那片色彩斑斓的菜园走去。

黄土高原这个时节的田野是极其迷人的。远方的千山万岭，只有在这个时候才用惹眼的绿色装扮起来。大川道里，玉米已经一人多高，每一株都怀了一个到两个可爱的小绿棒；绿棒的顶端，都吐出了粉红的缨丝。山坡上，蔓豆、小豆、黄豆、土豆都在开花，红、白、黄、蓝，点缀在无边无涯的绿色之间。庄稼大部分都刚锄过二遍，又因为不久前下了饱墒雨，因此地里没有显出旱象，湿润润，水淋淋，绿蓁蓁，看了真叫人愉快和舒坦。

高加林轻快地走着，烦恼暂时放到了一边，年轻人那种热烈的血液又在他身上欢畅地激荡起来。他折了一朵粉红色的打碗碗花，两个指头捻动着花茎，从一片灰白的包心菜地里穿过，接连跳过了几个土塄坎，来到了河道里。

他飞快地脱掉长衣服，在那一潭绿水的上石崖上扩胸、下蹲——他已经决定不是简单洗个澡，而要好好游一次泳。

他的裸体是很健美的。修长的身材，没有体力劳动留下的任何印记，但又很壮实，看出他进行过规范的体育锻炼。脸上的皮肤稍有点黑，高鼻梁，大花眼，两道剑眉特别耐看。头发是乱蓬蓬的，但并不是不讲究，而是专门讲究这个样子。他是英俊的，尤其是在他沉思和皱着眉头的时候，更显示出一种很有魅力的男性美。

高加林活动了一会儿，便像跳水运动员一般从石崖上一纵身跳了下去，身体在空中划了一条弧线，就优美地没入了碧绿的水潭中。他在水里用各种姿势游，看来蛮像一回事。

一刻钟以后，他从跌水哨的一边爬上来，在上面的浅水里用肥皂洗了一遍身子，然后躲在一个石窝里换了裤子，光着上身回到石崖上面，躺在一棵桃树下。这棵桃树是一辈子打光棍的德顺老汉的。桃子还没熟的时候，好心的老光棍就全摘了分给村里的娃娃。现在这树上只留下一些不很茂密的树叶，倒也能遮一些阴凉。

高加林把衫子铺到地上，两只手交叉着垫到脑后，舒展开身子躺下来，透过树叶的缝隙，无意识地望着水一般清澈的蓝天。时光已经到了中午，但他的肚子也不觉得饿。河道离得很近，但水声听起来像是很远，潺潺的，像小提琴拉出来的声音一般好听。

这时候，在他右侧的玉米地里，突然传来一阵女孩子悠扬的信天游歌声：

> 上河里（那个）鸭子下河里鹅，
> 一对对（那个）毛眼眼望哥哥……

歌声甜美而嘹亮，只是缺乏训练，带有一点野味。他仔细听了一下，声音像是刘立本家的巧珍。他一下子记起刚才马拴看媳妇的洋相，又联想到巧珍唱的歌，忍不住笑了，心里说："你哥哥专门来望你哩，没望见你；他人走了，你现在才望他哩……"

他这样想这件可笑事时，就听见他旁边的玉米林子里响起沙沙的声音。坏了！大概是巧珍从这里过路回家呀。

高加林慌忙坐起来，两把穿上了衣服。他的最后一颗扣子还没扣上，巧珍提一篮子猪草已经站在他面前了。

刘巧珍看起来根本不像个农村姑娘。漂亮不必说，装束既不土气，也不俗气。草绿的确良裤子，洗得发白的蓝劳动布上衣，水红的确良衬衣的大翻领翻在外边，使得一张美丽的脸庞显得异常生动。

她扑闪着一双水灵灵的大眼睛，局促地望了一眼高加林，然后从草篮里摸出一个熟得皮都有点发黄的甜瓜递到高加林面前，说："我们家自留地的。我种的。你吃吧，甜得要命！"接着，她又从口袋里掏出自己洗得干干净净的花手帕，让加林揩一揩甜瓜。

高加林很勉强地接过甜瓜，但没有接她的手帕，轻淡地对她说："我现在不想吃，我一会儿再……"

巧珍似乎还想和他说话，看他这副样子，犹豫了一下，低着头向上边地畔的小路上走了。

高加林把甜瓜放在一边，下意识地回过头朝地畔上望了一眼，结果发现走着的巧珍也正回过头望他。他赶忙扭过头，烦恼地躺在了地上。他在感情上对这个不识字的俊女子很讨厌，因为她姐姐是高明楼的儿媳妇！

他并不想吃甜瓜，此刻倒很想抽一支烟。他明知道纸烟早已经抽光，卷着抽的旱烟叶子也没带来，但两只手还是下意识地在身上所有的衣袋上都按了按，结果只是失望地叹了一口气。

"加林！加林！快回去吃饭嘛！躺在这儿干啥哩？"他听见父亲在菜地畔上叫他。

他站起身，把巧珍送的那个甜瓜装在上衣口袋里，向菜地畔上走去。

他上了地畔，先把父亲的烟锅接过来，点着一锅，拼命吸了一口，立刻呛得他弯下腰咳嗽了半天。

他父亲叹息了一声，说："别抽这旱烟了，劲太大！"他把旱烟锅从儿子手里夺过来，说："加林，我在山里思谋了一下，明儿个县里逢集，干脆让你妈蒸上一锅白馍，你提上卖去！咱家里点灯油和盐都快完了，一个来钱处都没有嘛！再说，卖上两个钱，还能给你买一条纸烟哩！"

高加林揩了揩咳嗽呛出的眼泪，直起腰看了看父亲等待他回答的目光，犹豫了半天。他很快想起他给叔父写好的信，觉得明天上一趟县城也好，他可以亲自把信发出去——要是托给别人邮，万一丢了怎么办？他于是同意了父亲的这个提议，决定明天到县城赶集去。

第三章

吃过早饭不久，在大马河川道通往县城的简易公路上，已经开始出现了熙熙攘攘去赶集的庄稼人。由于这两年农村政策的变化，个体经济有了大发展，赶集上会，买卖生意，已经重新成了庄稼人生活的重要内容。

公路上，年轻人骑着用彩色塑料带缠绕得花花绿绿的自行车，一群一伙地奔驰而过。他们都穿上了崭新的"见人"衣裳，不是涤卡，就是的确良，看起来时兴得很。粗糙的庄稼人的赤脚片上，庄重地穿上尼龙袜和塑料凉鞋。脸洗得干干净净，头梳得光光溜溜，兴高采烈地去县城露面：去逛商店，去看戏，去买时兴货，去交朋友，去和对象见面……

更多的庄稼人大都是肩挑手提：担柴的、挑菜的、吆猪的、牵羊的、提蛋的、抱鸡的、拉驴的、推车的；秤匠、鞋匠、铁匠、木匠、石匠、篾匠、毡匠、箍锅匠、泥瓦匠、游医、巫婆、赌棍、小偷、吹鼓手、牲口贩子……都纷纷向县城拥去了。川北山根下的公路上，蹚起了一股又一股的黄尘。

当高加林挽着一篮子蒸馍加入这个洪流的时候，他立刻后悔起来。他感到自己突然变成一个真正的乡巴佬了。他觉得公路上前前后后的人都朝他看。他，一个曾经潇潇洒洒的教师，现在却像一个农村老太婆一样，上集卖蒸馍去了！他的心难受得像无数虫子在咬着。

但这一切是毫无办法的。严峻的生活把他赶上了这条尘土飞扬的路。他不得不承认，他现在只能这样开始新的生活。家里已经连买油盐的钱都没了，父母亲那么大的年纪都还整天为生活苦熬苦累，他一个年轻轻的后生，怎好意思一股劲待下吃闲饭呢？

他提着蒸馍篮子，头尽量低着，什么也不看，只瞅着脚下的路，匆匆地向县城走。路上，他想起父亲临走时安咐他，叫他卖馍时要吆喝。

他的脸立刻感到火辣辣地发烧。天啊，他怎能喊出声来！

"可是，"他想，"如果我不叫卖，谁知道我提这蒸馍是干啥哩？"

走到一个小沟岔的时候，高加林突然想：干脆让我先跑到这没人的拐沟里试验喊叫一下，到城里好习惯一些嘛！

他满脸通红朝公路两头望了望，见没什么人，于是就像做一件见不得人的事一样，匆忙地折身走进了公路边的那条拐沟里。

他在这荒沟里走了好一段路，直到看不见公路的时候才站住。

他站住，口张了一下，但没勇气喊出声来。又张了一下口，还是不行。短短的时间里，汗水已经沁满了他的额头。四野里静悄悄的，几只雪白的蝴蝶在他面前一丛淡蓝色的野花里安详地飞着，两面山坡上茂密的苦艾发出一股新鲜刺鼻的味道。高加林感到整个大地都在敛声屏气地等待他那一声"白蒸馍哎——"！

啊呀，这是那么难人！他感到就像要在大庭广众面前学一声狗叫唤一样受辱。

他用手背擦了一下额头的汗水，决心下一声非喊出来不可！他狠狠地咽了一口唾沫，把眼一闭，张开嘴怪叫一声："白蒸馍哎——"

他听见四山里都在回荡着他那一声演戏般的、悲哀的喊叫声。他用牙咬住嘴唇，强忍着没让眼里的泪花子溢出来。

他直愣愣地在这个荒沟野地里站了老半天，才难受地回到公路上，继续向县城走去。从他们村到县城只有十来里路，但他感到这段路是多么漫长和艰难。他知道，更大的困难还在前头——在那万头攒动的集市上！

当他走到大马河与县河交汇的地方，县城的全貌已经出现在视野之内了。一片平房和楼房交织的建筑物，高低错落，从半山坡一直延伸到河岸上。亲爱的县城还像往日一样，灰蓬蓬地显出了它那诱人的魅力。他没有走过更大的城市，县城在他的眼里就是大城市，就是别一番天地。他对这里的一切都是熟悉的，亲切的。从初中到高中，他都是在这里度过的。他对自己和社会的深入认识，对未来生活的无数梦想，都是在这里开始的。学校、街道、电影院、商店、浴池、体育场……生活是多么地丰富多彩！可是，三年前，他就和这一切告别了……

现在，他又来了。再不是当年的翩翩少年，衣服整洁而笔挺，满身的香皂味，胸前骄傲地别着本县最高学府的校徽。他现在提着蒸馍篮子，是一个普通的赶集的庄稼人了。

对往事的回忆使他心酸。他靠在大马河桥的石栏杆上，感到头有点眩晕起来。四面八方赶集的人群正源源不绝地通过大桥，进了街道。远处城市中心街道的上空，腾起很大一片灰尘，嘈杂的市声听起来像蜂群发出的嗡嗡声一般。

他猛然想到一个更糟糕的问题：要是碰上他在县城的同学怎么办？

他下意识地抬起头，先慌忙朝前后看了看。这时候他才真正后悔赶这趟集了。一般的赶集倒也没什么，可他是来卖蒸馍的呀！

现在折回去吗？可这怎行呢！他已经走到了县城。再说，家里连一点零花钱都没有了，这样回去，父母亲虽然不会说什么，但他们肯定心里会难受的——不仅为这篮没卖掉的蒸馍，更为他的没出息而难受！

"不，"他想，"我既然来了，就是硬着头皮也要到集上去！"当然，他也在心里祷告，千万不要碰上县城里的同学。

他很快提起篮子，过了桥，向街道上走去。他准备穿过街道，到南关里去。那里是猪市、粮食市和菜市，人很稠，除过买菜的干部，大部分都是庄稼人，不显眼。

当他路过汽车站候车室外面的马路时，脸唰一下白了——白了的脸很快又变得通红。他感到全身的血一下都向脸上涌上来了：他猛然看见他高中时的同班同学黄亚萍和张克南正站在候车室门口。躲是来不及了，他俩显然也看见了他，已经先后向他走过来了。

高加林恨不得把这篮子馍一下扔到一个人所不知的地方。张克南和黄亚萍很快走到他面前了，他只好伸出空着的那只手和克南握了握手。

他俩问他提个篮子干啥去，他即兴撒了个谎，说去城南一个亲戚家里走一趟。

黄亚萍很快热情地对他说："加林，你进步真大呀！我看见你在地区报上发表的那几篇散文啦！真不简单！文笔很优美，我都在笔记本上抄了好几段呢！"

"你还在马店教书吗？"克南问他。

他摇摇头，苦笑了一下说："已经被大队书记的儿子换下来了，现在已经回队当了社员。"

黄亚萍立刻焦虑地说："那你学习和写文章的时间更少了！"

高加林解嘲地说："时间更多了！不是有一个诗人写诗说：'我们用镢头在大地上写下了无数的诗行'吗？"

他的幽默把他的两个同学都逗笑了。

"你们出差去吗？"加林问他们俩。他隐约地感到，他两个的关系似乎有点微妙。在中学时，他俩的关系倒也很一般。

"我不出去。克南要到北京给他们单位买彩色电视机。我是闲逛哩……"黄亚萍说着，似乎有点不好意思。

"你还在副食公司当保管吗？"加林问克南。

"不。前不久刚调到副食门市上。"克南说。

"高升了！当了门市部主任！不过，前面还有个副字！"亚萍有点嘲弄地看了看克南，不以为然地撇了一下嘴。

"要买什么烟酒一类的东西，你来，我尽量给你想办法。我这人没其他能耐，就能办这么些具体事。唉，现在乡下人买一点东西真难！"克南对他说。

尽管张克南这些话都是真诚的，但高加林由于他自己的地位，对这些话却敏感了。他觉得张克南这些话是在夸耀自己的优越感。他的自尊心太强了，因此精神立刻处于一种藐视一切的状态，稍有点不客气地说："要买我想其他办法，不敢给老同学添麻烦！"

一句话把张克南刺了个大红脸。

黄亚萍也是个灵人，已经听出他俩话不投机，便对高加林说："你下午要是有空，上我们广播站来坐坐嘛！你毕业后，进县城从不来找我们拉拉话。你还是那个样子，脾气真犟！"

"你们现在位置高了，咱区区老百姓，实在不敢高攀！"加林的坏毛病又犯了！一旦他感到自己受了辱，话立刻变得非常刻薄，简直叫人下不了台。

张克南已经明显地有点受不了了，正好车站的广播员让旅客排队买票，这一下把大家都解脱了。

克南马上和他握了手，先走了。亚萍犹豫了一下，对他说："……我真的想和你拉拉话。你知道，我也爱好文学，但这几年当个广播员，光练了嘴皮子了，连一篇小小的东西都写不成，你一定来！"

　　她的邀请是真诚的，但高加林不知为什么，心里感到很不舒服。他对亚萍说："有空我会来的。你快去送克南吧，我走了。"

　　黄亚萍的脸唰一下红了，说："我不是去送他的！我来车站接一个老家来的亲戚……"她显然也即兴撒了个谎。加林心里想：你根本没必要撒谎！

　　高加林再不说什么，他向她很礼貌地点点头，便转身向大街道上走去。他一边走，一边心里为他和亚萍各自撒的谎感到好笑，忍不住自言自语说："你去接你的'亲戚'吧，我也得看我的'亲戚'去了……"

　　但是，刚才和克南、亚萍的见面，很快又勾起了他对往日学校生活的回忆。

　　在学校时，亚萍是班长，他是学习干事，他们之间的交往是比较多的。他俩也是班上学习最好的，又都爱好文学，互相都很尊重。他和克南平时不是太接近的，因为都在校篮球队，只是打球的时候才在一块儿交往得多一些。

　　黄亚萍是江苏人，她父亲是县武装部部长和县委常委。亚萍是在他刚上高中的那年随父亲调来县上，插入他那个班的。她带有鲜明的南方姑娘的特点，又经见过世面，那种聪敏、大方和不俗气，立刻在整个学校都很惹眼了。高加林虽然出身农民家庭，也没走过大城市，但平时读书涉猎的范围很广，又由于山区闭塞的环境反而刺激了他爱幻想的天性，因而显得比一般同学飘洒，眼界也宽阔。黄亚萍很快发现了他的这种气质，很自然地在班上更接近他。他同样也喜欢和她在一块儿。因为在这之前，他还没有接触过这样的女生。本地女同学和黄亚萍相比，都有点不大方，有的又很俗气，动不动就说吃说穿，学习大部分都赶不上男同学，他很少和她们交往。他俩有时在一块儿讨论共同看过的一本小说，或者说音乐，说绘画，谈论国际问题。班上的同学一度曾议论过他们的长长短短。他当时并不敢想什么出边的事。他和黄亚萍相比，有难以克服的自卑感。这不是说他个人比她差，而是指家庭、经济条件和社会地位这些方面而言。在这些方面，张克南全部有。克南父亲是县商业局局长，他母亲是县药材公司的副经理，在县上都是很像样的人物。当时克南也对亚萍有好感，经常设法和她接近，但看出她并没有和他过多交往的愿望。

很快，高中毕业了。他们班一个也没有考上大学。农村户口的同学都回了农村，城市户口的纷纷寻门路找工作。亚萍凭她一口高水平的普通话到了县广播站，当了播音员；克南在县副食公司当了保管。生活的变化使他们很快就隔开很远了，尽管他们相距只有十来里路，但在实际生活中，他们已经是在两个世界了。

高加林回村后，起初每当听见黄亚萍清脆好听的普通话播音的时候，总有一种很惆怅的感觉，就好像丢了一件贵重的东西，而且没指望再找回来。后来，这一切都渐渐地淡漠了。只是不知什么时候，他隐约听另外村一个同学说，黄亚萍可能正和张克南谈恋爱时，他才又莫名其妙地难受了一下。以后他便很快把这一切都推得更远了，很长时间甚至没有想到过他们……

他刚才碰见他们，感到很晦气。他现在一边提着蒸馍篮子往热闹的集市中间走，一边眼睛灵活地转动着，以防再碰上城里工作的同学。

刚到十字街口，接近人流旋涡的地方，他又碰到了一个熟人！

不过，这回他倒没什么恐慌。当他们城关公社文教专干马占胜有点尴尬地过来和他握手时，他这一刻不觉得胳膊上挽的蒸馍篮子丢人了——哼！让他看看吧，正是他们把他逼到了这个地步！

当专干问他干啥时，他很干脆地告诉他：卖蒸馍！他并且从篮子里取出一个来，硬往马占胜手里塞。他感到他拿的是一颗冒烟的、带有强烈报复性的手榴弹！

马占胜两只手慌忙把这个蒸馍捉住，又重新硬塞到篮子里，手在已经有了胡楂的脸上摸了一把，显得很难受的样子说："加林！你大概一直在心里恨我哩！我一肚子苦水无处倒哇！有些话，我真想给你说，又不好说！现在你听我给你说。"

马占胜把高加林拉在十字街自行车修理部的一个拐角处，又摸了一把脸，放低声音说：

"唉，好加林哩！你不知情！咱公社的赵书记和你们村的高明楼是十几年的老交情了。别看是上下级关系，两人好得不分你我。前几年，明楼家没什么要安排的人，就一直让你教书。今年他二小子高中毕业了，他在公社跑了几回，老赵当然要考虑。你知道，这几年国民经济调整哩，国家在农村又不招工招干，因此农村把民办教师这工作看得很重要。明楼当然想叫他小子干这事嘛！下其他村子的教师，人家谁让哩？因此，就只好把你下了，让三星上。这事虽然是我在会上宣布的，可这不是我决定的嘛！我马占胜哪有这么大的牛皮！因此，好加林哩，你千万不要恨我！"

高加林心不在焉地用手指头理了理头发，对专干说："老马，你太多心了。你不说，我也都了解这些情况。我们共事几年了，你应该了解我。"

"我当然了解你！全公社教师里面，你是拔尖的！再说，你这娃娃心眼活，性子硬，我就喜欢这号人。不怕！……噢，我忘记告诉你了，我已经调到县政府的劳动局，算是提拔了，当了个副局长。我前几天还给公社赵书记谈过，叫他有机会就考虑再让你当教师。赵书记满口答应了……不怕！你等着！……你快忙你的，我还要开个会哩。新官上任三把火！咱烧不起来火，最起码得按时给人家应酬嘛！……"

马占胜说完，手在脸上摸了一把，和高加林握了一下手，像逃避什么似的很快就钻到了人群里。

高加林因为一直就对这个公社有名的滑头没有好感，所以基本上没认真听他说了些什么。他现在只知道他离开了城关公社，高升到县政府了。但这些和他有什么关系呢？他现在最要紧的是把胳膊上挽的这篮子蒸馍卖掉！

高加林很快从街道里的人群中挤过，向南关的交易市场走去。

第四章

县城南关的交易市场热闹得简直叫人眼花缭乱。一大片空场地，挤满了各式各样买卖东西的人。以菜市、猪市、牲口市和熟食摊为主，形成了四个基本的中心。另一个最大的人群中心是河南一个什么县的驯兽表演团，用破旧的蓝布围了一个大圈当剧场，庄稼人挤破脑袋两毛钱买一张票，去看狗熊打篮球、哈巴狗跳罗圈。市场上弥漫着灰尘，噪音像洪水声一般喧嚣，到处充满了庄稼人的烟味和汗味。

高加林提着那篮子馍，从本县那条主要的大街上满头大汗地挤过来，就投入到这片闹哄哄的人海里了。

他提着篮子在人群里瞎挤了一气，自己也不知道该到哪里去。他是个讲卫生的人，雪白的毛巾一直把馍篮子盖得严严的，生怕落进去灰尘。谁也看不出他是个干什么的，有几次他试图把口张开，喊叫一声，但怎么也喊不出声音来。他听见市场上所有卖东西的人都在吆喝，尤其是一些生意油子，那叫卖的声音简直成了一种表演艺术。他以前听见这样的喊叫，只觉得很好笑。可现在他在心里很佩服这种什么也不顾忌的欢畅舒坦的叫喊声，觉得也是一种很大的本事。他自己明显地感到，他在这个世界里，成了一个最无能的人。

正当他在人堆里茫然乱挤的时候，听见背后有个妇女对旁边一个什么人说："今儿个死老头子又要喝酒，请下一堆客人，热得不想做饭，国营食堂的馍又黑又脏，转了半天，这市场上还没个卖好白馍的……"

高加林一听，赶忙转过身，准备把蒸馍上的毛巾揭开。可他身子刚转过去，马上又转了过来，慌忙躲到一个卖木锨的老汉身后——他看见那个寻找着买馍的妇女正好是张克南他妈！以前上学时，他去过克南家一两次，克南他妈认识他！

可怜的小伙子像小偷一样藏在那个卖木锨的老汉背后，直等到看不见克南他妈才又走动起来。也许克南他妈早认不得他了，但他的自尊心使他不能和这样一个过去认识的人做这笔买卖。

这时候，满城的高音喇叭响了起来。喇叭里传来了黄亚萍预报节目的声音。亚萍的声音通过扩音器，变得更庄重和柔和，普通话的水平简直可以和中央台的女播音员乱真。

高加林疲乏地背靠在一根水泥电杆上，两道剑眉在眉骨上一跳一跳的。他眼睛微微地闭住，牙齿咬着嘴唇。他想到克南此刻也许正在长途汽车上，悠闲地观赏着原野上的风光；黄亚萍正坐在漂亮的播音室里，高雅地念着广播稿……而他，却在这尘土飞扬的市场上颠簸着为几个钱受屈受辱，心里顿时翻起了一股苦涩的味道。

他已经完全无心卖馍了。他决定离开这个他无能为力的场所，到一个稍微清静的地方待一会儿。至于馍卖不了怎么办，现在他也不想考虑了。

到哪里去呢？他突然想起了他已经久违的县文化馆阅览室。

他很快又从大街里挤过来，来到十字街以北的县文化馆。因为他爱好文学，文化馆他有几个熟人，本来想进去喝点水，但他很快又打消了这个念头——他今天怕见任何熟人！

他径直进了阅览室，把馍篮放在长椅的角上，从报架上把《人民日报》《光明日报》《中国青年报》《参考消息》和本省的报纸取了一堆，坐在椅子上看起来。这里没什么人。在城市喧嚣的海洋里，难得有这平静的一隅。

他最近由于生活发生了混乱，很多天没看报纸杂志了。他从初中就养成了每天看报的习惯，一天不看报纸总像缺个什么似的。当他好多天以后重新进入报纸的世界，立刻就把所有的事情都忘了个一干二净。

他首先看《人民日报》的国际版。他很关心国际问题，曾梦想过进国际关系学院读书。在高中时，他曾订过一个很大的笔记本，里面虚张声势地写上"中东问题""欧洲共同体国家相互政治经济关系研究""东盟五国和印支三国未来关系的演变""中美苏三角关系中美的因素"等等胡思乱想的"研究"题目。现在他想起来已经有点可笑，但当时的"气派"却把同学们吓了一跳！其实他也并没能"研究"什么，只不过剪贴了一点报纸资料而已。

他先把各种报纸翻着浏览了一遍，然后找了一篇长一点的文章"过瘾"。他身子蜷曲在长椅子里，看起了韩念龙在联合国召开的柬埔寨国际会议上的发言。

他把几种大报好多天的重要内容几乎通通看完以后，浑身感到一种十分熨帖舒服的疲倦。

直到阅览室的工作人员来关门的时候，他才大吃一惊：现在已经到城里人吃下午饭的时光了！

他慌忙提起蒸馍篮子，出了阅览室。

太阳已经远远向西边倾斜过去了。市声基本落下，街道上稀稀落落的没有了多少人。

啊呀，他在阅览室待的时间太长了！现在怎么办呢？庄稼人大部分都已经像潮水一样退出了城市，这时候他要是再出现在街上，很容易碰见熟悉的同学。

想来想去，没有什么办法了。他站在阅览室的门口踌躇了半天，最后只好决定提着篮子回家去。

他垂头丧气出了城，向大马河川道那里走去。一切都还是来的样子，篮子里的白馍一个也没少。他赶这回集，连一分钱的买卖都没做。

他走到大马河桥上时，突然看见他们村的巧珍立在桥头上，手里拿块红手帕扇着脸，身边撑着他们家新买的那辆"飞鸽"牌自行车。

巧珍看见他，主动走过来了，并且站在了他的面前——实际上等于把他堵在了路上。

"加林，你是不是卖馍去了？"她脸红扑扑的，不知为什么，看来精神有点紧张，身体像发抖似的微微颤动着，两条腿似乎都有点站不稳。

"嗯……"高加林应承了一声，很奇怪地看了她一眼，没话寻话地说，"你也赶集去了？"

"嗯……"巧珍用手帕揩着脸上沁出的汗珠，眼睛斜看着她的自行车，但精神却在注意着他，说，"我来赶集，一点事也没……加林，"她突然转过脸看着他说，"我知道你一个馍也没卖掉！我知道哩！你怕丢人！你干脆把馍给我，你在这里把我的车子看住，让我给你卖去！"

巧珍说着，两只手很快过来拿他的篮子。

高加林闷头闷脑地还没反应过来这是怎么一回事，巧珍已经从他胳膊上把篮子夺走了。她什么话也没说，提着篮子就反身向街道上走去了。

高加林望着她远去的苗条的背影，不知该如何是好。他两只手在桥栏杆上摸来摸去，怎么也弄不清楚为什么突然出现了这样的事情。

对于巧珍来说，她今天的行动是蓄谋已久的。不是一天两天，而是多少年埋藏在她心中的感情，已经忍无可忍——她要爆发了！否则，她觉得自己简直活不下去了！

刘立本这个漂亮得像花朵一样的二女子，并不是那种简单的农村姑娘。她虽然没有上过学，但感受和理解事物的能力很强，因此精神方面的追求很不平常。加上她天生的多情，形成了她极为丰富的内心世界。村前庄后的庄稼人只看见她外表的美，而不能理解她那绚丽的精神光彩。可惜她自己又没文化，无法接近她认为"更有意思"的人。她在有文化的人面前，有一种深刻的自卑感。她常在心里怨她父亲不供她上学。等她明白过来时，一切都已经为时过晚了。为了这个无法弥补的不幸，她不知暗暗哭过多少回鼻子。

但她决心要选择一个有文化，而又在精神方面很丰富的男人做自己的伴侣。就她的漂亮来说，要找个公社的一般干部，或者农村出去的国家正式工人，都是很容易的；而且给她介绍这方面对象的媒人把她家的门槛都快踩断了，但她统统拒绝了。这些人在她看来，有的连农民都不如。退一步说，就是和这样的人结婚了，男人经常在门外，一年回不来几次，娃娃、家庭都要她一个人操磨。这样的例子在农村多得很！而最根本的是，这些人里没有她看得上的。如果真正有合她心的男人，她就是做出任何牺牲也心甘情愿。她就是这样的人！

她父亲虽然生了她，养活了她，但根本不理解她。他见她不寻干部、工人，就急着给她找农村的。并且一心看上个马店的马拴。马拴这人前几年公社农田基建会战时，她和他接触不少。他人诚实，心眼也不死，做买卖很利索，劳动也是村前庄后出名的。家里的光景富裕而殷实，拿农村的眼光看，算是上等人家。但她就是产生不了爱马拴的感情。尽管马拴热心地三一回五一回常往她家里跑，她总是躲着不见面，急得她父亲把她骂过好几回了。

其实，她并不是没有自己心上的人。多年来，她内心里一直都在为这个人发狂发痴——这人就是高加林！

巧珍刚懂得人世间还有爱情这一回事的时候，就在心里爱上了加林。她爱他的飘洒的风度、漂亮的体形和那处处都表现出来的大丈夫气质。她认为男人就应该像个男人，她最讨厌男人身上的女人气。她想，她如果跟了加林这样的男人，就是跟上他跳了崖也值得！她同时也非常喜欢他的那一身本事：吹拉弹唱，样样在行；会安电灯，会开拖拉机，还会给报纸上写文章哩！再说，又爱讲卫生，衣服不管新旧，常穿得干干净净，浑身的香皂味！

她曾在心里无数次梦想她和这个人在一起的情景：她把她的手放在他的手里，让他拉着，在春天的田野里，在夏天的花丛中，在秋天的果林里，在冬天的雪地上，走呀，跑呀，并且像人家电影里一样，让他把她抱住，亲她……

可是在现实生活里，她的自卑感使她连走近他的勇气都没有。她时时刻刻在想念他，又处处在躲避他。她怕她的走路姿势和说话仪态在他面前显出什么不妥当来，惹她心爱的人笑话。但是，她的心思和眼睛却从来也没有离开过他啊！

加林上高中时，她尽管知道人家将来肯定要远走高飞，她永远不会得到他，但她仍然一往情深，在内心里爱着他。每当加林星期天回来的时候，她便找借口不出山，坐在她家院子的硷畔上，偷偷地望对面加林家的院子。加林要是到村子前面的水潭去游泳，她就赶忙提个猪草篮子到水潭附近的地里去打猪草。星期天下午，她目送着加林出了村子，上县城去了，她便忍不住眼泪汪汪，感到他再也不回高家村了。

加林高中毕业没考上大学，灰溜溜地回到村里以后，巧珍高兴得几乎发了疯。她多少年的梦想露出了希望的光芒。她谋算：加林现在成了农民，大概将来就得找个农村媳妇吧？如果他找农村户口的姑娘，她虽然没文化，但她自己有信心让他爱她。她知道她有一个别的姑娘很难比上的长处：俊。

可是，希望的光芒很快暗淡了。加林当了教师。教师现在是唯一有希望进入商品粮世界的。按加林的能力来说，将来完全有把握转成正式教师。

她又陷入了深深的痛苦之中。她常常一个人躲在她家硷畔上的那棵老槐树后面，向学校那里呆呆地张望。她目送着加林从那条被学生娃踩得白光刺眼的小路上向学校走去，又望着他从那条路上向村里走来……

她是个心眼很活的姑娘，所有这一切做得谁也看不出来。是的，村里谁也不知道这个俊女子的梦想和痛苦！只有她在县城正上高中的妹妹巧玲，似乎有一点觉察，有时对她麻木的发呆和莫名其妙的焦躁不安诡秘地一笑，或真诚地为她叹息一声！现在，在高加林又一次当了农民的时候，她那长期被压抑的感情又一次剧烈地复活了。这次就好像火山冲破了地壳，感情的洪流简直连她自己也控制不住了。她为他当了农民而高兴，又同时为他的痛苦而痛苦——为此，她甚至还在她大姐面前骂高明楼不是个人。

她不知道该怎样心疼他。昨天中午，她看见他去游泳的时候，匆忙提了猪草篮在水潭边的玉米地里穿过，顺便摘了自留地的一个甜瓜，想破开脸皮去安慰一下他；今天她看见他上集去了，又骑了个车子撵来了。她今天上集的确什么事也没有，她赶这回集，完全是想找机会对他说出她全部的心里话！她今天实际上一直都不远不近地跟着加林在集上的人群里挤。她看见亲爱的人提着蒸馍篮子，在人群里躲躲闪闪，一个也卖不了，后来痛苦地靠在水泥电杆上闭起眼睛的时候，她脸上的泪水也唰唰地淌着，手帕揩也揩不及。

后来，她看见加林进了文化馆，知道他的蒸馍是卖不出去了。她当时很想也进阅览室去，但她想自己不识字，进那里去干什么？再说，那里面人多，她不好和加林说什么话。于是，她就骑车来到大马河桥上，在那里等他过来，从中午一直站到下午……

刘巧珍现在提着一篮子蒸馍，兴奋地走在县城的大街上，感到天地一下子变得非常明亮了，好像街道上所有的人都在咧开嘴巴或者抿着嘴向她笑。迎面过来一群幼儿园刚放了学的娃娃，她抱住一个就亲了一口！

直到过了十字街，穿过城里那条主要街道，来到南关的自由交易市场时，她才停住了脚步，忍不住害臊地笑自己的荒唐：她原来根本不是打算来卖这篮蒸馍的，而是准备送给城里她的一个姨姨家。她姨家住在十字街上面的山坡上，她现在却疯头涨脑地跑到了这里！至于馍钱，她不会向姨姨要的，她早已给加林准备好了。她并且还给加林买了一条好烟，已放在自行车的花布提包里了。

她很快又掉转身，向姨姨家走去。巧珍把一篮子蒸馍给姨姨家放下，折转身就准备走。她姨和她姨夫硬拉住让她吃饭，她坚决地拒绝了：她怕加林在桥上等她等得不耐烦。

她提着空篮子从姨姨家出来，几乎是跑着向大马河桥上赶去。

第五章

高加林立在大马河桥上，对刚才发生的事半天百思不得其解。

他后来索性把这事看得很简单：巧珍是个单纯的女子，又是同村人，看见他没把馍卖掉，就主动为他帮了个忙。农村姑娘经常赶集上会买卖东西，不像他一样窘迫和为难。

但不论怎样，他对巧珍给他帮这个忙，心里很是感谢。他虽然和刘立本家里的人很少交往，可是感觉刘立本的三个女儿和刘立本不太一样。她们都继承了刘立本的精明，但品行看来都比刘立本端正；对待村里贫家薄业的庄稼人，也不像她们的父亲那般傲气十足。她们都尊大爱小，村里人看来都喜欢她们。三姐妹长得都很出众，可惜巧珍和她姐巧英都没上过学，妹妹巧玲正上高中，听说是现在中学里的"校花"。对于一个农民来说，找到刘立本家的女子做媳妇的确是难得的。高明楼眼疾手快，把巧英给他大儿子娶过去了。现在巧珍的媒人也是踢塌门槛，这一段马店的马拴又里外的确良穿上往刘立本家愣跑哩。高加林想起马拴那天的打扮，又忍不住笑了。

太阳正从大马河西边无垠的大山中间沉落。通往他们村的川道里，已经罩上了暗影，川道里庄稼的绿色似乎显得深了一些。夹在庄稼地中间的公路上，几乎没有了人迹，公路静悄悄地伸向绿色的深处。东南方向的县城，已经罩在一片蓝色的烟气中了。从北边流来的县河，水面不像深秋那般开阔，平静地在县城下边绕过，向南流去了；水面上辉映着夕阳明亮的光芒。河边上，一群光屁股小孩在泥滩上追逐，嬉耍；洗衣服的城市妇女正在收拾晒在岸边草地上花花绿绿的衣服和床单。

高加林不时回头向县城街道那边张望。他觉得巧珍也不一定能把那篮子馍卖了——因为现在集市都已经散了。

当他终于看见巧珍提着篮子小跑着向他走来时，他认定她没有把馍卖掉——这其间的时间太短了！

巧珍来到他面前，很快把一卷钱塞到他手里说："你点点，一毛五一个，看对不对?"

高加林惊讶地看了看她胳膊上的空篮子，接过钱塞在口袋里，心里对她充满了非常感激的心情。他不知该向她说句什么话。停了半天，才说:"巧珍，你真行!"

刘巧珍听了加林的这句表扬话，高兴得满脸光彩，甚至眼睛里都水汪汪的。

加林伸出手，说:"把篮子给我，你赶快骑车回去，太阳都要落了。"

巧珍没给他，反而把篮子往她的自行车前把上一挂，说:"咱们一块儿走!"说着就推车。

加林一下子感到很为难。和同村的一个女子骑一辆车子回家，让庄前村后的人看见了，实在不美气。但他又感到急忙，找不出理由拒绝巧珍的好心。

他略踌躇了一下，对巧珍撒谎说:"我骑车带人不行，怕把你摔了。"

"我带你!"巧珍两只手扶着车把，亲切地看了加林一眼，又不好意思地低下了头。

"啊呀，那怎行呢!"加林一只手在头发里搔着，不知该怎办。

"干脆，咱别骑车，一搭里走着回。"巧珍漂亮的大眼睛执拗地望着他，突起的胸脯一起一伏。

看来她真诚地要和他相跟着回村了。加林看没办法了，只好说:"行，那咱走，让我把车子推上。"

他伸手要推车，巧珍用肩膀轻轻把他推了一下，说:"你走了一天，累了。我来时骑着车，一点儿也不累，让我来推。"

就这样，他俩相跟着起身了，出了桥头，向西一拐，上了大马河川道的简易公路，向高家村走去。

太阳刚刚落山，西边的天上飞起了一大片红色的霞朵。除过山尖上染着一抹淡淡的橘黄色的光芒，川两边大山浓重的阴影已经笼罩了川道，空气也显得凉森森的了。大马河两岸所有的高秆作物现在都在出穗吐缨。玉米、高粱、谷子，长得齐楚楚的，都已冒过了人头。各种豆类作物都在开花，空气里弥漫着一股清淡芬芳的香味。远处的山坡上，羊群正在下沟，绿草丛中滚动着点点白色。富丽的夏日的大地，在傍晚显得格外宁静而庄严。

高加林和刘巧珍在绿色甬道中走着，路两边的庄稼把他们和外面的世界隔开，造成了一种神秘的境界。两个青年男女在这样的环境中相跟着走路，他们的心都不由得咚咚地跳。

他俩起先都不说话。巧珍推着车，走得很慢。加林为了不和她并排，只好比她走得更慢一点，和她稍微错开一点距离。此刻，他自己感到了一种从来没过的精神上的紧张：因为他从来没有单独和一个姑娘在这样悄没声响的环境中走过。而且他们又走得这样慢，简直和散步一样。

高加林由不得认真看了一眼前面巧珍的侧影。他惊异地发现巧珍比他过去印象中的更漂亮。她那高挑的身材像白杨树一般可爱，从头到脚，所有的曲线都是完美的。衣服都是半旧的：淡黄色的确良短袖衫，发白的浅毛蓝裤子，浅棕色凉鞋，比凉鞋的颜色更浅一点的棕色尼龙袜。她推着自行车，眼睛似乎只盯着前面的一个地方，但并不是认真看什么。从侧面可以看见她扬起脸微微笑着，有时上半身弯过来，似乎想和他说什么，但又很快羞涩地转过身，仍像刚才那样望着前面。高加林突然想起，他好像在什么地方见到过和巧珍一样的姑娘。他仔细回忆了一下，才想起是他看到过一张类似的画。好像是幅俄罗斯画家的油画。画面上也是一片绿色的庄稼地，地面的一条小路上，一个苗条美丽的姑娘一边走，一边正向远方望去，只不过她头上好像拢着一条鲜红的头巾……

在高加林这样胡思乱想的时候，他前面的巧珍内心里正像开水锅那般翻腾着。第一次和自己心爱的人单独走在一块儿，使得这个不识字的农村姑娘陶醉在一种巨大的幸福之中。为了这一天，她已经梦想了好多年。她的心在狂跳着，她推车子的两只手在颤抖着，感情的潮水在心中涌动，千言万语都卡在喉眼里，不知从哪里说起。她今天决心要把一切都说给他听，可她又一时羞得说不出口。她尽量放慢脚步，等天黑下来。她又想：就这样不言不语走着也不行啊！总得先说点什么才对。她于是转过脸，也不看加林，说："高明楼心眼子真坏，什么强事都敢做……"

加林奇怪地看了看她，说："他是你们的亲戚，你还能骂他？"

"谁和他亲戚？他是我姐姐的公公，和我没一点相干！"巧珍大胆地回过头看了一眼加林。

"你敢在你姐面前骂她公公吗?"

"我早骂过了!我在他本人面前也敢骂!"巧珍故意放慢脚步,让加林和她并排走。

高加林一时弄不清楚为什么巧珍在他面前骂高明楼,便故意说:"高书记心眼子怎个坏?我还看不出来。"

巧珍一下子停住了脚步,愤愤地说:"加林!他活动得把你的教师下了,让他儿子上!看现在把你愁成啥了……"

高加林也不得不停住脚步。他看见他面前那张可爱的脸上是一副真诚同情他的表情。

他没有说什么,只是叹了一口气,就又朝前走了。

巧珍推车赶上来,大胆地靠近他,和他并排走着,亲切地说:"他做的歪事老天爷知道,将来会报应他的!加林哥,你不要太熬煎,你这几天瘦了。其实,当农民就当农民,天下农民一茬人哩!不比他干部们活得差。咱农村有山有水,空气又好,只要有个合心的家庭,日子也会畅快的……"

高加林听着巧珍这样的话,心里感到很亲切。他现在需要人安慰。他于是很想和她拉拉家常话了。他半开玩笑地说:"我上了两天学,现在要文文不上,要武武不下,当个农民,劳动又不好,将来还不把老婆娃娃饿死呀!"他说完,自己先嘿嘿地笑了。

巧珍猛地停住脚步,扬起头,看着加林说:"加林哥!你如果不嫌我,咱们两个一搭里过!你在家里待着,我给咱上山劳动!不会叫你受苦的……"巧珍说完,低下头,一只手扶着车把,另一只手局促地扯着衣服边。

血轰一下子冲上了高加林的头。他吃惊地看着巧珍,立刻感到手足无措,感到胸口像火烧一般灼疼。身上的肌肉紧缩起来,四肢变得麻木而僵硬。

爱情?来得这么突然?他连一点精神准备都没有。他还没有谈过恋爱,更没有想到过要爱巧珍。他感到恐慌,又感到新奇,他带着这复杂的心情又很不自然地去看立在他面前的巧珍。她仍然害羞地低着头,像一只可爱的小羊羔依恋在他身边。她身上散发出来的温馨的气息在强烈地感染着他，那白杨树一般苗条的身体和暗影中显得更加美丽的脸庞深深地打动了他的心。他尽量控制着自己，对巧珍说："咱们这样站在路上不好。天黑了，快走吧……"

巧珍对他点点头，两个人就又开始走了。加林没说话，从她手里接过车把，她也不说话，把车子让他推着。他们谁也不知该说什么好。

半天，高加林才问她："你怎猛然说起这么个事？"

"怎是猛然呢？"巧珍扬起头，眼泪在脸上静静地淌着。她于是一边抹眼泪，一边把她这几年所经历的一切一点也不瞒地给他诉说起来……

高加林一边听她说，一边感到自己的眼睛潮湿起来。他虽然是个心很硬的人，但已经被巧珍的感情深深感动了。一旦他受了感动的时候，就立即产生了一种奇异的激情：他的眼前马上飞动起无数彩色的画面，无数他最喜欢的音乐旋律也在耳边响起来，而眼前真实的山、水、大地反倒变得虚幻了……

他在听完巧珍所说的一切以后，把自行车啪地撑在公路上，两只手神经质地在身上乱摸起来。

巧珍看着他这副样子，突然笑了起来。她一边笑，一边抹去脸上的泪水，从车子后架上取下她的花提包，从里面掏出一包"云香"牌香烟，递到他面前。

高加林惊讶地张开嘴巴，说："你怎知道我是找烟哩？"

她妩媚地对他咧嘴一笑，说："我就是知道。快抽上一支！我给你买了一条哩！"

高加林走近她，先没有接烟，用一种极其亲切和喜爱的眼光怔怔地看着她。她也扬起脸看着他，并且很快把两只手轻轻地放在他的胸脯上。加林犹豫了一下，轻轻地搂住她的肩背，然后坚决地把他发烫的额头贴在她同样发烫的额头上。他闭住眼睛，觉得他失去了任何记忆和想象……

当他们重新肩并肩走在路上的时候，月亮已经升起来了。月光把绿色的山川照得一片迷蒙，大马河的流水声在静悄悄的夜里显得非常响亮。村子就在前边——在公路下边的河湾里，他们就要分手各回各家了。

在分路口，巧珍把提包里的那条烟掏出来，放在加林的篮子里，头低下，小声说："加林哥，再亲一下我……"

高加林把她抱住，在她脸上亲了一下，对她说："巧珍，不要给你家里人说。记着，谁也不要让知道！……以后，你要刷牙哩……"

巧珍在黑暗中对他点点头，说："你说什么我都听……"

"你快回去。家里人问你为啥这么晚回来，你怎说呀？"

"我就说到城里我姨家去了。"

加林对她点点头，提起篮子转身就走了。巧珍推着车子从另一条路上向家里走去。

高加林进了村子的时候，一种懊悔的情绪突然涌上他的心头。他后悔自己感情太冲动，似乎匆忙地犯了一个错误。他感到这样一来，自己大概就要当农民了。再说，他自己在没有认真考虑的情况下就亲了一个女孩子，对巧珍和自己都是不负责任的。使他更难受的是，他觉得他今夜永远地告别了他过去无邪的二十四年，从此便给他人生的履历表上画上了一个标志。不管这一切是愉快的还是痛苦的，他都想哭一场！当他走进自己家门时，他爸他妈都坐在炕上等他。饭早已拾掇好了，可是他们显然还没有动筷子。见他回来，他爸赶忙问他："怎才回来？天黑了好一阵了，把人心焦死了！"

他妈瞪了他爸一眼："娃娃头一回做这营生，难场成个啥了，你还嫌娃娃回来得迟！"她问儿子："馍卖了吗？"

加林说："卖了。"他掏出巧珍给他的钱，递到父亲手里。

高玉德老汉嘴噙住烟锅，凑到灯前，两只瘦手点了点钱，说："是这！干脆叫你妈明早上蒸一锅馍，你再提着卖去。这总比上山劳动苦轻！"

加林痛苦地摇摇头，说："我不去做这营生了，我上山劳动呀！"

这时候，他妈从后炕的针线篮里拿出一封信，对他说："你二爸来信了，快给咱念念。"

加林突然想起，他今天为那篮该死的馍，竟然忘了把他给叔父写的信寄出去了——现在还装在他的口袋里！他从他妈手里接过叔父的信，在灯前给两个老人念起来——

大哥、嫂嫂：

　　你们好！今天写信，主要告诉你们一件事：最近上级决定让我转到地方工作。我几十年都在军队，对军队很有感情，但要听党的话，服从组织安排。现在还没有定下到哪里工作。等定下来后，再给你们写信。

　　今年咱们那里庄稼长得怎样？生活有没有困难？需要什么，请来信。

　　加林侄儿已经开学了吧？愿他好好为党的教育事业努力工作。

　　祝你们好！

弟：玉智

　　高加林念完，把信又递给他妈，心里想：既然是这样，他给叔父写的信寄没寄出去，现在关系已经不大了。

第六章

　　刘巧珍刷牙了。这件事本来很平常，可一旦在她身上出现，立刻便在村里传得风一股雨一股的。在村民们看来，刷牙是干部和读书人的派势，土包子老百姓谁还讲究这？高加林刷牙，高三星刷牙，巧珍的妹妹巧玲刷牙，大家谁也不奇怪，唯独不识字的女社员刘巧珍刷牙，大家感到又新奇又不习惯。

　　"哼，刘立本的二女子能翘得上天呀！好好个娃娃，怎突然学成了这个样子？"

　　"一天门外也没逛，斗大的字不识一升，倒学起文明来了！"

　　"卫生卫生，老母猪不讲卫生，一肚子下十几个胖猪娃哩！"

　　"哈呀，你们没见，一早上圪蹴在埝畔上，满嘴血糊子直淌！看这洋不洋？"

　　……

　　村里少数思想古旧、不习惯现代文明的人，在山里、在路上、在家里，纷纷议论他们村新出现的这个"西洋景"。

刘巧珍根本不管这些议论，她非刷牙不可！因为这是亲爱的加林哥要她这样做的啊！痴情的姑娘为了让心爱的男人喜欢，任何勇气都能鼓起来。她根本不管世人的讥笑，她为了加林的爱情什么都可以忍受。

这天早晨，她端着牙缸，又蹲在他们家的硷畔上刷开了牙。没刷几下，生硬的牙刷很快就把牙床弄破了，情况正如村里人传说的"满嘴里冒着血糊子"。但她不管这些，照样使劲刷。巧玲告诉她，刚开始刷牙，把牙床刷破是正常的，刷几次就好了。

这时候，碰巧几个出山的女子路过她家门前，嬉皮笑脸地站下看她出"洋相"；另外一些村里的碎脑娃娃看见这几个女子围在这里，不知出了啥事，也跑过来凑热闹了；紧接着，几个早起拾粪路过这里的老汉也过来看新奇。

这些人围住这个刷牙的人，稀奇地议论着，声音嗡嗡地响成一片。那几个拾粪老头竟然在她前面蹲下来，像观察一头生病的牛犊一样，互相指着她的嘴巴各自己见。后面来的一个老汉看见她满嘴里冒着血沫子，还以为得了啥急症，对其他老汉惊呼："还不赶快请个医生来？"逗得在场的人都哈哈大笑了。

巧珍本来想和周围的人辩解几句，大大方方开个玩笑解脱自己，无奈嘴里说不成话。她也不管这些了，照样不慌不忙刷她的牙。她本来想结束了，但又赌气地想：我多刷一会儿让他们看，叫他们看得习惯着！

她右手很不灵巧地拿牙刷在嘴里鼓弄了好一阵后，取出牙刷，喝了一口缸子里的清水，漱了漱口，把牙膏沫子吐在地上，又喝了一口水漱起来。周围一圈人的眼光就从那牙缸子里看到她的嘴上，又从她的嘴上看到土地上。

这时候，巧珍她爸赶着两头牛正从河沟里上他家的硷畔。这个庄稼人兼生意人前几天又买了两头牛，还没转手卖出去，刚才吆着牲口到沟里饮水去了。

立本五十来岁，脸白里透红，皱纹很少，看起来还年轻。他穿一身干净的蓝咔叽衣服，不过是庄稼人的式样，头上戴着白市布瓜壳帽。看起来不太像个农民，至少像是城里机关灶上的炊事员。

刘立本吆牛上了崄畔，见一群人围住巧珍看她刷牙，早已气得鬼火冒心了！他发现巧珍这几天衣服一天三换，头梳个没完没了，竟然还能翘得刷起了牙。他前两天早想发火了，但觉得女子大了，怕她吃消不了，硬忍着没吭声。

现在他看见巧珍在一群人面前丢人败兴，实在起火得不行了。

他丢下两头牛不管，满脸通红，豁开人群，大声喝骂道："不要脸的东西，还不快滚回去！给老子跑到门外丢人来了！"

刘立本一声喝骂，赶散了所有看热闹的人。娃娃女子们先跑了，几个老汉慌忙提起拾粪筐，尴尬地退出了他们本不该来的这个地方。

巧珍手里提着个刷牙缸子，眼里噙着两颗泪珠说："爸，你为啥骂人哩？我刷牙讲卫生，有什么不对？"

"狗屁卫生！你个土包子老百姓，满嘴的白沫子，全村人都在笑话你这个败家子！你羞先人哩！"

"不管怎样，刷个牙算什么错！"巧珍嘴硬地辩解说，"你看你的牙，五十来岁就掉了那么多，说不定就是因为没……"

"放屁！牙好牙坏是天生的，和刷不刷有屁相干！你爷一辈子没刷牙，活了八十岁还满口齐牙，临殁的前一年还咬得核桃吃哩！你趁早把你那些刷牙家具撇了！"

"那巧玲刷牙你为什么不管？"

"巧玲是巧玲，你是你！人家是学生，你是个老百姓！"

"老百姓就连卫生也不能讲了？"巧珍一下委屈得哭开了。她大声和父亲嚷着说："你为什么不供我上学？你就知道个钱！你再知道个啥？你把我的一辈子都毁了，叫我成了个睁眼瞎子！今儿个我刷个牙，你还要这样欺负我……"她一下背过身，双手蒙住脸哭得更厉害了。

刘立本一下子慌了。他很快觉得他刚才太过分——他已经好多年不这样对待孩子了。他赶忙过来乖哄她说："爸爸不对，你别哭了，以后要刷，就在咱家灶火圪崂里刷，不要跑到崄畔上刷嘛！村里人笑话哩……"

"让他们笑话！我什么也不怕！我就要到崄畔上刷！"巧珍狠狠地对父亲说。

刘立本叹了一口气，回头向院子后面看了看，立刻惊叫一声，撒开腿就跑——他的那两头牛已快把他辛苦务养起来的几畦包心菜啃光了！

巧珍擦去泪水，委屈地转身回了家。她先洗了脸，然后对着镜子认真地梳起了头发。她把原来的两根粗黑的短辫，改成像城里姑娘们正时兴的那种发式：把头发用花手帕在脑后扎成蓬蓬松松的一团。穿什么衣服呢？她感到苦恼起来。

自从那晚上以后，巧珍每时每刻都想见加林，想和他拉话，想和他亲亲热热在一块儿。可是不知为什么，加林好像一直在躲避她，好像不愿意和她照面。她想起加林哥那晚上那么喜爱地亲她，现在又对她这么冷淡，忍不住委屈得眼泪汪汪了。

她看见他这几天已经出山劳动了，一下子穿得那么烂，腰里还束一根草绳，装束得就像个叫花子一样。他每天早上都扛把老镢头，去山上给队里挖麦田塄子，中午也不回来，和众人一块儿吃送饭。他有新衣服，为什么要穿得那么破烂？昨天她看见他在井边担水，肩背上的衣服已经被什么划破一个大口子，露出的一块皮肉晒得黑红。她站在自家硷畔上，心疼得直掉泪，想跑下去看他，可加林哥好像不愿理她，担着水头也不回就走了——他明明看见了她啊！

她昨个晚上，一夜都没睡好觉。想来想去，不知道加林为啥又不愿理她了。

后来，她突然想：是不是加林嫌她穿得太新了？这几天，她可是把她最好的衣服都拿出来穿过了。

可能就是因为这！你看他穿得多烂！他大概觉得她太轻浮了！人家是知识人，不像农村人恋爱，首先换新衣服。她太俗气了！她看见加林哥穿那身烂衣服，反而觉得他比穿新衣服还要俊，更飘洒了！可她却正好相反，换了最新的衣服！加林哥一定看见反感了。可她又难受地想：加林哥呀，我之所以这样，还是为了你呀！

现在她决定把那件米黄的确良短袖衫和那条深蓝色的确良裤子换下来，重新穿上平时她劳动穿的那身衣服：半旧的草绿色裤子，洗得发白的蓝劳动布上衣，再把水红衬衣的大翻领翻在外面。

她打扮好后，就肩起锄头向前村走去。今天组里锄玉米，正好加林就在玉米地对面的山坡上挖麦田塄子，他肯定会看见她的……

高加林在赶罢集第二天，就出山劳动了。像和什么人赌气似的，他穿了一身最破烂的衣服，还给腰里束了一根草绳，首先把自己的外表"化装"成了个农民。其实，村里还没一个农民穿得像他这么破烂。他参加劳动在村里引起了纷纷议论。许多人认为他吃不下苦，做上两天活儿说不定就躺倒了。大家都很同情他，这个村文化人不多，感到他来到大家的行列里实在不协调。尤其是村里的年轻妇女们，一看原来穿得风风流流的"先生"变成了一个叫花子一样打扮的人，都啧啧地为他惋惜。

高家村村子并不大，四十多户人家，散落在大马河川道南边一个小沟口的半山坡上。一半家户住在沟口外的川道边，另一半延伸到沟口里面。沟里一股常年不断的细流水，在村脚下淌过，注入了大马河。大马河两岸的一大片川地，是他们主要舀米挖面的地方。川道两边的山上，耕地面积倒比川里大得多，但都是广种薄收，大部分是麦田。

前些年由于村子小，四十多户人家一直是集体生产和统一分配，实际上是大队核算。这两年随着政策的改变，也分成了两个生产责任组。许多社员要求再往小划一些，有的甚至提出干脆包产到户。但高明楼书记暂时顶住了这种压力。他们直到眼下还没有分开。这两年书记心里并不美气。他一方面觉得现时的政策他接受不了——拿他的话说，"把社会主义的摊子踢腾光了"；另一方面又觉得他无法抗拒社会的潮流，感到一切似乎都势在必行。他常撇凉腔说："合作化的恩情咱永不忘，包产到户也不敢挡。"实际上，他目前尽量在拖延，只分成两个"责任组"（实际上是两个生产队），好给公社交差，证明高家村也按新政策办事哩。

高加林家在前村一组。川道里现时正锄玉米，他不太会锄地，就跟山上翻麦田的人去挖地畔。

他的劳动立刻震惊了庄稼人。第一天上地畔，他就把上身脱了个精光，也不和其他人说话，没命地挖起了地畔。没有一顿饭的工夫，两只手便打满了泡。他也不管这些，仍然拼命挖。泡拧破了，手上很快出了血，把镢把都染红了，但他还是那般疯狂地干着。大家纷纷劝他慢一点，或者休息一下再干，他摇摇头，谁的话也不听，只是没命地抢镢头……

今天又是这样，他的镢把很快又被血染红了。

犁地的德顺老汉一看他这阵势，赶忙喝住牛，跑过来把镢头从加林手里夺下，扔到一边，两撇白胡子气得直抖。他抓起两把干黄土抹到他糊血的两手上，硬把他拉到一个背阴处，不让他逞凶了。德顺老汉一辈子打光棍，有一颗极其善良的心。他爱村里的每一个娃娃，有一点好东西，自己舍不得吃，满庄转着给娃娃们手里塞。尤其是加林，他对这孩子充满了感情。小时候加林上学，家境不好，有时连买一支铅笔的钱都没有，他三毛五毛地常给他。加林在中学上学时，他去县城里卖瓜卖果，常留半筐子给他提到学校里。现在他看见加林这般拼命，两只嫩手被镢把拧了个稀巴烂，心里实在受不了。

老汉把加林拉在一个土崖的背影下，硬按着让他坐下。他又抓了两把干黄土抹在他手上，说："黄土是止血的……加林！你再不敢耍二杆子了。刚开始劳动，一定要把劲使匀。往后的日子长着呢！唉，你这个犟脾气！"

加林此刻才感到他的手像刀割一般疼。他把两只手掌紧紧合在一起，弯下头在光胳膊上困难地揩了揩汗，说："德顺爷爷，我一开始就想把最苦的都尝个遍，以后就什么苦活儿也不怕了。你不要管我，就让我这样干吧。再说，我现在思想上麻乱得很，劳动苦一点，皮肉疼一点，我就把这些不痛快事都忘了……手烂叫它烂吧！"

他抬起乱蓬蓬的头，牙咬着嘴唇，显出一副对自己残酷的表情。

德顺老汉点起一锅旱烟，坐在他旁边，一只手在他落满黄尘的头上摸了一把，无可奈何地摇摇白雪一样的脑袋，说："明天你不要挖地畔了，跟我学耕地。你看你的手，再不敢握镢把了，等手好了再……"

加林坚决地摇摇头："不，我要让镢把把我的烂手再拧好！"他说完就站起来，向地畔走去，向两只烂手上唾了两下，掮起镢头又没命地挖起来。阳光火暴暴地晒着他通红的光脊背，汗水很快把他的裤腰湿透了。

德顺老汉看着他这副犟劲，叹了一口气，把崖根下一罐水提过去，放在离加林不远的地方，说："这罐水都是你的。天热，你不习惯，都喝了……"他叹了一口气，又去犁地去了。

高加林一个人把一道地畔挖完，过来抱住水罐，一口气喝了一半。他本想又一下全喝完，但看了看像个土人似的德顺爷爷，就把水又送到地头回牛的地方。

现在他一屁股坐下来，浑身骨头似乎全掉了，两只手像抓着两把葛针，疼得万箭钻心！

不过，他也感到了一种无法言语的愉快。他让所有的庄稼人看见：他们衡量一个优秀庄稼人最重要的品质——吃苦精神，他高加林也具备。从性格上说，他的确是个强者，而这个优点在某些情况下又使他犯错误。

他用一只烂手摸出一支烟，点着，狠狠吸了一口。他觉得这是他有生以来抽得最香的一支烟。

这时，他突然看见巧珍正站在对面川道里的玉米地畔上，仰起头向他这里张望。他虽然看不清她脸上的表情，但他感到她就像要腾空而起，向他这边飞来了。

他的心立刻感到针扎一般刺疼……

第七章

高加林疲乏地躺在土炕上，累得连晚饭都不想吃了。他母亲愁眉苦脸地把饭端上端下，规劝他，像乖哄娃娃一般絮叨说："人是铁，饭是钢，你不想吃，也要挣扎着吃……"他父亲叫他明天干脆别出山去了，歇息一天，好慢慢地习惯着。

他们说了些什么，加林一句也没听见。此刻他的思想完全集中到巧珍身上了。

赶集那天以后，他一直非常后悔他对巧珍做出的冲动行为。他觉得自己目前的处境，根本不是谈情说爱的时候。他甚至觉得他匆忙地和一个没文化的农村姑娘发生这样的事，简直是一种堕落和消沉的表现，等于承认自己要一辈子甘心当农民了。其实，他内心里那种对自己未来生活的幻想之火，根本没有熄灭。他现在虽然满身黄尘当了农民，但总不相信他永远就是这个样子。他还年轻，只有二十四岁，有时间等待转机。要是和巧珍结合在一起，他无疑就要拴在土地上了。

但是，更叫他苦恼的是，巧珍已经怎样都不能从他的心灵里抹掉了。他尽管这几天躲避她，而实际上他非常想念她。这种矛盾和痛苦，比手被镢把拧烂更难忍受。

巧珍那漂亮的、充满热烈感情的生动脸庞，她那白杨树一般苗条的身体，时刻都在他眼前晃动着。

尤其是晚上劳动回来，他僵硬的身体疲倦地躺在土炕上，这种想念的感情就愈加强烈。他想：如果她此刻要在他身边，他的精神和身体也许马上会松弛下来，她会把他躁动不安的心潮变成风平浪静的湖水。

她是爱他的，爱得那么强烈。他看见她这几天接二连三换衣服，知道这完全是为他的。今天他收工回来，锄地的人都走了，他还看见她站在对面河畔上——那也是在等他。但他却又避开了她。他知道她哭了，也想象得来她一个人在玉米地的小路上往家里走的时候，心情会是怎样地难受啊！他太不近人情了！她那样想和他在一起，他为什么要躲开她呢？他自己实际上不是也渴望和她在一起吗？

他在土炕上躺不住了，激情的洪流立刻冲垮了他建立起的理智防堤。眼下他很快把一切都又抛在了一边，只想很快见到她，和她待在一块儿。

他爬起来，下了炕，对父母亲说他到后村有个事，就匆忙地出了门。

夜静悄悄的。天上的星星已经出齐，月光朦胧地辉耀着，大地上一切都影影绰绰，充满了一种神秘的气氛。

高加林走到后村，在刘立本家的坡底下站住了。他不知道怎样才能把巧珍叫出来。

正当他犹豫地望着刘立本家的高墙大院时，突然看见大门外那棵老槐树背后转出一个人，匆匆地向坡下走来了。啊，亲爱的人！她实际上一直就在那里不抱什么希望地等待着他的出现！

高加林的心咚咚地狂跳着，也不说话，转而下了沟底，沿小河上面的小路，向村外走去。他不时回头看看，巧珍不远不近地跟着他。

他走到村外河对面一块谷地里，在一棵杜梨树下舒服地躺下来，激动地听着那甜蜜的脚步声正沙沙地走近他。

她来了。他马上坐起来。她稍犹豫了一下，就胆怯地、然而坚决地靠着他坐下了。她没说话，先在他胳膊上衣服被葛针划破一道大口子的地方，在那块晒得黑红的皮肤上亲了一口。然后她两只手抱住他的肩头，脸贴在她刚才亲吻过的地方，亲热而委屈地啜泣起来。

高加林侧身抱住她的肩头，把脸紧贴在她头上，两大颗泪珠也忍不住从眼里涌出来，滴进了她黑漆一般的头发里。他现在才感到，这个亲他的人也是他最亲的人！

巧珍头伏在他胸前，哭着问他：“加林哥，你这几天为什么不理我？”

“你一定难过了……”高加林用他的烂手抚摸着她的头发。

“你知道人的心就对了……”巧珍抬起头，闪着泪光的眼睛委屈地望着他。

“巧珍，我再也不那样了。”加林在她额头上亲了一下。

巧珍两条抖索的胳膊搂住他的脖子，笑逐颜开地流着泪，说：“加林哥，你给天上的玉皇大帝发个誓！”

加林被逗笑了，说：“你真迷信！巧珍，你相信我……你为什么没穿那件米黄色短袖？那衣服你穿上特别好看……”

“我怕你嫌不好看，才又换上了这身。”巧珍淘气地向他噘了一下嘴。

“你明天再穿上。”

“嗯。只要你喜欢，我天天穿！”巧珍一边说，一边从身后拿出一个花布提包，先掏出四个煮鸡蛋，又掏出一包蛋糕，放在加林面前。

高加林感到惊讶极了。他刚才只顾看巧珍，根本没发现她还给他拿这么多吃的。

巧珍一边给他剥鸡蛋皮，一边说：“我知道你晚上没吃饭。我们这些满年劳动的人，刚回家都累得不想吃饭，别说你了！”她把鸡蛋和一块蛋糕递给他。“蛋糕是我妈前几天害病时，我姐给拿来的，我妈没舍得吃。我今晚是从箱子里偷出来的！”巧珍不好意思地笑了笑，“你要是不来找我，我今晚上非到你家给你送去不可！”

加林咽下去一口蛋糕，赶忙对她说：“千万不敢这样！让你爸知道了，小心把你腿打断！”加林开玩笑对她说。

巧珍又把一个剥了皮的鸡蛋塞到加林手里，亲切地看着他那副狼吞虎咽的样子，然后手和脑袋一齐贴在他肩膀上，充满柔情地说：“加林哥，我看见你比我爸和我妈还亲……”

“傻话！你真是个傻女子！”高加林把手里的半个鸡蛋塞进嘴里，在她头上轻轻拍了一下，正好手上一个破了的泡碰在巧珍的发卡上，疼得他"哎哟"叫唤了一声。

巧珍像触了电一般抬起头，不知他发生了什么事。很快，她明白了。她手忙脚乱地在提包里翻起来，嘴里说："看，我倒忘了……"

她从提包里掏出一瓶红药水和一包药棉，把加林的一只手拉过来，放到她膝盖上，给他抹药水。

加林又一次惊讶得张开嘴巴，问她："你怎知道我手烂了？"

巧珍低着头给他手上擦药水，说："天上玉皇大帝告诉我的。"她嘿嘿地笑了一声，"村里谁不知道你的手烂了！你们先生的手真是娇气！"她仰起脸朝他亲昵地笑着，微微咧开嘴巴，露出两排刷过的洁白的牙齿，像白玉米籽儿一般好看。

巨大的感情的潮水在高加林的胸腔里澎湃起来。

爱情啊，甜蜜的爱情！它像无声的春雨悄然地洒落在他焦躁的心田上。他以前只从小说里感到过它的魅力，现在这一切他都全部真实地体验到了。而最宝贵的是，他的幸福正是在他不幸的时候到来的！

巧珍把他的两只手涂满药水以后，他便以无比惬意的心情，在土地上躺了下来。巧珍轻轻依傍着他，脸紧紧贴在他胸脯上，像是专心谛听他的心在如何跳动。

他们默默地偎在一起，像牵牛花绕着向日葵。星星如同亮闪闪的珍珠一般撒满了暗蓝色的天空。西边老牛山起伏不平的曲线，像谁用炭笔勾出来似的柔美；大马河在远处潺潺地流淌，像二胡拉出来的旋律一般好听。一阵轻风吹过来，遍地的谷叶响起了沙沙沙的响声。风停了，身边一切便又寂静下来。头顶上，婆娑的、墨绿色的叶丛中，不成熟的杜梨在朦胧的月下泛着点点青光。

他们就这样静静地、甜蜜地躺在星空下，躺在大地的怀抱里……

当爱情在一个青年人身上第一次苏醒以后，它会转变为一种巨大的力量。甚至对生活完全失去信心的人，热烈的爱情也可能会使他的精神重新闪闪发光。当然，奥勃洛摩夫那样的人是例外，因为他实际上已经等于一个死人。

高加林由于巧珍那种令人心醉的爱情，一下子便从灰心丧气的情绪

人生 193

中，重新激发起对生活的热情。爱的暖流漫过了精神上的冻土地带，新的生机便勃发了。

爱情重新唤起了他对土地一种深厚的感情。他本来就是土地的儿子。他出生在这里，在故乡的山水间度过梦一样美妙的童年。后来他长大了，进城上了学，身上的泥土味渐渐少了，他和土地之间的联系也就淡了许多。现在，他从巧珍纯朴美丽的爱情里，又深深地感到：他不该那样害怕在土地上生活，在这亲爱的黄土地上，生活依然能结出甜美的果实！

高加林渐渐开始正常地对待劳动，再不像刚开始的几天，以一种压抑变态的心理，用毁灭性的劳动来折磨肉体，以转移精神上的苦闷。

经过一段时间，他的手变得坚硬多了。第二天早晨起来，腰腿也不像以前那般酸疼难忍。他并且学会了犁地和难度很大的锄地分苗。后来，纸烟变得不香了，在山里开始卷旱烟吃。他锻炼着把当教师养成的斟词酌句的说话习惯，变成地道的农民语言；他学着说粗鲁话，和妇女们开玩笑。衣服也不故意穿得那么破烂，该洗就洗，该换就换。

中午回来，他主动上自留地给父亲帮忙，回家给母亲拉风箱。他还养了许多兔子，想搞点副业。他忙忙碌碌，俨然像个过光景的庄稼人了。

白天是劳苦的，但他有一个愉快的夜晚。正是因为有这么一个幸福的向往，他才觉得其他的熬累不那么沉重了。

夜晚，天黑严以后，他和巧珍就在村外的庄稼地里相会了。他们在密密的青纱帐里，有时像孩子一样手拉着手，默默地沿着庄稼地中间的小路，漫无目的地走着；有时站住，互相亲一下，甜蜜地相视一笑。走累了的时候，他们就找一个僻静的地方，加林躺下来，用愉快的叹息驱散劳动的疲乏，巧珍就偎在他身边，用手梳理他落满尘土的乱蓬蓬的头发，或者用她小巧的嘴巴贴着他的耳朵，轻轻地、轻轻地给他唱那些祖先流传下来的古老的歌谣。有时候，加林就在这样的催眠曲中睡着了，拉起了响亮的鼾声。他的亲爱的女朋友就赶忙摇醒他，心疼地说："看把你累成个啥了。你明天歇上一天！"她把他的手拉过来蒙住她的脸，"等咱结婚了，你七天头上就歇一天！我让你像学校里一样，过星期天……"

高加林每天都沉醉在这样的柔情蜜意里，一切原来的想法都退得很远了。只是有些时候，当他偶尔看见骑自行车的县上和公社的干部们，从河对面公路上奔驰而过，雪白的确良衫被风吹得飘飘忽忽的惬意身影时，他的心才又猛然感到一种说不出的惆怅，一股苦涩的味道翻上心头，顿时就像吞了一口难咽的中药。他尽量使自己很快从这种情绪中解脱出来。直等到他又看见了巧珍，骚乱的心情才能彻底平息——就像吃完中药，又吃了一勺蜜糖一样。

他现在时时刻刻都想和巧珍在一起。遗憾的是，他们不在一个生产组，白天劳动很难见面，他们都想得要命。有时候，两个组劳动离得很近时，一等休息，他就装着去寻找什么，总要跑到后村组劳动的地方磨蹭一会儿。在这样的场所里，他并不能和巧珍说什么话，他只是用眼睛看看她。这时候，旁的人谁也不知道，只有他们两个心里清楚，这反而更有一种说不出的甜蜜味道。

有时候，他没有什么借口，去不了她那里，她就会用她带点野味的嗓音，唱那两声叫人心动弹的信天游——

上河里（那个）鸭子下河里鹅，

一对对（那个）毛眼眼望哥哥……

他在远处听见这歌声，总忍不住咧开嘴巴笑。

而在巧珍那边，她刚一唱完，姑娘们就和她开玩笑说："巧珍，马拴骑着车子又来了，快用你的毛眼眼望一下！"

她气得又骂她们，又撅着给她们扬土，可心里骄傲地想："我哥哥比马拴强十倍，你们将来知道了，把你们眼红死！"

在高加林和巧珍如胶似漆地热恋的时候，给巧珍说媒的人还在刘立本家里源源不断地出现。刘立本嘴说如今世事不同以往，主意得由女子拿，可他心里有数。他只看下个马拴——他家光景好，马拴人虽老实，但懂生意，将来丈人女婿合伙做买卖，得心应手。只是巧珍看不下这个黑炭一样的后生，得他好好做一番工作。他甚至想请亲家明楼出面说服巧珍。

在高加林这方面，也有不少庄户人家不时来登门说亲。加林父母一看他们穷家薄业的，还有人给说媳妇，高兴得老两口嘴巴都合不拢。尤其是山背后村里一个不要彩礼就想跟加林的女子，着实使高玉德老两口动了心。但所有他们认为的大喜事都被加林一笑置之了。

这样，加林和巧珍觉得也好，可以掩一下他们的关系。他们暂时还不想公开他们的秘密；因为住在一个村，不说其他，光众人那些粗鲁的玩笑就叫人受不了。他们不愿让人把他们那种平静而神秘的幸福打破。

有一次，加林和德顺爷爷一块儿犁地的时候，老汉问他："加林，你要媳妇不？"

加林笑了笑说："想要也没合适的。"

"你看巧珍怎样？"老光棍突然问他。

加林的脸唰地红了，一时不知道该说什么。

德顺爷爷笑眯眯地说："我看你们两个最合适！巧珍又俊，人品又好。你们两个天生的一对！加林，你这小子有眼光哩！"

加林有点惶恐地说："德顺爷爷，我连想也没想。"

"小子，甭哄我，我老汉看出来了！"

加林向他努了努嘴，说："好爷爷哩，你千万不敢瞎说！"

德顺爷爷两只老皱手抓住他的手说："我嘴牢得铁锹都撬不开！我是为你们两个娃娃高兴啊！好啊！就像旧曲里唱的，你们两个'实实地天配就'……"

中午，他和德顺爷爷犁罢地往回走，在村口突然又碰见了马拴。他还和上次一样，里外的确良，推着那辆花红柳绿的自行车。加林有点不愉快地想：他肯定又是到巧珍家去了。

马拴把加林热情地挡在了路上。他先不说什么，等德顺老汉走前一段以后，才开口说："高老师，唉！我在刘立本家都快把腿跑断了，人家巧珍根本不理茬嘛！我这见庙就烧香哩，你是这本村人，又是先生，你大概也和立本的女子熟着哩，你能不能也从旁给我出一把力？"

高加林心里很不痛快，但他尽量不在脸上露出来。他勉强笑了笑，对马拴说：

"你别再瞎跑了，巧珍已经看下对象了。"

"谁？"马拴吃惊地问。

"你慢慢就会知道的……"

高加林说完，绕开丧气的马拴，回家去了。

第八章

关于高加林和刘巧珍的谣言立刻在全村传播开来了。

他们的坏名声首先是从庄里几个黑夜出去偷西瓜的小学生那里露出来的。他们说有一晚上，他们看见以前的高老师在村外打麦场的麦秸垛后面，正和后村的巧珍抱在一块亲嘴哩。又有人证实，他看见他俩在一个晚上，一块躺在前川道的高粱地里……

谣言经过众人嘴巴的加工，变得越来越恶毒。有人说巧珍的肚子已经大了；而又有的人说，她实际上已经刮了一个孩子，并且连刮孩子的时间和地点都编得有眉有眼。

风声终于传到了刘立本的耳朵里。戴白瓜壳帽的"二能人"气得鼻子口里三股冒气！这天午饭时分，他不由分说，先把败坏了门风的女儿在自家灶火圪捞里打了一顿，然后气冲冲地去找前村的高玉德。

"二能人"现在才恍然大悟：这多天来，巧珍能得刷牙，一天衣服三换，黑天半夜在外面疯跑，原来都是为了高玉德那个败家子儿啊！

他先跑到高玉德家的破墙烂院里，站在门外问高玉德在不在。

加林妈在窑里告诉他：老汉不在。

"这亮红晌午，都在家里吃饭哩，他跑到什么地方去了？"立本在院里坚持问。

"大概又到自留地刨挖去了。"加林妈跑出来，让村里这个体面人进窑来坐坐。

立本说他忙，掉转头就走了。

他出了大门，下了小河，拐过一个小山峁，径直向高玉德的自留地走去。一路上他在心里嘲笑："哼，就知道在土里刨！穷得满窑没一件值钱东西，还想把我女子给你那个寒窑里娶呀！尿泡尿照照你们的影子，看配不配！"

他老远照见高玉德正佝偻着罗锅腰锄糜子，就加快脚步向那边走去。

他上了地畔，尽管满肚子火气，还是按老习惯称呼这个比他大十几岁的同村人："高大哥，你先歇一歇，我有话要对你说。"

高玉德看见村里这个傲人，在这大热天跑到地里来找他，慌得不知出了什么事，赶忙把锄往地里一栽，向立本迎过来。

他俩圪蹴在土崖影下。玉德老汉把旱烟锅给他递让过去。立本摆摆手，说："你吃你的，我嫌那呛！"他说着，从口袋里摸出一根四川出的"工"字牌卷烟噙到嘴里，拿打火机点着，连烟带气长长地吐了一口，拐过头，脸沉沉地说："高大哥！你加林在外面做瞎事，你为什么不管教？咱这村风门风都要败在你这小子手里了！"

"什么事？"高玉德老汉吃惊地从白胡子嘴里拔出烟锅，脸对脸问立本。

"什么事？"刘立本一闪身站起来，嘴里气愤地喷着白沫子，说，"你那个败家子，黑天半夜把我巧珍勾引出去，在外面疯跑，全村人都在传播这丢脸事。我刘立本臊得恨不能把脑袋夹到裤裆里，你高玉德倒心安理得装起糊涂来了！"刘立本说着，夹卷烟的手指头气得直抖。

"啊呀，好立本哩！我的确不知道这码子事！"高玉德老汉冤枉地叫道。

"我现在就叫你知道哩！你要是不管教，叫我碰见他胡骚情，非把他小子的腿打断不可！"

高玉德虽然一辈子窝窝囊囊，但听见这个能人口出狂言，竟然要把他独苗儿的腿往断打，便呼地从地上站起来，黄铜烟锅头子指着立本的白瓜壳帽脑袋，吼叫着说："你小子敢把我加林动一指头，我就敢把你脑壳劈了！"老汉一脸凶气，像一头斗恼了的老犍牛。

乖人不常恼，恼了不得了。刘立本看见这个没本事的死老汉，一下子变得这么厉害，吃惊之中慌忙后退了一步，半天不知该如何对付。

他索性转过身，傲然地背操起两条胳膊，从高玉德的土豆地里穿过去，一边走，一边回过头说："我和你没完！咱走着瞧吧！我不信没办法治你父子俩！真个没世事了！"

刘立本穿过高玉德正在吐放白花的土豆地，又从来路下了河湾。

这个能人又急又气，站在河湾里竟不知道自己该到哪里去。

他是农村传统道德最坚决的卫道士。平时做买卖，什么鬼都敢捣，但是一遇伤面子的事，他却是看得很重要的。在他看来，人活着，一是为钱，二还要脸。钱、钱，挣钱还不是为了活得体面吗？现在，他那不争气的女子，竟然连体面都不要了，跟个文不上武不下的没出息穷小子，胡弄得满村刮风下雨。此刻，他站在河湾里，把巧珍恨得咬牙切齿：坏东西啊！你做下这等没脸事，叫你老子在这上下川道里怎见众人呀？

刘立本在河湾里蹒摸了半天，突然想起了他亲家。他想：好，让明楼出面把他加林小子收拾一顿！他不怕我刘立本，但他怕高明楼！明楼是书记！他小子受不下地里的苦，将来要再谋个民办教师，非得过明楼的关不行！

他于是从河湾里拐到前村的小路上，上了一道小坡，向明楼家走去。

高明楼家和他家一样，一线五孔大石窑，比村里其他人家明显阔得多。亲家不久前也圈了围墙，盖了门楼。但立本觉得他亲家这院根本比不上自己的。明楼把门楼盖得土里土气，围墙也是用横石片插起来的；而他的门楼又高又排场，两边还有石刻对联一副。再说，明楼的窑檐接的是石板。石板虽比庄里其他人家的齐整好看，可他家是用一色的青砖砌起，戴了"砖帽"，像城里机关的办公室一样！更重要的是，他亲家的窑面石都是皮条錾溜的，看起来粗糙多了；而他的窑面石全部是细錾摆过，白灰勾缝，浑然一体！

不过，他今天来这里没心思比较双方院落的长长短短。他今天来是有求于亲家的。在这些方面，不像挣钱和箍窑，他清楚自己不如明楼。

大女儿巧英和亲家母热情地把他招呼着入了中窑。中窑实际上是明楼的"会客室"。里面不盘炕，像公社的客房一样，搁一张床，被褥干干净净地摆着，平时不住人。要是公社、县上来个下乡干部，村里哪家人也别想请去，明楼会把他招待在这里下榻的。靠窗户的地方，摆着两把刚做起的、式样俗气的沙发，还没蒙上布，用麻袋片裹着。

立本坐下来，亲家母手脚麻利地端来一壶茶，放在他面前。立本没喝，抽出一根卷烟点着，问："明楼上哪儿去了？"

"你还不知道？他到公社开会已经走了好几天。说今天回来呀，现在还不见回来，大概要到后晌了。"亲家母说。

"我前一段去内蒙古草地里买了一匹马，回来这几天也没到哪里去，所以不知道明楼出去开会……"刘立本轻淡地说。

"有什么事吗?"亲家母问他。

"没什么事。一点小事……他不在家就算了,我走了。"立本站起就准备起身。

巧英掂着两个面手,堵在门口说:"爸爸,我都把面和上了,你就在这里吃!"

他亲家母也竭力留他吃饭。

立本想了想,家里刚闹过架,巧珍和他老婆都正在哭,回去也心烦。再说,他肚子也的确有点饿了。这阵回家没人做饭。于是他又重新坐到了明楼家的土沙发上,喝起了茶。他想:吃完饭,我干脆到村前的路上等他明楼回来!

当刘立本重新在高明楼家坐下来的时候,高玉德老汉还下巴支在锄把上,站在他的自留地里发愣怔。

刚才刘立本没头没脑给他发了顿脾气,说他儿子勾引他的女子,实在叫老汉摸不着头脑。

本来,高玉德老汉最近情绪不坏。他看见他的儿子从苦恼中解脱出来,收心务正,已经蛮像一回事了。他已经日薄西山,但儿子正活在旺处。将来娶个媳妇,生儿育女,他就是闭了眼睡在黄土里,也平了心。加林性子比他硬,将来光景肯定能过得去的。

现在他突然听见这码子事,心头感到非常沉痛。乡里人谁不讲究个明媒正娶?想不到儿子竟然偷鸡摸狗,多让人败兴啊!再说,本村邻舍,这号事最容易把人弄臭!

他同时又想:巧珍倒的确是个好娃娃,这川道十几个村子也是数得上的。加林在农村能找这样一个媳妇,那真个是他娃娃的福分。但就是要娶,也应该按乡俗来嘛,该走的路都要走到,怎能黑天半夜到野场地里去呢,如果按立本说的,全村人现在大概都把加林看成个不正相的人了。可怕啊!一个人一旦毁了名誉,将来连个瞎子瘸子媳妇都找不上,众人就把他看成个没人气的人了。不光小看,以后谁也不愿和他共事了。糊涂小子!你怎能这么缺窍?

高玉德老汉已经没心思锄地了。他拖着风湿性关节炎病腿，一瘸一拐从小路上下了河湾。

虽说他还没吃午饭，但此刻肚子一点也不饿。他坐在河边的一棵老柳树下，瘦手摸着赤脚片，思谋这事该怎么办才好。

他虽然老了，但脑筋还灵。他又从巧珍那方面想。他想：说不定这女娃娃真的喜欢我加林呢！要不要正式请个媒人光明正大说这亲事？

但他一想到刘立本，就心寒了。他这穷家薄业，怎敢高攀人家？别说是他，就是比他光景强的人家，也攀不上刘立本！

太阳已经偏过了头顶，西面的山把阴影投到了沟底，时分已到后晌了。玉德老汉仍坐在树荫下摸他的赤脚片儿，不知这事该怎样处理。

"哎！你一个人坐在这里思谋什么哩？"有一个人在背后说话。

玉德老汉转过头，看见是老光棍德顺。他很想和他拉拉话。他们虽然年龄相差不少，却是一辈子的老朋友了，旧社会扛长工找的常是一个事主家。他招招手说："德顺，你来坐一坐。我这阵心烦得要命！"

德顺一边往他身边坐，一边把肩上的锄头放下，说："我还忙着哩！今后晌要赶着把我那块自留地再锄一下，满地又草糊了！"他接过高玉德递过来的烟锅，问他，"熬煎什么事哩？你有那么彪正个好儿子，光景一两年就翻上来了。加林实在是个好娃娃！别看他明楼、立本现在耍红火哩，将来他们谁也闹不过加林的世事！"

"唉！"玉德老汉长叹一声，"你还夸他哩！这二杆子已经给我闯下乱子了！"

"什么乱子？"德顺一脸皱纹都缩到了眼角边上。

高玉德犹豫了一下，才说："这小子和刘立本那个二女子一块儿胡鬼混哩，现在满村都在风一股雨一股地传播，我不信你没听说？"

"我早看出来了！谁说他们鬼混哩？年轻人相好，这有个什么？"

"啊呀，你早知道了，为啥不给我早说？"高玉德生气地对老朋友头一拐，把他瞪了一眼。

"我还以为你知道这事哩！两个娃娃正好配一对！年轻人看见年轻人好嘛！"德顺老汉笑嘻嘻地对恼悻悻的玉德老汉说。

"老不正经！要好，也看怎个好哩！怎能黑天半夜胡逛哩！"

"哎呀，你这个老古板！咱又不是没年轻过！我一辈子没娶过老婆，年轻时候也混账过两天，别说而今的时兴青年了！"

"好你哩，别说诳话了！立本刚刚来给我发了一顿凶，还说要把我加林的腿打断哩！我看要出事呀！你看这该怎么办？"高玉德一脸愁相，一只手不断摸着赤脚片。

"你别管刘立本那两声吓唬话！刚能把狐子吓跑！他再逞强，也强不过他女子！只要巧珍看下加林，谁都挡不定！就是这话，不信你等着看！你甭愁了，你这人就是爱忧愁！我还忙着哩，你快回去吃饭喀！"

德顺老汉把烟锅交给高玉德，站起身一肩锄就走了，嘴里还有上气没下气地哼起信天游小曲。

高玉德看着他远去的背影，觉得他比自己年龄大得多，但身子骨可比自己硬朗。他在心里说：哼！天下光棍没忧愁！一个人饱了全家都饱了。你能说挣气话哩！叫你也有个儿子看看吧！把你愁不死才怪哩！小时候急他大不了，大了又急他成不了事，更不要说给娘老子闯下一河滩乱子了！

高玉德老汉感到两腿不光疼，而且已经麻了，就站起来，一瘸一拐往家里走去。

高玉德进了家门，见加林正光着上身躺在炕上看书。加林他妈不在，大概到旁边窑里睡觉去了。

老汉把锄往门圪埗里一挂，对正在看书的儿子说："你还看书哩！硬是书把你看坏了！这么大的小子，还不懂人情世故！你什么时候才不叫人操心啊……"

高加林坐起来，摸不着父亲这番话是什么意思。他看着父亲说："我怎啦？"

"怎啦？你做的好事嘛！今儿个刘立本跑到咱自留地找我，说你和巧珍长了短了的，说满村都在议论你们两个的没脸事！"高玉德又蹲在脚地上，用手摸起了脚。

高加林脑子一下子嗡嗡直响。他把手里的书放到炕上，半天才说："我的事你不要管，众人愿说啥说哩！"

高玉德抬起苍白头，说："你小子小心着！刘立本说要往断打你的腿哩！"

高加林牙咬住嘴唇，轻蔑地冷笑了一声，说："既然是这样，我会叫他更不好看！"

高玉德站起来，走前一步，痛心疾首地对儿子说："你千万不要再给我闯乱子了！你早早死了心！咱这光景怎能高攀人家嘛！人家是什么光景？这一条大马河川都是拔梢子的！"

高加林把两条光胳膊交叉放在结实的胸脯上，对一脸可怜相的父亲说："谁高攀谁呢？爸，你一辈子真没出息！你甭怕！这事我做的，由我做主！"

高玉德看着儿子那张倔强的脸，痛苦地叫道："我的憨娃娃呀，你总有一天要跌跤的……"

第九章

高明楼从公社开罢会，独个儿一人在简易公路上步行往回走——他家的自行车被二小子三星推到学校去了。车子是他主动让儿子推去的。儿子当了教师，各方面都要体面一些，没个车子不行！

高家村的当家人五十岁已出头，但走起路来精神还蛮好。他一身旧蓝咔叽布制服，颜色已经灰白，单布帽檐下面，一张红堂堂的脸上，两只眼睛炯炯有神。

明楼此刻走在路上，心情不太美气。这次公社召开的还是落实生产责任制的会议。看来形势有点逼人了。旁的许多村已经有联产到劳的。公社赵书记一再要叫大队书记们解放思想，能联产到户、到劳的，要尽快实行。

"名词不一样了，可这还不是单干哩？"高明楼心里不满地想。

实际上，他自己也清楚，现时的新政策的确能多打粮，多赚钱。尤其是山区，绝大部分农民都拥护。

他不满意这政策主要是从他自己考虑的。以前全村人在一块儿，他一天山都不出，整天圪蹴在家里"做工作"，一天一个全劳力工分，等于是脱产干部。队里从钱粮到大大小小的事他都有权管。这多年，村里大人娃娃谁不尊他怕他？要是分成一家一户，各过各的光景，谁还在意他高明楼！他多年来都是指教人的人，一旦失了势，对他来说，那可真不是个味道。更叫他头疼的是，分给他那一份土地也得要他自己种！他就要像其他人一样，整天得在土地上劳苦了。他已多年没劳动，一下子怎能受了这份罪？

在强大的社会变化的潮流面前，他感到自己是渺小的。他高明楼挡不住社会的潮流。但他想，能拖就拖吧，实在不行了再说，最起码今年是分不成了！

他一路思谋着，不知不觉已经快到村子了。

"明楼，你回来了？"

高明楼听见公路边的山坡上，有人给他打招呼。

他抬头一看，是德顺老汉。德顺虽然比他死去的父亲小六七岁，但两个人年轻时相好过，他一直叫老汉干大。他虽然是村里的领导，面子上的人情世故他都做得很圆滑，因此对德顺老汉常显出尊重的样子。

"干大，你今年自留地的庄稼还不错嘛！能打不少粮哩！"他站下，朝上面的德顺老汉随便这么说。

"多给我一点地，我还能打更多的粮哩！明楼，人家旁的村都往开分哩，咱们村怎还不见动静？这多少年众人交混在一起，都耍二流子哩，一个哄一个哩，而今虽说分成两个组，实际上和没分差不多！"

"干大，不要急嘛！咱集体搞了多少年，一下子就能分个净毛干？这几天两个组麦地都快翻完了吧？"明楼转了话题问老汉。

德顺老汉把锄放下，拿着旱烟锅下来了。老光棍大概还想给书记建个什么议。他总是这样，爱管个闲事，常动不动给干儿在生产上指拨。明楼一般说来还听他的——一辈子的老庄稼人嘛，说什么都在行。

明楼现在看老汉从坡上下来了，知道他又要给他建议什么了，只好耐下心等他唠叨一阵。

他给德顺老汉抽了一根纸烟，两个人就圪蹴在了路畔上。

德顺老汉在明楼的打火机上吸着烟，说："明楼，现时麦地都翻完了，马上就是白露，光一点化肥种麦子怎行？往年这时候，都要到城里去拉一些茅粪，今年你怎不抓这件事？"

明楼摇摇头："往年一个队，说做什么，统一就安排了，今年分成两个组，你长我短的，怎个弄？再说，两个组都还有没锄二遍的地呢，人手怕抽不出来。"

"这有什么难的？这几天先少去两个人嘛！两个组合在一起拉，拉回来两家都能用。"

明楼想了一下，说："这也行。还像往年一样，你把这事领料上。先套上两个架子车，前村连你先去两个人，再让后村巧珍到城里用她姨家的空窑，给你们晚上做一顿饭。过几天等地里的活儿消停了，再多套几个架子车，两个组多去一些人。你看这行不行？"

"行，我去！前村先叫加林去。队里这一段苦重，娃娃没惯了，叫歇息几天，拉粪活儿总轻一点。"

提起加林，明楼脸有点红，嘴里很快"嗯嗯"着同意了德顺老汉的安排。

老汉见他的"建议"被干儿采纳了，就站起身又锄地去了。

明楼也把纸烟把子一丢，思思谋谋又起身往回走。

德顺老汉刚才提起加林，使他又不由得想到这个被他赶回生产队的本村后生了。

加林是高明楼眼看着长大的。他小时候就脾气偏犟，性子很硬，人又聪敏，在庄前村后，显得比他同年龄的娃娃都强。高明楼在那时候就对这娃娃很感兴趣。加林城里上学时，每逢星期六回来，他常爱到加林家串门。他虽是个老百姓，却爱关心点国际大事，加林正好这方面又懂得多，常给他说这个国家那个国家的事，把个高明楼听得半夜不回家。他常在心里感叹：高玉德命好！一辈子死没本事，可生养下一个足劲儿子！他自己的两个儿子太平庸了。老大上了两年学，笨得学不进去，老是一年级，最后只好回来当了农民。不是他在村里的威望，刘立本怎能把巧英给他的儿子？再说三星，若不是他用队里的东西在公社、县上巴结下几个干部，也怕连初中都上不了。按成绩不行，可那二年是推荐。现在总算把高中混完了。

二儿子高中毕业后，他着实发愁了。旁的工作一眼看见就不行——而今入公家的门难！他决心要给儿子谋求个民办教师的位位。他绝不愿意两个儿子都当农民。有个教师儿子，他在门外也体面。再说，三星也从没吃过苦，劳动他受不了，弄不好会成个死二流子！

他原来想两全其美，和公社教育专干马占胜商量，看能不能下旁的村一个教师，叫三星上，最好不要叫三星顶加林。他有恻隐之心。他盘算过，别看村里几十户人家，他谁也不怕，但感到加林虽然人小，可心硬人强，弄不好，将来说不定会成为他的仇人，让他一辈子不得安生！再说，他老了，加林还年轻，他就是现在对自己没法，但将来得了势，不把自己儿孙捏在手里出气呀！他的两个儿子明显不是加林的对手！因此他不想惹这后生，想尽量不下加林的教师。

可马占胜马上嘲笑他想得太美了！是的，哪个村愿把位置让给他们村呢？就这样，他只好狠着心把加林的教师下了，让三星上。

但这以后，这件事总是他个心病。尽管高玉德老两口比以前更巴结他了，可高加林明显地在仇恨他。加林刚开始劳动，听说手上的血把镢把都染红了，谁也说不下他，照样拼命，说要让手烂得更厉害些！他听后心里忍不住打了个冷战。心想：妈呀，这小子的心残着哩！他从这件事上，更看出加林不是个松动货。于是他的心病越来越重了。

高明楼之所以好多年统辖高家村，说明他不是个简单人。他老谋深算，思想要比一般庄稼人多拐好多弯。

高明楼一路低头走着，思谋着这件事，觉得没什么好办法能使他的心灵安宁一些。

他走到大马河河湾的岔路上，抬起头向村里照了照，突然看见他亲家刘立本圪蹴在一棵老枣树下抽卷烟。他心想：大概到内蒙古又买了匹便宜马，等着给他能哩！

刘立本在亲家母家里吃完饭，就圪蹴在这里等上了明楼。

女儿给他做下的丢脸事，使他感到自己的个子都低了几寸。他现在想让明楼先把加林收拾一顿，把这事先镇压下去。然后得马上给巧珍找人家。今年能出嫁就出嫁，最迟不能拖过明年。女子大了，不寻人家，说出事就出事！他还想让明楼出面，说服巧珍和马店的马拴结亲。他是书记，面子大！

高明楼走到枣树下，很自然地蹲在了立本的对面。两亲家先让了一番烟。明楼嫌卷烟太硬，立本嫌纸烟没劲。两个人只好各吸各的。

"怎样？又买了便宜货了吧？能挣多少钱？"明楼问他的生意人亲家。

"挣钱顶个球！"立本粗鲁地叫道，情绪败坏地把头一拐。

"我头一次听你把钱不当一回事。"明楼脸上露出一丝讽刺的笑容，同时也不知道亲家有什么不高兴。看他满脸气呼呼的样子，就问："你有什么不顺心的事？你今年钱挣得快把口袋都撑破了，还不满意吗？而今这政策正是你的好政策！"他又不由得露出讽刺的笑容。

"好你哩，不要挖苦我了。我现在滚油浇心哩！"刘立本两条胳膊朝亲家一摊，脸上显出一副哭相。

高明楼一看他这样子，也认真起来，说："哭了半天还不知道你哭谁哩！你说你倒究出了什么事嘛！"

刘立本把正在抽的半截子卷烟扔到旁边的草地上，难受地说："巧珍给我做下丢脸事了！"

"那么好个娃娃，弄下什么事了？"高明楼惊讶地问。

"唉，真叫人没法提！高玉德那个缺德儿子勾引我巧珍，黑地里在外面疯跑，弄得满村都风风雨雨的。你看我这人现在活成个甚了！"刘立本咽了一口唾沫，难受地把头倒勾了下来。

高明楼一下子笑了："哈呀，我还以为是什么事哩！不就是他们两个谈恋爱吗？"

"狗屁恋爱！连个媒人也没经，黑天半夜在外面鬼混，把先人都羞死了！"刘立本抬起头，气愤地吼叫起来。

高明楼把刘立本溅在他脸上的唾沫星子揩掉，说："立本，你整天走州过县做买卖，思想怎还这么古板？你没吃过猪肉，连猪哼哼都没听过？现在的年轻人还像咱们过去那样吗？你还没见的多着哩！我前几年每年都要到大寨参观一回，路过西安、太原，看见城市的青年男女，在大街上的稠人广众面前胳膊套胳膊走路哩！开始看见还觉得不文明，后来看惯了才觉得人家那才是文明……"

刘立本听了亲家这一番话，又气又失望。他原来还想叫明楼训一顿高加林，想不到明楼竟然指教起他来了。他嘴唇子抖着说："加林是个什么东西？文不上武不下的，糟蹋我巧珍哩！"

高明楼眼一瞪："怕人家加林看不下巧珍哩！只要人家看下了，你能都能不过来哩，还说人家糟蹋你女子哩！"

"加林有个什么出息？又不会劳动，又不会做生意，将来光景一烂包！"

"人家是高中生，你女子斗大字不识一升！"

"高中生顶个屁！还不是要戳牛屁股？"刘立本轻蔑地一撇嘴，并且又加添说，"牛屁股都不会戳！"

高明楼身子往立本旁边挪了挪，开始苦口婆心劝解起亲家来："好立本哩，你的目光太短浅了。你根本不能小看加林。不是我说哩，这一条川道里，和他一样大的年轻人，顶上他的不多。他会写，会画，会唱，会拉，性子又硬，心计又灵，一身的大丈夫气概！别看你我人称'大能人''二能人'，将来村里真正的能人是他！他什么学不会？他要是愿意做，怕你骑上马都撵不上他哩！现在我把他的教师下了，为的是叫三星上。这事明说哩，我做得有点强。以后有空子，我还要给他找个营生干哩！要是他和巧珍结婚了，不是和我也成亲戚了吗？"

刘立本对他这一番话根本不以为然。他鼻子里哼了一声说："看高玉德那是什么家庭？塌墙烂院，家里没一件值钱东西！高玉德又死没本事，加林他能什么哩？"

"哈呀！值钱东西是哪里来的？还不是人挣的？只要人立得住，什么东西也会有！至于高玉德有本事没本事，那碍不了大事。巧珍是寻女婿哩，又不是寻公公！你别看他家现在穷，加林能把家立起来的！你我当年是什么样子？旧社会，你老子和我老子还不都是给地主刘国璋扛长工吗？"

刘立本仍然没有被他亲家的雄辩折服，反而一闪身站起来，火气十足地说："你别给我灌清米汤了！我长着眼睛哩！难道我自己看不清高玉德家的前程吗？他那不成器的儿子，我看不下！你能说光面子话哩！巧珍是我的女子，我不能把她往黑水坑里垫！"

"你看不下，可巧珍能看下哩！看你还有什么办法！"高明楼也站起来，觉得他亲家已经有点可笑了。

"我没办法？我把他龟孙子的腿往断打呀！"

"咦呀？看把你能的！……好亲家哩，你这阵在气头上，我没办法说服你。不过，你也别太逞能了！这而今都是自由恋爱，法律保护婚姻哩！只要娃娃们同意，别说娘老子，就是天王老子也管不住！你敢动手动脚，小心公安局的法绳！"高明楼终究是大队书记，懂得法律政策，立刻将这武器拿出来警告他亲家。

刘立本的确被他这话唬住了。他怔了半天，在自己的脑袋上狠狠拍了一巴掌，转过身丢下明楼，独自一个人扯大步走了。两亲家今天第一次没把话说到一块儿！

高明楼在他后面慢慢往家里走。他心想：刘立本做生意算个把式，其他方面实在不精明。

按明楼的想法，巧珍最好能和加林结亲。一方面，他觉得巧珍能寻这么个女婿，也的确不错；另一方面，他很愿意加林和他大儿子成担子，将来和立本三家亲套亲，连成一体，在村里势众力强。这样一来，加林和他成了亲戚，也就不好意思为下了教师而恨他了。本来，高明楼刚听立本说这件事，心里有点高兴——他一路上正盘算怎样平息加林仇恨他的火焰哩！现在他看亲家对此事这样坚决地反对，也就摸不来事情的结局倒究会怎样了。

第十章

早晨，太阳已经冒花了，高加林才爬起来，到沟里石崖下的水井上去担水。他昨晚上一夜翻腾得没睡好觉，起来得迟了。

石头围了一圈的水井，脏得像个烂池塘。井底上是泥糊子、蛤蟆衣，水面上漂着一些碎柴烂草。蚊子和孑孓充斥着这个全村人吃水的地方。

他手里的马勺犹豫了半天，终于还是没有舀水。他索性赌气似的和两只桶一起蹲在了井台边。

此刻他的心情感到烦躁和压抑。全村正在用各种各样的风言风语议论他和巧珍的"不正经"，还听说刘立本已经把巧珍打了一顿，事情看来闹得更大了。眼前他又看见水井脏成这样也没人管（大家年年月月就喝这样的水，拿这样的水做饭），心里更不舒畅了。

所有这一切，使他感到沉重和痛苦：现代文明的风啊，你什么时候才能吹到这落后闭塞的地方？

他的心躁动不安，又觉得他很难在农村待下去了。可是，别的出路又在哪里呢？

他抬起头，向沟口望出去，大山很快就堵住了视线。天地总是这么地狭窄！

他闭住眼，又由不得想起了无边无垠的平原、繁华热闹的大城市、气势磅礴的火车头、箭一样升入天空的飞机……他常用这种幻想来满足自己的精神需要。

当他睁开眼睛的时候，他仍然在现实中。他看了看水井，脏东西仍然没有沉淀下去。他叹了一口气，想：要是撒一点漂白粉也许会好一点儿。可是哪来的这东西呢？漂白粉只有县城才能搞到。

他的腿蹲得有点麻了，就站起来。

他忍不住朝巧珍垴畔上望了望。他什么人也没看见。巧珍大概出山去了，或者被她父亲打得躺在炕上不能动了吧？要么，就是她害怕了，不敢再站在他们家垴畔上那棵老槐树下望他了——他每次担水，她差不多都在那里望他。他们常无言地默默一笑，或者相互做个鬼脸。

突然，高加林眼睛一亮：他看见巧珍竟然又从那棵老槐树背后转出来了！她两条胳膊静静地垂着，又高兴又害臊地望着他，似乎还在笑！这家伙！

她的头向他们家垴畔上面扬了扬，意思叫加林看那上面。

加林向山坡上望去，见刘立本正在撅着屁股锄自留地。

高加林立刻感到出气粗了。刘立本之所以打巧珍，还放肆地训斥他父亲，实际上是眼里没他高加林！"二能人"仗着他会赚几个钱，向来不把他这一家人放在眼里。

加林决定今天要报复他。他要和巧珍公开拉话，让他看一看！把他气死！

他故意把声音放大一点喊："巧珍，你下来！我有个事要和你说！"

巧珍一下子惊得不知该怎办。她下意识地先回过头朝她家的垴畔上看了看。刘立本不知听见没听见，但仍然在低头锄他的地。

巧珍终于坚决从坡里下来了。她甚至连路都不走，从近处的草洼里连跑带跳转下来，径直走向井台。

她来到他面前，鞋袜和裤管被露水浸得湿淋淋的。她忐忑不安地抠着手指头，小声问："加林哥……什么事？村子上面有人看咱两个呢，我爸……"

"不怕！"加林手指头理了一下披在额前的一绺头发说，"专门叫他们看！咱又不是做坏事哩……你爸打你了吗？"

他有点心疼地望着她白嫩的脸庞和亭亭玉立的身姿。

巧珍长睫毛下的眼睛里闪着泪花，含笑咬着嘴唇，不好意思地说："没打……骂了几句……"

"他要再对你动武，我就对他不客气了！"加林气呼呼地说。

"你千万不要动气。我爸刀子嘴豆腐心，不敢太把我怎样。你别生气，我们家的事有我哩！"巧珍扑闪着漂亮的眼睛，劝解她心爱的人。她看了看他身边的空水桶，问："你怎不舀水哩？"

加林下巴朝水井里努了努，说："脏得像个茅坑！"

巧珍叹了一口气，说："没办法。就这么脏，大家都还吃。"她转而忍俊不禁地失声笑了，"农村有句俗话，说不干不净，吃了没病……"

加林没笑，把桶从井边提下来，放到一块石头上，对巧珍说："干脆，咱两个到城里找点漂白粉去。先撒着，罢了咱叫几个年轻人好好把水井收拾一下。"

"我也跟你去？一块儿去？"巧珍吃惊地问。

"一块儿去！你把你们家的自行车推上，我带你，一块儿去！咱们干脆什么也别管了！村里人愿笑话啥哩！"加林看着巧珍的眼睛，"你敢不敢？"

"敢！你送桶去！我回去推车子，换个衣服。你也把衣服换一换！你别光给水井讲卫生，看你的衣服脏成啥了！你脱下，明天我给你好好洗一洗。"

加林高兴得脑袋一扬，用农村的粗话对他的情人开了一句玩笑："实在是个好老婆！"

巧珍亲昵地噘起嘴，朝加林脸上调皮地吹了一口气，说："难听死了……"

他们各自都怀着无比激动的心情，各回各家去了。

对于巧珍来说，在家里人和村里人众目睽睽之下，跟加林骑一个车子去逛县城，这无疑是一个大胆的挑战。对于她目前的处境来说，这需要多大的勇气啊！她之所以不怕父亲的打骂，不怕村里人笑话，完全是因为她对加林的痴迷的爱情！只要跟着加林，他让她一起跳崖，她也会眼睛不闭就跟他跳下去的！

对高加林来说，他做出这个决定，是对他所憎恨的农村旧道德观念和庸俗舆论的挑战，也是对傲气十足的"二能人"的报复和打击！

加林把空水桶放到家里，从箱子里翻出那身多时没穿的见人衣裳。他拿香皂洗了脸和头发，立刻感到容光焕发，浑身轻轻飘飘的。他对着镜子梳了梳头发，觉得自己强悍而且英俊！

他父亲出了山，母亲上了自留地，家里没人。他在一个小木箱里取出几块钱装在口袋里，就出门在埝畔上等巧珍——后村人出来都要经过他家门前埝畔下的小路。

巧珍来了，穿着那身他所喜爱的衣服：米黄色短袖上衣，深蓝的确良裤子。乌黑油亮的头发用花手帕在脑后扎成蓬松的一团，脸白嫩得像初春刚开放的梨花。

他俩肩并肩从村中的小路上向川道里走去。两个人都感到新奇、激动，谁都一句话也不说，也不好意思相互看一眼。这是人生最富有的一刻。他们两个黑夜独自在庄稼地里的时候，他们的爱情只是他们自己感受。现在，他们要把自己的幸福向整个世界公开展示。他们现在更多的感受是一种庄严和骄傲。

巧珍是骄傲的：让众人看看吧！她，一个不识字的农村姑娘，正和一个多才多艺、强壮标致的"先生"，相跟着去县城啰！

加林是骄傲的：让一村满川的庄稼人看看吧！大马河川里最俊的姑娘，著名的"财神爷"刘立本的女儿，正像一只可爱的小羊羔一般，温顺地跟在他的身边！

村里立刻为这事轰动起来。没出山的婆姨女子、老人娃娃，都纷纷出来看他们。对面山坡和川道里锄地的庄稼人，也都把家具撇下，来到地畔上，看村里这两个"洋人"。有羡慕得哑巴嘴的，有敲怪话的，也有撒凉腔的。正人君子探头缩脑地看，粗鲁俗人垂涎欲滴地看，更多的人都感到非常新奇和有意思。尤其是村里的青年男女，又羡慕，又眼红。川道一组锄地的两个暗中相好的姑娘和后生，看着看着，竟然在人背后一个把一个的手拉住了！

高加林和刘巧珍知道这些，但也不管这些，只顾走他们的。一群碎脑娃娃在他们很远的背后，嘻嘻哈哈，给他们扔小土圪垯，还一哇声有节奏地喊："高加林、刘巧珍，老婆老汉逛县城……"

高玉德老汉在对面山坡上和众人一块儿锄地。起先他还不知道大家跑到地畔上看什么新奇，也把锄搁下过来看了。当他看见是这码子事时，很快在大家的玩笑和哄笑声中跌跌撞撞退回到玉米地里。他老脸臊得通红，一屁股坐在锄把上，两只瘦手索索地抖着，不住气地摸起了赤脚片。他在心里暗暗叫道：乱子！乱子！刘立本这阵在哪里呢？要是叫"二能人"看见了，不把这两个疯子打倒在地上才怪哩！

刘立本此刻就在他家垴畔上的自留地里。所有这一切"二能人"也都看见了。不过，高玉德老汉的担心过分了。"二能人"正像他女子说的，刀子嘴豆腐心。他此刻虽然又气又急，但终于没勇气在众人的目光下，做出玉德老汉所担心的那种好汉举动来。他也只是一屁股坐到锄把上，双手抱住脑袋，接二连三地叹起了气……

第二天早晨，高家村的水井边发生了一场混乱。早上担水的庄稼人来到井边，发现水里有些东西。大家不知道这是何物，都不敢舀水了，井边一下子聚了好多人。有人证实，这些"白东西"是加林、巧珍和另外几个年轻人撒进去的。有人又解释，这是因为加林爱干净，嫌井水脏，给里面放了些洗衣粉。有的人又说不是洗衣粉，是一种什么"药"。

天老子呀！不管是洗衣粉还是药，怎能随便给水井里放呢？所有的人都用粗话咒骂：高玉德的嫩老子不要这一村人的命了！

有人赶快跑到前村去报告高明楼——让大队书记来看看吧！更多担水的人都在急躁地议论和咒骂。那几个和加林一起"撒药"的年轻庄稼人给众人解释，井里撒的是漂白粉，是为了讲卫生的。众人立刻把他们几个骂了个狗血喷头：

"你几个瞎眼小子，跟上疯子扬黄尘哩！"

"你妈不讲卫生，生养得你缺胳膊了还是少腿了？"

"胡成精哩！把龙王爷惹恼了，水脉一断，你们喝尿去吧！"

那几个拥护加林这次卫生革命的人，不管众人怎骂，都舀了水，担回家去了，但他们的父亲立刻把他们担回的水，都倒在了院子里。

水井边围的人越来越多了。而刘立本家里正在打架：刘立本扑着打巧珍，巧珍她妈护着巧珍，和老汉扭打在一起。亏得巧英和她女婿正在他们家，好不容易才把架拉开！刘立本气得连早饭也不吃，出去搞生意去了——他是从自家窑后的小路上转后山走的，生怕水井边的人们看见他。

高加林听说井边发生了事，要出来给乡党们说明情况，结果被他爸他妈一人扯住一条胳膊，死活不让他出门。老两口先顾不上责备儿子，只是怕他出去在井边挨打。

这时候，刘立本的三女儿巧玲从后沟里拿一本书走出来。她刚考完大学，在家里等结果。她起得很早，到后沟里背英语单词去了，因此刚才家里打架的事，她并不知道。现在她看见井边围了这么多人，就好奇地走过来打问出了什么事。

有人马上嘲讽地说："你二姐和你二姐夫嫌水井脏，放了些洗衣粉。你们家大概常喝洗衣粉水吧？看把你们脸喝得多白！"

巧玲的脸唰地红到了耳根。她虽然还不到二十岁，但个子已经和巧珍一般高。她和她二姐一样长得很漂亮，但比巧珍更有风度。巧玲早已看出她二姐在爱加林——现在知道她真的和加林好了。她对加林也是又喜欢又尊重，因此为二姐能找这么个对象，心里很高兴。昨晚给水井里撒漂白粉的事，她也知道。于是她就试图拿学校里学的化学原理给众人说漂白粉的作用。

她的话还没完，有人就粗鲁地打断了她："哼！说得倒美！你趴下先喝上一口！和你二姐夫一样咬凉腔哩！伙穿一条裤子！"

众人哄然大笑了。

巧玲眼里转着泪花子，羞得掉转身就跑——愚昧很快就打败了科学。

这时，听到消息的高明楼，赶忙先跑到巧珍家问情况。本来他想去问加林，但想了一下，还是没去，先跑到亲家家里来了。

他一进亲家的院子，看见他们家四个女人都在哭。刘立本已经不见了踪影。他的大儿子正笨嘴笨舌劝一顿丈母娘，又劝一顿小姨子。

明楼叫她们都别哭了，说事情有他哩！

他在巧珍和巧玲嘴里问明情况后，很快折转身出了刘立本家的大门，扯大步向沟底的水井边走去。

高明楼来到井边，众人立刻平静下来，他们看村里这个强硬的领导人怎办呀。

明楼把旧制服外衣的扣子一颗颗解开，两只手叉着粗壮的腰，目光炯炯有神，向井边走去，众人纷纷把路给他让开。

他弯腰在水井里象征性看一看，然后掉过头对众人说："哈呀！咱们真是些榆木脑瓜！加林给咱一村人做了一件好事，你们却在咒骂他，实实地冤枉了人家娃娃！本来，水井早该整修了，怪我没把这当一回事！你们为什么不担这水？这水现在把漂白粉一撒，是最干净的水了！五大叔，把你的马勺给我！"

高明楼说着，便从身边的一个老汉手里接过铜马勺，在水井里舀了半马勺凉水，一展脖子喝了个精光！

这家伙用手摸了一把胡楂子上的水，笑哈哈地说："我高明楼头一个喝这水！实践检验真理呢！你们现在难道还不敢担这水吗？"

大家都嘿嘿地笑了。

气势雄伟的高明楼使众人一下子便服帖了。大家于是开始争着舀水——赶快担回去好出山呀，太阳已经一竿子高了！

第十一章

高加林在他的"卫生革命"引起一场风波以后，心情便陷入了很大的苦闷中。

夜晚，他有时也不主动去找巧珍了，独自一个人站在村头古庙前那棵老椿树下面，望着星光下朦胧的、连绵不断的大山，久久地出神。全村人都已入了梦乡，看不见一星灯火，夏夜的风把他的头发吹得纷乱。

有时，在一种令人沉重的寂静中，他突然会听见遥远的地平线那边，似乎隐隐约约有些隆隆的响声。他抬头看，天很晴，不像是打雷。啊，在那遥远的地方，此刻什么在响呢？是汽车？是火车？是飞机？不知为什么，他总觉得这声音好像是朝着他们村来的。美丽的憧憬和幻想，常使他短暂地忘记了疲劳和不愉快，黑暗中他微微咧开嘴巴，惊喜地用眼睛和耳朵仔细搜索起远方的这些声音来。听着听着，他又觉得他什么也没有听见，才知道这只不过是他的一种幻觉罢了。他于是就轻轻叹一口气，闭住眼睛靠在了树干上。

巧珍总会在这样的时候，悄悄地来了。他非常喜欢她这样不出声地、悄然地来到他身边。他把他的胳膊轻轻搭在她的肩头。她的爱情和温存像往常一样，给他很大的安慰。但是，已不能完全冲刷掉他心中重新又泛起的惆怅和苦闷了。过去那些向往和追求的意念，又逐渐在他心中复活。他现在又强烈地产生了要离开高家村，到外面去当个工人或者干部的想法——最好把巧珍也能带出去！

他虽然这样想，不知为什么，又不想告诉巧珍。

其实，聪敏的巧珍最近已经看出了他的心思。从内心上讲，她不愿意让加林离开高家村，离开她，她怕失去他——加林哥有文化，可以远走高飞；她不识字，这一辈子就是土地上的人了。加林哥要是工作了，还会不会像现在一样爱她？

但是，当她看见亲爱的人苦闷成这个样子，又很想叫他出去工作。这样他就会高兴和愉快的。要是加林高兴和愉快，她也就感到心里好受一些。她想加林哥就是寻了工作，也再不会忘了她的；她就在家里好好劳动，把娃娃抚养好。将来娃娃大了，有个工作的老子，在社会上也不受屈。再说，自己的男人在门外工作，她脸上也光彩。

这样想的时候，她就很希望加林哥出去工作，好让他少些苦恼。可是，她又认真一盘算，觉得根本没门！现时这号事都要有腿哩！加林哥当个民办教师，都让瞎心眼子高明楼挤掉了，更不要说找正式工作了。

这一天晚上，还是在那棵老椿树下，当她看见加林还是那么愁眉苦脸时，就主动对他说："加林哥，你干脆想办法去工作去！我知道你的心思！看把你愁成啥了！我很想叫你出去！"

加林两只手抓住她的肩头，长久地看着她的脸。亲爱的人！她在什么时候都了解他的心思，也理解他的心思。

他看了她老半天，才开玩笑说："你叫我出去，不怕我不要你了吗？"

"不怕。只要你活得畅快，我……"她一下子哭了，紧紧抱住他，像菟丝子缠在草上一般，说，"你什么时候也甭把我丢下……"

加林下巴搁在她头上，笑着说："你啊！看你这样子，好像我已经有工作了！"

巧珍也抬起头笑了。她抹去脸上的泪水，说："加林哥，真的，只要有门道，我支持你出去工作！你一身才能，窝在咱高家村施展不开。再说，你从小没劳动惯，受不了这苦。将来你要是出去了，我就在家里给咱种自留地，抚养娃娃。你有空了，就回来看我；我农闲了，就和娃娃一搭里来和你住在一起……"

加林苦恼地摇摇头："咱们别再瞎盘算了，现在要出去找工作根本不行。咱还是在咱的农村好好打主意……你看你胳膊凉得像冰一样，小心感冒了！夜已经深了，咱们回！"

他们像往常一样，相互亲了对方，就各回各家去了。

高加林进了家门，发现高明楼正坐在他们家炕栏石上，和他父亲拉话。

见他进门来，他父亲马上说："你到哪里去了？你明楼叔等了你半天！"

高明楼对他咧嘴笑了笑，说："也没什么事喀！唉，加林！咱这农村，意识就是落后！你好心给水井里放了些漂白粉，人还以为你下了毒药呢！真是些榆木脑瓜！"

他父亲笑嘻嘻地对高明楼说："全凭你了！要不是你压茬，那一天早上肯定要出事呀！"

他母亲也赶忙补充说："对着哩！咱村里的事，就看他明楼叔拿哩！"

加林坐在脚地的板凳上，也不看高明楼，说："也怪我。我事先没给大家说清楚。"

高明楼吐了一口烟，说："事情已经过去了，再不提了，过两天两个组都抽几个人，把水井整修一下，把石堰再往高垒一些。哈呀！不整修再不行了！我前一个月看见一头老母猪躺在里面洗澡哩！"他两个手指头把纸烟把子捏灭，丢在脚地上，"我今黑夜来是想和你商量个事。是这，咱准备到城里拉一点茅粪，好准备种麦。后组里正锄地，人手抽不出来，准备前组先去两个人。我考虑了一下，想让你和德顺老汉去，不知你愿意不愿意？"

加林没说话。

他父亲赶忙对他说："你去！你明楼叔给你寻了个苦轻营生嘛！晚上只拉一回，用不了两三个小时，白天一天就歇在家里。往年大家都抢着去做这营生哩！"

高明楼又掏出一根烟，在煤油灯上吸着，看着低头不语的加林说："你大概怕城里碰上熟人，不好意思吧？年轻人爱面子！其实，晚上嘛，根本碰不上！"

高加林抬起头，只说了两个字："我去。"

明楼一看他同意了，便从炕栏石上下来，准备起身了。高玉德慌忙赤脚片溜下炕，同时加林他妈也从灶火圪崂里撵出来，准备送书记。

高明楼在门口挡住他们，然后对后面的加林说："你大概还不知道，拉粪去的人还是老规程，在城里吃一顿饭，钱和粮由队里补贴。今年还是巧珍去做饭，城里她姨家有一孔空窑。"

高加林点点头，"嗯"了一声。

高玉德一听是巧珍去做饭，嘴张了几张，结结巴巴说："明楼！做饭苦轻，最好去个老汉！巧珍年轻，现在劳动正繁忙，后组的地还没锄完哩……"

高明楼想笑又没好意思笑出来。他对玉德老汉说："还是巧珍去合适。城里做饭的窑是她姨家的，生人去了怕不方便……"说完就拧转身走了。

德顺老汉和加林、巧珍在村对面的简易公路上套好架子车，已经临近黄昏，远远近近都开始模糊起来了。对面村子里，收工回来的人声和孩子们的叫闹声，夹杂着正在入圈的羊的咩咩声，组成了乡间这一刻特有的热闹和骚乱气氛。

德顺老汉一巴掌在驴屁股上打掉一只牛虻，过来把草垫子放到车辕上，说："甭怕臭！没臭的，也就没香的！闻惯了也就闻不见了。"他走到前面车子旁边，从怀里掏出一个扁扁的酒壶，抿了一口，诡秘地对加林和巧珍一笑："你们两个坐在后面车上，我打头。吆牲灵我是老把式了，你们跟着就是。现在天还没黑，两个先坐开些！"他得意地眨眨眼，坐在了前面的车辕上。

后面车上的加林和巧珍被德顺老汉说得很不好意思，也真的别别扭扭一人坐在一个车辕上，身子离得很开。

德顺老汉"嘚儿"一声，毛驴便迈开均匀的步子，走开了。两辆车子一前一后，在苍茫的暮色中向县城走去。

德顺老汉在前面又抿了一口酒，醉意便来了，竟然张开豁牙漏气的嘴巴唱了两声信天游——

> 哎哟！年轻人看见年轻人好，
> 白胡子老汉不中用了……

加林和巧珍在后面车子上逗得直笑。

德顺老汉听见他们笑，摸了一下白胡子，说："啊呀，你们笑什么哩？真的，你们年轻人真好！少男少女，亲亲热热；我老了，但看见你们在一块儿，心里也由不得高兴啊……"

加林在后面喊："德顺爷，你一辈子为啥不娶媳妇？你年轻时候谈过恋爱没？"

"恋？爱？哼！我年轻时候比你们还恋得爱！"他又抿了一口酒，皱纹脸上泛起红潮，眼睛眯起来，望着东边山头上刚刚升起的月亮，不言传了。

驴儿打着响鼻，蹄子在土路上嘚嘚地敲打着。月光迷迷蒙蒙，照出一川泼墨似的庄稼。大地沉寂下来，河道里的水声却好像涨高了许多。大马河隐没在两岸的庄稼地之中，只是在车子路过石砭石崖的时候，才看得见它波光闪闪的水面。

高加林又在后面问："德顺爷，你说说你年轻时候的风流事嘛！我不相信你那时还会恋爱哩！"他朝身边的巧珍做了个鬼脸，意思是对她说：我激老汉哩！

德顺老汉终于忍不住了，抿了一口酒，说："哼！我不会恋爱？你爸才不会哩！那时我和你爸，还有高明楼和刘立本的老子，一块儿给刘国璋揽工，你爸年龄小，人又胆小，经常鼻涕往嘴里流哩！硬是我把你妈和你爸说成的……我那时已经二十几岁了，刘国璋看我心眼还活，农活儿不忙了，就打发我吆牲灵到口外去驮盐、驮皮货。那时，我就在无定河畔的一个歇脚店里，结交了店主家的女子，成了相好。那女子叫灵转，长得比咱县剧团的小旦都俊样。我每次赶牲灵到他们那里，灵转都计算得准准的。等我一在他们村出现，她就唱信天游迎接我哩。她的嗓音真好啊！就像银铃碰银铃一样好听……"

"唱什么歌哩？"巧珍插嘴问。

"听我给你们唱！"老汉得意地头一拐，就在前面醉心地唱起来了——

　　　　走头头的那个骡子哟三盏盏的灯，
　　　　戴上了那个铜铃子哟哇哇的声；

　　　　你若是我的哥哥哟招一招手，
　　　　你不是我的哥哥哟走呀走你的路……

老汉唱完，长长吐了一口气，说："我歇进那店，就不想走了。灵转背着她爸，偷偷地给我吃羊肉扁食、荞面饸饹……一到晚上，她就偷偷从她的房子里溜出来，摸到我的窑里来了……一天，两天，眼看时间耽搁得太多了，我只得又赶着牲灵，起身往口外走。那灵转常哭得像泪人一样，直把我送到无定河畔，又给我唱信天游……"

"大概唱的是'走西口'吧？对不对？"加林笑着说。

"对着哩！"说着，老汉又忍不住唱了起来。他的声音是沙哑的，似乎还有点哽咽，并且一边唱，一边吸着鼻涕——

哥哥你走西口，
小妹妹实难留；
手拉着哥哥的手，
送你到大门口。

哥哥你走西口，
小妹妹送你走；
有几句知心话，
哥哥你记心头：

走路你走大路，
万不要走小路；
大路上人马稠，
小路上有贼寇。

坐船你坐船后，
万不要坐船头；
船头上风浪大，
操心掉在水里头。

日落你就安生，
天明再登程；
风寒路冷你一个人，
全靠你自操心。

哥哥你走西口，
万不要交朋友；
交下的朋友多，

你就忘了奴——

有钱的是朋友，
没钱的两眼瞅；
哪能比上小妹妹我，
天长日又久……

德顺老汉上气不接下气地唱着。到后来，已经曲不成调，变成了一句一句地说歌词；说到后来，竟然抽抽搭搭哭起来了。哭了一阵，又嘿嘿笑出了声，说："啊呀，把它的！这是干甚哩！老呀老了，还老得这么不正相！哭鼻流水的，惹你们娃娃家笑话哩……"

巧珍不知什么时候已经靠在了加林的胸脯上，脸上静静地挂着两串泪珠。加林也不知什么时候，用他的胳膊搂住了巧珍的肩头。月亮升高了，远方的山影黑黝黝的，蒙上一层神秘的色彩。路两边的玉米和高粱长得像两堵绿色的墙，车子在碎石子路上碾过，发出轻微的沙沙声，路边茂密的苦艾散放出浓烈清新的味道，直往人鼻孔里钻。好一个夏夜啊！

"德顺爷，灵转后来干啥去了？"巧珍贴着加林的胸脯，问前面车子上黯然神伤的老汉。

德顺老汉叹了一口气："后来，听说她让天津一个买卖人娶走了。她不依，她老子硬让人家引走了……天津啊，那是到了天尽头了！从此，我就再也没见我那心上的人儿！我一辈子也就再不娶媳妇了。唉，娶个不称心的老婆，就像喝凉水一样，寡淡无味……"

巧珍说："说不定灵转现在还活着？"

"我死不了，她就活着！她一辈子都揣在我心里……"

车子拐过一个山峁，前面突然亮起了一片灯火，各种建筑物在月亮和灯火交织的光气里，影影绰绰地显露了出来——县城到了。

德顺老汉摸出酒壶抿了一口。他手里虽然不拿鞭子，也还像一个吆牲灵出身的把式那样，胳膊在空中一抡："喝儿——"

两辆车子轻快地跑起来，驴蹄子嘚嘚地敲打着路面，拐上了大马河桥，向县城奔驰而去……

第十二章

加林和德顺爷灌满一车子粪以后，老汉体力已经有点不支，加上又喝了不少酒，走路都摇摇晃晃的。加林硬把老汉送到巧珍做饭的窑里，让他坐到炕头上歇着，他就一个人拉着另一个架子车去掏粪。

他拉着车，尽量不走大街，也尽量不走灯光明亮处。虽然已经到夜里，街巷里基本没什么行人，但他仍然紧张地防备着，生怕碰见熟人和同学。

他拉着架子车，在街道北头那边一些分散的机关单位之间转悠。这个季节，乡里来城里掏粪的人很多，有时在一个单位的厕所里，茅坑底上还刮不了一担粪。他已走了几个单位，架子车的大粪桶还没装满一半。

前面就是县广播站。他犹豫地站在了街角一个暗影里，他想起了他的同学黄亚萍。

他站了一会儿，决定还是不去广播站的厕所掏粪。

他远远地绕开路，向车站那边走去——那里过往人多，说不定厕所里粪要多一些。

他在灯光若明若暗的街道上走着，心里忍不住感叹：生活的变化真如同春夏秋冬，一寒一暑，差别甚远！三年前，这样的夜晚，他此刻或者在明亮温馨的教室里读书，或者在电影院散场的人群里和同学们说说笑笑走向学校。要不，就是穿着鲜红的运动衣，潇洒地奔驰在县体育场的灯光篮球场上，参加篮球比赛，听那不绝于耳的喝彩声……

现在，他却拉着茅粪桶，东避西躲，鬼鬼祟祟，像一个夜游鬼一样。他忍不住转过头，又望了一眼灯光闪烁的广播站。黄亚萍此刻在干什么呢？读书？看电视？喝茶？

他很快觉得自己有点可笑了。自己现在这副样子，想这些干啥呢？他现在应该赶快把这车子粪装满才对。是的，人做啥就为啥操心哩！他现在的心思主要在掏粪上。哪个厕所要是没粪，他立刻失望丧气，哪个厕所里粪要是多一点，他高兴得直想笑！因为德顺爷爷就是这个样子，他感染了他，也使得他的心理渐渐自觉地成了这个样子。劳动啊，它是艰苦的，但也有它本身的欢乐！

高加林把粪车放在车站大门外，然后进去看厕所有没有粪。

他在厕所前面看了看，高兴得像发现了金子一般：厕所里的粪多得几乎几架子车也拉不完！

当他转到厕所后面的时候，一下子又不高兴了：不知哪里的生产队，已经在茅坑后面做了一个门，并且还上了锁。

高加林气愤地想：屎尿都有人霸占哩！他妈的，我今天要"反霸"了！

高加林的坏脾气遇到这类事最容易被引逗起来。他拾起一块石头片，没有砸锁，而是把锁下面的铁扣环撬起来，打开了门。

他从车子上把粪担子和粪勺取下来，开始在车站厕所的茅坑里舀起了粪。

他刚担了一担粪灌到架子车上的粪桶里，正准备去担第二担，突然有两个壮实的年轻人也来拉粪了。他们一色的的确良裤子，红背心上面印着"先锋"两个黄字。

加林知道，这是城关"先锋"队的人。这个队是蔬菜队，富足是全县有名的。

这两个年轻人一看加林正在担粪，气呼呼地放下架子车，过来了。

"你为什么偷我们的粪？"其中一个已经挡住了加林的路。

"粪是你们的？"加林不以为然地反问。

"当然是我们的！"另一个在旁边喊叫。

"怎能是你们的？这是公共厕所，又不是你们队的人屙尿的！"

"放你妈的屁！"前面那个后生已经破口了。

"把嘴放干净！骂谁哩？"加林浑身的肌肉绷紧了。

"骂你哩！你小子知道不知道？我们为了这点粪，满年四季给车站上的干部供菜，一分钱都不要！你凭什么来偷？"旁边那个人横眉竖眼地朝他喊叫。

"放下两块钱！赔锁子！"前面那人双手叉腰，说。

"赔钱？"加林头一扭，"我还要担哩！你们这些粪霸！"说着就担着粪担往前走。

那两个人都握住了拳头。前面的那个眼明手快，当胸就给了高加林一拳。

加林两眼冒火，把粪担往地上一撂，拉起舀粪的粪勺，就向那后生砍去！

前面的人一跳，躲过去了，后面的那个刹那间也操起了粪勺。于是，三个掏粪的人就在车站的停车场上打了起来。长柄粪勺在空中飞舞，粪点子把三个人都溅了满身。迷蒙的月光静静地照耀着这个骚乱的场面。一个小伙子的脚被加林一粪勺打麻了，叫唤了一声蹲在了地下，而加林自己的脊背上却被另外一个人砍了一粪勺。

直到车站的人跑出来，才把架拉开。光头站长把双方劝说了半天，让加林不要拉了，说车站已经和先锋队订了"合同"，粪只能由他们拉。

加林在心里骂道："还有脸说'合同'哩！拿你这个臭厕所白换着吃菜哩！"

他觉得再要担这粪，肯定还要打架的。人家两个人，他一个人，打不过。再说，他们离队近，要是再叫来一群人，不把他打死才怪哩！

他于是只好把粪担放在车上，拉起架子车离开了车站。

这附近只剩副食公司没去拉了。他原来主要考虑他的另一个同学张克南在那里工作，所以没去。

现在他猛然记起，克南不是已经调到副食门市去工作了吗？他很快决定去副食公司的厕所再看看。

他拉着车子，闻见自己满身的臭气，衣服和头发上都溅满了粪便。脊背上被砍了一粪勺的地方，疼得火烧火燎。他也不管这些，他只想着赶快把这车子粪装满，好早点回村——德顺爷和巧珍大概已经等急了。

他把架子车放在副食公司的大门口上，先进去看厕所有没有粪。

他从来没到过这里，找了半天才把厕所找见。他看了看，粪并不多，也很稀，但还是可以把他的粪桶子装满的。可只有一个不方便处：厕所到大门口路不太好，有几个地方很狭窄，粪车拉不到厕所旁边。

他于是决定一担一担往外担，担出来再倒进车上的粪桶里。

高加林忙碌地从车上取下粪担，到后面的厕所里担出了第一担粪。

担过副食公司院子的时候，在院子东南角一棵泡桐树下坐着的几个人，连连咂巴起了嘴，哼哼唧唧，显然嫌臭味打扰了他们在院子里乘凉。

高加林自己也觉得很抱歉。但这是没法的事。他内心里希望这些干部原谅他。

第二回他把粪担出来的时候，情况仍然是这样。但他还是硬着头皮担。

第三回担出来的时候，有一个妇女出口了，声音很大，是故意说给他听的："迟不担，早不担，偏偏在这个时候担，臭死人了！"

高加林听见这刺耳话，忍不住停住了脚步。但他想，再有一两回车上的粪桶就装满了，忍着点，赶快装满就走。

当他把这担粪灌完，又担着空担子进了院子的时候，那妇女竟然站起来，朝他这边喊："担粪的！你把人臭死了！你到其他地方去担喀，甭在这里欺负人了！"

高加林一下子站在院子里，两只手气得索索抖，牙齿狠狠咬住了嘴唇：明明是她在欺负人，竟然反咬说他欺负人。

火气从他心里冒上来，又被他强压了下去。他刚才已经和别人打了一架，不愿再发生什么冲突和纠葛，而且车子上的粪桶再有一两担就能装满。忍一忍，今晚上的任务就完成了。

于是他就又去担粪了。

等这回担出来的时候，那妇女竟然又站起来，气更大了，嗓门更粗了，话也更难听了："你这人耳朵坏了？给你说了一遍你不听，还在这里担，讨厌死人了！"

她旁边一个似乎老一点的干部说："你不要费嘴舌了，叫他担去，担完了就不臭了！"

"这些乡巴佬，真讨厌！"那妇女又骂了一句。

高加林这下不能忍受了！他鼻根一酸，在心里想：乡里人就这么受气啊！一年辛辛苦苦，把日头从东山背到西山，打下粮食，晒干簸净，拣最好的送到城里，让这些人吃。他们吃了，屁股一撅就屙就尿，又是乡里人来给他们拾掇，给他们打扫卫生，他们还这样欺负乡下人！

他对这个妇女产生了一种强烈的愤恨心理。

他一下子把一担茅粪放在副食公司的院当中，鼻子口里三股冒气向那棵泡桐树下走去，他要和那个放肆的女人辩几句。

当他快走到那几个人跟前的时候，那妇女先站起来，一下子不知这个愣后生要干什么呀。她旁边的几个老干部也紧张地站起来了。

高加林猛地停住了脚步，立刻感到惶愧不安了：天啊，这妇女竟然是张克南他妈！

他离她十几步远，已清楚地认出是她。他一下子不知如何是好了，前不好前，后不好后，两只手慌乱地抠起了手指头。不论怎样，他不能和克南他妈吵嘴呀！这事太叫人尴尬了！他想：怎办呀？给她道个歉？可他又没惹她！要不说个"对不起"？

正在他进退两难时，克南他妈竟然一指头指住他，问："你是哪里的？拉粪都不瞅个时候，专门在这个时候整造人呢！你过来干啥呀？还想吃个人？"

她显然已经记不得他是谁了。是的，他现在穿得破破烂烂，满身大粪；脸也再不是学生时期那样白净，变得粗粗糙糙的，成了地地道道的农民。他以前只去过克南家两三次，她怎能把他记住呢？

既然是这样，他高加林也就不想客气了。但他出于对老同学母亲的尊重，还是尽量语气平静地解释说："您不要生气，我很快就完了。这没有办法。我们在晚上进城拉粪，也是考虑到白天机关工作，不卫生；想不到你们晚上在院里乘凉哩……"

旁边那几个干部都说："算了，算了，赶快装满拉走……"

但克南他妈还气冲冲地说："走远！一身的粪！臭烘烘的！"

加林一下子恼了。他恶狠狠地对老同学他妈说："我身上是不太干净，不过，我闻见你身上也有一股臭味！"

克南他妈一下子气得满脸肉直颤，就要过来拉扯他了，亏得旁边那几个人硬把她挡住，然后叫加林不要闹了，去拉他的粪。

高加林掉转身，过去担起那担茅粪，强忍着泪水出了副食公司的大门。

他把粪倒进车子上的粪桶里，尽管还得两担才能满，他也不去担了，拉起架子车就走。

他拉着架子车，转到了通往街道的马路上，鼻子一阵又一阵发酸。

城市的灯光已经渐渐地稀疏了，建筑物大部分都隐匿在黑暗中。只有河对面水文站的灯光仍然亮着，在水面上投下了长长的橘红色的光芒，随着粼粼波光，像是一团一团的火焰在水中燃烧。

高加林的心中也燃烧着火焰。他把粪车子拉在路边停下来，眼里转着泪花子，望着悄然寂静的城市，心里说：我非要到这里来不可！我有文化，有知识，我比这里生活的年轻人哪一点差？我为什么要受这样的屈辱呢？

这时候，他的目光向水文站下面灯火映红的河面上望去，觉得景色非常壮观。他浑身的血沸腾起来，竟扔下粪车子，向那里奔去。

快到河边的时候，他穿过一大片菜地。他知道这是"先锋"队的。想起刚才车站上的斗殴，他便鼻子口里热气直冒，跑过去报复似的摘了一抱西红柿。

他来到河边的一个被灯火照亮的水潭边，先把一抱西红柿抛到水里，然后他自己也跟着一纵身跳了下去。

他在水里憋着气，尽量使自己往下沉，然后又让身体慢慢浮上水面来。

他游了一阵，把西红柿一个个从水面上捞起，洗净，又扔到岸上。他自己也拖着水淋淋的衣服爬上来，一屁股坐下，抓起一个西红柿，狼吞虎咽吃了起来……

高加林折腾了半夜，才和德顺老汉、巧珍拉着两架子车茅粪回到村里。

巧珍先回了家。他和德顺老汉把粪倒在村前的粪坑里，拿土盖起来。

德顺老汉独个儿去经管牲口去了。他便怀着一颗快快不快的心回到了家里。

他父亲在前炕上拉呼噜，他母亲爬起来，问他怎这时候才回来。

他没有回答，在箱子里寻找干衣服。他母亲摸索着，从后炕头的针线篮里取出一封信递给他，说："你二爸来的。你先看，我睡呀，明早上再给我们念……"说完就躺下睡了。

高加林先没换衣服，赶忙拆开信，凑到煤油灯前看起来——

大哥、嫂嫂：

你们好！

我要告诉你们一个好事：组织已经同意了我的请求，让我转业到咱们地区工作了。现在听地方上来函说，初步决定安排让我在地区专署当劳动局长。

我是很高兴的，几十年离别家乡，梦里都常想回来。现在我也年过半百，俗话说，落叶归根，在家乡度过晚年是我最大的愿望。

我的几个孩子都已在新疆参加了工作，为了不给党增添麻烦，就让他们在当地工作吧，不转回来了。我和孩子妈，再有最小的加平，一共三口人回来。

我要是回到咱地区，等工作定下来，就准备回咱村子一回，看望你们。

余言见面再叙。

弟：玉智

高加林看完信，激动得在炕栏石上狠狠拍了一巴掌，大声喊："爸！妈！快醒一醒……"

第十三章

早饭时分，一辆草绿色的吉普车开进高家村，在村子中央那块空场地上停下来。

高玉德当兵走了几十年的弟弟回来了！消息风快就传遍了全村。村里的人，不论大人还是娃娃，纷纷丢下正在吃饭的碗，向高玉德家的破墙烂院里拥来了。

高家村好多年都没有这样热闹过。老婆老汉们拄着拐杖，媳妇们抱着吃奶娃娃，庄稼人推迟了出山的时间，学生娃们背着上学起身的书包，熙熙攘攘，大呼小叫，纷纷跑来看"大干部"。全村的狗不知这里发生了什么事，也吠叫着跟人跑来了。村子里乱纷纷的，比谁家娶媳妇还红火。

高玉德家的窑里已经挤满了人。更多的人都拥在院子里和埝畔上，轮流挤到门口，好奇地看他们村在门外的这个最大的人物。

加林妈在旁边窑里做饭。好多婆姨女子都在帮助她。有的拉风箱，有的切菜，有的擀面。遇到这样的事，所有的邻居都乐意帮忙。

高加林从叔父的提包里拿出许多糖，正给人群里的娃娃们散发。他尽量想保持一种含蓄的态度，但掩饰不住的兴奋仍然使他容光焕发，动作也显得比平时零碎了。

高玉德、高玉智两弟兄被一群年纪大的人包围在他家的脚地当中。玉智已经换上了地方干部的服装，比他哥看上去不是小十岁，而是小二十岁。他身材不高，但挺胖，红光满面，很少有皱纹。头发还是乌黑的，只是两鬓角夹杂几根白发。他笑容满面，辨认他小时候的伙伴们。这些人都已年过半百，又亲切又拘束地接过他双手敬上的纸烟。德顺老汉和另外一些长辈进来的时候，玉智把他们一个个搀扶着坐在炕栏石上，问他们的身体和牙口怎样。这些老汉又都从炕栏石上溜下来，在他身上摸一摸，或者拍一拍，纷纷张开没牙的嘴抢着嚷嚷：

"啊，好身体……"

"听说你身上挂了不少彩？"

"有一阵子，你杳无音信，还传说你牺牲了呢！"

"哈呀，就听说你而今把官熬大了！"

……

高玉智笑呵呵地回答他们的问话。玉德老汉站在他旁边，嘴里噙着旱烟锅，一边笑，一边用瘦手抹眼泪。

陪同高玉智回村的县劳动局副局长马占胜同志，出去解了个手，就再挤不进高玉德家的院里了。

高加林在埝畔上碰见他，硬拉着他往回挤。但马占胜说："先等等。你叔父几十年第一次回家，村里人都想看他哩！你要是不忙，咱先到吉普车里坐一坐！"

加林今天很高兴，说他现在没什么事，就和老马向吉普车那边走去。

吉普车里已经挤满了一群娃娃。占胜要赶他们下来，加林拦住他说："算了，算了，娃娃们没见过这东西，叫坐一坐，咱就先在这树下站一会儿。"

占胜一条胳膊亲热地搂着加林的肩头，对他说："旁的事我先不和你拉搭，我先只对你说一句话，你的工作我们会很快妥善解决的……"

高加林的心猛一阵狂跳。这句话对他的神经冲击太大了！在他还没有反应过来的时候，高明楼已经站在了他们面前。

明楼笑着说："加林，你还不回家招呼你叔父去？你爸你妈人老了，手脚不麻利，家里又再没个人……"他说完转过身，热情地和马占胜握起了手。

加林说："老马挤不到我家里，我陪他在这儿站一会儿。"

明楼说："你去你的。叫马局长先到我家里坐一坐。另外，你告诉你妈，你叔父头一顿饭在你们家吃，下一顿饭就不要准备了，我们家已经准备上了。啊呀，多不容易呀！玉智几十年闹革命不回家，说什么也得在我家里吃一顿饭！"他转过头对占胜说，"玉智是我们村在门外最大的干部，是整个高家村的光荣！"

"高玉智同志现在是咱们地区的劳动局局长，我的直接上级。"马占胜对高明楼说。

"我已经知道了！"高明楼一边说，一边让加林回家忙去，他便拉着马占胜到前村他们家去了。

吃过饭以后，加林跟着父亲和叔父上了祖父祖母的坟地。

祖坟在村子后面一个向阳的山坡上。两座坟堆上长满了茂密的蒿柴茅草——两位老人在这里已经长眠十几年了。

玉德老汉从随手提来的竹篮里取出一些馍和油糕，放在石头供桌上，又拿出一把黄表纸点着烧了，然后拉着玉智和加林跪下磕头。玉智稍犹豫了一下，但看见他哥脸像黑霜打了一般难看，就跟着跪下了。在这样的场合，劳动局局长只得入乡随俗。

他们三个连磕了三个头。加林和他叔父站了起来。玉德老汉却一头扑在黄土地上，啊嘿嘿嘿嘿地哭开了，弄得他两个都很尴尬。听见他哥伤心的哭声，玉智也掏出手帕抹着不断涌出来的泪水。他从小离开父母亲，直到他们入土，他也再没见他们。他记起在他小时候老人们受的苦，又想到他以后一直没有在他们身边，也由不得失声痛哭起来。加林皱着眉头在一边看他们哭。

两弟兄哭了一阵后，玉智把他哥搀扶起来。玉德老汉哽哽咽咽说："咱老人……活的时候……把罪受了……"

高玉智非常内疚地说："我一直在外，没好好管老人，想起来心里很难过。这已经没法弥补了。现在，我已回到咱家乡工作了，以后我要尽量帮扶你们哩……有什么困难，你就说，哥！我要把对咱老人欠的情，在你和嫂子身上补起来……"

高玉德怔了一阵，说："我们老两口也是快入土的人，没什么要牵累你的。现在农村政策活了，家里有吃有穿，没什么大熬煎。要说大熬煎，就是你这个侄儿子！"他朝加林看了看，"高中毕了业，就在村里劳动。人家有腿的，都走后门工作了，他……"

"你不是在村里教书着哩？"玉智转过头问加林。

没等加林回答，玉德老汉赶忙说："现在学生娃少了，用不了那么多教师，就回来了。"他生怕加林在他兄弟面前告高明楼。他不愿意让玉智知道明楼下了加林的教师。不管怎说，明楼是他们村的领导，不能惹！玉智屁股一拍就走了，但他们要和明楼在一个村生活一辈子哩！

高玉智沉默了一会儿，对他哥说："好哥哩，按说，你提出什么要求，我都要尊哩！但这件事你千万不要为难我！我任职后，地委和专署领导找我谈了话，说地区劳动局的前任局长，就是走后门招工太多，民愤很大，才撤换了的。领导说我刚从部队下来，又一直是做政治工作的，就让我担任了这个职务。这是信任我哩！我怎能辜负组织的信任，刚上任就做这些违法事呢？其他事怎样都可以，但这种事我可是坚决不能做啊！哥，你要理解我的心情哩……"

高玉德老汉听兄弟这么一说，思谋了半天，说："既然是这样，也就不能为难你了。唉……"老汉长叹了一口气，拍了拍膝盖上的土，便叫玉智和加林回村，他说走时明楼一再安咐，他们家的饭做好了，专门等着玉智哩……

高明楼此刻正和马占胜在他的"会客室"里拉话。

明楼现在心里很慌，生怕高加林给他叔父告他，说他走后门让自己儿子当了教师，而把他弄回队里参加了劳动。当时这事是他和占胜共同谋划的，因此这两个当事人现在首先就谈这事。

"万一这事让高局长知道了怎办？"明楼问正在喝茶的马占胜。

占胜咧嘴一笑："有个比教师更好的工作让他干，他还能再对咱说一长二短吗？"

"更好的工作？"明楼瞪起眼，"现时国家又不在农村招工招干，哪有比民办教师更好的工作？"

"正好最近地区给咱县上的小煤窑批了几个指标。当然，这几个指标本来没城关公社的，因为城关以前走的人太多了。"马占胜接过明楼递上的纸烟，点着吸了一口。

"加林恐怕不愿去掏炭！"

"谁让他掏炭哩？现在县委通讯组正缺个通讯干事，加林又能写，以工代干，让他就干这工作，保险他满意！"

"这恐怕要费周折哩！"

"我早把上上下下弄好了。到时填个表，你这里把大队章子一盖，公社和县上有我哩。反正手续做得合法，捣鬼也要捣得实事求是嘛！"

马占胜一句不通顺的笑话，不光逗笑了高明楼，把自己也逗笑了。

两个人哈哈大笑了一番，明楼才问："高局长提起给加林找工作的事没？"

"啊呀！你就在高家村是个精明人！"马占胜讥讽地看了一眼高明楼，"而今办这类事，哪个笨蛋领导明说哩？这就看手下人的心眼活不活嘛！咱主动给领导把这种事办了，领导表面上还批评你哩，可心里恨不得马上把你提拔了！"

高明楼惊得张开嘴半天合不拢。他心里想：怪不得占胜年纪不大，三十刚出头，就从公社的一般干部提成副局长了！这人不得了，以后的前程大着哩！

正在他俩拉话的时候，三星已经引着高玉智进了院子。

明楼和占胜慌忙迎了出去。

高明楼把地区和县上的两位局长接进"会客室"，他老婆上茶，他的大媳妇敬烟点火。

高玉智本不想来这里，但他哥不让，让他一定得去吃这顿饭！说明楼是村里的领导人，不能伤了他的脸。再说，老先人都姓高！他只好来了。

高明楼让占胜先陪高局长喝茶抽烟，他过来在厨房里安咐他老婆和儿媳妇先别忙着上菜。

他出了院子，把正在院墙角里抽烟的三星叫过来，压低声音问："你怎不把你高大叔和加林也叫来？"

"你没给我安咐叫他两个嘛！"他儿子困惑地看着他爸恼悻悻的脸。

"糊脑松！实实的糊脑松！你他妈的把书念到屁股里了！你快给我再叫去！"

在上饭的前一刻，高玉德终于被三星捉着胳膊拉来了。

明楼慌忙出去，亲热地扶住他的另一条胳膊，问："加林怎不来？"

玉德老汉说："那是个犟板筋，不来就算了！"

高玉德立刻被明楼父子俩簇拥着进了窑，扶在了上席上，高玉智和马占胜分坐在两边。明楼在下席上落了座。

饭菜很快就上来了。偌大的红油漆八仙桌，挤满了碟子、盆子、大碗、小碗，山珍和海味都有，比县招待所的客饭要丰盛得多。这家伙不知从哪里搞来这么多稀罕东西！

明楼起来敬酒。第一杯满上，双手齐眉举起，敬到高玉德面前。

高玉德两只瘦手哆哆嗦嗦接过了酒杯。一杯酒下肚，老汉的五脏六腑搅成了一团！他看看高明楼满脸巴结的笑容，又看看身边的弟弟，老汉内心那无限的感慨，还用在这里细细摆出来吗？

半个月以后，高玉德的独生子高加林就成了国家正式工人，并且只去县煤矿报个到，而后就要在县委大院当干部了。他是怎样走到这一步的？中间经过些什么手续？这些连他自己也不知道。他只填了一张招工表，其余的事都由马占胜一手包办了。

生活在一瞬间就发生了巨大的转折！

村里人对这类事已经麻木了，因此谁也没有大惊小怪。高加林教师下了当农民，大家不奇怪，因为高明楼的儿子高中毕业了。高加林突然又在县上参加了工作，大家也不奇怪，因为他的叔父现在当了地区的劳动局局长。他们有时也在山里骂现在社会上的一些不正之风，但他们的厚道使他们仅限于骂骂而已。还能怎样呢？

高加林离开村子的时候，他父亲正病着。母亲要侍候他父亲，也没来送他。

只有一往情深的刘巧珍伴着他出了村，一直把他送到河湾里的分路口上。铺盖和箱子在前几天已运走了，他只带个提包。巧珍像城里姑娘一样，大方地和他一边扯一根提包系子。

他们在河湾的分路口上站住后，默默地相对而立。在这里，他曾亲过她。但现在是白天，他不能亲她了。

"加林哥，你常想着我……"巧珍牙咬着嘴唇，泪水在脸上扑簌簌地淌了下来。

加林对她点点头。

"你就和我一个人好……"巧珍抬起泪水斑斑的脸，望着他的脸。

加林又对她点点头，怔怔地望了她一眼，就慢慢转过了身。

他上了公路，回过头来，见巧珍还站在河湾里望着他，泪水一下子模糊了高加林的眼睛。

他久久地站着，望着巧珍白杨树一般可爱的身姿，望着高家村参差不齐的村舍，望着绿色笼罩了的大马河川道，心里一下子涌起了一股无限依恋的感情。尽管他渴望离开这里，到更广阔的天地去生活，但他觉得对这生他养他的故乡田地，内心里仍然是深深热爱着的！

他用手指头抹去眼角的泪水，坚决地转过身，向县城走去。

在前面，在生活的道路上，他将会怎样走下去呢？

下　篇

第十四章

高加林进县城以后，情绪好几天都不能平静下来。一切都好像是做梦一样。他高兴得如狂似醉，但又有点惴惴不安。他从田野上再一次来到城市。不过，这一次进来非同以往。当年他来到县城，基本上还是个乡下孩子，在城市的面前胆怯而且惶恐。几年活跃的学校生活，使他渐渐把自己的思想感情和生活习惯与城市紧密地融合在了一起，他很快把自己从里到外都变成了一个城里人。农村对他来说，变得淡漠了，有时候成了生活舞台上的一道布景，他只有在寒暑假才重新领略一下其中的情趣。

正当他和城市分不开的时候，城市却毫不留情地把他遣送了出来。高中毕业了，大学又没考上，他只得又回到自己已经有些陌生的土地上。当时的痛苦对这样一个向往很高的青年人来说，是可想而知的，也是可以理解的。但这并不是通常人们说的命运摆布人。国家目前正处于困难时期，不可能满足所有公民的愿望与要求。

如果社会各方面的肌体是健康的，无疑会正确地引导这样的青年认识整个国家利益和个人前途的关系。我们可以回顾一下我国五十年代和六十年代初期对于类似社会问题的解决。令人遗憾的是，我们当今的现实生活中有马占胜和高明楼这样的人。他们为了个人的利益，有时毫不顾忌地给这些徘徊在生活十字路口的人当头一棒，使他们对生活更加悲观；有时，还是出于个人目的，他们又一下子把这些人推到生活的顺风船上。转眼时来运转，使得这些人在高兴的同时，也感到自己顺利得有点茫然。

高加林现在之所以高兴得如狂似醉，是他认识到，这次进县城，再不是一个匆匆过客了，他已经成了县城的一员。当然，他一旦到了这样的境地，就不会满足一生都待在这里。不过，眼下他能在这个城市占据一个位置，已经完全心满意足了。何况，他现在的这个位置在这个城市是多么瞩目啊！通讯干事，就是县上的"记者"，到处采访，又写文章又照相，名字还可以上报纸。县上开个大会，照相机一挎，敢在庄严神圣的主席台上平进平出！

他知道他今天这一切全仰仗马占胜同志。他叔父诚心诚意不给他办事！但是，他不办，有人替他办。他从自己人间天上一般的变化中，才具体地体验到了什么叫"后门"——后门，可真比前门的威力大啊！想到他是从"后门"进来的，心里也不免有些惴惴不安：现在到处都在反这东西！

但他很快又想：查出来的是少数！占胜说，哪个猫都沾腥哩！他让他放心，说出了事有他哩！于是他就尽量不往这方面想了。他觉得他既然已经成了国家干部，就要好好工作，搞出成绩来。这种心情也是真实的。他有时还把他的变化归到了党的关怀上，下决心努力为党工作——并且还庄严地想：干脆，明年就写入党申请书！

他的领导叫景若虹。老景比他大十几岁，瘦高个，戴一副白框眼镜。他"文化大革命"开始那年在省上师范大学中文系毕业。在高加林来之前，老景是县上唯一的通讯干事。

老景初次见面，给人的印象非常和蔼，表面上不多言语，但开口一谈吐，学问很大，内涵也很深。高加林很快就喜欢上了他，称他景老师。老景虽然没被任命什么官，但不用说，是他的当然领导。

上班后的头一两天，老景不让他工作，让他先整顿一下自己的行装和办公室，没事了出去玩一玩。

他和老景的办公室在县委的客房院里，四面围墙，单独开门。他和老景一人占一孔造价标准很高的窑洞。其余五孔窑洞是本县最高级的"宾馆"，只有省上和地委领导偶尔来一次，住几天。把通讯干事安排在这里办公，显示了县委领导对舆论宣传工作的重视。这里条件好，又安静，适合写文章。

高加林在外面晾晒完铺盖，放好了箱子。老景带他去县委办公室领了一套办公用具。桌椅板凳和公文柜在他来的前一天都已经摆好了。

所有这些弄好以后，高加林独个儿在窑里走来走去，这里看看，那里摸摸，忍不住嘴里哼起了他所喜爱的一首苏联歌曲《第聂伯河汹涌澎湃》，或者在镜子里照一会儿自己生气勃勃的脸。

一切都叫人舒心爽气！西斜的阳光从大玻璃窗户射进来，洒在淡黄色的写字台上，一片明光灿烂，和他的心境形成了完美和谐的映照。

全部安排好了。在县委的大灶上吃完下午饭，他就悠然自得地出去散步——先到他的母校县立中学。

正在假期，校园里没什么人。他徜徉在这亲切熟悉的地方，过去生活的全部事情都浮现在眼前了。手风琴的醉心的声音，学校运动会上的笑语喧哗，也在耳边喧响起来。当年同学们的脸庞一个个都历历在目。

最后，他回忆的风帆才在黄亚萍的身边停下来。他和她在哪一块地方讨论过什么问题、说过什么话，现在想起来都一清二楚。

他在他经常去的几个地方分别按当年的姿势坐了坐，或躺一躺，忍不住热泪盈眶了。少年时期经历过的一草一木，在任何时候都会非常亲切地保留在一个人的记忆中，并且一想起就叫人甜蜜得鼻子发酸！

从学校里出来，他又去了县体育场——他是体育爱好者，是学校许多项目运动队的队员。尤其是篮球，他和克南都是校队的主力。他曾在这里度过了许多激动人心的傍晚！

他从体育场转出来，从街道上走了过去，像巡礼似的把城里主要的地方都转悠了一遍，最后才爬上东岗。

东岗长满了一片一片的小树林，有的树还是当年他们在清明节栽下的。山顶上是烈士陵园，埋葬着一百多名为解放这座县城而牺牲的战士。那已经有些斑驳的石碑告诉人们，从那时到现在已经过去了三十多个年头。

这是县城风景最优美的地方。一般市民的兴趣都在剧院和体育场上。经常来这里的大部分是中学教师、医院里的大夫这样一些本城的知识分子。山岗很大，没几个人来，显得幽静极了。

高加林坐在一棵大槐树下。透过树林子的缝隙，可以看见县城的全貌。一切都和三年前他离开时差不多，只是街面上新添了几座三四层的楼房，显得"洋"了一些。县河上新架起了一座宏伟的大桥，一头连起河对面几个公社通向县城的大路，另一头直接伸到县体育场的大门上。

西边的太阳正在下沉，落日的红晖抹在一片瓦蓝色的建筑物上。城市在这一刻给人一种异常辉煌的景象。城外黄土高原无边无际的山岭，像起伏不平的浪涛，涌向了遥远的地平线……

当星星点点的灯火在城里亮起来的时候，高加林才站起来，下了东岗。一路上，他忍不住狂热地张开双臂，面对灯火闪闪的县城，嘴里喃喃地说："我再也不能离开你了……"

县城南面的一场暴风骤雨，给高加林提供了第一次工作的机会。

暴雨是早晨开始下的。城里雨也不小，但根据电话汇报，雨最大的地方是南马河公社。那里好几个村庄都被洪水淹没。初步统计，有三十多个人被洪水冲走，至今没有一点踪影；窑洞和房屋被水冲垮，许多人无家可归；全公社已经展开紧张的救灾活动……

为了及时报道救灾情况，正在患感冒的景若虹决定当天亲自去南马河公社。高加林坚决不让老景去，因为雨仍然在下着，老景感冒很重，淋雨根本不行。

加林硬不让老景去，而要求老景让他去。他对老景说，他第一次出去搞工作，这正是一个考验，就是稿子写不好，他也可以把材料收集回来让老景写。景若虹只好同意了。

高加林没骑自行车，因为听说南马河的大部分路都被冲坏了。他穿了一件公用雨衣，裤子挽在半腿把上，冒雨向南马河公社赶去。

他一路上热血沸腾。他性格中有一种冒险精神——也可以说是英雄主义品格。这种精神在无聊的斗殴中显示是可悲的，但遇到这样的情况，却显得很可贵了。

他在这种时候，精力充沛，精神集中，动作灵敏，思路清晰，一刹那间需要牺牲什么，他就会献出什么！

他是黄昏前出发的，出城没走几里路，天就黑了。

雨在头上浇盖着，天黑得伸出手看不见巴掌。他尽管路不熟，但仍然几乎是小跑着向南马河走。嗓门眼渴得像要烧着火，他就随便伏在路边的水坑里喝上几口。脚不知什么时候碰破了，连骨头都感到生疼。但所有这一切反而增加了他的愉快心情——这绝不是夸大的说法！真的，高加林此刻感到他真正像个新闻记者了。他尽管一天记者也没当过，但深刻理解这个行业的光荣就在于它所要求的无畏的献身精神。他看过一些资料，知道在激烈的战场上，许多记者都是和突击队员一起冲锋——就在刚攻克的阵地上发出电讯稿。多美！

高加林是县上第一个到达南马河公社的干部。县委副书记率领的救灾队伍比他迟到了整整五个钟头——已经临近天明了。

加林到南马河时，公社干部谁也不认识他。他自己给他们介绍说，他是县上新任通讯干事，赶来采访报道救灾情况的。大家一看这个二十刚出头的青年人浑身糊成个泥圪垯，脚上还流着血，立刻深受感动，赶忙给他做饭吃。公社干部们也是刚从灾情最重的一个大队回来，吃完饭，准备又起身到另一些大队去。他们一个个也都是浑身透湿，脸被泥糊得只露两只眼睛。公社书记刘玉海浑身负了七处伤，都用纱布缠着，简直就像刚从打仗的火线上下来一般。

他们硬让加林换身衣服，把脚包扎一下，然后由公社文书在家向他汇报情况，其余的人又都出发去做救灾工作了。

加林坚决不依，硬要跟大家一块儿去。他只从提包里拿出塑料袋包的笔记本和钢笔，就强行跟着他们出发了。公社文书开玩笑说，他要先给县上的通讯干事写一篇报道，表扬他的这种工作精神。

半路上，这支满身泥巴的队伍分成了几组，分别到几个大队去查看情况，组织救灾。

高加林和文书小马跟书记刘玉海到寺佛大队去。一路上，他们谁也看不见谁，摸索着相跟前进。河道里山洪的咆哮声震耳欲聋，雨仍然瓢泼似的倾泻着。公社文书一边跌跌爬爬，一边给他谈全公社已知的受灾情况和公社的救灾措施。高加林在心里记录着。书记刘玉海一声不吭，走在前边。

到寺佛大队后，他们刚一落脚，村里就跑来许多人，一个个哭鼻流泪，纷纷告诉刘玉海塌了多少窑，冲走了多少牲口，毁坏了多少庄稼……

刘玉海胳膊腿都缠着纱布，脸黑苍苍的，大声问队干部："人怎样？"

大家回答："人都在哩！"

刘玉海没受伤的左胳膊一抡，吼雷一般喊道："只要人在，什么也不怕！"

这一声把大家顿时喊得精神振奋了起来。刘玉海马上把队干部们拉在公窑的灶火圪崂里，在地上圪蹴成一圈，商量起了救急的办法。

高加林也被刘玉海这一声喊叫强烈地震动了。他侧过头，看见圪蹴在庄稼人中间的刘玉海，形象就像《红旗谱》里的朱老忠一样粗犷和有气魄。他看到他浑身都带着伤，还这样操心老百姓的事，心里非常感动。生活中有马占胜、高明楼这样的奸猾干部，同时也有刘玉海这样的好干部啊！马占胜虽然给他走了后门，但他在内心里并不喜欢他。刘玉海虽然第一次见面，他就被这个人强烈地吸引住了。

他想起刚才老刘那声喊叫，灵感立刻来了。他把笔记本和钢笔从塑料袋里掏出来，写下了他的第一篇报道的题目：《只要有人在，大灾也不怕》。

他就着公窑里微弱的灯光，专心写起了这篇报道。外面哗哗的大雨和河道里的山洪声喧嚣成了一片巨大的声响，但他都听不见。他激动得笔杆抖颤，在本子上飞快地写着。消息报道的门路架数他都懂得——他经常读报，各种文体早都在心中熟悉了。

写完稿子后，他就跟刘玉海到救灾现场，泥一把水一把地和众人一起干了起来。

第二天早晨，他把他的报道托公社的邮递员送到了老景的手里。

晚上，他和刘玉海、文书一同回到公社，参加了一次紧急会议。会上，各队回来的干部分别汇报了情况。高加林第一次参加这样的会议，但他毫不拘束地向许多人提问，搜集具体的情况和一些英雄模范事迹。

会后，除过值班人员外，刘玉海给大家安排了三个钟头的睡觉时间，然后半夜里又准备出发。

高加林没有睡。他在煤油灯下又连续写了三篇短通讯和一篇综合报道。

他写完后，出来站在公社门前，舒展了一下胳膊腿。

这时候，县上的有线广播开始播音。首先是本县节目，广播上传来了黄亚萍圆润洪亮的普通话："……社员同志们，现在请听高加林采写的报道：《只要有人在，大灾也不怕》……"亚萍的声音听起来有点激动，尤其是读到刘玉海那一段事迹时很动感情，播音节奏似乎也比平时要快一点。

高加林站在窑檐下，心咚咚地跳着，一直听完了他的第一篇报道——尊敬的景老师连一个字都没改！

一种幸福的感情立刻涌上了高加林的心头，使他忍不住在哗哗的雨夜里轻轻吹起了口哨。

第二天，加林收到老景一张纸条，上面简短写着几个字：你干得很出色。等着你的下一批报道。什么时候回县城，由你决定……

高加林遵照老景的指示，把南马河抗灾的报道一篇又一篇发回到县上。晚上和早晨，有线广播不时传来黄亚萍圆润洪亮的普通话："……现在播送高加林从南马河抗灾第一线采写的报道……"

一直到第五天，高加林才随县委的慰问团一起回到了城里。

第十五章

高加林从南马河回来以后，倒在床上就什么也不知道了。

他已经整整睡了一个晚上。第二天，他连早饭也没来吃，继续睡。

他在迷糊中，突然听见好像有人敲门。起先他以为是敲老景的门。仔细一听，却是敲他的门。他想，大概是老景叫他哩！赶忙从床上起来，一边穿衣服，一边对门外说："景老师，你进来！"

门外传来一阵咯咯的笑声。一听是个女的！

他赶忙又朝门外喊："先等一等！"

他很快把衣服穿上，前去开门。

门一打开，他惊讶地后退了一步：原来是黄亚萍！

亚萍手扶住门框，含笑望着他。她已不像学校时那么纤弱，变得丰满了。脸似乎没什么变化，不过南方姑娘的特点更加显著：两道弯弯的眉毛像笔画出来似的。上身是一件式样新颖的薄薄的淡水红短袖，下身是乳白色筒裤，半高跟赭色皮凉鞋——这些都是高加林一瞥之中的印象。

黄亚萍走进高加林的办公室，说："你到县上工作了，为什么不来找我们？当了大记者，把老同学不放在眼里了！"

高加林慌忙解释说，他刚来，比较忙乱，接着很快又去了南马河，说他正准备这两天去看她和克南。

"克南怎没来？"加林一边给老同学倒水，一边问。

黄亚萍说："人家现在是实业家，哪有串门的心思！"

加林把茶杯放在黄亚萍面前，过去坐在床上，说："克南的确是个实业家，很早我就看出他发展前途很大，国家现在正需要这样的人才。"

"别说克南了，让他当他的实业家去！"亚萍开玩笑说，"说说你吧！你一定累坏了！南马河那些抗灾报道写得太好了，有几篇我广播录音时都流了泪……"

"没你说的那么好。头一次写这类文章，很外行，全凭景老师修改。"加林谦虚地说，但他心里很高兴。

"你比在学校时又瘦了一些。不过好像更结实了，个子也好像又长高了。"亚萍一边喝茶，一边用眼睛打量他。

加林被她看得有点不好意思，搪塞说："当了两天劳动人民，可能比过去结实一些……"

亚萍很快意识到了加林的局促，自己也不好意思地把目光从加林身上移开，低头喝起了茶水。

他们沉默了一会儿。

黄亚萍低头喝了一会儿茶，才又开口说："你到了城里，我很高兴，又有个谈得来的人了。你不知道，这几年能把人闷死。大家都忙忙碌碌过日子，天下事什么也不闻不问。很想天上地下地和谁聊聊天，满城还找不下一个人！"

"你说得太过分了。这样的人有的是，可能你不太熟悉的缘故。你太傲气了，一般人不容易接近你。"加林笑着说。

黄亚萍也笑了，说："可能有这方面的原因，但我的确感到生活过得有点沉闷。我希望能有一点浪漫主义的东西。"

"好在有克南哩……"加林自己也不知道为什么顺口说出了这句话。

"克南你又不是不知道！人心眼倒不坏，但我总觉得他身上有情趣的东西太少了。不过，这几年他还是给了我不少帮助……你大概知道我们后来的……情况。"黄亚萍的脸红了。

"从旁听到过一点。"加林说。

"你今天中午到我们家去吃饭吧！"黄亚萍抬起头，热情地邀请他。

加林赶忙说："不了，不了，我根本不习惯去生人家吃饭。"

"我是生人吗？"黄亚萍有点委屈地问他。

"我是说我不认识你父母亲。"

"一回生，二回熟！"

"谢谢你的好意，我不……"

"怕人？"

"嗯……"

"乡巴佬！"黄亚萍咯咯笑了。

高加林并没有为这句嘲笑话生气。他很高兴亚萍这种亲切的玩笑。以前在学校时，她就常开玩笑叫他乡巴佬。

"乡巴佬就乡巴佬。本来就是乡巴佬。"他高兴地看了一眼黄亚萍。

亚萍也看着他说："你实际上根本不像个乡下人了。不过，有时候又表现出乡里人的一股憨气，挺逗人的……你不去我们家吃饭就算了，但你可要常来广播站，咱们好好聊聊天，像过去在学校一样，行吗？"

高加林一时不知该如何回答。过去学校的生活又一幕一幕在眼前闪过。不过，那时他们还是孩子，都很单纯。而现在，他们都已二十多岁了，还能像过去那样无拘无束地交往吗？说心里话，他很愿意和亚萍交谈。他们性格中共同的东西很多，话也能说到一块儿。但他知道很难再像学生时期那样交往了。他们都已经成了干部，又都到了一个惹人注目的年龄。再说，她和克南已经是恋爱关系，他必须考虑到这个因素。

他犹豫了一下，见亚萍还看着他，等他说话，便支支吾吾说："有时间，我一定去广播站拜访你。"

"外交部的语言！什么拜访？你干脆说拜会好了！我知道你研究国际问题，把外交辞令学熟练了！"

高加林忍不住大笑了，说："你和过去一样，嘴不饶人！好吧，我一定去广播站找你！"

"你不去也行。我到你这里来！"

加林有点不高兴了，说："亚萍，我请求你不要经常来我这里。我刚工作，怕影响……很对不起……"

黄亚萍也马上觉得，她自己今天已经有点失去了分寸，便很快站起来，没什么合适的掩饰话，只好说："我开玩笑哩！你赶快休息吧，我走了……真的，有时间到广播站来拉拉话，咱们从学校毕业后，分别已经三年多了……"

高加林很诚恳地对她点点头。

黄亚萍从县委大院出来后，感到胸口和额头像火烧似的发烫。高加林的突然出现，把她平静的内心世界搅翻了！

　　高中毕业以后，她在县上参加了工作，加林回了农村，他们从此就分手了。分别后最初的一年，她时不时想起他。过去在学校他们一块儿那些很要好的交往情景，也常在她眼前闪来闪去。她有时甚至很想念他。她长这么大，跟父亲走过好几个地方上学，所有她认识的男同学，都没有像加林这样印象深刻。她原来根本看不起农村来的学生，认为他们不会有太出色的人。但和加林接触后，她改变了自己的看法。加林的性格、眼界、聪敏和精神追求都是她很喜欢的。

　　后来，他们分开了，虽然距离只有十来里路，但如同两个世界。毕业时，他们谁也没有相约再见的勇气啊！就这样，一晃就是三年。直到前不久她在车站送克南出差时，才又看见了他。那次见面，弄得她精神好几天都恍恍惚惚的。

　　高中毕业后，克南比在学校时更接近她了。他经常三一回五一回往广播站跑，给她送吃送喝。来了什么时兴货，也替她买来了。她起先很讨厌他这样。在学校时，克南就常找机会给她献殷勤，她总是避开了——她的交往兴趣主要在高加林身上。但是，现在她工作了，单位上人生地疏，她的傲性子别人又不好接近，也确实感到有点孤独。克南总算同学几年，相互也比较了解，后来她就渐渐和克南好起来。她发现克南做啥事有股实干劲，心地也很善良，尤其在生活方面，他是一个很周到的人。他身上有些东西她不喜欢，他自己也有所察觉，在她面前尽量克服着。他也真有闲心。她一般生病从不告诉父母亲，常一个人在单位躺着。但瞒不住克南。他立刻就像一个细心的护士和保姆一样守护在她身边。他做一手好菜，一天几换样侍候她吃。

　　她渐渐受了感动，接受了克南对她的爱情。双方父母也都很满意。这两年，他们的感情已经比较平稳地固定了下来。她对克南也开始喜欢了。他虽然风度不很潇洒，但长得也并不难看。标准的男子汉体格，肩膀宽宽的，这几年在副食部门工作，身体胖了一些，但并不是臃肿，反而增加了某种男子汉气概。她和他一同相跟着看电影，也是全城比较瞩目的一对。

　　前不久，军分区已基本同意亚萍父亲提出转业到老家江苏地方上工作的请求。父亲在那边的工作地点基本联系好了，在南京市内。亚萍是独生女，按规定，可以在父母身边工作。他父亲的一个老战友在江苏省级机关任领导职务，去年回老家时路过南京，这个叔叔听了她的播音，当时就让她到江苏人民广播电台当播音员。现在她要是回到南京，干这工作基本没问题。问题是克南。但他父亲已经给南京的许多老战友写了信，给克南联系工作单位，准备让克南和他们家一同调过去……

生活本来一切都是在平静、正常和满意中进行的。可是，现在却突然闯进来个高加林！

当亚萍第一次播送加林在南马河采写的抗灾报道时，才从老景那里知道，加林已经是县委的通讯干事了。她念着他那才气横溢的文章，感情顿时燃烧了起来，过去的一切又猛然地出现在她的眼前。她在录广播稿时，面对旋转的磁盘，的确落了泪，但并不完全是稿件的内容使她受了感动，而是她想起了她和加林过去在学校里的那些生活。她现在才清楚，她实际上一直是爱他的！他也是她真正爱的人！她后来之所以和克南好了，主要是因为加林回了农村，她再没有希望和他生活在一块儿。不必隐瞒，她还不能为了爱情而嫁给一个农民，她想她一辈子吃不了那么多苦！

现在，加林已经参加了工作，那个对她来说是非常害怕的前提已经不复存在。在同等条件下，把加林和克南放在她爱情的天平上称一下，克南的分量显然远远比不上加林了……于是，她今天早晨刚听说加林回来了，就忍不住跑来看望他……

现在她走在返回广播站的小路上，心情又激动又难受。她现在看见加林变得更潇洒了：颀长健美的身材，瘦削坚毅的脸庞，眼睛清澈而明亮，有点像小说《钢铁是怎样炼成的》里面保尔·柯察金的插图肖像，或者更像电影《红与黑》中的于连·索黑尔。

"如果我和他一块儿生活一辈子多好啊！"亚萍一边走，一边心里想。可是，她马上又觉得很难受，因为她同时想起了克南。

"哎呀，走路低着个头，小心跌倒！"

迎面一声话音，惊得亚萍抬起了头：她正想克南的事，克南他妈就在她眼前！她不喜欢克南他妈——药材公司副经理身上有一股市民和官场的混合气息。

克南妈把手里提的几条肥鱼扬了扬，说："中午来！南方人在咱这里真是受罪，一年都吃不上个鱼！这是副食公司刚从后山公社的水库里捞出来的……"

"伯母，我不去，我在你们家已经吃得太多了。"亚萍尽量笑着说。

"看这娃娃说的！我们家怎么成了你们家！"

亚萍一下子被克南他妈这句绕口的话逗笑了，也马上饶舌说："你们家怎么成了我们家？"

克南妈也被逗得哈哈大笑了。

亚萍对她说："我今天胃不舒服，不想吃饭。我要赶快回去躺一会儿。"

"要不要药？公司门市上新进了一种胃疼片，效果……"

"我有，不麻烦您了。"

亚萍说完，就匆匆从克南妈身边绕过去，向广播站走去。

她一进自己的房子，一下子就躺在床铺上。她从头下面拉出枕巾，把自己的脸蒙起来。

刚躺下不一会儿，就听见有人敲门。她厌烦地问："谁？"

"我。"克南的声音。

她烦躁地下去开了门。

克南一来，高兴地对她说："中午到我家吃鱼去！刚打出来的鲜鱼！我买了几条，我妈已经提回去了……"

"你们母子就知道个吃！吃！你看你吃得快胖成个猪了！去年新织的毛衣，刚穿一冬，领子就撑得像桶口一般大！"黄亚萍气冲冲地又躺在了床上，拿枕巾把脸盖起来。

这一顿劈头盖脸的冰雹，打得张克南就像折了腰的糜子，蔫头耷脑地站在脚地上，不知如何是好。亲爱的亚萍今天发生了什么事？

他不知所措地两只手互相搓了一会儿，走过去，轻轻把蒙在亚萍脸上的枕巾揭开。

亚萍一把夺过去，又盖在脸上，大声喊叫说："你走开！"

张克南惶惑地倒退了两步，哭一般说："你今天倒究是怎了嘛……"

过了好一会儿，亚萍才坐起来，把脸上的枕巾抹下，尽量平静一点地对呆立在脚地上的克南说："你别生气。我今天身体有点不舒服……"

"那今天晚上的电影你能不能去看？"克南一边从口袋里掏电影票，一边说，"听人家说这电影可好哩！巴基斯坦的，上下集，叫《永恒的爱情》。"

黄亚萍叹了一口气，说："我去……"

第十六章

高加林立刻就在县城成了一个引人注目的人物。他的各种才能很快在这个天地里施展开了。地区报和省报已经发表了他写的不少通讯报道，并且还在省报的副刊上登载了一篇写本地风土人情的散文。他没多时就跟老景学会了照相和印放相片的技术。每逢县上有一些重大的社会活动，他胸前挂个带闪光灯的照相机，就潇洒地出没于稠人广众面前，显得特别惹眼。加上他标致漂亮的形象，更使他具有一种吸引力了。不久，人们便开始纷纷打问：新出现在这个城市的小伙子，叫什么？什么出身？多大年纪？哪里人？……许多陌生的姑娘也在一些场合给他飘飞眼，千方百计想接近他。

傍晚的时候，他又在县体育场大出风头。县级各单位正轮流进行篮球比赛。高加林原来就是中学队的主力队员，现在又成了县委机关队的主力。山区县城除过电影院，就数体育场最红火。篮球场灯火通明，四周围水泥看台上的观众经常挤得水泄不通。高加林穿一身天蓝色运动衣，两臂和裤缝上都一式两道白杠，显得英姿勃发，加上他篮球技术在本城又是第一流的，立刻就吸引了整个体育场看台上的球迷。

在一个万人左右的山区县城里，具备这样多种才能，而又长得潇洒的青年人并不多见——他被大家宠爱是很正常的。

很快，他走到国营食堂里买饭吃，出同等的钱和粮票，女服务员给他端出来的饭菜比别人又多又好；在百货公司，他一进去，售货员就主动问他买什么；他从街道上走过，有人就在背后指画说："看，这就是县上的记者！常背个照相机！在报纸上都会写文章哩！"或者说："这就是

11号，打前锋的！动作又快，投篮又准！"

高加林简直成了这个城市的一颗明星。

不用说，他的精神现在处于最活跃、最有生气的状态中。他工作起来，再苦再累也感觉不到。要到哪里采访，骑个车子就跑了。回到城里，整晚整晚伏在办公桌上写稿子。经济也开始宽裕起来了。除过工资，还有稿费。当然，报纸上发的文章，稿费收入远没有广播站的多，广播站每篇稿子两元稿费，他几乎每天都写——"本县节目"天天有，但县上写稿的人并不多。

他内心里每时每刻都充满了一种骄傲和自豪的感觉，自尊心得到了最大的满足。有时候也由不得轻飘飘起来，和同志们说话言词敏锐尖刻，才气外露，得意的表情明显地挂在脸上。有时他又满头大汗对这种身不由己的冲动，进行严厉的内心反省，警告自己不要太张狂：他有更大的抱负和想法，不能满足于在这个县城所达到的光荣。如果不注意，他的前程就可能要受挫折——他已经明显地感到了许多人在嫉妒他的走红。

这样想的时候，他就稍微收敛一下。一些可以大出风头的地方，开始有意回避了。没事的时候，他就跑到东岗的小树林里沉思默想，或者一个人在没人的田野里狂奔突跳一阵，以抒发他内心压抑不住的愉快感情。

他只去县广播站找过一回黄亚萍。但亚萍"不失前言"，经常来找他谈天说地。起先他对亚萍这种做法很烦恼，不愿和她多说什么。可亚萍寻找机会和他讨论各种问题。看来她这几年看了不少书，知识面也很宽，说起什么来都头头是道，并且还把她写的一些小诗给他看。渐渐地，加林也对这些交谈很感兴趣了。他自己在城里也再没更能谈得来的人。老景知识渊博，但年龄比他大，他不敢把自己和老景放在平等地位上交谈，大部分是请教。

他俩很快恢复了中学时期的那种交往。不过，加林小心翼翼，讨论只限于知识和学问的范围。当然，他有时也闪现出这样的念头：我要是能和亚萍结合，那我们一辈子的生活会是非常愉快的；我们相互之间的理解能力都很强，共同语言又多……

这种念头很快就被另一种感情压下去了——巧珍那亲切可爱的脸庞

立刻出现在他的眼前。而且每当这样的时候，他对巧珍的爱似乎更加强烈了。他到县里后一直很忙，还没见巧珍的面。听说她到县里找了他几回，他都下乡去了。他想过一段抽出时间，要回一次家。

这一天午饭后，加林去县文化馆翻杂志，偶然在这里又碰上了亚萍——她是来借书的。

他们在椅子上坐下来，马上东拉西扯地又谈起了国际问题。这方面加林比较擅长，从波兰"团结工会"说到霍梅尼和已在法国政治避难的伊朗前总统巴尼萨德尔，然后又谈到里根决定美国本土生产和储存中子弹在欧洲和苏联引起的反响。最后，还详细地给亚萍讲了一条并不为一般公众所关注的国际消息：关于美国机场塔台工作人员罢工的情况，以及美国政府对这次罢工的强硬态度和欧洲、欧洲以外一些国家机场塔台工作人员支持美国同行的行动……

亚萍听得津津有味，秀丽的脸庞对着加林的脸，热烈的目光一直爱慕和敬佩地盯着他。

加林说完这些后，亚萍也不甘示弱，给他谈起了国际能源问题。她先告诉加林，世界主要能源已从煤转变到石油。但七十年代以来，能源消费迅速增多，一些主要产油地区的石油资源消耗殆尽，新的能源危机必然要在世界出现。另外，据联合国新闻处发表的一份文件说，一九五〇年，世界陆地面积有四分之一覆盖着森林，但到今天一半的森林已经在斧头、推土机、链锯和火灾之下消失了。仅在非洲，每年大约有五百万英亩森林被当作燃料烧掉。联合国粮农组织的调查表明，全世界有一亿多人口深受燃料严重短缺之苦……

黄亚萍口若悬河，侃侃而谈。她接着又告诉加林，除了石油，现在有十四种新能源和可再生能源的复合能源，即太阳能、地热能、风力、水力、生物能、薪柴、木炭、油页岩、焦油砂、海洋能、波浪能、潮汐能、泥炭和畜力……

高加林听她滔滔不绝地讲述着，惊讶得半天合不拢嘴。他想不到亚萍知道的东西这么广泛和详细！

接着，他们又一块儿谈起了文学。亚萍犹豫了一下，从口袋里掏出一片纸，递给高加林说："我昨天写的一首小诗，你看看。"

高加林接过来，看见纸上写着：

赠加林

我愿你是生着翅膀的大雁，

自由地去爱每一片蓝天；

哪一块土地更适合你生存，

你就应该把那里当作你的家园……

高加林看完后，脸上热辣辣的。他把这张纸片递给亚萍说："诗写得很好。但我有点不太明白我为什么应该是一只大雁……"

亚萍没接，说："你留着。我是给你写的。你会慢慢明白这里面的意思的。"

他们都感到话题再很难转到其他方面了，而关于这首诗看来两个人也不好再说什么，就都从椅子上站起来，准备分手了。两个人都有点兴奋。

亚萍先走了。加林把她送给他的诗装进口袋里，从后面慢慢出了阅览室的门。

他心情惆怅地怔怔站了一会儿，正准备到县水泥厂去采访一件事，一辆带拖斗的大型拖拉机吼叫着停在他身边。

加林惊讶地看见，开拖拉机的驾驶员竟然是高明楼当教师的儿子三星！

三星已从驾驶座上跳下来，笑嘻嘻地站在他面前。

"你怎开起了拖拉机?"加林问。

"你走后没几天，占胜叔叔就把我安排到县农机局的机械化施工队了。现在正在咱大马河上川道里搞农田基建。"

"那你走了，谁顶你教书哩?"

"现在巧玲教上了。"三星说。

"她没考上大学?"

"没……"三星犹豫了一下，说，"巧珍看你来了。她就坐我的拖拉机下来的。我路过咱村，她正在公路边的地里劳动，就让我把她捎来……她在前面邮电局门前下车的，说到县委去找你……"

加林胸口一热，向三星打了个招呼，就转身急匆匆向县委走去。

高加林走到县委大门口的时候，见巧珍正在门口旋磨着朝县委大院里张望。她还没有看见他正从后面走来。

高加林望了一眼她的背影，见她上身仍穿着那件米黄色短袖。一切都和过去一样，苗条的身材仍然是那般可爱，乌黑的头发还用花手帕扎着，只是稍有点乱——大概是因为从地里直接上的拖拉机，没来得及梳。看一眼她的身体，高加林的心里就有点火烧火燎起来。

当巧珍看见他站在她面前时，眼睛一下子亮了，脸上挂上了灿烂的笑容，对他说："我要进去找你，人家门房里的人说你不在，不让我进去……"

加林对她说："现在走，到我办公室去。"说完就在头前走，巧珍跟在他后面。

一进加林的办公室，巧珍就向他怀里扑来。加林赶忙把她推开，说："这不是在庄稼地里！我的领导就住在隔壁……你先坐在椅子上，我给你倒一杯水。"他说着就去取水杯。

巧珍没有坐，一直亲热地看着她亲爱的人，委屈地说："你走了，再也不回来……我已经到城里找了你几回，人家都说你下乡去了……"

"我确实忙！"加林一边说，一边把水杯放在办公桌上，让巧珍喝。

巧珍没喝，过去在他床铺上摸摸，又揣揣被子，捏捏褥子，嘴里唠叨着："被子太薄了，罢了我给你絮一点新棉花；褥子下面光毡也不行，我把我们家那张狗皮褥子给你拿来……"

"哎呀，"加林说，"狗皮褥子掂到这县委机关，毛烘烘的，人家笑话哩！"

"狗皮暖和……"

"我不冷！你千万不要拿来！"加林有点严厉地说。

巧珍看见加林脸上不高兴，马上不说狗皮褥子了。但她一时又不知该说什么，就随口说："三星已经开了拖拉机，巧玲教上书了，她没考上大学。"

"这些三星都给我说了，我已经知道了。"

"咱们庄的水井修好了！堰子也加高了！"

"嗯……"

"你们家的老母猪下了十二个猪娃，一个被老母猪压死了，还剩下……"

"哎呀，这还要往下说哩！不是剩下十一个了吗？你喝水！"

"是剩下十一个了。可是，第二天又死了一个……"

"哎呀哎呀！你快别说了！"加林烦躁地从桌子上拿起一张报纸，脸对着，但并不看。他想起刚才和亚萍那些海阔天空的讨论，多有意思！现在听巧珍说的都是这些叫人感到乏味的话，他心里不免涌上了一股说不出的滋味。

巧珍看见他对自己这样烦躁，不知她哪一句话没说对，她并不知道加林现在心里想什么，但感觉他似乎对她不像以前那样亲热了。

再说些什么呢？她自己也不知道了。她除过这些事，还再能说些什么！她绝说不出十四种新能源和可再生能源的复合能源！

加林看见巧珍局促地坐在他床边，不说话了，只是望着他。脸上的表情看来有点可怜——想叫他喜欢自己而又不知道该怎样才能叫他喜欢！

他又很心疼她了，站起来对她说："快吃下午饭了，你在办公室先等着，让我到食堂里给咱打饭去，咱俩一块儿吃。"

巧珍赶忙说："我一点也不饿！我得赶快回去。我为了赶三星的车，锄还在地里撂着，也没给其他人安咐……"

她从床边站起来，从怀里贴身的地方掏出一卷钱，走到加林面前说："加林哥，你在城里花销大，工资又不高，这五十块钱给你，灶上吃不饱，你就到街上食堂里买得吃去。再给你买一双运动鞋，听三星说你常打球，费鞋……前半年红利已经决分了，我分了九十二块钱呢……"

高加林忍不住鼻根一酸，泪花子在眼里旋转开了。他抓住巧珍递钱的手说："巧珍！我现在有钱，也能吃得饱，根本不缺钱……这钱你给你买几件时兴衣裳……"

"你一定要拿上！"巧珍硬给他手里塞。

他只好说："你如果再这样，我就恼了！"

巧珍看他脸上真的不高兴了，就只好委屈地把钱收起来，说："我给你留着！你什么时候缺钱花，我就给你……我要走了。"

加林和她相跟着出了门，对她说："你先到大马河桥上等我，我到街上有个事，一会儿就来了……"

巧珍对他点点头，先走了。

高加林飞快地跑到街上的百货门市部，用他今天刚从广播站领来的稿费，买了一条鲜艳的红头巾。他把红头巾装在自己随身带的挂包里，就向大马河桥头赶去。

高加林一直就想给巧珍买一条红头巾。因为他第一次和巧珍漫步的时候，想起他看过的一张外国油画上，有一个漂亮的姑娘很像巧珍，只是画面上的姑娘头上包着红头巾。出于一种浪漫，也出于一种纪念，虽然在这大热的夏天，他也要亲自把这条红头巾包在巧珍的头上。

他赶到大马河桥头时，巧珍正站在那天等他卖馍回来的那个地方。触景生情，一种爱的热流刹那间漫上了他的心头。

他和她肩并肩走下桥头，转向大马河川道。

拐过一个山峁，加林看看前后没人，就站住，从挂包里取出那条红头巾，给巧珍拢在了头上。

巧珍并不明白她亲爱的人为什么这样，但她全身心感到了这是加林在亲她爱她！

她也不说什么，一下子紧紧抱住他，幸福的泪水在脸上唰唰地淌下来了……

高加林送毕巧珍，返回到街上的时候，突然感到他刚才和巧珍的亲热，已经远远不如他过去在庄稼地里那样令人陶醉了！

为了这个不愉快的体会，他抬起头，向灰蒙蒙的天上长长吐了一口气……

第十七章

黄亚萍的精神正处于激烈的动荡之中。她现在内心里狂热地爱着高加林，觉得她无论如何要和高加林生活在一块儿。她已经下决心要和张克南中断恋爱关系了。

问题是她父母亲将会怎样看待她的行为呢？她是他们的独生女儿，从小娇生惯养，父母亲抢着亲她，什么事上也不愿她受委屈。但是他们太爱克南了。这几年里，克南几乎像儿子一样孝敬他们，他们也像对待儿子一样对待他。她要是和克南断了关系，肯定会给父母亲的精神带来沉重的打击。再说，两家四个大人的关系也已经亲密得如同一家人一样。她父亲是军人，非常讲义气，一定认为这是天下最不道德的事！

不管怎样，她想来想去，还是决定非和克南断绝关系不可。不管父母亲和社会舆论怎样看，她对这事有她自己的看法。

在这个县城里，黄亚萍可以算得上少数几个"现代青年"之一。在她看来，追求个人幸福是一个人的权利和自由，"我是我自己的"，谁也没权力干涉她的追求，包括至亲至爱的父母亲。他们只是从岳父岳母的角度看女婿，而她应该是从爱情的角度看爱人。别说是她和克南现在还是恋爱关系，就是已经结婚了，她发现她实际上爱另外一个人，她也要和他离婚！

在她这方面，决心已经是下定了。现在她最苦恼的是，高加林是不是爱她呢？

从她个人感觉，高加林是很喜欢她的，而且他们在学校时就比一般同学相好。她想：就她各方面的条件来说，高加林也应该爱她！她长得虽然不像电影明星，但在这个城里就算数一数二的——她对自己的长相基本上是这样估计的。另外，她的家庭在社会上的地位和经济状况都比高加林强。更主要的是，他们很快要到南京去安家，她将会是江苏人民广播电台的播音员。她知道高加林是一个向往很远大的人，将来跟他们家去南京对他肯定有吸引力。不像张克南，在她父母面前不敢说，私下里还单独劝她不要去南京，说这地方已经人熟地熟生活过得很安乐——这人真没出息！

虽然她对加林爱她有一定的把握，但也不全尽然——有时候，他的脾气很古怪，常常有一些特别的行为。

但不管怎样，她要和他把问题谈明。她已经不能忍受了。最近以来，她吃不下去饭，晚上经常失眠，工作已经出了几次差错。大前天早晨，轮她值班，她一晚上失眠，快天明时才睡着，竟然连闹钟都没吵醒她，结果广播时间整整推迟了十五分钟。广播站长带着好几个人愣打门板才把她叫醒。因为这事，领导已经批评了她。

这天中午，她只吃了几口饭。想来想去，再不能拖下去了，于是就准备到县委去找高加林。

她刚要起身，克南却来了，气得她差点要哭出来。

"你怎又不高兴了？"克南自己也马上一脸愁相，"你最近是不是身上什么地方有病哩？干脆，我下午陪你到医院检查一下！"克南愁眉苦脸地看着她说。

"不要检查！我害的是心脏病！"亚萍往床上一躺，赌气地说，也不看他。

"心脏病？"克南慌了，"你什么时候得的？"

"哎呀！谁有心脏病？你真笨！你连个玩笑都听不来嘛！"亚萍又烦又躁地说。

"我看你不像是开玩笑，也就当成真的了。"克南松了一口气，笑着说。

他给自己倒了一杯水，坐在桌前的椅子上，说："亚萍，加林参加工作，来县上时间已经不短了。我今天才突然想起，咱两个应该请他吃一顿饭。在学校时，咱们关系都不错，你和加林也谈得来，现在在县城里工作的同学也不多……就在国营食堂请他，那里我人熟，一个系统的，方便……"

黄亚萍躺在床上一句话也不说。

克南又问她："你说行不行？"

躺在床上的黄亚萍转过脸，几乎是央告着说："好克南哩，你不要扯这些了，我心烦得要命，你不要再折磨我了！你上班去，让我睡一会儿……"

克南见她这样，只好站起来。他走到门前，又折转身，准备亲一下亚萍。黄亚萍一下子把头蒙在被子里，喊叫说："不要这样了！你快走！"

克南又失望又急躁地叹了一口气，走了。

黄亚萍躺在床上，好长时间爬不起来。她一刹那间觉得很痛苦：克南太老实了，他竟然看不出来她爱加林，还要请加林吃饭！

她觉得她对克南有点太残酷了。她暂时决定今天中午不去找加林谈了。

吃下午饭时，她心烦意乱地回到了家里。

她父亲正戴着老花镜，仔细地读报纸上的一篇社论，红铅笔在字行下一道一道画着。她母亲见她回来，赶忙从后边箱子里拿出一件衣服，说："克南他爸去上海出差给你买的，克南妈才送来的，你试试……"

她把她妈递到手边的衣服一推，说："先放一边去。我不舒服……"

她爸侧过头，眼睛从镜框上面瞅着她说："亚萍，我看你最近好像精神不大对，像有什么心事？"

亚萍也不看父亲，拿梳子对着镜子认真地一边梳头发，一边说："不久，我可能要做出一个重大的决定。不过，现在不告诉你们。"

"是不是要和克南结婚？"她母亲问她。

"不，离婚！"她说完，忍不住为这句话笑了。

她母亲也笑了，说："永远是个调皮鬼！还没结婚就离婚哩！"

她父亲又低下头看报纸，笑眯眯地，嘴里也嘟囔了一句："真是个调皮鬼……"

两位老人谁都没认真对待女儿的这句话——他们不久就会知道这句话意味着什么了。

黄亚萍现在进一步认定，她得尽快去找加林谈明她的心思。决不能再拖下去了！早一点解决了，所有的当事人精神上也就早一点解脱了。她不能再这样瞒着克南，也不能再这样折磨他了。

她梳完头，换了一身深蓝色学生装，晚饭也没吃，就从家里出来，径直向县委走去。

她来到通讯组，高加林不在办公室，门上还吊把锁。

是不是下乡去了？她感到很难受。她很快到隔壁窑洞问景若虹。老景告诉她，加林没有下乡，今天一天都在办公室写稿子，刚才吃完饭出去散步去了。

谁知道他现在在哪里散步呢？这再不好问老景了。

她犹豫了一下，还是开口问："老景，你知道高加林到什么地方散步去了？"

景若虹机警地看了她一眼，说："这我一下也说不准。有急事吗？"

"没……"黄亚萍一下子感到脸上热辣辣的。

她正准备转身走，景若虹突然拍了一下脑门，对她说："可能去东岗了，他常爱去那里溜达。"

"谢谢您。"亚萍向他点点头，便又从县委大院里出来了。

高加林此刻的确在东岗。

他靠在一棵槐树上，手指头夹着一根纸烟。他最近抽烟抽得很厉害。

整整写了一天稿子，头脑一直昏昏沉沉的。现在被野外的风一吹，又加上烟的刺激，脑子很快又清醒了。

他由不得又交替想起了黄亚萍和巧珍。他不知为什么，一闲下来就同时想这两个人。毫无疑问，亚萍已经给了他一些爱情的暗示。但他觉得又有点奇怪：她不是一直和克南很好吗？

从内心上说，亚萍以前一直就是他理想中的爱人。过去他不敢想，现在他也许敢想了，但情况又变得复杂了。她和克南已经恋爱了，而他也和巧珍恋爱了。想来想去，一切都好像已经无法挽回，他也就尽力说服自己不要再多考虑这事了。但亚萍一次又一次找他，除过语言的暗示，还用表情、目光向他表示：她爱他！

他已经是恋爱过的人，对这一切都非常敏感，而且亚萍简直等于给他明说了。

他的心潮早已开始激荡，并且感到一场风暴就要来临——他为之激动，又为之战栗！

一切将会怎样发展？什么时候闪电？什么时候吼雷？什么时候卷起狂风暴雨？

高加林靠在树干上，一边吸烟，一边胡思乱想。他觉得他想了许多问题，又觉得他什么也没想。

一场普遍的透雨落过以后，大地很快凉了下来。虽然伏天未尽，但立秋已经近二十天。在山区，除过中午短暂地炎热一会儿，一早一晚已经感到有点冷了。

高加林没有穿长袖衫，胳膊已冷得受不了。他于是起身下山。

一层淡淡的雾气从沟底里漫上来，凉森森地带着一股潮气。他一边慢慢下山，一边向县城瞭望。城里又是灯火一片了。眼下已经没有多少人在外面乘凉，县城的大街小巷变得很清静，像洪水落下的河道。一盏又一盏橘黄色的路灯，静静地照耀着空荡荡的街面。只有十字街头还有一些人，那里不时传来卖小吃的摊贩无精打采的吆喝声……

　　高加林沿着一条小土路，刚下了一个小坡，看见前面上来了一个人。

　　他忍不住站下了。直等那人走近，他才大吃了一惊：原来是黄亚萍！

　　"你怎上这儿来了？"他又兴奋又惊讶地问。

　　亚萍两只手斜插在衣袋里，笑着说："这又不是你家的祖坟！别人为啥不能上来？"

　　"一说话就和打枪一样！"加林说，"天这么黑了，你一个人……"

　　"谁说我一个人？"

　　加林赶忙又向山下的小路上望了望，说："克南哩？怎不见他？"

　　"他又不是我的尾巴，跟我干什么？"

　　"那还有什么人哩？"

　　"你不是个人？"

　　"我？"

　　"嗯！"

　　加林一下子感到心跳得像要从胸膛里蹦出来似的。

　　亚萍声音突然变得非常轻柔地说："加林，你别怕，咱们一块儿坐一坐。"

　　高加林犹豫了一下，就和她一起走到旁边一片不太茂密的小杏树林里。

　　他们坐下来。两个人都摘了几片杏叶，在手里捏着，摸着，撕着，半天谁也没说话。

　　"我要走了……"亚萍突然开口说。

　　"到什么地方出差去？"加林转过头问。

　　"不是出差，是永远离开这里！"亚萍怔怔地望着灯火闪烁的城市，说。

　　"啊？"加林忍不住失口叫了一声。

"……我父亲很快就要转业到南京工作，我也要调过去。"亚萍转过头对加林说。

"你愿意走吗？"加林的眼睛紧紧盯着她的眼睛。

黄亚萍把脸稍微转开一点，憧憬似的望着星光灿烂的远方，喃喃地说："我当然愿意走！南方，是我的家乡，我从小生在那里，尽管后来跟父母到了北方，但我梦里都想念我的美丽的故乡……"她眼里似乎闪动着泪水，喃喃地念道，"江南好，风景旧曾谙：日出江花红胜火，春来江水绿如蓝。能不忆江南！……"

加林忍不住接着她念道："江南忆，最忆是杭州：山寺月中寻桂子，郡亭枕上看潮头。何日更重游？……"

亚萍转过头，热烈地望着加林，说："南京离杭州很近。上有天堂，下有苏杭。苏州就是江苏省的……"

"唉……"加林叹了一口气，"那些地方我这一辈子是去不成了！"

"你想不想去？"亚萍扬起头，脸上露出一种无法描述的微笑。

"我联合国都想去！"加林把手中的树叶一丢，把头扭到一边去。

"我是问你想不想去南京、苏州、杭州，还有上海？"

"不会有到那些地方出差的机会。"

"要是一个人在那些地方玩，也没什么意思！"亚萍说。

"你去不会是一个人，有克南陪你哩……"

"我希望不是他，而是你！"

高加林猛地回过头，眼睛像燃烧似的看着黄亚萍。

黄亚萍眼里泪花闪闪，激动地说："加林！自从你到县里以后，我的心就一天也没有宁静过。在学校时，我就很喜欢你。不过，那时我们年龄都小，不太懂这些事。后来你又回了农村……现在，当我再看见你的时候，我才知道我真正爱的人是你！克南我并不反感，但我实际上对他产生不了爱情。实际上，我父母亲比我更爱他……咱们在一块儿生活吧！跟我们家到南京去！你是一个很有前途的人，在大城市里就会有大发展。我回去可能在省广播电台当播音员，我一定让父亲设法通过关系，让你到《新华日报》或者省电台去当记者……"

高加林低下头，一只手狠狠从地里拔出一棵羊角草，又随手扔到了坡底下，接着又拔出一棵，自己也跟着站起来。

亚萍也跟着站起来，她闪着泪光的眼睛一直在盯着他的脸。

加林手在自己的光胳膊上摸了一把，说："我冷得实在受不了，咱们走吧……亚萍，你先别急，让我好好想一想……"

黄亚萍对他点点头。两个人转到小土路上，相跟着一前一后下了山……

第十八章

高加林预感到的暴风雨终于来到了。内心激烈的斗争是不可避免的。他虽然只有二十四岁，但已不是一个马马虎虎的人，而且往往比他同龄的青年人思想感情要更为复杂。

他在进行一场非常重要的抉择。

毫无疑问，黄亚萍和刘巧珍放在一起比较，不平衡是显而易见的——在他最初的考虑中，倾向就有了偏重。

他当然想和黄亚萍结合在一起。他现在觉得黄亚萍和他各方面都合适。她有文化，聪敏，家庭条件也好，又是一个漂亮的南方姑娘。在她身上弥漫着一种对他来说是非常神秘的魅力。像巧珍这样的本地姑娘，尤其是农村姑娘，他非常熟悉，一眼就能看到底。他认为她们是单纯的，也往往是单调的。

但是，对黄亚萍，他又了解又不了解。虽然一块儿交往很多，但她好像还有无数更多的东西他不知道。家庭出身和经济条件的差别，不同的生活环境和个人经历，使他们天然地隔了一层什么，这反而更增加了他对她的神秘感。他觉得她云雾缭绕，他不能走近她。中学时期的交往像雨后蓝天上美丽的彩虹一般，很快就消失了，变成了一种记忆中的印象。这印象以前也偶然从心头翻上来，叫他若有所失地惆怅一阵，但接着也就很快消失得无踪无影……

现在，这些过去曾幻想过的游丝断缕，突然就变成了一种实实在在的东西。黄亚萍已经向他表示了爱情。只要他现在愿意，他就将和她一块儿生活啰！生活啊，生活！有时候它把现实变成了梦想，有时候它又把梦想变成了现实！

但他不能不认真考虑他和巧珍的关系。他和她已经热烈地相爱了一段时间。巧珍爱他，不比克南爱亚萍差。所不同的是，亚萍说她对克南没有感情，而他在内心深处是爱巧珍的。巧珍的美丽和善良，多情和温柔，无私的、全身心的爱，曾最初唤醒了他潜伏的青春萌动，点燃起了他身上的爱情火焰。这一切，他在内心里是很感激她的——因为有了她，他前一段尽管有其他苦恼，但在感情生活上却是多么富有啊……

现在，当黄亚萍向他表示了爱情，并准备让他跟她去南京工作的时候，他才把爱情和他的前途联系在一起看了。他想：巧珍将来除过是个优秀的农村家庭妇女，再也没什么发展了。如果他一辈子当农民，他和巧珍结合也就心满意足了。可是现在他已经是"公家人"，将来要和巧珍结婚，很少有共同生活的情趣，而且也很难再有共同语言：他考虑的是写文章，巧珍还是只能说些农村里婆婆妈妈的事。上次她来看他，他已经明显地感到了苦恼。再说，他要是和巧珍结婚了，他实际上也就被拴在这个县城了，而他的向往又很高很远。一到县城工作以后，他就想将来绝不能在这里待一辈子，要远走高飞，到大地方去发展自己的前途……现在，这一切就等他说个"愿意"就行了！

他反复考虑，觉得他不能为了巧珍的爱情，而贻误了自己生活道路上这个重要的转折——这也许是决定自己整个一生命运的转折！不仅如此，单就从找爱人的角度来看，亚萍也可能比巧珍理想得多！他虽然还没和亚萍像巧珍那样恋爱过，但他感到肯定要更好，更丰富，更有色彩！

他权衡了一切以后，已决定要和巧珍断绝关系，跟亚萍远走高飞了！

当然，他的良心非常不安——他还不是一个十恶不赦的坏蛋！克南方面他考虑得很少，主要在巧珍方面。他像一个疯子一样在自己的窑里转圈圈走，用拳头捣办公桌，把头往墙壁上碰……

后来，他强迫自己不朝这方面想。他在心里自我嘲弄地说："你是一个浑蛋！你已经不要良心了，还想良心干什么……"

他尽量使他的心变得铁硬，并且咬牙切齿地警告自己：不要反顾！不要软弱！为了远大的前途，必须做出牺牲！有时对自己也要残酷一些！

现在，这个已经"铁了心"的人，开始考虑他和巧珍断绝关系的方式。他预想这是一个撕心裂肺的场面，就想用一种很简短的方式向过去告别。使他苦恼的是，巧珍一个字也不识，要不，给她写一封信是最好的断交方式了，这样可以避免双方面对面的痛苦。

他于是一整天躺在床上，考虑他怎样和巧珍断绝关系。

黄亚萍不失时机地来了，问他考虑得怎样。

他犹豫了好一会儿，才把他和巧珍的关系，大略地给亚萍说了一下。

黄亚萍听后，先是半天没说话。后来，她带着一脸的惊讶，说："你原来在农村想和一个不识字的农村女人结婚？"

"嗯。"加林肯定地点点头。

"这简直是一种自我毁灭！你一个有文化的高中生，又有满身的才能，怎么能和一个不识字的农村女人结婚？我真不理解你当时是怎样想的！"

"住嘴！"加林一下子愤怒地从床上跳起来，"我那时黄尘满面，平顶子老百姓一个，你们哪个城里的小姐来爱我？"

亚萍一下子被他的愤怒吓住了，半天才说："你这么凶！克南可从来都没对我发这么大的火！"

"你找你的克南去！"加林一下子躺在铺盖上，闭住了眼睛。一种新的烦恼涌上了心头。他心里也想："哼！巧珍从来也不这样对我说话……"

没过一会儿，亚萍来到他床边，手轻轻在他肩膀上推了一把。

高加林睁开眼，看见她眼里闪着泪光。

他仍在生气，不理她。

亚萍声音有点激动地说："加林！你千万别生气！你给我发火，我心里除不生气，反而很高兴！你不知道，张克南你就是把刀放在他脖颈上都发不起来火！有时，我真想叫这个人愤怒了，美美给我发一通火，把我骂一通，可你怎样骂他，挖苦他，他总是对你笑嘻嘻的，气得人只能流泪。我就喜欢你这种性格！男子汉，大丈夫，血气方刚……"

高加林暂时还不能知道，她这话倒究是真的还是为了与他和好而编的。但他看见亚萍两道弯弯的细眉下，一双眼睛泪汪汪的，心便软了，说："我这人脾气不好……以后在一块儿生活，你可能要受不了的。"

"加林！"亚萍一把抓住他的肩头，问，"那你是说，你愿意和我一块儿生活了？"

他恍惚地对她点了点头。

亚萍顺床边坐下，和他挨在一起。加林很快把自己的身子往开挪了挪。不知为什么，他此刻一下子又想起了巧珍。他觉得他这一刻无法接受黄亚萍这种表示感情的方式。

高加林沉默了一会儿，对亚萍说："我得要和巧珍把这事谈清楚……不瞒你说，我心里很不好受……请你原谅，我不愿对你说假话。"

"是的，你应该很快结束你们的不幸！"

"也可能是不幸的结束！"他像宿命论者一样回答她。

"我和克南好办，我给他写一封信就行了。在感情上我没有什么特别痛苦的，只不过同情和可怜他罢了。他倒是真心实意爱我……"

"克南是会很痛苦的……"加林叹了一口气。

"克南我先不考虑，我现在主要考虑我父母亲。他们一心喜欢克南，而且又都是老干部，道德观念完全是过去的……"

"你父亲肯定不会接受我！他们要门当户对的！我一个老百姓的儿子，会辱没他们的尊严！"加林又突然暴躁地喊着说。

亚萍用极温柔的音调说："你看你，又发脾气了。其实，我父母倒不一定是那样的人，关键是他们认为我已经和克南时间长了，全城都知道，两家的关系又很深了，怕……"

"那就算了！"加林打断她的话。

黄亚萍一下子哭了，站起来说："加林！你别这样发脾气行不行？我的事由我做主哩！我父母最后一定会尊重我的选择……现在我唯一要知道的是，你爱不爱我！是不是要和我好！"她说着，坚决地挨着他的身边坐下来了……

黄亚萍回到家里，按时作息的父母亲早已在他们的房间里睡着了。

她进了自己的房子，扭开灯，先坐在桌前的椅子上，什么也不做，静静地坐着——她的心在欢蹦乱跳！

她即刻又站起来，在镜子前立了一会儿。她看见自己在笑。

她又躺在床上，躺下后又马上坐起来。

她站在脚地当中，不知自己做什么好，思绪像浪花飞溅的流水一般活跃。先是一连串往事的片段从眼前映过，接着是刚才所发生的从头到尾的一切细节，然后又是未来各式各样幻想的镜头……

直到她洗完脸，脑子才稍微冷了一下。

晚上肯定又要失眠。失眠就失眠吧！反正明早上她不值班，另外一个人广播，她可以在家睡觉——至于明天上午能不能睡着，她也没有把握。

那么，现在该做什么呢？给克南写信？还是给父母亲"发表声明"？

父母亲已经睡着了。那么，就先给克南写信！

她刚拿出信纸、信封和钢笔，马上又改变了主意：不！还是先给父母亲谈谈！这是最主要的！让他们早一点知道更好！

于是她开了自己的门，出了院子。

这个睡不着觉的人也决心不让她父母亲睡了。

她敲了敲父母亲的门，叫道："爸爸，妈妈，你们起来，过我这边来一下！我有个要紧事要给你们说！"

里面的灯开了，听见一阵紧张的窸嗦声。站在外面的任性的女儿这时候抿嘴直笑，回到了自己的房子里。

她母亲先过来了。接着父亲一边穿外套，一边也跌跌撞撞进了她的房间。两个人都先后紧张地问她："出了什么事？"

黄亚萍看见父母亲都这么紧张，先忍不住笑了，然后又严肃起来，说："你们别紧张。这事并不很急，但有些震动性！"

父亲瞪起眼看着她，还没反应过来他的这个任性的小宝贝，为什么黑天半夜把他老两口叫起来。

她母亲揉了揉眼睛，也着急地对她说："哎呀，好萍萍哩！有什么事你就快说！你把人急死了！"

黄亚萍想了一下，说："事情很复杂，但今晚上我先大概说一下。详细情况将来我不说，你们也会追问的……是这样，我已经和另外一个男同志好了，并且已经在恋爱，因此我要和克南断绝关系……"

"什么？什么？什么？……"

她父母亲都从坐的地方站起来，惊慌失措地看着他们的女儿。

"对我来说，这已经不能改变了。我知道你们对克南很爱，但我并不喜欢他……"

一阵长时间的沉默。

她父亲半天才清醒过来，困难地咽了一口唾沫，悲哀地说："克南当初不是你引回来的？这已经两年多了，全城人都知道！我和老张，你妈和克南妈，这关系……天啊，你这个任性的东西！我和你妈把你惯坏了，现在你这样叫我们伤心……"老汉捶胸顿足，两片厚嘴唇像蜜蜂翅膀似的颤动着。

她母亲已伏在她的床上哭开了。

她父亲尽管爱她胜过爱自己，但看来今晚实在气坏了，猛烈地发起了火："你这是典型的资产阶级思想！你们现在这些青年真叫人痛心啊！垮掉的一代！无法无天的一代！革命要在你们手里葬送呀！……"老汉感情过于冲动，什么过分话都往出倒！

黄亚萍一下伏在桌子上哭起来。她父亲从来都没有这样骂过她，她一下子忍受不了。

母亲见女儿哭了，也哭着，过来数说起了老汉："就是萍萍不对，你也不能这样吼喊我的娃娃……"

"都是你惯坏的！"老军人咆哮着说。

"你没惯?"亚萍她妈也喊叫起来。

亚萍她爸一拧身出去了。出去后，他也没回房子去，站在院子里，掏出一根纸烟，在烟盒上敲得嘣嘣直响，也不往着点。

亚萍站起来，两只手硬把她母亲推出房子，然后关上了门。

她过去拿毛巾把脸上的泪水揩干净，然后坐到桌子前，开始给克南写信——

克南：

　　为了我们都好，我必须告诉你：我已经和加林相爱了，咱们的恋爱关系现在应该断绝，以后像过去一样，还是要好的同学和同志。

我知道你会很痛苦的。但你应该想想，为一个不爱你的女人而痛苦，是不值得的。你应该寻找真正爱你的人。我相信你会找到这样的人。我愿你得到幸福。

你自己应该知道，我在学校时就和加林感情好。现在我觉得我真正爱的人是他，而不是你。过去咱们两个之所以发展了关系，完全是因为你适时地关怀了我，使我受了感动。但这并不是爱情。

你是好人，也是一个出色的人。不要因为我影响你的发展。你也不要恨加林。如果你认为你受了伤害，这完全是我一个人造成的，是我追求加林，你恨我吧！

我在内心里永远感谢你。我还要告诉你：在我爱情以外所有友爱的朋友中，你是我的第一个朋友。如果你能原谅我，那么我请求你为我祝福。

亚萍写于匆忙中

第十九章

高加林把自行车放到路边，然后伏在大马河的桥栏杆上，低头看着大马河的流水绕过曲曲折折的河道，穿过桥下，汇入县河里去了。

他在这里等着巧珍。他昨天让回村的三星捎话给巧珍，让她今天到县城来一下。他决定今天要把他和巧珍的关系解脱。他既不愿意回高家村完结这件事，也不愿意在机关。他估计巧珍会痛不欲生，当场闹得他下不了台。

前天，老景让他过两天到刘家湾公社去，采访一下秋田管理方面的经验，他就突然决定把这件事放在大马河桥头了。因为去刘家湾公社的路，正好过了大马河桥，向另外一条川道拐过去。在这里谈完，两个人就能很快各走各的路，谁也看不见谁了……

高加林伏在桥栏杆上，反复考虑他怎样给巧珍说这件事。开头的话就想了好多种，但又觉得都不行。他索性觉得还是直截了当一点更好。弯拐来拐去，归根结底说的还不就是要和她分手吗？

在他这样想的时候，听见背后突然有人喊："加林哥……"

一声喊叫，像尖刀在他心上捅了一下！

他转过身，见巧珍推着车子，已经站在他面前了。她来得真快！是的，对于他要求的事，她总是尽量做得让他满意。

"加林哥，没出什么事吧？昨天我听三星捎话说，你让我来一下，我晚上急得睡不着觉，又去问三星看是不是你病了，他说不是……"她把自行车紧靠加林的车子放好，一边说着，一边向他走过来，和他一起伏在了桥栏杆上。

高加林看见她今天穿了一身新衣服，浑身上下都打扮得漂漂亮亮的，顿时感到有点心酸。

他怕他的意志被感情重新瓦解，赶快进入了话题。

"巧珍……"

"唔。"她抬头看见他满脸愁云，心疼地问，"你怎么了？"

加林把头扭向一边，说："我想对你说一件事，但很难开口……"

巧珍亲切地看着他，疼爱地说："加林哥，你说吧！既然你心里有话，你就给我说，千万别憋在心里！"

"说出来怕你要哭。"

巧珍一愣，但她还是说："你说吧，我……不哭！"

"巧珍……"

"唔……"

"我可能要调到几千里路以外的一个地方去工作了，咱们……"

巧珍一下子把手指头塞在嘴里，痛苦地咬着。过了一会儿，才说："那你……去吧。"

"你怎办呀？"

"……"

"我主要考虑这事……"

一阵长时间的沉默。两串泪珠静静地从巧珍的脸颊上淌下来了。她的两只手痉挛地抓着桥栏杆，哽咽着说："……加林哥，你再别说了！你的意思我都明白了！你……去吧！我决不会连累你！加林哥，你参加工作后，我就想过不知多少次了，我尽管爱你爱得要命，但知道我配不上你了。我一个字不识，给你帮不上忙，还要拖累你的工作……你走你的，到外面找个更好的对象……到外面你多操心，人生地疏，不像咱本乡田地……加林哥，你不知道，我是怎样爱你……"

巧珍说不下去了，掏出手绢一下子塞在了自己的嘴里！

高加林眼里也涌满了泪水。他不看巧珍，说："你……哭了……"

巧珍摇摇头，泪水在脸上唰唰地淌着，一串接一串掉在了桥下的大马河里。清朗朗的大马河，流过桥洞，流进了浑黄的县河里……

沉默……沉默……整个世界都好像沉默了……

巧珍迅疾地转过身，说："加林哥……我走了！"

他想拦住她，但又没拦。他的头在巧珍的面前，在整个世界面前，深深地低下了。

她摇摇晃晃走过去，困难地骑上了她的自行车，然后就头也不回地向大马河川飞驰而去。等加林抬起头的时候，眼前只剩下了满川绿色的庄稼和一条空荡荡的黄土路……

高加林也猛地骑上了他的车子，转到通往刘家湾公社的公路上。他疯狂地蹬着脚踏，耳边风声呼呼直响，眼前的公路变成了一条模模糊糊的、飘曳摆动的黄带子……

他骑到一个四处不见人的地方，把自行车猛地拐进了公路边的一个小沟里。

他把车子摔在地上，身子一下伏在一块草地上，双手蒙面，像孩子一样大声号啕起来。这一刻，他对自己仇恨而且憎恶！

一个钟头以后，他在沟里一个水池边洗了洗脸，才推着车子又上了公路。

现在他感觉到自己稍微轻松了一些。眼前，阳光下的青山绿水，一片鲜明，天蓝得像水洗过一般，没有一丝云彩。一只鹰在头顶上盘旋了一会儿，便像箭似的飞向了遥远的天边……

五天以后，高加林从刘家湾公社返回县城，就和黄亚萍开始了他们新的恋爱生活。

他们恋爱的方式完全是"现代"的。

他们穿着游泳衣，一到中午就去城外的水潭里去游泳。游完泳，戴着墨镜躺在河边的沙滩上晒太阳。傍晚，他们就到东岗消磨时间，一块儿天上地下地说东道西，或者一首连一首地唱歌。

黄亚萍按自己的审美观点，很快把高加林重新打扮了一番：咖啡色大翻领外套，天蓝色料子筒裤，米黄色风雨衣。她自己也重新烫了头发，用一根红丝带子一扎，显得非常浪漫。浑身上下全部是上海出的时兴成衣。

有时候，他们从野外玩回来，两个人骑一辆自行车，像故意让人注目似的，黄亚萍带着高加林，洋洋得意地通过了县城的街道……

他们的确太引人注目了。全城都在议论他们，许多人骂他们是"业余华侨"。

但是他们根本不理睬社会的舆论，疯狂地陶醉在他们罗曼蒂克的热恋中。

高加林起先并不愿意这样。但黄亚萍说，他们不久就要离开这个县城了，管别人愿怎样看他们呢！她要高加林更洒脱一些，将来到大城市好很快适应那里的生活。高加林就抱着一种"实习"的态度，任随黄亚萍折腾。

他的情绪当然是很兴奋的，因为黄亚萍把他带到了另一个生活的天地。他感到新奇而激动，就像他十四岁那年第一次坐汽车一样。

他当然也有不满意和烦恼。他和亚萍深入接触后，才感到她太任性了。他和她在一起，不像他和巧珍，一切都由着他，她是绝对服从他的。但黄亚萍不是这样，她大部分是按她的意志支配他，要他服从她。

有时正当他们愉快至极的时候，他就会猛然想起巧珍来，心顿时像刀绞一般疼痛，情绪一下子就从沸点降到了冰点，把个兴致勃勃的黄亚萍弄得败兴极了。亚萍一时又猜不透他为什么情绪会这么失常，感到很苦恼。于是，她为了改变他这状况，有时又想法子瞎折腾，使得高加林失常的现象愈加严重，这反过来又更加剧了她的苦恼。他们有时候简直是一种苦恋！

有一天上午，雨下得很大，县委宣传部正开全体会议。隔壁电话室喊高加林接电话。

加林拿起话筒一听，是亚萍的声音。她告诉他，她的一把进口的削苹果刀子，丢在昨天他们玩的地方了，让高加林赶快到那地方给她找一找。

加林在电话上告诉她，他现在正开会，而且雨又这么大，等中午休息的时候他再去。

亚萍立刻在电话上撒起了娇，说他连这么个事都如此冷淡她，她很难受，并且还在电话里抽抽搭搭起来。

高加林烦恼极了，只好到会议室给主持会的部长撒了个谎，说一个熟人在街上让他下来有个急事，他得出去一下。

部长同意后，他就回到宿舍找了那件风雨衣，骑了个车子就跑。

还没到街上，风雨衣就全湿透了。他冒着大雨，赶到县城南边他们曾待过的那个小洼地里。他下了车，在这地方搜寻那把刀子。

找了半天，他几乎把每一棵草都翻拨过了，还是没有找到。

虽然没有找见，这件事他想他已经尽了责任，就浑身透湿，骑着车子向广播站跑去，告诉她刀子没找见。

他推开亚萍的门，见她正兴奋地笑着，说："你去了？"

加林说："去了。没找见。"

亚萍突然咯咯地笑了，从衣袋里掏出了那把刀子。

"找见了？"加林问。

"原来就没丢！我故意和你开个玩笑，看你对我的话能听到什么程度！你别生气，我是即兴地浪漫一下……"

"浑蛋！陈词滥调！"高加林愤怒地骂着，嘴唇直哆嗦。他很快转过身就走了。

黄亚萍这下才知道她的恶作剧太过分了，吓得不知如何是好，一个人在房子里哭了起来。

高加林回到办公室，换了湿衣裳，痛苦地躺在了床铺上。这时候，巧珍的身影又出现在了他的眼前，她那美丽善良的脸庞，温柔而甜蜜地对他微笑着。他忍不住把头埋在枕头里哭了，嘴里喃喃地一遍又一遍叫着她的名字……

第二天，黄亚萍买了许多罐头和其他吃的来找他，也是哭着给他道歉，保证以后再不让他生气了。

加林看她这样，也就和她又和好了。黄亚萍就像烈性酒一样，使他头疼，又能使他陶醉。不过，她对他的所有这些疯狂，也都是出于爱他——这点他是能强烈体验到的。在物质方面，她对他更是非常豁达的。她的工资几乎全花在了他身上：给他买了春夏秋冬各式各样的时兴服装，还托人在北京买了一双三接头皮鞋（他还没敢穿）。平时，罐头、糕点、高级牛奶糖、咖啡、可可粉、麦乳精，不断头地给他送来——这些东西连县委书记恐怕也不常吃。她还把自己进口带日历全自动手表给了他，她自己却戴他的上海牌表。这些方面，亚萍是完全可以做出牺牲的……

很快，他们就又进入了那种罗曼蒂克式的热恋之中。

正在高加林和黄亚萍这样"浪漫"的时候，他父亲和德顺老汉有一天突然来到他的住处。

两位老人一进他的办公室，脸色就都不好看。

高加林把奶糖、水果、糕点给他们摆下一桌子，又冲了两杯很浓的白糖水放在他们面前。

他们谁也不吃不喝。

高加林知道他们要说什么了，就很恭敬地坐在他们面前，低下头，两只手轮流在脸上摸着，以调节他的不安的心情。

"你把良心卖了！加林啊……"德顺老汉先开口说，"巧珍那么个好娃娃，你把人家撂在了半路上！你作孽哩！加林啊，我从小亲你，看着你长大的，我掏出心给你说句实话吧！归根结底，你是咱土里长出来的一棵苗，你的根应该扎在咱的土里啊！你现在是个豆芽菜！根上一点土也没有了，轻飘飘的，不知你上天呀还是入地呀！你……我什么话都敢对你说哩！你苦了巧珍，到头来也把你自己害了……"老汉说不下去了，闭住眼，一口一口长送气。

他爸接着也开了口："当初，我说你甭和立本的女子牵扯，人家门风高！反过来说，现在你把人活高了，也就不能再做没良心的事！再说，那巧珍也的确是个好娃娃，你走了，常给咱担水，帮你妈做饭，推磨，喂猪……唉，好娃娃哩！甭看你浮高了，为你这没良心事，现在一川道的人都低看你哩！我和你妈都不敢到众人面前露脸，人家都叫你是晃脑小子哩！听说你现在又找了个洋女人，咱们这个穷家薄业怎能侍候下人家？你，趁早散了这宗亲事……"

"人常说，浮得高，跌得重！"德顺老汉接着他爸又指教他说，"不管你到了什么时候，咱为人的老根本不能丢啊……"

"我不常上城，今儿个专门拉了你德顺爷，来给你敲两句钟耳子话！你还年轻，不懂世事，往后活人的日子长着哩！爸爸快四十岁才得了你这个独苗，生怕你在活人这条路上有个闪失啊……"他父亲说着，老眼里已经汪满了泪水。

两个老人一人一阵子说着，情绪都很激动。

高加林一直低着头，像一个受审的犯人一样。

老半天，他才抬起头，叹了一口气说："你们说得也许都对，但我已经上了这钩杆，下不来了。再说，你们有你们的活法，我有我的活法！我不愿意再像你们一样，就在咱高家村的土里刨挖一生……我给你们买饭去……"他站起来要去张罗，但两个老人也站起来，说他们人老腿硬，得赶快起身上路，要不赶天黑也回不到高家村。他们根本不想吃饭，实际上却还想对他说许多话，但现在一看他再说什么也不顶事了——这个人已经有了他自己的一套，用他们的生活哲学已经不能说服他了，于是他们就起身告别。

高加林一看他们坚决要走，只好相伴着他们，一直把他俩送到大马河桥头。两位老人心情相当沉重地走了。

高加林自己也很难过。德顺爷和他爸说的话，听起来道理很一般，但却像铅一样，沉甸甸地灌在了他的心里……

不久，一个新的消息突然又使高加林欣喜若狂了：省报要办一个短期新闻培训班，让各县去一个人学习，时间是一个月。县委宣传部已决定让他去。

他听到这个消息后，德顺爷和他爸给他造成的坏情绪很快消失了。他一晚上高兴得没睡着觉——这可是他有生以来第一次出远门，进省会，去逛大城市呀！

走的那天，亚萍和他相跟着去车站。他身上穿的和提包里提的东西，全是她精心为他准备的，并且亚萍坚持让他穿上了那双三接头皮鞋。第一回穿这皮鞋走路，他感到又别扭又带劲……

当汽车从车站门口驶出来，亚萍的笑脸和她挥动的手臂闪过以后，他的心很快就随着疾驰的汽车飞腾起来，飞向了远方无边的原野和那飞红流绿的大城市……

第二十章

高家村的人好几天没有见巧珍出山劳动，都感到很奇怪，因为这个爱劳动的女娃娃很少这样连续几天不出山的，她一年中挣的工分，比她那生意人老子都要多。

不久，人们才知道，可爱的巧珍原来是遭了这么大的不幸！

立刻，全村人都开始纷纷议论这件事了，就像巧珍和加林当初恋爱时一样。大部分人现在很可怜这个不幸的姑娘，也有个别人对她的不幸幸灾乐祸。不过，所有的人都一致认为，刘立本的二女子这下子算彻底毁了：她就是不寻短见，恐怕也要成个神经病。因为谁都知道，这种事对一个女孩子意味着什么，更何况，她对高玉德的小子是多么迷恋啊！

可是，没过几天，村里人就看见，她又在田野上出现了，像一匹带着病的、勤劳的小牝马一样，又开始了土地上的辛劳。她先在她家的自留地里营务庄稼，整修她家菜园边上破了的篱笆。后来，也就又和大家一起劳动了，只不过一天到晚很少和谁说话，却仍然和往常一样，该做什么，就做什么。

刚强的姑娘！她既没寻短见，也没精神失常，人生的灾难打倒了她，但她又从地上爬起来了！就连那些曾对她的不幸幸灾乐祸的人，也不得不在内心里对她肃然起敬！

所有的人都对她察言观色。普遍的印象是：她瘦多了！

她能不瘦吗？半个月来，她很少能咽下去饭，也很难睡上一个熟觉。每天夜半更深，她就一个人在被窝里偷偷地哭，哭她的不幸，哭她的苦命，哭她那被埋葬了的爱情梦想！

她曾想到过死，但当她一看见生活和劳动过二十多年的大地山川，看见土地上她用汗水浇绿的禾苗，这种念头就顿时消散得一干二净。她留恋这个世界，她爱太阳，爱土地，爱劳动，爱清朗朗的大马河，爱大马河畔的青草和野花……她不能死！她应该活下去！她要劳动！她要在土地上寻找别的地方找不到的东西！

经过这样一次感情生活的大动荡，她才似乎明白了，她在爱情上的追求是多么天真！悲剧不是命运造成的，而是她和亲爱的加林哥差别太大了。她现在只能接受现实对她的这个宣判，老老实实按自己的条件来生活。

但是，不论怎样，她在感情上根本不能割舍她对高加林的爱。她永远也不会恨他，她爱他，哪怕这爱是那么苦！

家里谁也劝说不下她，她天天要挣扎着下地去劳动，她觉得大地的胸怀是无比宽阔的，它能容纳人世间的所有痛苦。

晚上劳动回来，她就悄然地回到自己的窑洞，不洗脸，不梳头，也不想吃饭，靠在铺盖卷上让泪水静静地流。她母亲、她大姐和巧玲轮流过来陪她，劝她吃饭，也和她一起流眼泪。她们哭，主要是怕她想不开，寻了短见。

刘立本睡在另外一个窑里长吁短叹。自从这事发生后，他就病了，头上被火罐拔下许多黑色的印记。他本来对巧珍和加林的事一直满肚子火气未消，但现在看见他娃娃已经成了这个样子，也就再不忍心对她说什么埋怨话了。村里和他家不和的人，已经在讥笑他的女儿，说她攀高没攀上，叫人家甩到了半路上，活该……这些话让仇人们去说吧！做父亲的怎能再给娃娃心上捅刀子呢？但他在心里咬牙切齿地恨高玉德的坏小子，害了他的巧珍！

人世间的事情往往说不来。就在这个时候，马店的马拴竟然正式托起媒人来，要娶巧珍。好几个媒人已经来过了，一看他家这形势，都坐一下就尴尬地走了。

又过了几天，马拴竟在一个晚上又自己找上门来了。

刘立本一家看他这样实心，也就在另外一孔窑洞里接待了他。不管怎样，在巧珍这样不幸的时候，这个小伙子却来求亲，使得刘立本一家人心里都很受感动。至于这事行不行，刘立本现在已不太考虑了，事到如今，立本已经再不愿勉强女儿的婚事，苦命的孩子已经受了委屈，他再不能委屈她了。

他老婆给马拴做饭，他拖着病蔫蔫的身子，来到巧珍的窑洞。

他坐在炕边上，无精打采地摸出一根卷烟，吸了两口又捏灭，对靠在铺盖卷上的女儿说："巧珍，你想开些……高玉德家这个坏小子，老天爷报应他呀！"他一提起加林就愤怒了，从炕上溜下来，站在脚地当中破口大骂，"王八羔子！坏蛋！他妈的，将来不得好死，五雷轰顶呀！把他小子烧成个黑木桩……"

巧珍一下子坐起来，靠在枕头上喘着气说："爸爸，你不要骂他！不要咒他！不要……"

刘立本住了口，沉重地叹息了一声，说："巧珍，过去了的伤心事就再不提它了，你也就不要再难过了。高加林，你把他忘了！你千万不要想不开，自己损蹋自己，你还没活人哩……以前爸爸想给你瞅人家，也是为了你好。从今往后，你的事爸爸再不强求你了。不过，你也不小了，你自己给自己寻个人家吧。心不要太高，爸爸害得你没念书，如今你也就寻个本本分分的庄稼人……唉，马拴这几天又托起了媒人往咱家跑，但这事我再不强求你了。你要是不同意，我就直截了当给他回个话，让他不要再来了……他今天又亲自到咱家……"

"他现在还在吗？"巧珍问她父亲。

"在哩……"

"你让他过来一下……"

她父亲看了她一眼，不知道她这是什么意思，就转身出去了。

不一会儿，马拴一个人进来了。

他看了一眼炕上的巧珍，很局促地坐在前炕边上，两只手搓来搓去。

"马拴，你真的要娶我吗？"巧珍问。

马拴不敢看她，说："我早就看下你了！心里一直像猫爪子抓一般……后来，听说你和高老师成了，我的心也就凉了。高老师是文化人，咱是个土老百姓，不敢比，就死了心……前几天，听说高老师和城里的女子恋上了爱，不要你了，我的心就又动了，所以……"

"我已经在村前庄后名誉不好了，难道你不嫌……"

"不嫌！"马拴叫道，"这有什么哩？年轻人，谁没个三曲两折？再说，你也甭怨高老师，人家现在成了国家干部，你又不识字，人家和你过不到一块儿。咱乡俗话说，'金花配银花，西葫芦配南瓜'。咱两个没文化，正能合在一块儿哩！巧珍，我不会叫你一辈子受苦的！我有力气，心眼儿也不死，我一辈子就是当牛做马，也不能委屈了你。咱乡里人能享多少福，我都要叫你享上……"粗壮的庄稼人说到这里，已经大动感情了，掏出火柴啪地擦着，才发现纸烟还没从口袋里取出来。

眼泪一下子从巧珍红肿的眼睛里扑簌簌地淌下来了，她说："马拴，你再别说了。我……同意。咱们很快就办事吧！就在这几天！"

马拴把掏出的纸烟又一把塞到口袋里，跳下炕，兴奋得满面红光，嘴唇子直颤。

巧珍对他说："你过去叫我爸过来一下。你不要过来了。"

马拴赶忙往出走，在门槛上绊了一下，几乎跌倒。

不一会儿，刘立本黯淡的病容脸上挂着一丝笑意走过来了。

巧珍很快对他说："爸爸，我已经同意和马拴结婚。我要很快办事！就在这三五天！"

刘立本一下子不知所措了，说："这……时间这么紧，要不要两家简单地准备迎送一下？"

"爸爸，你告诉马拴，事情完全按咱的乡俗来。咱家里你们也准备一下。你和我妈当年结婚怎样过事，我结婚也就怎样过事！"

"我们那时是旧式的……"

"旧的就旧的！"她痛苦地喊叫说。

刘立本马上退了出来。他过来先把巧珍的意思给马拴说了。马拴说没问题，他即刻回去就准备，订吹手，准备席面，至于其他结婚方面的东西，他前两年就办齐备了。

刘立本送走马拴以后，很快跑到前村去找高明楼。

明楼听说巧珍已经同意和马拴结婚，先吃了一惊。然后对亲家说："也好！高加林现在位置高了，咱的娃娃攀不上了。马拴在庄稼人里头，也就是像样的……"

"现在主要是巧珍有点赌气，要按咱过去的老乡俗行婚礼，这……"

"不怕！"明楼决断地说，"就按娃娃的意思来！现在党的政策放宽了，这又不是搞迷信活动哩！你就按娃娃说的办！这几天要是忙不过来，叫我大小子和巧英给你们帮忙去……"

刘巧珍和马拴举行结婚仪式的这一天，高家村和马店两个村都洋溢着一种喜庆的气氛。两个村的大部分庄稼人都没有出山。在高家村这里，除过门中人当然被邀请为宾客以外，村里的一些外姓旁人也被事主家请去帮忙了。村里的大人娃娃都穿起了见人衣裳。即是不参加婚礼的村民，也都换上了干净衣服，因为看红火，在众人面前露脸，总得要体面一些。

高加林的父母亲当然是例外。高玉德老汉一早就躲着出山去了。加林他妈去了邻村一个亲戚家——也是躲这场难堪。

全村只有一个人躺在自己家里没出门，这就是德顺老汉。重感情的老光棍此刻躺在土炕的光席片上，老泪止不住地流。他为巧珍的不幸伤心，也为加林的负情而难过。

娶亲仪式的开头首先在马店那里进行。马拴的一个姨姨和姑姑是引人的主要角色。另一个更主要的角色是马拴他大舅——男女双方的舅家都是属第一等宾客。吹鼓手一行五人走在前面。他们后面是迎新媳妇的高头大马，鞍前鞍后，披红挂彩。黑铁塔一样的马拴现在骑在马上——这叫"压马"，按规程新女婿要"压"到本村的村头，然后再返回自己家里等新媳妇回来。

马拴后面，是他姑和他姨，都骑着毛驴，他姑夫和姨夫分别给自己的老婆牵着驴缰绳。他舅作为"领队"断后，和媒人走在一起——媒人是两家的贵宾，既是引人的，又是送人的。

这支队伍一进高家村，吹鼓手长号一吹，接着便鼓乐齐鸣了，两个吹唢呐的人腮帮子鼓得像拳头一般大，吱里哇啦吹起了"大摆队"。同时，在刘立本家的崾畔上，已经噼噼啪啪响起了欢迎的鞭炮声。

迎亲的人被接下不久后，第一顿饭就开始了，按习俗是吃饸饹。吹鼓手在院墙角里围成一圈，开始吹奏起慢板调。

刘立本家的院子里、崾畔上、窑顶上，此刻都挤满了看红火热闹的人。娃娃们大呼小叫，婆姨女子说说笑笑。

因为要赶时间，第一顿饭刚完，就开始上席。席面是传统的"八碗"，四荤四素，四冷四热。一壶烧酒居中，八个白瓷酒杯在红油漆八仙桌上转边摆开。第一席是双方的舅家，接下来是其他嫡亲，然后是门中人、帮忙的人和刘立本的朋亲。吹鼓手们一直在吹着——要等到所有的人吃完之后才能轮上他们……

就在里里外外红火热闹的时候，巧珍正一个人待在她自己的窑里。

她坐在炕头上，呆呆地望着对面墙壁的一个地方，动也不动。外面的乐器声、人的喧哗声、端盘子的吆喝声，都好像离她很远很远。

她想不到，二十二年的姑娘生活，就这样结束，她从此就要跟一个男人一块儿生活一辈子了。她绝没有想到，她把自己的命运和马拴结合在一起，她心爱过的人是高加林！她为他哭过，为他笑过，做过无数次关于他的梦。现在，梦已经做完了……

她呆呆地坐了一会儿，感到疲乏得要命，就靠在铺盖上，闭住了眼。

渐渐地，她感到迷迷糊糊的，接着便睡着了。

门吱呀一声，把她惊醒了。

她侧转头，见是她妈进来了，手里拿着一摞衣服。

"把衣服换上，再洗个脸，梳个头。快起身了……"她妈轻声对她说。

她用手指头抹去了眼角两颗冰凉的泪珠，慢慢坐起来，下了炕。

这时候，外面的鼓乐突然吹奏得更快更热烈了，这意味着最后一席已经起场，吹鼓手正要结束他们的工作，准备吃饭了。

她妈只好赶紧把她扶在椅子上，给她换衣服。换完衣服，她就又倒了一盆热水，给她洗去满脸泪痕，然后就开始给她梳头。

就在这时，她妹妹巧玲进来了。她刚放学，也没去吃饭，就进来看她二姐。

漂亮的巧玲很像过去的巧珍，修长的身材像白杨树一般苗条，一张生动的脸流露出内心的温柔和多情，长睫毛下的两只大眼睛，会说话似的扑闪着。

巧珍看见她妹妹，便伸出自己的一只手，抓住了巧玲的手，非常动情地说：

"巧玲，好妹妹，你不要忘了二姐……你要常来看我。二姐没有念过书，但心里喜欢有文化的人……我现在只有看见你，心里才畅快一点儿……"

巧玲眼里转着泪花子，说："二姐，我知道你现在心里很苦……"

巧珍说："妹妹你放心，不管怎样，我还得活人。我要和马拴一块儿劳动，生儿育女，过一辈子光景……"

巧玲在巧珍面前蹲下来，两只手捉住巧珍的手说："二姐，你说得对。我以后一定会经常去看你的。我从小就爱你，虽然你没上过学，但你想的事很多，我虽然上了学，但受了你不少好影响，否则，我的性格很偏，也不会像今天这样开展……二姐！你也不要过分想以往的事了。对待社会，我们常说要向前看，对一个人来说，也要向前看。生活总是这样，不能叫人处处都满意。但我们还要热情地活下去。人活一生，值得爱的东西很多，不要因为一个方面不满意，就灰心。比如说我吧，梦里都想上大学，但没考上，我就不活人了吗？我现在就好好教书，让村里的其他娃娃将来多考几个大学生！就是不能教书，回村劳动了，该怎样还要怎样哩……"

已经在各方面开始成熟的巧玲，这一番话把巧珍说得眼睛亮了起来。她的手紧紧抓着巧玲的手，只是说："你一定常来看我，常给我说这些话……"

巧玲不住地给她点头，然后突然愤愤地说："高加林太没良心了！"

巧珍摇摇头，又痛苦地闭住了眼睛。

准备送人的巧英进来了。她让她妈赶紧收拾齐备，说已经准备起身了。

她妈让巧玲去吃饭。巧玲走后，她把窑里其他东西查看了一下，然后从后面箱子里拿出一块红丝绸，用发卡别在了巧珍的头上——这是蒙面的盖头。

太阳西斜的时候，娶亲的人马一摆溜从刘立本家的土坡里下来了。唢呐、锣鼓、号声、鞭炮声响成一片。出村的道路两旁和村里所有人家的塄畔上，都挤满了看热闹的人。娃娃们引着狗，在娶亲队伍的前后乱跑。

吹鼓手们在最前面鼓乐齐鸣，缓缓引路，紧跟着是男方娶亲的人马。

新媳妇红丝绸盖头蒙面，骑在披红挂彩的高头大马上，走在中间。后面是送人的女方亲戚，按规矩是引人的两倍，几乎包括了刘立本两口子全部参加婚礼的亲戚。立本按乡俗把这支队伍送到坡下，就返回自己家里了——他一进大门，立刻长长舒了一口气……

娶亲的人马在通过村子的时候，行进得特别缓慢——似乎为了让这热闹非凡的一刻，更深刻地留在村民的记忆里……

巧珍骑在马上，尽量使自己很虚弱的身体不要倒下来，她红丝绸下面的一张脸，痛苦地抽搐着。

在估计快要出村的时候，她忍不住用手撩开盖头的一角：她看见了加林家的崄畔，她曾多少次朝那里张望过啊！她也看见了河对面一棵杜梨树——就在那树下，在那一片绿色的谷林里，他们曾躺在一起，抱过，亲过……别了，过去的一切！

她放下红丝绸，重新蒙住了脸，泪水再一次从她干枯的眼睛里涌出来了……

第二十一章

张克南把他的全部苦恼都发泄在了一根榆木树棒上。这根去了根梢的榆木树棒，就躺在他家院子的石炭和柴垛旁。

他们家现在做饭和今年一个冬天的引火柴，本来早已经绰绰有余，根本不需要劈柴了。就是缺少劈柴，他们向来谁又亲自动过手呢？没了买几担就行了，不需要张克南费这大的劲！

这根粗壮的榆木树棒，谁也不记得是哪一年躺在他们家院子的，也忘了是什么人给他们送来的。反正一直就在那里堵挡柴垛，防止摞好的劈柴倒下来。

张克南在接到黄亚萍断交信的第二天，就从副食门市部后边的院子里，带回一把长柄大斧头，一声不吭地破起了这根榆木棒。

在本地的树木中，榆树的纤维是最坚韧的，一般人谁也不把它当劈柴烧——因为很难破开。

张克南一下班就劈。他好多天实际上没有劈下来几块柴。他也根本不管劈下来了还是没有劈下来，反正只是劈。满头满身的汗，气喘得像拉风箱一般急促。但他一刻也不停地挥动着那把长柄斧头……

实在累得支持不住了，就回去仰面躺在床铺上，头枕着自己的两个手掌，闭住眼一句话也不说。

他母亲有时过来看他这副样子，也一句话不说，只是沉着脸瞅他两眼。他内心有些什么翻腾看不出来，只是戒了一年的烟又开始抽上了。克南他父亲正在县党校学习，经常不回家。这个独院整天都静得没有一点儿声响。

这一天，他拼命劈了一会儿榆树棒，又闭住眼躺在了床铺上，高大结实的身体像没有了气息似的，动也不动。

他母亲进来了。这次她开了口："南南，你起来！"

张克南好像没听见，仍然一动不动躺着。

"起来！我有个事要给你说！你像你没出息的父亲一样，二十几岁了，看窝囊成个啥！"

克南睁开眼，看了看母亲的阴沉脸，不说话，仍然躺着。

"我给你说！我前两天已经打问清楚了，高加林那小子是走后门参加工作的！是马屁精马占胜给办的！材料我都掌握了！"她脸上露出一丝捉摸不来的笑影。

张克南仍然没有理他母亲。他不知道这个事和自己的失恋有什么关系，淡淡地说："前门后门，反正都一样……"

"你这个窝囊废！我给你说，妈已经给地委纪律检查委员会揭发控告了这件事。今天听县纪委你姜叔叔说，地纪委很重视这件事，已经派来了人，今天已经到了县上。他高加林小子完蛋了！"

张克南一闪身爬起来，眼瞪着他妈，喊："妈！你怎能做这事呢？这事谁要做叫谁做去吧！咱怎能做这事哩？这样咱就成了小人了！"

"放你妈的臭屁！你这个没出息的东西！爱人都叫人家挖走了，还说这一个钱不值的混账话！我为什么不揭发控告他狗日的，一个乡巴佬欺负到老娘的头上，老娘不报复他还轻饶他呀？再说，他走后门，违法乱纪，我一个国家干部，有责任维护党的纪律！"

"妈，从原则上说，你是对的。但从道义上说，咱这样做，就毁了！

众人都长着眼哩！绝不会认为你党性强，而是报私仇哩！咱不能用错纠错！"

他妈抢前一步，上来啪啪地打了张克南几个耳光，然后一屁股坐在床上哭起来了，嘴里伤心地喊叫说："我的命真苦啊！生下这么个不成器的东西……"

克南手摸着被母亲打过的脸，眼泪直淌，说："妈妈！你知道，我非常喜欢亚萍……我心里一直像刀割一般难受，我甚至想死！我也恨过高加林！但我想来想去，这是没有办法的事！俗话说，'强扭的瓜不甜'。既然亚萍不喜欢我，喜欢高加林，我就是再痛苦也得承认这个现实。你知道，我心善，从小连别人杀鸡我都不敢看。我一生中最害怕和厌恶的就是屠宰场！我一听见猪的嚎叫，就头发倒竖，神经都要错乱了。因此，我也不愿看见在我的生活周围，在人与人之间，精神上互相屠杀……妈妈！我这人你了解，又不完全了解！我平时是有些窝囊，但我也有自己的生活原则。我虽然才二十五岁，但我已经经历了一些生活，我之所以社会上朋友多，大家也愿意和我交往，就因为我待人诚恳宽厚……我也有我自己的缺点，性格不坚强，在生活中魄力不够，视野狭窄，亚萍正是不喜欢我这些。但她并不知道，我还不至于就是一个堕落的人！亚萍！你不完全了解我啊……"

张克南两只手抓住自己的胸口，先是对他妈说，后来又对他看不见的亚萍说，脸痛苦地扭成了一种可怕的形象。他说完后，一下子倒在了床上，死沉沉的，就像谁丢下了一口袋粮食……

很久以后，克南才从床上爬起来。他妈不知道什么时候走了，也不知道她到哪里去了。院子里静得像荒寺古庙一般。

克南出了门，在院墙根下急促地来回走了好长时间。

在地上丢了十几根烟把子以后，他出了门，直接向广播站走去。

他找到黄亚萍，很快把他母亲给地纪委写信、地纪委已经派人到县里的情况，统统给亚萍说了，同时也说了他自己的所有心里话。他让亚萍看有没有办法挽救这个局面。

黄亚萍听完后，先顾不上急，出口就骂："你妈是个卑鄙的人！"

然后她眼里闪着泪光，对克南说："克南，你是个好人……"

人生

高加林走后门参加工作的问题，被地纪委和县纪委迅速查清落实了。与此同时，高加林的叔父也知道了这件事，两次给县委书记打电话，让组织坚决把高加林退回去。

眼下，这样的问题一直就是公众最关心的。这事很快就在县城传开，街头巷尾，人们纷纷在议论。

在县委的一次常委会上，这件事被专门列入了议题。调查的人列席了常委会，详细汇报了这个事件的调查情况。

常委会的决定很快做出了：撤销高加林的工作和城市户口，送回所在大队；县劳动局副局长马占胜无视党的纪律，多次走后门搞不正之风，撤销其领导职务，调出劳动局，等候人事部门重新分配工作……

专门的文件很快下达到了有关单位。马占胜急得像热锅上的蚂蚁，到处拜访领导，托人求情，说让他好好检讨，请求县委不要给他处分。

后来，他看一切暂时都无济于事，就只好到处叫冤说："啊呀呀，这下舔屁股舔到他妈的刀刃上了……"

这几天，除过马占胜，另一个事中人黄亚萍也在四处奔跑，打探消息，找她父亲的朋友，看能不能挽回局面，不要让高加林回了农村。

当她看见县委下达的文件后，才知道局面是挽不回来了。

"完了！完了！一切都完了……"她在心里喊叫着，不知该怎么办。

她想不到生活的变化如同闪电一般迅疾，她刚刚开始了愉快，马上又陷入了痛苦！

她揪扯着自己的头发，在床上打滚。她无法忍受这个打击所带来的痛苦。

她痛苦的焦点在哪里呢？

这是不言而喻的：她真诚地爱高加林，但她也真诚地不情愿高加林是个农民！她正是为这个矛盾而痛苦！

如果有一个方面的坚定选择，她也就不会如此痛苦了：假若她不去爱高加林，那高加林就是下了地狱也与她无干；如果她为了爱情什么也不顾，那高加林就是下地狱她也会跟着下去！

矛盾是无法统一的。两个方面她自己认为都很重要：她爱高加林而又怕他当农民啊！

生活对于她这样的人总是无情的。如果她不确立和坚定自己的生活原则，生活就会不断地给她提出这样严峻的问题，让她选择。不选择也不行！生活本身的矛盾就是无所不在的上帝，谁也别想摆脱它！

黄亚萍觉得自己不知如何是好。加林本人不在，她又没有更亲密的朋友和她一块儿商量。克南倒是可以商量，但他又在他们之间处于这样的位置，根本不能去找。

她于是想起她亲爱的父亲。她现在只能和他谈这件事。

怎样和父亲谈呢？他本来就反对她离开克南而找加林。在这件事上，她已伤了他的心，他会怎样对待她目前的困难处境呢？

不管怎样，她还是去找父亲。

她回家去找他，他不在家。妈妈告诉她：父亲在办公室里。

她就又跑到了他的办公室。

她父亲正戴着老花镜，看《解放军报》。见她进来，就把老花镜摘下，放在报纸上。

"爸爸，高加林的事你知道不知道？"

"我怎不知道？常委会我都参加了……"

"这怎办呀……"

"什么怎办呀？"

"我怎办呀！"

"你？"

"嗯……"

她父亲抬起头，望着窗户，沉默了半天。

他点燃一支烟，也不看她，仍然望着窗户说："你们现在年轻人的心思，我很难理解。你们太爱感情用事了。你们没有经受过革命生活的严格训练，身上小资产阶级的东西太多。正是这些东西，导致了你现在的处境……"

"爸爸，你先不要给我上政治课！你知道，我现在有多么痛苦……"

"痛苦是你自己造成的。"

"不！我觉得生活太冷酷了，它总是在捉弄人的命运！"

"不要抱怨生活！生活永远是公正的！你应该怨你自己！"老军人大声说着，激动地从椅子上站起来，长眉毛下的一双眼睛，炯炯有神地望着他的女儿。

黄亚萍跺了一下脚，拉着哭调说："爸爸，我想不到你一下子变得对我这样冷酷！我恨你！"

她父亲一下子心软了，走过来用粗大的手掌抚摸了一下她的头发，让她坐在椅子上，掏出手帕揩掉她眼角的泪水。然后他转过身，冲了一杯麦乳精，加了一大勺白糖，给她放在面前，说："先喝点水，你嗓子都哑了……"

他又坐进他办公桌前的圈椅里，手指头在桌子上嘣嘣地敲着，怔怔地看女儿一小口一小口喝那杯饮料。

半天，他才往椅背上一靠，长长出了一口气说："我不怀疑你对那个小伙子的感情。我虽然没见他，但知道我女儿爱上的人不会太平庸，最起码是有才华的人。因此，你那么突然地抛开克南，我和你妈妈尽管很难过，也感觉对老张一家人很抱愧，但我们仍然没有强行制止你这样做。爸爸一生在炮弹林里走南闯北，九死一生，多半辈子人了，才得了你这个宝贝。就你我而言，我把你看得比我重要，我不愿使你受一丝委屈。正因为这样，我对你的关心只限于不让你受委屈，而没有更多地教育你树立正确的人生观……"他突然停顿了下来，手在空中一挥，对自己不满地唠叨说，"扯这些干啥哩！一切都为时过晚了！"

他吸了一口烟，回头看了看静静坐着的女儿，说："这事我已经考虑过了，这次你最好能听爸爸的。咱们马上要到南京，那个小伙子是农民，我们怎能把他带去呢？就是把他放到郊区农村当社员，你们一辈子怎样过日子？感情归感情，现实归现实，你应该……"

"你让我去和加林断吗？"黄亚萍抬起头，两片嘴唇颤动着。

"是的。听说他现在在省里学习，快回来了，你找他……"

"不，爸爸！别说了！我怎能去找他断绝关系呢？我爱他！我们才刚刚恋爱！他现在遭受的打击已经够重了，我怎能再给他打击呢？我……"

"萍萍，这种事再不能任性了！这种事也不允许人任性了！如果不能在一块儿生活，迟早总要断的，早断一天更好！痛苦就会少一点……"

"永远不会少！我永远会痛苦的……"

她父亲站起来，低着头在地上慢慢踱着步，接连叹了两口气，说："一生经历了无数苦恼事，哪一件苦恼事也没你这件事叫人这么苦恼……苦恼啊！"他摇摇头，"本来，你和克南好好的，可是……噢，前天我刚收到老战友的信，说南京那里已经给克南联系下工作单位了……"

黄亚萍一下站起来，大声喊："现在你别提克南！别提他的名字……"她走过去，坐在父亲的圈椅里，拉过一张白纸来。

"你要干什么？"父亲站住问她。

"我要给加林写信，告诉他这一切！"

父亲赶忙走到她身边说："你现在千万不要给他写信！这么严重的事，让他知道了，在外面出了事怎办？他不是快回来了吗？"

黄亚萍想了一下，把纸推到一边。父亲的这个意见她听从了，说："按原来省上通知的时间，再一个星期就回来了。"

她走过去，把父亲墙上挂的日历嚓嚓地接连扯了七页。

第二十二章

经过平原和大城市的洗礼，高加林兴致勃勃地回到这个山区县城来了。

他下了公共汽车，出了车站，猛一下觉得县城变化很大，变得让人感到很陌生。城郭是这么小！街道是这么短窄！好像经过了一番不幸的大变迁，人稀稀拉拉，四处静悄悄的，似乎没有什么声响。

县城一点儿也没变。是他的感觉变了。任何人只要刚从喧哗如水的大城市再回到这样僻静的山区县城，都会有这种印象。

高加林出了车站，走在马路上，脚步似乎坚实而又自在。他觉得对他未来的生活更有自信心了。虽然时间很短暂，但他已经基本了解了外边的世界大概是怎一回事。他把眼前这个小世界和外面的大世界一比较，感到他在这里不必缩头缩脑地生活，完全可以放开手脚……他的心情就像一个游了一次大海的人，又回到小水潭里一样。

他出车站没走几步，碰见了他们村的三星。他穿一身油污的工作服，羡慕地过来和他握手，问："回来了？"

高加林对他点点头，问："你干什么哩？"

三星说："我开的拖拉机坏了，今早上来城里修理，晚上就又到咱上川里去呀。"

"咱村和我们家里没什么事吧？"他随便问。

"没……就是……巧珍前不久结婚了……"

"和谁？"高加林感到头嗡地响了一声。

"和马拴……你在！我还忙着哩！"三星一看他脸色变得很难看，就赶忙走了。

高加林听到这个消息，心里一下子涌起一种说不出的难受滋味。他在马路上若有所失地站了好一阵。他想不到巧珍这样快就结婚了。听到一个爱过自己的姑娘和别人结了婚，这总叫人心里不美气。

他马上意识到，这样呆立在马路当中也不合适，就又提着包往县委走。不过，他走得很慢，脚步也有点沉重起来。他感到街上的人也都似乎有点怪眉怪眼地看他，就像他们知道他心里有什么不愉快似的。

其实，街上的人这样看他，完全是出于另外的原因——这一点要等他回到县委才能明白。

他回到办公室刚把东西放下，老景就过来了。他先问了他这次出去的一些情况，然后突然沉默了起来，脸上的表情也很不自然。高加林很奇怪，他看出了老景好像要和他谈什么，又感到难开口。

老景坐在他的椅子上，又沉默了一会儿，才终于把有关他"走后门"参加工作被揭发、县委已经决定让他回农村的前前后后，全部给他说了。并告诉他，是克南母亲给地纪委写信揭发的，还听说克南和他母亲吵了一架，反对她这样做……

高加林听完后，脑子一下子变成了一片空白。

他麻木地立在脚地当中，甚至不知道自己现在在什么地方。他后来只听见老景断断续续说，他曾找过县委书记，说他工作很出色，请求暂时用雇用的形式继续工作，但书记不同意，说这事影响太大，让赶快给他办清手续，让他立刻就回队。还听说他叔父打了电话，让组织把他坚决退回去……

老景什么时候走的？他不知道。当他确实明白过来他面临的是什么时，一下子反应不过来眼下他该做什么。

他先把烟掏出来，但没抽，扔到了门背后。烟扔掉后，又莫名其妙地掏出了火柴。他把火柴盒抽出来，哗一下全撒在了地上。然后，他又弯下腰，一根一根往火柴盒里拾。拾起以后，又撒在了地上，又拾……

一个钟头以后，他的脑子才恢复了正常。

事情马上变得单纯极了：他不就是又要回到他们村，回到土地上去当社员吗？

紧接着他第一个想到的是巧珍。他在桌子上狠狠砸了一拳，绝望地叫道："晚了！我这个浑蛋……"

接下来他才想到了黄亚萍。她没有引起他过分的痛苦，只是嘴里喃喃地说了一句："生活啊，真是开了一个玩笑……"

是生活开了他一个玩笑，还是他开了生活一个玩笑？他不得而知。正像巧珍认为她和高加林的关系是做了一场梦一样，他感觉他和黄亚萍的关系也是做了一场梦。一切都是毫无疑问的：他现在又成了农民，他和黄亚萍中间，也就自然又横上了一条无法逾越的鸿沟。和亚萍结婚，跟她到南京去……这一切马上变成了一个笑话！即使亚萍现在对他的爱情仍然是坚决的，但他自己已经坚定地认为这事再不可能了，他们仍然应该回到各自原来的位置上。他尽管是个理想主义者，但在具体问题上又很现实。

至于他个人生活道路上这个短暂而又复杂的变化过程，他现在来不及更多地思考。他甚至觉得眼前这个结局很自然，反正今天不发生，明天就可能发生。他有预感，但思想上又一直有意回避考虑。前一个时期，他也明知道他眼前升起的是一道虹，但他宁愿让自己把它看作是桥！

他希望的那种"桥"本来就不存在；虹是出现了，而且色彩斑斓，但也很快消失了。他现在仍然面对的是自己的现实。

是的，现实是不能以个人的意志为转移的。谁如果要离开自己的现实，就等于要离开地球。一个人应该有理想，甚至应该有幻想，但也千万不能抛开现实生活，去盲目追求实际上还不能得到的东西。尤其是对于刚踏入生活道路的年轻人来说，这应该是一个最重要的认识。

人生

可是，社会也不能回避自己的责任。我们应该真正廓清生活中无数不合理的东西，让阳光照亮生活的每一个角落，使那些正徘徊在生活十字路口的年轻人走向正轨，让他们的才能得到充分的发展，让他们的理想得以实现。祖国的未来属于年轻的一代，祖国的未来也得指靠他们！

当然，作为青年人自己来说，重要的是正确对待理想和现实生活。哪怕你的追求是正当的，也不能通过邪门歪道去实现啊！而且一旦摔了跤，反过来会给人造成一种多大的痛苦，甚至能毁掉人的一生！

高加林的悲剧包含诸方面的复杂因素——关于这一切，就让明断的公众去评说吧！我们现在仍然叙述我们的生活故事。

加林现在还顾不得考虑其他。他现在首先要考虑的是，他怎样处理他和亚萍的关系。

实际上，这件事他已经在心里决定了：他要主动找黄亚萍断绝关系！

他洗了一把脸，把那双三接头皮鞋脱掉，扔在床底下，拿出了巧珍给他做的那双布鞋。布鞋啊，一针针，一线线，那里面缝着多少柔情蜜意！他一下子把这双已经落满尘土的补口鞋揣在胸口上，泪水止不住从眼睛里涌出来了……

他换了鞋，就起身去找黄亚萍——现在中午已经下班了，亚萍肯定在家里。他想他这是第一次上亚萍家，也是最后一次。

正在他刚要出门的时候，克南却突然进了他的办公室。

他们相对而立，一阵长时间的沉默。

半天，高加林才说："你坐……"

克南坐在他办公桌旁边的一把椅子上。他自己也在床边坐下来。

"加林，你现在一定很恨我……"克南没有看他，说。

高加林也没有看他，说："不……你应该恨我！"

"你现在心里小看我！认为我张克南是个小人！"

"不，"加林回过头，认真说，"我了解你……关于这件事，和你没关系。这我已经知道了。实际上，就是你写信揭发我走了后门，我也可以理解。因为是我首先伤害了你……你即使报复我，也是正当的……"

张克南猛地抬起头来，怔怔地看着高加林说："你是一个有血性的人。尽管咱们性格不一样，但我过去一直在内心很尊重你。我现在仍然尊重你。过去的事情已经过去了……我现在不知道眼前我该怎样帮助你。我知道你现在很痛苦，亚萍也在痛苦……我不愿意你们痛苦……"

"你更痛苦！"加林站起来，"现在让我们结束这个不幸的局面吧！你和亚萍仍然恢复你们的一切。我现在唯一要求你的，就是你能谅解我以前给你带来的痛苦……"

"不！"克南也站起来，"尽管我爱亚萍，亚萍实际上是爱你的！我的痛苦已经过去了，一切我也都想通了……亚萍也不会离开你……"

"我要离开她！我要主动和她断绝关系！这我已经决定了！"

"她是爱你的……"

"我真正爱的人实际上是另外一个！"高加林大声说。

张克南惊讶地望着他，半天说不出话来了。

高加林又颓唐地坐在床边上，一绺乱蓬蓬的头发耷拉在他苍白的额头上。

克南沉默了一下，然后走到高加林面前，说："……加林，我们不说这些事了。我现在主要考虑你要回农村，生活会很艰苦的。我原来也知道，你们家并不太富裕……我们家经济情况好一点，你如果需要我……"

克南还没说完，高加林一下子愤怒地站起来，大声咆哮："别污辱我了！你滚出去！滚出去！"

克南一下子呆住了。

他眼里闪着泪花，看了一眼高加林，慢慢转过了身。

高加林又猛然走上前来，用一条胳膊搂住了他的肩膀，用一种亲切低沉的音调说："……克南，对不起。你怎能说这种话呢？如果我不了解你是出于一种真诚，我就马上会把你打倒在这里……原谅我，你走吧！我要马上找亚萍结束我们之间的一切。原谅我……"

他们在门外沉默地握手告别了。

黄亚萍听说高加林回来了，正准备去找他，想不到高加林已经找到她门上来了。

亚萍在大门口把他接到自己房子里。她父母亲分别拿着糕点、纸烟、茶壶、茶杯，过来放在桌子上，就都退出去了。

亚萍把一杯茶放到他面前，着急地问："你知道了吗？"

高加林喝了一口茶，平静地说："知道了。"

黄亚萍一下子伏在他旁边的桌子上，呜咽着哭开了。

高加林从侧面看着她耸动着的圆润的肩膀，看着她烫过的蓬松柔软的头发，心里又忍不住隐隐作痛起来。他又记起省城的大街上、公园里，那些一对一对挽着胳膊走路的青年男女。当时他曾想过：不久，我和亚萍也会这样手挽着手，徜徉在南京的大街上，去长江边看朝霞染红的浪花，去雨花台捡五颜六色的雨花石……

他一边想着，一边难受地咽着唾沫。他一直向往的理想生活，本来就要实现，可现在一下子就又破灭了。他感到胸口一阵剧烈的疼痛，赶忙用拳头抵住。

亚萍抬起头来，满面泪痕说："你明天到地区去！找你叔父，让他重新考虑给你找个工作！"

加林点着一支烟，狠狠吸了一口，说："他原来就反对这样做。这次他也打了电话，让把我退回去。对他来说，这样做也是对的，我并不抱怨他。现在我更不准备去找他了。说来说去，路还得自己走。现在事情很简单，我只能再回到我们村去……"

"你不能回去！"她认真地叫道。

加林苦笑了："不是能不能回去，而是必须回去！"

"回去可怎办呀……"亚萍抬起头，脸痛苦地对着天花板，喃喃地念叨着，两只手神经质地捋着头发。

"怎办呀？还能怎办呀！回去当农民！"

"我们怎办呀？"亚萍脸对着他的脸，像是问自己，又像是问加林。

"我已经想好了。我来找你，也就是说这事的！"加林站起来，走过去靠在墙上，"我们现在应该结束我们的关系。你还是和克南一块儿生活吧！他是非常爱你的……"

"不，我要和你在一块儿！"黄亚萍也站起来，靠在桌子上。

"这已经是不可能的了，我已经又成了农民，我们无法在一块儿生活。再说，你很快要到南京去工作了。"

"我不工作了！也不到南京去了！我退职！我跟你去当农民！我不能

没有你……"亚萍一下子双手蒙住脸，痛哭流涕了。可怜的姑娘！她现在这些话倒不全是感情用事。她也是一个有个性的人，事到如今，完全可以做出崇高的牺牲。而她现在在内心里比任何时候都要更爱高加林！

高加林一口接一口地吸着烟，说："亚萍，怎能这样呢？我根本不值得你做这样的牺牲。就是你真的跟我去当农民，难道我一辈子的灵魂就能安宁吗？你一直娇生惯养，农村的苦你吃不了……亚萍，我知道你对我的感情是真诚的。为了这，我很感激你。我自己一直也是非常喜欢你的。但我现在才深切感到，从感情上来说，我实际上更爱巧珍，尽管她连一个字也不识。我想我现在不应该对你隐瞒这一点……"

亚萍突然惊讶而绝望地望着他的脸，一下子震惊得发呆了。

她麻木地呆立了好长时间，然后用袖口揩去脸上的泪水，向前走了两步，站在高加林面前，缓缓说："如果是这样，那么……我祝你们……幸福……"她向他伸出手来，两行泪水静静地在脸上流着。

加林握住她的手，说："巧珍已经和别人结婚了……现在让我来真诚地祝你和克南幸福吧！"

他说完，就把他的手从她的手里抽出来，转过身就往门外走。

亚萍在后边一把扯住他，伤心地说："你……再吻我一下……"

高加林回过头，在她的泪水脸上吻了吻，然后嘴里含着一股苦涩的味道，匆匆跨出了门槛……

高加林从黄亚萍家里出来以后，先没回自己的办公室，径直去县农机修配厂找来三星，让他把他的全部行李在当天晚上就捎回家里去了。然后他和老景一起把所有该办的手续全部办清，就一个人关住门在光床板上躺了下来……

第二十三章（并非结局）

在高三星把加林的铺盖行李捎回村的当天晚上，高家村的大部分人都知道了这件事。全村人都很感慨，谁也没有想到小伙子竟然落了这么个下场！

玉德老两口倒平静地接受了三星捎回来的铺盖卷，也平静地接受了儿子的这个命运。他们一辈子不相信别的，只相信命运，他们认为人在命运面前是没什么可说的。

对这事感到满意的是刘立本，他也认为这是老天爷终于睁了眼，给了高加林应得的报应。他当晚就很有兴致地跑到明楼家，向三星打问这件事的根根梢梢。

但他亲家却没有显出多少兴致来。听了这事，明楼反而显得心情很沉重。这倒不是说他同情高加林，而是他从这件事里敏感地意识到，社会对他们这种人的威胁越来越大了！就连占胜这样的精能人都说垮就垮了台，他一个不识字的农村干部又有多少能耐呢？说不定什么时候，也会清算到他的头上？另外，他的老心病也马上犯了，他认为高加林不管怎样，都已经在心里恨上了他，往后他们又要同在一个村里闹世事，这小伙子将是他最头疼的一个人。从这一点上说，明楼不愿让高加林回来，宁愿他在外面飞黄腾达去！

就在当晚村里各种人对高加林回村进行各种议论的时候，刘立本的老婆和她的大女儿巧英，却正在立本家一孔闲窑里策划一件妇道人家的伎俩……

第二天一大早，立本的大女儿巧英提了个筐子，出了村，来到大马河湾的分路口附近打猪草。这地方并没有多少猪能吃的东西，巧英弄了半天还没把筐底子铺满。

巧英实际上并不是来打猪草的！她要在这里进行她和她妈昨天晚上谋划过的那件事。两个糊涂的女人，为了出气，决定由巧英在今天把回村的高加林堵在这里，狠狠地奚落他一通！因为今天上午村里的男男女女都在这附近的地里劳动，所以在这个地方闹一下最合适。到时候，田野里的人就都会过来看热闹，而且很快就会在大马河上下川道传得刮风下雨！把他高加林小子的名誉弄得臭臭的！叫他再能！

这件事昨天晚上母女俩谋划时，被巧玲在门外听见了。有文化的高中生进去劝母亲和姐姐千万不要这样，说到时人家不会笑话高加林，而丢人的反倒会是她们！但两个不识字的妇道人家却把她臭骂了一通，弄得巧玲当晚上跑到学校另一个女老师那里睡觉去了。

巧英已经有了一个孩子，不像做姑娘时那般漂亮了，但仍然容貌出众。每逢跟集上会，竟然还有一些远地的陌生小伙子以为她是个姑娘，就倾心地向她求爱，她立刻就用农村妇女最难听的粗话把这些人骂得狗血喷头。和两个妹子不大一样，她从里到外把父母的一切都继承了，有时心胸狭窄，精明得有点糊涂，但心地倒也善良，还有一股泼辣劲儿。眼下这行为纯粹是一肚子气鼓起来的。

现在她一边心不在焉地打猪草，一边留心望着前川道的公路，心里盘算她怎样给高加林制造这场难堪。她一直脸色阴沉，噘着个嘴，早已经像演员一样进入了角色。

她突然听见背后传来一阵慌乱的脚步声。回过头一看，竟然是大妹子巧珍！

这真的是巧珍。她穿一件朴素的印花布衫和一条蓝布裤，脚上是她自己做的布鞋，头发也留成了农村那种普通的“短帽盖”。她一切方面都变成一个农村少妇了，但看起来似乎倒比原来更惹人亲，更漂亮。对于本来就美的人，衣着的质朴更能给人增加美感。巧珍的脸上既没有通常新婚妇女那种特别的幸福光彩，但也看不出不久前那场不幸给她留下的阴影。

“你到这儿干啥来了？”巧英问妹子。

“姐姐，快回！你千万不能这样！人家笑话呀！”巧珍扯住巧英的袖口说。

“什么事笑话我哩？”巧英愚蠢地装出一副惊讶的样子。

“好姐姐哩！巧玲昨晚上跑到我那里，把什么事都给我说了。我昨晚上急得一夜没睡着。今早上，我跑到咱家里，把妈妈数说了一番，她也觉得不该，然后我就来……”

“你真是个受罪鬼！”巧英打断了她的话，一下子恨得牙咬住嘴唇，半天不言语了。过了好一会儿，她才愤愤地说：“高加林不光辱没了你，把咱们一家人都拿猪尿泡打了，满身的臊气！你能忍了这口气，你忍着！我们可忍受不了！我今儿个非给他小子难堪不可！”

“好姐姐哩！他现在也够可怜了，要是墙倒众人推，他往后可怎样活下去呀……”巧珍说着，泪水已经在眼眶里旋转起来。

巧英执拗地把头一拧，说：“你别管！这是我的事！”说着，把手里的筐子往地上一丢，一屁股坐在一块石头上，双手狠狠把膝盖一抱，像一个粗野的男人一样。

巧珍一下子跪在巧英面前，把头抵在姐姐的怀里，哽咽着说："我给你跪下了！姐姐！我央告你！你不要这样对待加林！不管怎样，我心疼他！你要是这样整治加林，就等于拿刀子捅我的心哩……"

善良的品格和对不幸的妹妹的巨大同情心，使得巧英一下子心软了。她一只手上去抹自己眼里涌出的泪珠，另一只手亲热地摩挲着巧珍的头，说："珍珍，你不要哭了！姐姐知道你的心！姐姐不了……"她停了半天，突然又叹了一口气说："我心里知道你最爱他。唉！这坏小子要是早叫公家开除回来就好了……现在可怎办呀？我看得出来，这坏小子实际上心里也是爱你的！说不定他还要你哩，可现在……"

"不！"巧珍抬起泪水斑斑的脸，"这是不可能的，我已经结婚了。再说，我也应该和马拴过一辈子！马拴是好人，对我也好，我已经伤过心了，我再不能伤马拴的心了……"

巧英又长出了一口气，说："那你回喀。我也就回呀……"说着就站起来拿筐子。

巧珍也站起来，问："你公公在不在家？"

"在哩。怎啦？"巧英问。

"是这样的，我昨晚还听巧玲说，公社可能还要叫咱们学校增加一个教师。加林回来一下子又习惯不了地里的劳动，我想看能不能叫他再教书。马拴是校管委会的，他昨晚上说马店村里有他哩，说他一定代表马店村去给公社说。咱村里你公公拿事，我想拉你一块儿去求求明楼叔，让加林再去教书。你在旁边一定要帮我说话，你是他的儿媳妇，面子比我大……"

巧英惊讶地张开嘴，望着妹妹怔了半天。她一条胳膊挽起筐子，过来用另一条胳膊搂住巧珍的肩头，说："那咱们回！妹子，你可真有一副菩萨心肠……"

天还没有明时，高加林就赤手空拳悄然地离开了县委大院。

他匆匆走过没有人迹的街道，步履踉跄，神态麻木，高挑的个子不像平时那般笔直，背微微地有些驼了，失神的眼睛深陷在眼眶里，没有一点光气，头发也乱蓬蓬的像一团茅草。整个脸上像蒙了一层灰尘，额头上都似乎显出了几条细细的皱纹。

漂亮而潇洒的小伙子啊，一下子就好像老了许多岁！

到现在，高加林才感觉到自己像个一无所有的叫花子一般。他感觉到自己孤零零的，前不着村，后不靠店。他不知道自己从什么路上走来，又向什么路上走去……

当他走到大马河桥上的时候，他一下子有气无力地伏在了桥栏杆上。桥下，清清的大马河在黎明前闪着青幽幽的波光，穿过桥洞，汇入了初秋涨宽了的县河里。县河浑黄的流水平静地绕过城下，流向了看不见的远方。

他手抚着桥栏杆，想起第一次卖馍返回的时候，巧珍就是站在这里等他的；想起在这同一个地方，他不久前又曾狠心地和她断绝了关系……眼下他又在这里了，可是他现在还有什么呢？他幻想的工作和未来在大城市生活的梦想破灭了；黄亚萍又退回到了他生活的远景上；亲爱的刘巧珍被他冷酷地抛弃，现在已和别人结了婚。他真想一纵身从这桥上跳下去！

这一切怨谁呢？想来想去，他现在谁也不怨了，反而恨起了自己：他的悲剧是他自己造成的！他为了虚荣而抛弃了生活的原则，落了今天这个下场！他渐渐明白，如果他就这样下去，他躲过了生活的这一次惩罚，也躲不过去下一次惩罚——那时候，他也许就被彻底毁灭了……

严峻的现实生活最能教育人，它使高加林此刻减少了一些狂热，而增强了一些自我反省的力量。他进一步想：假如他跟黄亚萍去了南京，他这一辈子就会真的幸福吗？他能不能就和他幻想的那样在生活中平步青云？亚萍会不会永远爱他？南京比他出色的人谁知有多少，以后根本无法保证她不再去爱其他男人，而把他甩到一边，就像甩张克南一样。可是，如果他和巧珍结了婚，他就敢保证巧珍永远会爱他。他们一辈子在农村生活苦一点儿，但会活得很幸福的……现在，他把生活中最宝贵的东西轻易地丢弃了！他做了昧良心的事！爸爸和德顺爷的话应验了，他害了别人，也害了自己！他搅乱了许多人的生活，也把自己的生活搅了个一塌糊涂……

黎明不知什么时候已经静悄悄地来临了。县城的灯光先后熄灭，大地万物在一种自然柔和的光亮中脱去了夜的黑衣裳，显出了它们各自的面目。时令已入秋，山头和川道里的庄稼、树木，绿色中已夹杂了点点斑黄。

城里已经又开始熙熙攘攘了。一天的生活像往常一样开始了它的节奏。

高加林望了一眼罩在蓝色雾霭中的县城，就回过头，穿过桥面，拐进了大马河川道。

他走在庄稼地中间的简易公路上，心里涌起了一种从未体验过的难受。他已经多少次从这条路上走来走去。从这条路上走到城市，又从这条路上走回农村。这短短的十华里土路，对他来说，是多么漫长！这也象征着他已经走过的生活道路——短暂而曲折！

他折了一枝柳树梢，一边走，一边轻轻抽打着路边的杂草，心想：他回到村里后，人们会怎样看他呢？他将怎样再开始在那里生活呢？亲爱的巧珍已经不在了！如果有她在，他也就不会像现在这样难受和痛苦了。她那火一样热烈和水一样温柔的爱，会把他所有的苦恼冲洗掉。可是现在……他忍不住一下子站在路上，痛不欲生地张开嘴，想大声嘶叫，又叫不出声来！他两只手疯狂地揪扯着自己的胸脯，外衣上的纽扣嘣嘣地一颗颗飞掉了……

早晨的太阳照耀在秋天的原野上，大地立刻展现出了一片斑斓的色彩。庄稼和青草的绿叶上，闪耀着亮晶晶的露珠。脚下的土路潮润润的，不起一点黄尘。高加林在路上摇摇晃晃地走着，走几步就站下，站一会儿再走……

离村子还有一里路的地方，他听见河对面的山坡上，有一群孩子叽叽喳喳地说话，其中听见一个男孩子大声喊："高老师回来啰……"他知道这是他们村的砍柴娃娃，都是他过去的学生。

突然，有一个孩子在对面山坡上唱起了信天游——

哥哥你不成材，

卖了良心才回来……

孩子们都哈哈大笑，叽叽喳喳地跑到后沟里去了。

这古老的歌谣，虽然从孩子的口里唱出来，但它那深沉的谴责力量，仍然使高加林感到惊心动魄。他知道，这些孩子是唱给他听的。

唉！孩子们都这样厌恶他，村里的大人们就更不用说了。

他走不远，就看见了自己的村子。一片茂密的枣树林掩映着前半个村子，另外半个村子伸在沟口里，他看不见。

他忍不住停下了脚，忧伤地看了一眼他熟悉的家乡。一切都是原来的样子——但对他来说，一切又都不一样了……

就在这时，许多刚下地的村里人，却都从这里那里的庄稼地里钻出来，纷纷向他跑来了。

他不知道这是怎一回事，村里的人们就先后围在了他身边，开始向他问长问短。所有人的话语、表情、眼神，都不含任何恶意和嘲笑，反而都很真诚。大家还七嘴八舌地安慰他哩。

"回来就回来吧，你也不要灰心！"

"天下农民一荐子人哩！逛门外和当干部的总是少数！"

"咱农村苦是苦，也有咱农村的好处哩！旁的不说，吃的都是新鲜东西！"

"慢慢看吧，将来有机会还能出去哩。"

……

亲爱的父老乡亲们！他们在一个人走运的时候，也许对你躲得很远；但当你跌了跤的时候，众人却都伸出自己粗壮的手来帮扶你。他们那伟大的同情心，永远都会给予不幸的人！

高加林忍不住热泪盈眶。他一句话也说不出来，只是掏出纸烟，给大家一人散了一根。

庄稼人们问候和安慰了他一番，就都又下地去了。

当高加林再迈步向村子走去的时候，感到身上像吹过了一阵风似的松动了一些。他抬头望着满川厚实的庄稼，望着浓绿笼罩的村庄，对这

人生

单纯而又丰富的故乡田地，心中涌起了一种深厚的情感，就像他离开它已经很长时间了，现在才回来……

当他从公路上转下来，走到大马河湾的分路口上时，腿猛一下子软得再也走不动了。他很快又想起，他和巧珍第一次相跟着从县城回来时，就是在这个地方分手的——现在他们却永远地分手了。他也想起，当他离开村子去县城参加工作时，巧珍也正是在这个地方送他的。现在他回来了，她是再不会来接他了……

他坐在一块石头上，身上像火烧着一般烫热。他用两只手蒙住眼睛，头无力地垂在胸前。他真不知道往后的日子怎么过呀！他嘴里喃喃地说："亲爱的人！我要是不失去你就好了……"泪水立刻像涌泉一般地从指缝里淌出来了……

好久，高加林才抬起头。他猛然发现，德顺爷爷正蹲在他面前。他不知道德顺爷爷是什么时候蹲在他面前的。他只是静静地蹲着，抽着旱烟锅。

他见他抬起头来，便笑眯眯地说："你还有眼泪呢？"接着一脸皱纹一下子缩到眼角边，摇了摇那白雪一般的头颅，痛心地说："娃娃呀，回来劳动这不怕，劳动不下贱！可你把一块金子丢了！巧珍，那可是一块金子啊！"

"爷爷，我心里难过。你先别说这了。我现在也知道，我本来已经得到了金子，但像土圪塔一样扔了。我现在觉得活着实在没意思，真想死……"

"胡说！"德顺爷爷一下子站起来，"你才二十四岁，怎么能有这么些混账想法？如果按你这么说，我早该死了！我，快七十岁的孤老头子了，无儿无女，一辈子光棍一条。但我还天天心里热腾腾的，想多活它几年！别说你还是个嫩娃娃哩！我虽然没有妻室儿女，但觉得活着总还是有意思的。我爱过，也痛苦过；我用这两只手劳动过，种过五谷，栽过树，修过路……这些难道也不是活得有意思吗？——拿你们年轻人的词说叫幸福。幸福！你小子不知道，我把我树上的果子摘了分给村里的娃娃们，我心里有多……幸福！不是么，你小时候也吃过我的多少果子啊！你小子还不知道，我栽下一拨树，心里就想，我死了，后世人在那树上摘着吃果子，他们就会说，这是以前村里的光棍老汉德顺栽下的……"

德顺老汉大动感情地说着，像是在教导加林，又像是借此机会总结他自己的人生。他像一个热血沸腾的老诗人，又像一个哲学家。那只拿烟锅的、衰老的手在剧烈地抖动着。

高加林一下子站起来了。傲气的高中生虽然研究过国际问题，读过许多本书，知道霍梅尼和巴尼萨德尔，知道里根的中子弹政策，但他没有想到这个满身补丁的老光棍农民，在他对生活失望的时候，给他讲了这么深奥的人生课题。他望着亲爱的德顺爷爷那张老皱脸，一双失去光彩的眼睛里重新飘荡起了两点火星。

德顺爷爷用缀补丁的袖口揩了一下脸上的汗水，说："听说你今上午要回来，我就专门在这里等你，想给你说几句话。你的心可千万不能倒了！你也再不要看不起咱这山乡圪崂了。"他用枯瘦的手指头把四周围的大地山川指了一圈，说，"就是这山，这水，这土地，一代一代养活了我们。没有这土地，世界上就什么也不会有！是的，不会有！只要咱们爱劳动，一切都还会好起来的。再说，而今党的政策也对头了，现在生活一天天往好变。咱农村往后的前程大着哩，屈不了你的才！娃娃，你不要灰心！一个男子汉，不怕跌跤，就怕跌倒了不往起爬，那就变成个死狗了……"

"爷爷，你的话给我开了窍，我会记住的，也会重新好好开始生活的。刚才我在前川碰见庄里的其他人，他们也给我说了不少宽心话。唉，我现在就担心高明楼和刘立本两家人往后会找我的麻烦，另眼看我……"

"啊呀，这你别担心！就是为了这事，我刚才还去明楼家找了他。我和他爸当年是拜把兄弟，我敢指教他哩！我已经把话给他敲明了，叫他再不要捣你的鬼……噢，我倒忘了给你说了！我刚才去明楼家，正碰见巧珍央求明楼，让他去公社做做工作，让你再教书哩！巧珍说得鼻涕一把泪一把！明楼当下也应承了。不知为什么，他儿媳妇巧英也帮巧珍说话哩。你不要担心，书教成教不成没什么，好好重新开始活你的人吧……啊，巧珍，多好的娃娃！那心就像金子一样……金子一样啊……"

德顺老汉泪水夺眶而出，顿时哽咽得说不下去了。

　　高加林一下子扑倒在德顺爷爷的脚下，两只手紧紧抓着两把黄土，沉痛地呻吟着，喊叫了一声："我的亲人哪……

《收获》1982年3期

高山下的花环

李存葆

记不清哪朝哪代哪位诗人，曾写过这样一句不朽的诗——
"位卑未敢忘忧国"。

——作者题记

引　子

在哀牢山中某步兵团三营营部，在赵蒙生的办公室里，我和他相识了。

寒暄之后坐下来，便是令人难挨的沉默。赵蒙生是这三营的教导员。他出身于革命家庭，其父是位战功赫赫的老将军，其母是位"三八"式的老军人。三年前在对越自卫反击战中，他荣立过一等功。三年多来，他毫不艳羡大城市的花红柳绿，默默地战斗在这云南边陲。另外，他还动员他当军医的爱人柳岚，也离开了大城市来到这边疆前哨任职。

在未见到他之前，军文化处的一位干事简介了上述情况之后，对我说："你要采访赵蒙生，难哪！他的性格相当令人捉摸不透。他的事迹虽好，却一直未能见诸报章，原因就是他多次拒绝记者对他的采访！"

脾气怪？搞创作的就想见识一下有性格的人物！

见我执意要去采访，文化处那位干事给赵蒙生所在团政治处打罢电话，又劝我说："李干事，算了，别去了，去也是白跑路。团政治处的同志说了，三天前赵蒙生刚收到一张一千二百元的汇款单，那汇款单是从你们山东沂蒙山区寄来的。赵蒙生为那汇款单的事两宿未眠，烦恼极了！"

一张汇款单为啥会引起将门之子的苦恼，这里面肯定有文章！于是，我更是毫不迟疑地乘车前往。

此时，我虽见到了他，但他一句"没啥可谈"，便使我吃了"闭门羹"。

坐在我们一旁的是营部书记①段雨国。像是为了要打破这尴尬的局面，他起身给我本是满着的茶杯，又轻轻添进一丝儿水。

赵蒙生仍是一声不吭。他是个非常英武的军人，从体形到面容，都够得上仪仗队队员的标准。显然因为缺乏睡眠的缘故，此时他那拧着两股英俊之气的剑眉下，一双明眸里布满了血丝，流露着不尽的忧伤和悲凉。难道还是为那汇款单的事而苦恼？

也许他也受不了这样的沉闷，便摘下了军帽。我这才发现他额角右上方有道二指多宽的伤疤。我正琢磨着该怎样打破这僵局，想不到他竟开口了："听口音，您像山东人？"

"对，对。我老家离沂蒙山不远呢。"

"您在济南部队工作？"

"我是济南部队歌舞团的创作员。"

"那么，您怎么会来这云南……"

我连忙告诉他，三年前的初春，在总政文化部的统一组织下，我曾有幸来过这云南前线，跟随参战部队经历了那场世界瞩目的对越自卫反击战。我这次来的目的，是想访问一些三年前在战场上涌现出来的英雄人物，看他们如今又是怎样生活和战斗的……

"噢。"他出于礼貌点了点头。

见采访火候已到，我忙说："赵教导员，您能否给我谈一谈，您是怎样说服您的爱人柳岚同志来边疆的……"

"啥？让我瞎吹柳岚呀！那真是可悲可叹！"他连连摇头，自嘲地接上道，"柳岚回去休探亲假了，她现已超假二十多天未归队！我们正准备打报告给她处分。小段，你证实，这可不是瞎说吧！"

---

① 营部书记是做文书工作的，相当于排职干部。

书记段雨国约有二十三四岁，白皙皙的脸蛋上挂着书生气。他很是认真地对我说："对。柳军医超假已二十二天了。可她有病假条。"

"那病假条绝对是骗人的鬼把戏！"赵蒙生愤慨地对我说，"柳岚军医大学毕业后分到我们这里还不到一年，就多次嚷着要脱军装转业，说这里绝对不是人住的地方。看来，要让她继续留在这边防，那是'蜀道之难，难于上青天'！"

他说罢，又陷入了痛苦的沉思之中。

眼下是三月，我临离开济南时刚见过一场大雪，而这地处亚热带的滇边，竟是酷热难当了。屋外，树上知了的叫声响成一片，我心中涌起阵阵燥热。看来，我这次采访也将是毫无收获了。

过了一会儿，他竟又开口了："既然您是从山东来的，那么，先请您看看这……"

他递给我的，正是那张一千二百元的汇款单！汇款单是从山东沂蒙山区枣花峪大队寄来的。上面写有简短的附言：

蒙生：这是三年多来你寄给梁大娘的钱，现全部如数给你寄回，查收。

"汇款单是前天寄来的。我真搞不清梁大娘为啥把钱全部退给我……"赵蒙生用拳头捶了下头，脸抽搐着，痛苦异常。

沉默了一大会儿，他才静下心来对我说："在自卫反击战前前后后，我有过非同寻常的经历。也许有了那段经历，我才至今未离开边防前哨。"稍停，他望着我，"您要有兴趣的话，我倒可以把那段经历讲给您听听。"

我连连点头："好。您讲吧。"

他站起来："先请您看一下这两幅照片——"

我这才发现，他的办公桌上方的墙上，并排挂着两帧带相框的照片。他指着左边的相片说："这张放大了的六时免冠照，是我要讲述的故事中的主人公。他名叫梁三喜，老家在山东沂蒙山。他原是我们三营九连连长，在反击战中壮烈殉国。当时，我是九连的指导员。"

还未等我仔细端详烈士的遗容，他又指着右面那张十二时的大照片说："这是梁三喜烈士一家在他墓前的留影，这衣服上打着补丁的白发老人，是烈士的母亲梁大娘。这身穿孝服的年轻媳妇，是烈士的妻子韩玉秀。玉秀怀中抱着的是梁三喜未曾见过面的女儿，名叫盼盼。"

我们又坐下来。赵蒙生的表情仍很沉重。

我从旅行包里取出小型录音机，轻轻装上了磁带。然而，赵蒙生却向我摆了摆手："别急。在我讲述之前，我得向您提出三点要求，当您认为我的要求您能接受时，我才有可能对您讲下去。"

"哪三点呢？"我轻声问。

"其一，当您把我讲述的故事写给读者看的时候，我希望您不要用华丽的辞藻去打扮这个朴实的故事。要离部队的实际生活近些，再近些。文学是要有审美价值的，而朴实本身不就是美吗？"

想不到跟前这教导员竟如此有文学修养！他说的全乃行家之言，我当即点头同意。

"其二，当前读者对军事题材的作品不甚感兴趣。我看其原因是某些描写战争的作品却没有战争的真情实感，把本来极其尖锐的矛盾冲突磨平，从而失去了震撼读者心灵的艺术力量。别林斯基说过，缺乏戏剧性的长篇小说，是生气索然而沉闷的。这话有道理。但有的作者为追求戏剧性，竟凭空编造故事，读来则更令人感到荒诞不经。这里先请您放心，我的亲身经历，本身已具备了戏剧性。不过，在我进行必要的铺垫和交代时，您开始会感到有点儿沉闷，但希望您不要打断我的讲述。我请求您耐心地听下去。您最终便会知道，这个真实生活中发生的故事，即使石头人听了也会为之动情，为之落泪的！"说罢，他望着我，"您能不加粉饰地把它记录下来吗？"

我再次点头表示从命。

"其三，在这个故事中，我和我妈妈都扮演了极不光彩的角色。您必须如实描绘生活中的'这一个'，如果您稍将'这一个'加以美化的话，这个故事不是大减成色，便是不能成立了。因此，这是三点中至关紧要的一点。"

我大惑不解。

这时，书记段雨国对我说："在教导员讲述的故事中，我也是个很不光彩的角色。但我也诚恳地企望，您切莫对我笔下留情！"

呵，又出来一位"这一个"，我更不解了！

"我提的三点，尤其是第三点，您能接受吗？"赵蒙生催问我。

我急于听到下文，连忙点头同意。

以下，便是赵蒙生的讲述——

一

我记得非常清楚，那是一九七八年九月六日。

我离开军政治部宣传处，下到九连任指导员。我原来的职务是宣传处的摄影干事，那可是既美气又自在的差事呀。讲摄影技术，我不过是个"二混子"。加上我跟宣传处的几位同志关系处得也不太好，我要求下连任职，是他们巴望不得的事。

我不多的家当，两天前就由团后勤处的卡车捎到了九连。当团里用小车送我到九连走马上任时，我随身只带着个小皮箱。皮箱里装着一条大中华烟，还有一架"YASHIKA"照相机。那架进口照相机，是我八月份回家休假时，妈妈托人给我从侨汇商店里买的。当我把公家的照相机移交之后，高兴时我还可以玩玩这"YASHIKA"。

当时，九连的驻地并不在这边防前哨，离这里少说也有千里之遥。营房也是设在阒无人迹的深山沟里。

我和梁三喜及九连的排长们第一次见了面。

梁三喜两手紧紧握着我的手，煞是激动："欢迎你，欢迎你！王指导员入校半年多了，我们天天盼着上级派个指导员来！"

看上去，梁三喜是个"吃粮费米、穿衣费布"的大汉，比我这一米七七的个头，少说要高出两公分。那黝黑的长方脸膛有些瘦削，带着憨气的嘴唇厚厚的，绷成平直的一线，下颌微微上扬。一望便知，他是顶着满头高粱花子参军的。

他望着我："指导员，有二十六七岁了吧？"

我说："咱可不是'选青'对象，都三十一啦！"

"这么说咱俩是同岁，都是属猪的。"他笑着，"可看上去，你少说要比我小七八岁呢！"

"连长，你也学会'逢人减岁，遇货加钱'啦！"站在我身旁的一位排长对梁三喜说罢，又滑稽地朝我一笑，"行啦，一个黑脸，一个白脸，你俩这一对猪，今后就在一个槽子里吃食吧！"

梁三喜忙给我介绍说："这是咱连的滑稽演员，炮排排长！"

"靳开来，靳开来！"炮排排长靳开来握着我的手，"不是啥滑稽演员，是全团挂号的牢骚大王！"

梁三喜接着把另外三位排长一一给我介绍。

外表比我老气得多的梁三喜，又诚笃地对我笑着说："行呀，今后你吹笛儿，我捏眼儿，一文一武，咱俩配个搭档吧！"稍停，他叹口气，"咳！副连长进了教导队，副指导员因老婆住院回去探家了。这不，连里就我和这四员大将连轴转，你来了，就好了。要不然，今年我的假就休不成了！"

靳开来接上道："连长，干脆，明天你就打休假报告，争取下个星期就走！别光给韩玉秀开空头支票了，让人家天天在家盼着你！"说罢，他转脸对我，"奶奶的，连队干部，苦行僧地干活！"

看来，我的搭档们都不是"唱高调"的人。这，还算是对我的心思。

紧急集合号声骤起。那唰唰的脚步声告诉我，要让我"宣誓就职"了。

"同志们！"梁三喜郑重地把我介绍给大家，"这是新来的赵指导员！"

如雷的掌声过后，队列里鸦雀无声。

我当摄影干事时曾下连拍摄过队列照片。但如此整齐的队列，我却第一次见到。四行队伍成四条笔直的线，个个收颔挺胸，纹丝不动。连队是连长的镜子，我顿时觉得梁三喜可能是位带兵极严的连长……

"同志们，赵指导员是主动要求下到我们九连的！他从大机关里来，文化高，有水平！"他用威严的目光扫视了一下队列，与适才那轻言慢语的声调判若两人，"同志们不要有丝毫的误解，赵指导员既不是下连代职锻炼，更不是到这里来体验生活的，上级正式任命他为我们九连的指导员！他的行李和组织关系等等，全一锅端来了！今后，大家遇事要向他多请示，多报告。军人嘛，服从命令是天职，大家要坚决服从指导员的指挥！请指导员讲话。"

掌声又起。可爱的士兵们鼓掌也总是拿出拼刺刀的劲头！

"同志们！我……水平不高，我缺乏经验，我……愿和大家一起，把咱连的工作搞好。我……讲完了。"

我本是个侃侃而谈的人，但众目睽睽之下，我的"就职演说"却是如此简短。全连解散后，我仍觉得脸上热辣辣的，心跳如鼓。柯涅楚克在《前线》一剧中塑造了一个绝妙的艺术典型客里空，眼下我在生活中正充当着客里空的角色。但我又缺乏客里空的演技——撒起谎来可以百倍认真而心不跳、脸不红。

演戏，我分明是在演戏！滑稽剧？恶作剧？还是真正的悲剧！指导员——党代表，我是在亵渎这神圣而光荣的称号啊！

有些城镇入伍的战士把参军当成"曲线就业"，我甘愿从军机关下到九连任职，玩的是"曲线调动"的鬼把戏。

我出生于军人之家。授衔时爸爸是少将，妈妈是中校。记得我上四年级时，我曾跟一位同龄的伙伴为争论谁爸爸的官大而大动干戈：

"赵蒙生，别瞎吹，再吹你爸爸也是一个豆！俺爸爸是'双铁轨'，四个豆！"

"'双铁轨'顶啥用！"我反驳说，"我爸爸一个豆是金豆，是将军豆！你爸爸四个豆是银豆，是校官豆。银豆比起金豆来，差远了！"

"你瞎吹！"

"瞎吹？你回去问问你爸爸，我爸爸让他立正，他不敢稍息！"

于是乎，拳来脚往，俺俩打得不可开交。

这事让我爸爸知道了，我挨了爸爸一顿好揍，我从来没见爸爸发那样大的火。我哭着到妈妈怀中撒娇，谁知妈妈竟也一把推开我，让我站好，严厉地训斥我："什么官不官的，官再大也是人民的勤务员！记住，你是红军的后代，长大了要为人民服务！"……

那阵儿，爸爸妈妈对我要求极严。他们坐的小车从来都不让我坐，我穿的衣服也是姐姐穿下来之后改做的。妈妈经常给我讲述战争年代的艰辛生活和英雄人物，还有意识地给我买些这方面的画书。我印象最深的是《卓娅和舒拉的故事》，还有盖达尔的《铁木尔和他的伙伴们》。读了之后，我和小伙伴们便像铁木尔那样去做好事。清晨送身残的同学上学，放学后给烈军属买粮食，大冬天到教室里帮助工友生炉子。每逢暑假，老师便带我们到郊外过夏令营。面对熊熊燃烧的营火，我们憧憬着未来，崇拜卓娅和舒拉，更崇拜董存瑞……

一九六五年军衔取消了。然而，用童心可以拥抱生活的岁月却变得浑浊了。

一九六七年我参军时，爸爸已被关押起来。几经交涉，妈妈领我见到爸爸。妈妈悄声对爸爸说："总算有门路了，蒙生可以当兵了！"

爸爸从铁栅栏里伸出手，颤抖地抚摸着我的脸："孩子，莫哭，战士有泪不轻弹嘛。去吧，到有枪声的地方去锻炼！要记住你为啥叫蒙生，要记住你是军人的儿子！"

就这样，我来到了这个军。这个军是当年从山东南下过来的。军、师、团三级现任领导中，不少人是我爸爸的老部下。我曾洒泪感激正直豪爽的军中前辈，在爸爸蒙难之时，他们念及战争岁月的生死之交，对我精心关照……

"十年动乱"，摧残了多少人才。权力的反复争夺，又使多少人茅塞顿开，学得"猴精"呀！人为万物之灵，极具谋求生存的本领，是适应性最强的动物。在那你死我活的政治旋涡中，心慈的变得狠毒，忠厚的变得狡猾，含蓄的变得外露，温存的变得狂暴……造物主催化万物的奥妙，是在一个"变"字呀！

职位再高的人也是人，人都具有可塑性。妈妈本是军区卫生部副部长，不知从何时起，她已像"外交家"一样极善于周旋了。当五千年古国文明史上首屈一指的"演员"林彪摔死之后，我爸爸"华野山头黑干将"的问题澄清了，又恢复了职务。妈妈的"外交才华"更是熠熠生辉……

妈妈的"外交内容"事无巨细，颇为繁杂。比如为老战友搞些难搞到的药品啦，补养品啦；又如哪位老同事想当候鸟，随着季节的变换要由北去南或由南去北疗养啦，妈妈便不遗余力地挂长途电话联系，把求上门来的老同事安排到称心之地……最能体现妈妈"外交才华"的是送女同胞参军。那阵儿，城里的父母们一面高呼"广阔天地，大有作为"，一面却在为子女们苦苦寻求出路。尤其是女孩子，不管是高墙深宅的闺秀还是普通人家的千金，大都把穿上军装当作梦寐以求的最高理想。我的姐姐是一九六二年凭考分进了上海军医大学的，用不着妈妈再操心。我的两个妹妹是同一天穿上军装的，我们家一下便成了"全家兵"……

有人暗中估算过，说通过我妈妈的关系穿上军装的姑娘，足能编一个"红色娘子军连"。这实在太夸张了。我了解实情，妈妈送走的女兵也就是十多个，最多能编一个"娘子军班"。

"送走几个孩子当兵犯什么法？保卫祖国是她们神圣的权利和义务！"妈妈常在人面前这样说，"现在北极熊到处挑衅，当兵是去准备流血牺牲的！杨家将，一齐上。打起仗来，让你们瞧瞧俺赵家的全家兵！"

我当然不再相信妈妈的话是出自内心。但我却常常为有妈妈这样的大树作为荫庇，感到莫大的幸福和自豪！

然而，大也有大的难处。因我爱人柳岚上大学的事，妈妈竟遇上了难劈的柴。

一九七七年夏天，S军医大学来我们军招生。名额只有两个。原则上是通过推荐和考试择优录取。柳岚在军门诊部工作，妈妈费了好大的劲才使柳岚刚刚由护士提升为医助。这时，她又想上大学。于是，远在外军区的妈妈打长途电话来，把柳岚推荐上了。参加考试的有二十多位"娘子军"，柳岚考了个倒数第三，却被录取了。"娘子军"可是不好惹的，一旦她们发现自己仅仅是些"陪衬角色"时，她们联名写信到处揭发，说柳岚提医助就是走的关系，这次上大学又走后门。什么"这次招生根本不是才华与智慧的选拔，而是权力与地位的竞争"，言辞尖刻得很。有人提出要组成联合调查组，揭开这次招生的内幕，坚决把柳岚追回来……

妈妈接到我的告急电话之后，像基辛格往返中东搞穿梭外交那样，火速赶到军里。

听我说明事态后，妈妈显得有点紧张，转眼便神态自若。她带着我，先后看望了爸爸的两位老部下。

"……老干部活到今天容易吗？是不是有人嫌我和蒙生他爸挨斗挨得

还不狠，受罪受得还不够？是不是军里有人生个法子想整我们？群众有情绪，可以开导教育嘛。柳岚的事我是不管，你们看着办！"临别，妈妈朝对方笑了笑，"哎，忘了对您说了。您那老三在我们军区司令部干得很出哪，群众威信蛮高，听说快提副科长了。"

妈妈对爸爸的另一位老部下说："……柳岚考试分数是低了点，那还不是'十年动乱'造成的！她爸妈都是地方干部，前些年受的罪更是三天三夜也说不完。正因为柳岚文化差，才更应该让她上大学深造嘛！不然，没有过硬的技术，怎能让她更好地为人民服务！这些话，你们当领导的得出面给同志们解释呀。"临别，妈妈握着对方的手，"呃，忘了跟您报喜了。您那四丫头在我们总院内二科，根本不用人操心，全凭自己干得好，前几天已入党了。对了，她可是到了找对象的年龄了。可怜天下父母心。这种事，我这当大姨的是得给你们老两口分点忧哪。放心，你们放心。"

一切都在谈笑之间。既不像低级说客那样赤裸裸地进行交易，更不像小商贩那样为头高头低去煞费苦心地拨弄秤砣。然而，我却深悉妈妈话中的潜台词："外交关系"按惯例都是对等的，有来无往非礼也！

柳岚的事总算平息下去了。

前两年要不是活动和等待柳岚提升医助，我和她早就调回爸妈身边去了。当柳岚上大学之后，我的调动便列入了妈妈的"议事日程"。

谁知这时，人称"雷神爷"的雷军长在十年靠边站之后，又重新回到军里任军长了！

对他的到任，我曾喜出望外。因为妈妈给我讲过，在抗日战争期间，她曾拼死救过"雷神爷"的命。现在只要你"雷神爷"点个头，我赵蒙生可以大摇大摆地调回去！

哪知"雷神爷"一到军里，便电闪雷鸣，喊里喀喳，又是搞党委整风，又是抓机关整顿，那架势，即使是亲娘老子他也不买你的账！

团以下干部跨军区调动，在过去是极为罕见甚至是没有的事。可这些年，战士跨军区调动也不是奇闻了。按说，连职干部的跨军区调动，也是需要通过军区干部部的。可某些单位为了给某些人以方便，连职干部从师里便可直接调往外军区。这当然是违反规定的。鉴于这种情况，有人在电话里给我妈妈出点子，说我要想调回去，得赶紧离开军机关，躲开"雷神爷"，千万不能在"雷神爷"眼皮底下干这种事！

干部处的花名册告诉我，这九连的指导员是空位。于是，通过关系，我便冠冕堂皇地来上任了。

这一切，连长梁三喜还蒙在鼓里呢！

吃过午饭，他领我围着营房到处转，看了连队的菜地、猪圈、豆腐房。他边领我看边给我当解说员。当他安排完下午各排的训练课目后，又回到连部给我介绍整个连队的思想状况……

他真的把我当成来九连扎根的指导员了！我俩面对面坐着，他轻言慢语地说，我装模作样地在小本上记……

不过，客里空的角色很难扮演，我真不知道这"曲线调动"的戏该怎样收场！

二

熄灯号响了。我和梁三喜隔着一张办公桌，各自躺在自己的铺上。

他告诉我：明天是星期二，早操课目是"十公里全副武装越野"。还说我乍从机关来到连队，怕一时难适应紧张的生活，他让我越野时只带上手枪就行，背包啥的就不必带了……

九连执行全训任务，是全团军事训练的先行连。步兵全训连队，往往比搞生产和打坑道的连队更艰苦，更消耗体力。对此，我当时既不甚了解，也没有吃大苦的思想准备。

我睡得正酣，猛觉有人在晃动我。听声是梁三喜："指导员，快，吹号了！"

我一骨碌爬起来，懵懵懂懂摸过军装穿上。想打背包也谈不上了，我连衣服扣儿都没顾上扣，提起手枪就蹿出连部。我已尽了最大努力，自认为动作也够麻利的了。可赶到集合点一看，梁三喜早已带着披挂整齐的战士们，像一队穿山虎一样嗖嗖远去了……

"指导员，连长让我留下等你。"说话还带着又尖又嫩的童音的司号员金小柱，边跑边不时回头呼唤我，"指导员，我认识路，快！"

启明星还没隐去，眼前黑魆魆的。蜿蜒山道，崎岖不平，看不清哪处高，哪处低。跑着跑着，我脚下打了个滑，一头摔倒了。全副武装的小金，不得不折回身来扶起我……

我在军机关里散漫邋遢是挂了号的。我天天早晨睡懒觉，有人开玩笑说我是政治部里的"一号卧龙"。我从来赶不上在机关食堂里吃早餐。柳岚从营养学的角度多次对我说，早饭特别重要。我也曾研究过人体每天需要多少热量，当然不会让自己的体内缺乏营养。每天睡足之后爬起来，先来一杯浓浓的橘子汁，再来两块美味巧克力或蛋糕啥的……咳！我"一号卧龙"啥时吃过眼前这种苦！不过，为了装装样子，我得咬紧牙关坚持一番……

当我跟在司号员小金身后，上气不接下气地爬到一架大山的半腰，离山顶还有一大截子路时，梁三喜已带着全连返回来了。

他在我面前停下，轻声对我说："比上次越野，又提前了两分多钟到达山顶。"

汗水已浸得我眼都睁不开了。我抬起右臂用袖子抹了下脸，发现他携带着背包、挎包、手枪、水壶、小铁锹、指挥旗、望远镜等全副装备；另外，身上还挂着两支步枪，肩上还扛着一架八二无后坐力炮筒。

想不到这"瘦骆驼"样的连长，真能"驮"！

这时，三个掉队的战士赶到他身边，很难为情地把本该属于他们携带的铁家伙，从连长身上取走了。

全连一个个都像刚从河里捞出来一般。梁三喜让炮排排长靳开来头前带队，他和我走在队伍的后面。

"别着急，慢慢就适应了。"他谦和地对我说，"人嘛，总是各有所长。今后，军事训练方面我多抓些，你集中精力抓思想方面的工作。"

看来，他是个很能宽容人的人。

"行。"我有点受感动，点头答应着。

我身上仅带着一支手枪，返回连队途中，却一直觉得双腿像灌满了铅，身子像散了架。出现了低血糖症状，热量已消耗殆尽。

后来，我精确计算过，在全副武装越野时，连里步兵班战士的负重尚不值得惊叹，八二无后坐力炮班的战士，每人负重是八十九斤！他们如牛负重，还得像战马一样火速驰骋，拼命冲杀呀……

在我下连之前，连里已进行了两周时间的轻武器射击预习。按规定，连里的干部也要参加射击考核，并须掌握本连的各种武器。

我既怕打得太差丢人现眼，也想过一次"枪瘾"，便耐着性子和战士们一起，胸贴大地背朝天，苦苦地熬了三天。

星期五这天，第三季度轻武器精度射击考核开始了。

梁三喜第一个上阵，取得了"全优"成绩。然而，战士们谁也没有感到惊讶。看来，这是连长的拿手戏，大家早已多次目睹。

我过去喜欢摆弄手枪，那不过是玩新鲜，眼下倒使我没丢大丑。手枪射击我"猎"了个良好，除了轻机枪射击不及格，别的都及格了。

梁三喜脸上漾着笑："指导员，你还行哩！就预习了三天，不错，打得还算不错！"

接着，从一排开始逐班进行考核。一班、二班打得很理想。临到三班打靶时，战士段雨国8发子弹，只打了17环……

讲到这儿，赵蒙生转脸对段雨国："喂，小段，你当时是个啥形象，你自己塑造一下吧。"

段雨国朝我笑了笑，说："说起我当时的形象，那真是令人啼笑皆非。我是从厦门市入伍的，爸爸是工艺品外贸公司的经理，妈妈也在外事口工作。我当时哪能吃得了连队生活的苦哇！因我读过几部外国小说，便自命是连里的才子。甚至还曾妄想要当中国的雨果。我当时尤其看不起从农村入伍的兵，说他们身上压根没有半个艺术细胞，全身都是地瓜干子味。结果，大家便给满身'洋味'的我起了个绰号——'艺术细胞'。连里所有的人都不在我眼里。一次，王指导员给全连上政治课，我在下面听我的袖珍收音机，使课堂骚动不安。王指导员让我站起来，命令我关死收音机。我当即把收音机的音量放得更大，并油腔滑调地说：'听，这是中央台，是党中央的伟大声音！怎么，不比你指导员那套节目厉害得多吗?'……仅此一事，您就能想象出我当时是个啥德行！好啦，在这个故事中，我是一个很次要的小角色，还是让教导员接下去对您讲吧。"

赵蒙生淡淡一笑，继续讲下去——

当时，三班战士围着小段，一片讥讽。

"喂，请问'艺术细胞'，你把子弹艺术到哪里去啦？"

"新兵老秤砣，每次打靶都拽班里的成绩！"

"呸！这种玩意儿还叫人，脸皮比地皮都厚！"

"嘴干净些！"段雨国抹了把他那在全连里唯一的长头发，用蔑视的目光望着众人，"不就是飞了几发子弹嘛，老子不在乎！再说，打不准也不怪我，主要是枪不好！"

梁三喜走过来："你的枪咋不好？"

"不好就是不好呗，准星歪了！"段雨国挑逗般地望着梁三喜，"怎么，能换支枪让咱再打一次吗？也像你们连干一样，过过子弹瘾！"

梁三喜那厚厚的嘴唇嚅动了几下，我猜他必该动怒了。

然而，他二话没说，一下从小段身上抓过那支步枪，把八发子弹压进弹仓。他没有卧倒在靶台上，举枪便对准靶子，采用的是更见功夫的立姿射击。

一声哨响，靶场寂然。

叭！叭！叭叭……他瞬间便射击完毕。

战士们眼睛不眨地望着正前方，等待报靶员挥旗报靶。只见报靶员从隐蔽处跃到靶子前瞧了会儿，扛起靶子飞也似的跑过来……

"让，让中国的雨果先生……"报靶员气喘吁吁，"自己瞧瞧！"

战士们围着靶子，欢呼雀跃："78环！78环！"

"喂，'艺术细胞'，瞧瞧这是不是艺术呀！"

"可爱的雨果先生，过来，过来瞧瞧哟！"

面对战士们的讥笑，段雨国原地不动，故意把头歪在一边："打80环也没啥了不起！"

"你说啥?！"随着一声吼，只见炮排排长靳开来拨开围成圈的战士们，像头发怒的狮子立在段雨国面前。

靳开来中等偏上的个头，胖墩墩的。眉毛很浓，眼睛不大，眼神却像两道闪电似的，又尖又亮。他周身结实得像块一撞能出声的钢板，战士们说他是辆"轻型坦克"。他用两个指头点着段雨国的鼻尖儿："段雨国，又有啥高见，冲我靳开来说！"

段雨国眼皮一耷拉，不吱声了。

"说呀！"靳开来把两个指头收回，攥成拳头，"亏你段雨国不在我炮排！要是你在我炮排，两天内我不治得你'拉稀'，算我不是靳开来！"

是慑于"轻型坦克"的威力，还是识时务者为俊杰？段雨国乖乖地低下了头……

三

风吹日晒，摸爬滚打，我好不容易熬到星期六。

晚上，团电影组来连队放电影，片子是老掉牙的《霓虹灯下的哨兵》，我懒得去看。司号员小金帮我从伙房提来一大桶温水——再不冲个澡，我实在受不了啦！

下连六天来，尽管我流的汗水比连长梁三喜，甚至比战士段雨国都要少得多，但我的军装也是天天湿漉漉没干过。要不是昨天小金把我塞到床下的军装和内衣全洗了，眼下连衣服也没得换。

冲完澡，觉得身上轻松些了。我想把堆在地上的那全是汗碱的军装和内衣涮洗一下，但双臂酸疼懒得动手。我用脚把它们踢到床底下。也许明天小金又要抢去帮我洗，那就让他去学雷锋吧……

我晓得指导员应该是个艰苦朴素的角色。下连后我把抽烟的水平主动降低，由抽带过滤嘴的"大中华"降为"大前门"之类。趁眼下没人在，我打开我那小皮箱，先看了看那架"YASHIKA"照相机，又取出一盒"大中华"拆开。点上一支烟，我倚在铺上吸起来。闭上眼，那五光十色"小圈子"里的生活，又频频向我招手……

前不久，七八月份，在军医大学的柳岚放暑假，我也趁机休假了。我和她同时回到了爸妈身边，回到了那令人向往的大城市。

孩提时的伙伴和朋友纷纷登门邀请我和柳岚，到他们那个"小圈子"里光顾一番。

在部队里，我和柳岚已被人们视为"罗曼蒂克派"。可跟那"小圈子"里的红男绿女一比，才深感自惭形秽，才知道我俩还不是"阳春白雪"，仍是"土八路""下里巴人"！

"穿'黄皮'吃香的年代早过去了，快调回来吧！"

"喂，两位'老解'，还在部队学雷锋呀，瞧瞧我们是怎样学的吧！"孩提时的伙伴们，很友好地戏谑我和柳岚。

"小圈子"里举行家庭舞会：探戈、伦巴、迪斯科、贴面舞……

"小圈子"里比赛家庭现代化：小三洋、大索尼、雪花电冰箱……

香水、口红、薄如蝉翼的连衣裙，使看破红尘的男女飘飘然；威士忌、白兰地、可口可乐，令一代骄子筋骨酥软……

我和柳岚眼花缭乱。她以"患流感"为由续假在家多玩了十天，我也以"发高烧"为借口晚十天才回到军里。

理性告诉我，那"小圈子"里的生活餍足而又空虚，富足却又无聊。本能却在向往：我和柳岚完全具备可以那样生活的条件，何乐而不为！

……

"指导员，快出来！"炮排排长靳开来进屋便喊道，"来，甩老K！"

听来头是电影散场了。初来乍到，出于礼貌，我摸起一盒没开封的"大前门"烟，从内屋走出来。

梁三喜和另外三位排长也都进来了。大家围着四张长方桌拼起来的大办公桌坐了下来。

砰，靳开来把两副扑克按在桌上，顺手摸起我的"大前门"抽出一支，又朝桌中间一拍："指导员抽烟的水平不低，弟兄们，都犒劳犒劳！"说罢，他从口袋里掏出一盒没启封的"三七"，也朝桌子中间一放，"今晚两盒烟抽不完，这场老K不罢休！"

看来他很讲义气。我发现，这"轻型坦克"完全不是发怒时的样子了，面部表情很生动。

梁三喜早已点起一支小指头肚般粗的旱烟。他重重地吸了一口，说："算了吧，都挺累的，今晚上不甩了。"

"我知道看了这场电影，你就没心思甩老K了！"靳开来斜觑着梁三喜，"怎么，要早躺下梦中会'春妮'呀！"

梁三喜淡淡一笑，轻轻地吐着烟。

"指导员，你还不知道吧。要是《霓虹灯下的哨兵》在这里连放一百场，连长准会看一百次的。你知为啥？"靳开来先卖个关子，接上说，"别瞧连长这副穷样儿，命好摊了个俊媳妇。媳妇姓韩名玉秀，长得跟电影上演春妮的演员陶……陶啥来？"

"陶玉玲。"显得最年轻的一排长说。

"对。全连一致公认，韩玉秀长得跟陶玉玲似的。心眼嘛，比电影上的春妮还好。"靳开来朝我使了个眼色，"喏，你瞧，一提春妮，连长的嘴就合不拢了。"

的确，梁三喜的脸上已漾起美滋滋的笑。下连以来，我首次发现他的笑容是那样甜美。

"奶奶的！陈喜也不撒泡尿照照自己，摊上春妮那样的好媳妇还闹离婚！"靳开来仍饶有兴味地谈论刚看的电影，"要是咱摊上春妮那样模样又俊、心眼又好的人当媳妇，下辈子为她变牛变马也值得！哪像咱那老婆，大麻袋包，分量倒是有！"

一排长"嘻嘻"地笑着："这话要是叫你老婆听见……"

"听见咋啦？她充其量不过是公社社办棉油厂的合同工，我靳开来的每句话，对她都是最高指示！"他说罢，抓起扑克，"不谈老婆了。来，甩老K！争上游？还是升级？"

见梁三喜和我都没有甩老K之意，靳开来把扑克又放下了。他一本正经地对梁三喜说："连长，别苦熬了，你是该休假了。"

梁三喜看看我："等指导员再熟悉一下连队情况，我就走。"

"要走你得早些走，韩玉秀可是快抱窝了。"靳开来笑望着梁三喜，掰着指头算起来，"小韩是三月份来连队的，四、五、六……嗯，她是十二月底生孩子。你等她抱窝时回去，有个啥意思哟！"他诡秘地一笑，骂道，"奶奶的！夫妻两地，远隔五千里，一年就那么一个月的假，旱就旱死了，涝就涝死了！"

三位排长笑得前仰后合。

梁三喜说："炮排长呀，你说话就不能文明点儿！"

"甩老K你们不干，谈老婆你又说不文明。那么，这星期六的晚上怎么熬？好吧，我说正事儿。"靳开来站起来，郑重其事地对我说，"指导员，你刚来还不了解我，我正想找你谈谈心。现在当着大家的面，我把心里话掏给你。你到团里开会时，请你一定替我反映上去，下批干部转业，说啥我靳开来也得走！为啥！某些领导对咱看不惯，把咱当成'鸡肋'！鸡肋嘛，吃起来没啥肉很难啃，嚼嚼没有味儿可又舍不得扔。我靳开来不想当这种角色，等人家嚼完了再扔掉！转业回去不图别的，老婆孩子在一块儿，热汤热水！算了，不说了，回去挺尸睡大觉！"说罢，"牢骚大王"扭头而去。

不欢而散。另外三位排长见老K甩不成，也都走了。

梁三喜对我说："炮排长这个人呀，别听说话脏些，作风很正派。他当排长快六年了，讲资格是全团最老的排长了。论八二无后坐力炮和四〇火箭筒的技术，在全团炮排长中是坐第一把交椅的。他对步兵连的战术，也是呱呱叫。管理方法虽说生硬了些，但他对战士很有感情。实干精神那更是没说的。"停了会儿，梁三喜叹了口气，"咳！这人就是爱发牢骚，爱挑上面的刺，臭就臭在那张嘴上。连里和营里多次提议，想让他当副连长，可上面就是不同意。"

我没吱声。梁三喜面部悒郁地愣了会儿神，说："以后慢慢就互相了解了。不早了，休息吧。"

我俩回到内间屋。他搬过一个大纸箱，打开翻弄着，说要找出衣服明天好换洗一下。

他连个柳条箱也没有，看来这是他的全部家当。纸箱里，他的两套军装全旧了，有一套还打着补丁。下连后我听战士们反映，步兵全训连队的军装不够穿，他这当连长的当然也不例外。我见他纸箱里有个大塑料袋，塑料袋里装着件崭新的军大衣，便问他："这大衣是刚换发的？"

"不是。是去年'十一'换发的。"

他这当连长的为啥连块手表也没有？他为啥总是抽黑乎乎的旱烟末儿？我已知道他老家是沂蒙山，而我也是在当年炮火连天的沂蒙山中出生的呀！按说，我们这一文一武有好多话题可闲聊。然而，既然他还不晓得我是高干子弟，压根还不知我为啥要颠儿到这九连来，我可懒得跟他去谈啥沂蒙山……

躺在铺上，我浑身酸疼睡不安宁，听他也不时轻轻翻身儿。他大概认为我睡着了，划火柴抽起烟来。像他这样的人并不怕吃苦，大概也是感到寂寞难熬吧？是想"春妮"了？我猜。

……我不知不觉地迷糊过去了。外面哗哗的雨声又将我唤醒。蒙眬中，我听见他下床了。那扎腰带的声音告诉我，他要冒雨去查铺查哨。

当他轻手轻脚地走出去后，我心中涌起阵阵恻隐之情。是的，像他这样的连长，以及那些土头土脑的战士，无疑都是忠于职守的。对他们，我可以表示同情，怀有怜悯，甚至还可以赞美他们！但是，要让我长期和他们滚在一块儿，我却不敢想象……

咳！这被称为"熔炉"的连队，这真正的"大兵"生涯！没有"苦行僧"的功夫，我该怎样继续熬下去！我又恨起"雷神爷"来，要不是为了躲开他，我何用"曲线调动"来九连"修炼"呀！

四

单兵爆破、土工作业、排连进攻、刺杀对抗、周末会操……团司令部下连按"操典"逐一进行验收，指导员竟毫无例外地要做一名战斗员接受考核。

支部建设、季度总结、"双学"评比、党团发展、谈心次数……团政治处要求政治工作渗透在练兵场，指导员的工作包罗万象，很难胜任。

最令我望而生畏的是每星期二早晨那"十公里全副武装越野"，尽管我几次都没跑到过目的地，但每遭下来，小腿肚儿准转筋，有一次还差点虚脱过去。另外，可供转化为热量的一日三餐，也常使我感到度日如年。馒头、大米、玉米面倒可放开肚皮吃，就是副食太差。我真不晓得造物主赐给人的胃都一样，为啥梁三喜他们竟吃得那般香甜。我几次试图让炊事班长改善一下生活，炊事班长叫苦不迭。说伙食标准没增加，物价日见涨，要改善也只能做些"金银卷"（白面、玉米面合制），把碗中菜用皮儿包起来（大包子）。

连队驻在深山沟，我有钱也没处下馆子。一次，我到团部开会时从服务社买回两包点心。人面前不敢吃，每次都是趁人不在时慌忙吞两块，那滋味就跟偷了人似的……

掰着指头数日子，我下连差两天才满一个月。照照镜子：脸黑了！摸摸腮帮：人瘦了！

每次冲澡时我都发现，身上的皮一层一层朝下蜕……

我已两次给妈妈写信，让她尽快展开"外交攻势"。妈妈来信说，她那头好说，准备安排我到军区新闻科当摄影记者，只是我这头还不行。她已给师里有关领导同志写过信、打过长途电话，得到的回音是：眼下不是前几年，调动之事切不可操之过急，过急了太显眼，太显眼容易出娄子，让我在连队干半年再调不迟……

天，半年？那我就熬成"瘦骆驼"了！

这天中午，我到营部开完会回连，全连已吃过午饭。我到饭堂把炊事班留给我的饭菜胡乱吃了些，便回到宿舍倚在铺上想心事。

猛然间，紧急集合号响了。我忙扎好腰带，走出连部。

只见全连列队站在饭堂门前。梁三喜面对全连，脸上"乌云翻滚"："……不像话！简直是不像话！"

想不到他的脾气竟是这样大，我第一次见他如此动怒。我不知连里出了啥不像话的事，便悄悄站在队列里洗耳恭听。

"馒头，有人把雪白的一个半馒头扔进了猪食缸！"他用手拍了拍心口窝，"同志们，扪心问一问，感情，我们还有没有劳动人民的感情？还有没?!"

我呆了！适才我吃午饭时，炊事班给我留了三个馒头在碗里，我只吃了一个半，便把剩下的扔进了猪食缸……

"解散！"梁三喜怒吼着，把手一挥，"现场参观！"

战士们围着饭堂旁边的猪食缸，叽叽喳喳地议论着。

靳开来把目标对上了段雨国："段雨国，你这花花公子，说，这是不是又是你干的!"

段雨国大眼一瞪："吃柿子单拣软的捏，你就看我好欺侮！面对上帝起誓，谁扔的谁是乌龟蛋!"

三班长出面证实，说中午吃饭时没见段雨国扔馒头。靳开来才不吱声了。

梁三喜余怒未息："谁扔的，可个别找班长、排长讲一下。今晚各班都要召开班务会，好好议一下这种少爷作风！"

也许我对"公子""少爷"这样的字眼尤为敏感，我当下便认定是梁三喜借一个半馒头整我，是想转着圈子丢我的丑。我心中拱着一团火，扭头急步回到连部，气鼓鼓地倒在铺上。过了会儿，梁三喜进来了。我怒气冲冲地对他说："连长同志，要整我，明着来！不必效仿'文化大革命'来个发动群众！一个半馒头，是我扔的！"

"指导员，我……不知你去营部开会已回来了。我确实不知那馒头是你扔的。要知道是你，我会同你个别交换意见的。"梁三喜尴尬地解释。

我"腾"一下转过身去，把脸对着墙壁，又听他叹口气说："指导员，千万别为这事影响团结。我不是表白自己，我这个人……还没搞过那种背后插绊子的事。我和原来的王指导员共事三年多，俺俩争也争过，吵也吵过，有时也脸红脖子粗。但俺俩始终如同亲兄弟，团结得像一个人。"

我仍不吱声。停了阵，他讷讷地说："我这就让司号员小金去通知各班，晚上的班务会，不……不开了。"

为这事我三天没理梁三喜。

这事发生后的一天中午，三班战士段雨国趁梁三喜不在时溜进了连部。

"指导员，别理那'九撮毛'！"段雨国察言观色地望着我，"大上个月我把吃剩的一块馒头扔进了猪食缸，也是挨了'九撮毛'一顿好整！"

"什么'九撮毛'！"

"嘿嘿……是我用艺术手法给连长起的绰号。"段雨国得意地笑着。他从梁三喜那破旧的绿色军用牙缸里取出一支牙刷，"指导员，你瞧瞧，他用的这支牙刷像从垃圾堆里捡来的。一撮、两撮、三撮……哟，不是九撮……这不，又掉下一撮来，那么，就叫他'八撮毛'吧！"

我没搭腔。和梁三喜一个月的相处，我虽没数过他用的牙刷还剩几撮毛，但我早已觉得他是个地地道道的乡巴佬，连一分钱也舍不得乱花。

"每月六十元钱的军官，他连支新牙刷都舍不得买！"段雨国把那"八撮毛"的牙刷扔进牙缸里，"攒钱，就知道攒钱，典型的小农意识！世界已进入高消费的时代，听说日本人衣服穿脏了连洗都不洗，扔进垃圾堆里就换新的。可咱这里，'八撮毛'竟然借一个半馒头整人，真是滑天下之大稽也！"

看来段雨国是来寻找"同盟军"，跟我搞"统一战线"来了。尽管我对梁三喜已怀有成见，但鉴于指导员这职务的最起码的约束，我也不会跟段雨国这样的战士搞在一起。

见我不吭气，他又搭讪道："指导员，你还不赶快调走呀！"

我一惊："你听谁说我要调走？"

他笑笑："这还用谁说，我自己估计呗！"

我沉下脸来："你……"

"这怕啥哟。"稍停，他问我，"指导员，听说你爸爸的官挺大，是六级，还是七级？"

"你瞎说些啥！"我有些火了。

"嘿嘿……你的事我多少知道一点呢。"他仍嬉皮笑脸，"事情明摆着，咱们跟'八撮毛'这些乡下佬在一起，哪有共同语言？哪有共同向往？年底，我就打报告要求复员！"他说罢，又跟我套近乎道，"指导员，你要买大彩电和收录机啥的，给我说一声就行。我爸妈都在外事口工作，买进口货对我段雨国来说，是小菜一碟！价格嘛，保准比市面上便宜一半……"

"我啥也不会托你买！请回吧。"

见我冷冰冰的样子，段雨国才快快而去。

……

十月中旬，梁三喜的休假报告批下来了。他几次打点行装要动身回沂蒙山，但几次又搁下了。

想走又觉得不能走，我看出他的心情是极为复杂和矛盾的。显然，他早已觉出我是个十二分不称职的指导员，他担心他走后我会把连队搞得一团糟……

这天，他去团部参加为期一天的军训会议返回连里，已是晚上八点多了。

灯下，他把军训会议的精神简要对我讲了一下，说转眼就是年终考核，劲可鼓不可泄。说罢，他望着我："指导员，我想明天就动身休假。

这样，回来还误不了年终考核。你看呢?"

"那就走呗!"我漫不经心地回答他。

他把黑乎乎的旱烟末卷起一支，吸了两口，很难为情地对我说:"指导员，我这个人有话憋在心里怪难熬的。前些日子我就听说过，这次去团部开会，我又听到关于你要调走的风言风语。"

我打了个愣。

他接上道:"我想，这也可能是有人瞎传。不过，你真要调走的话，这假我暂时不休了。如果没有那回事，那我明天就动身。"

事情既已点破，我也就不在乎了。我没好气地对他说:"休不休假，你自己看着办! 至于有人议论我，舌头长在他们嘴里，我任凭他们说长道短! 反正组织上还没通知我，让我调走!"

他没有再说啥。第二天，他没有动身。以后，他再也不跟我提休假的事了。

我和梁三喜以及连里其他干部之间的隔阂，越来越明显了。每逢星期六晚上，连部里空荡荡的，他们早就不愿和我凑到一块儿甩老K、谈老婆，逗笑取乐了。

一天，这里进行正常性的战备教育。按团政治处拟定的教育内容是:把越寇近年来在我广西和云南边境多次进行的武装挑衅，综合起来给战士们讲一次，以激发大家的练兵热情。我便找来一些报纸，念了几篇有关这方面内容的消息、通讯，以及我外交部对越南当局的照会，等等。我毫无个人发挥，完全是照本宣读……

下课后，炮排排长靳开来竟一本正经地对我说:"指导员，你讲得不错! 飞机上挂暖瓶，你水平高得很! 放心，啥时打起仗来，我们保证跟着你这当指导员的屁股后头，一个劲地往前冲!"

面对他的讥讽挖苦，我扭头而去……

我调动的事，妈妈抓得越来越紧了。每隔几天，我总会收到她的信。她在信中不断向我说明调动一事的进展，叹息她从来没遇到过这么难办的事……

我本想"曲线调动"的事连里是不会知道的。可世上没有不透风的墙。这时，尽管这里还没谁了解其全部内幕，但我来九连是为了调走这一点，不仅连里干部全知道，连消息灵通的部分战士也挤眉眨眼地晓得了。

我苦熬硬撑到十一月底。这天，我又收到妈妈一封信。她在信中告诉我，调动的事总算有眉目了。她让我一旦接到调令，务必尽快离开连队。她在信的结尾部分，煞是神秘地告诉我，说她听说我们这支部队可能有行动。但告诫我：切莫声张！切莫瞎传！

面对两个带叹号的"切莫"，我捉摸不透我们这支部队能有啥行动。不错，南边的形势是够紧张的，但那是小打小闹，枪声离我们这里还远着呢！我竟违背了妈妈的叮嘱，趁没人时悄悄把电话挂到师里那位帮我办调动的领导家里，当我把意思拐弯抹角地说明后，对方哈哈笑了起来，说他压根还没听到啥，说我妈妈的神经太过敏了……

我放心了。但我却一天也不愿在连队里熬了。我天天盼着调令来！

那是一个星期六的晚上，我心烦意乱地到山溪边散了会儿步返回营房。当我走到连部窗前时，听屋内梁三喜和靳开来在高声谈论，我便悄悄停下来。

靳开来："连长，除了那件大衣是新的，你总共就那么点破家当，又穷鼓捣啥！"

梁三喜："伙计，你也抽空拾掇拾掇吧，看来是快开拔了。"

靳开来："开拔？见鬼，往哪开拔？"

梁三喜："往南边！你不觉得该打一仗了？"

靳开来："仗看来是要打的。可全国这么多军队，你咋知我们这支部队要往前开？"

梁三喜："你别问了。等着瞧就行了。"

靳开来："连长，是不是上面已给你透风了？……怎么，对咱还保密呀！"

梁三喜："上面没谁给我透风。该咱连级干部知道的事，老百姓也差不多知道了。"

靳开来："那，你是……"

梁三喜："我是从指导员他母亲那里得来的消息。"

靳开来："活见鬼，那老娘儿们能给你啥消息！"

梁三喜："你真是个直肠子。你就没想想，为啥她对指导员的调动抓得那么急？我听团里的干部干事说，这些天指导员的母亲几乎天天往师里打电话……"

靳开来："嗯。有道理！听说那老娘儿们神通广大，她知道消息要比师长、军长还早呢！"

梁三喜："这不就得啦。我看部队在十天、八天之后要上前线！这事你千万要保密，绝不能瞎嚷嚷。"

靳开来："奶奶的！只要是共产党坐天下，那老娘儿们胆敢在部队上前线时把她儿子调回去，看我靳开来不自费告状到北京！"

……

十天之后我终于拿到了调令！

然而，想不到梁三喜竟能料事如神！当我就要离开连队时，一声令下，我们这支部队果真要上前线，要开拔！

当天，炊事班一下便宰了四头猪，却来不及吃了！

进亦难，退更难。我处在万分矛盾当中！

"滚蛋，你给我赶快滚蛋！"忠厚人梁三喜一下变成靳开来，他面对我劈头盖脸地痛骂，"奶奶娘！你可以拿着盖有红印章的调令滚蛋，我可以再请求组织另派一位指导员来！但是，养兵千日，用兵一时！军人，你不会不知道你穿着军装！现在，你正处在一道坎上，上前一步还好说，后退一步你是啥？有的是词儿，你自己去想！你自己去琢磨！"

五

长龙般的专列闷罐车载着武器和士兵，昼夜兼程。在九连坐的两节闷罐子里，有我这拿到调令没敢退却的指导员。

不用梁三喜直着骂，我当然也晓得，军人效命沙场，当应义无反顾。倘若我在这种时候离开这支部队，那将是对军人称号的最大玷污！众口啐我是"逃兵"算是遣词准确，破口骂我是"叛徒"也毫不过分……

部队开到云南边防线，大家才知道这所谓边防实际上是有边无防。红河彼岸，我们用肉眼便可看到一个挨着一个的永备性、半永备性的碉堡工事。如果拿起望远镜，即能清晰地看见那瞄准我们胸膛的黑洞洞的射击孔。而我们这边，多年来却一直高喊把自己的国土，当作对方"最辽阔的大后方"……

如今，在迫不得已的情况下进行还击，一切都显得紧迫而仓促。一下拥来这么多部队，安营首先成了大问题。团以上指挥机关挤进了地方机关的办公室。连队则分散在深山沟里，用青竹、茅草、芭蕉叶和防雨布，搭成了各式各样的"营房"。为防空防炮，还常常住进那刚挖的又潮又湿的猫耳洞……

当我们九连听了边民有家不能归的控诉，现场参观了河口县托儿所被越寇用机枪横扫后的惨状后，求战书像雪片一样飞到连部。尽管上级不提倡写血书，连里还是有几位战士咬破了中指……可我这个当指导员的，人虽跟着九连来了，心里却仍在打小鼓。我懊丧自己自作自受，我后悔当初不该放着摄影干事的美差不干，来到这九连搞啥"曲线调动"！眼下，我唯一的希望是离开这战斗连队，回到军机关……

于是，我便悄悄找军里和我要好的同志，让他们侧面反映一下，以工作需要为名，把我重新调回军机关。恰在这时，军党委做出一个十分严厉的决定：凡在连队和基层单位的高干子女，一律不准调到机关里来。已经调的要坚决送回基层，个别因有利于打仗确实需要调的，不管他是干部还是战士，均需军党委审批才能调动。否则，按战时纪律予以追究。

我听后，心里凉了半截。

梁三喜对我的态度倒还够意思。在他骂我滚蛋时我没还嘴，见我跟着连队来了又没离开连队，他不仅没再向我投来鄙视的目光，反而像我刚下连时那样主动找我商量工作。我还觉察到，他已给连里的其他干部做过工作了。当我们坐着闷罐车朝前线开时，一路上靳开来曾不时地说些风凉话给我听。扬言说战场上他将瞟着我，一旦发现我有叛变的苗头，他会给我一粒"花生米"尝尝……而眼下，他见到我尽管脸还放不开，但大面上也总算说得过去了。

连队开始了临战前的突击性训练。为适应在亚热带山地丛林中作战，团里让我们九连练爬山，练穿林。这比那"十公里全副武装越野"，更够人喝一壶的。梁三喜累得嗓音嘶哑，眼球充血，嘴唇龟裂，那瘦削的脸膛更见消瘦了。就连被誉为"轻型坦克"的靳开来，脸颊也凹陷了。至于我，那就更不用提了。我累得晚上睡觉连衣服都懒得脱，常产生那种"还不如一颗流弹打来，便啥也不知道才好"的念头……

我和妈妈已有二十多天中断了联系。来到前线后，料她也无神通可施展了，我也就懒得再给她去信。这天，从后方留守处转来连队一批信件，其中有我三封。一封是柳岚从军医大学写来的，她在信中质问我为啥接到调令后还不回去，讥笑我是不是想当什么英雄了。她毫不掩饰地写道：现在的大学生宁肯信奉纽约伯德罗埃岛上的铜像（自由女神），也决不崇拜斯巴达克斯……另外两封信是妈妈写来的。头一封信她让我离开连队动身时给她拍个电报，她好派车到车站接我回家。第二封信她已觉出事情不妙，似乎也深知在这种时刻调我回去的利害关系。她问我是否因周围有不良反应才没走成，如果觉得实在不能调走，那就无论如何也得离开连队，重回军机关工作方为上策。

妈妈的"上策"和我的心思吻合了。

此时，我多么想赶快离开九连回军部啊！而重回军部的希望，只能寄托在雷军长身上。这时，我想起了妈妈多次给我讲过的她救过"雷神爷"一命的往事：

一九四三年秋，近三万名日寇纠合吴化文、刘桂堂（即刘黑七）等部的皇协军，对山东沂蒙山区进行大规模的拉网扫荡。当时，雷军长是山东军区独立团的一营营长，妈妈是团所属"地下医院"的指导员（因医院的所谓床位不过是一些堡垒户的炕头，故称地下医院）。一营在掩护山东分局机关和渤海银行机关转移时，被敌人包围了。人称"雷神爷"的雷营长，率全营四百余众与敌人展开血战。战斗从上午十时许打响直到黄昏，机关安全转移了。这时，"雷神爷"所率的四百余众尚存不足百人，而且大都挂了彩。"雷神爷"也多处负伤，奄奄一息地倒在血泊中。负责救护伤员的妈妈，借着暮色的掩护，冒着纷飞的弹雨，在一片死尸堆里寻找还未死去的伤号。当妈妈用手一捂"雷神爷"的嘴，觉出"雷神爷"还有一丝儿呼吸，便将他背在身上，从死尸堆里一步一步爬了出来……

为躲过敌人的清剿，妈妈把"雷神爷"安置在一个非常隐蔽的山洞里。妈妈把一头乌发推成光头，从乡亲们那里借得一顶瓜皮式旧毡帽戴在头上，腰缠一根猪鬃绳腰带，扮成一个看山林的穷小子，日夜守护着"雷神爷"。妈妈千方百计地为"雷神爷"寻找药物。没有绷带，她把自己唯一的一床被面用开水消毒后，撕成条条……

一个电闪雷鸣的雨夜，妈妈听到洞外有声声怪叫。出得洞来，借着一道闪电，妈妈发现有四五只狼睁着绿森森的眼睛，嗥叫着向洞口拥来。显然，是"雷神爷"的伤口腐烂，让野狼嗅到了味儿。妈妈将驳壳枪上了顶门火，但怕暴露目标又不敢鸣枪。她便抓过一把镐头立在洞口，与饿狼对峙，到天色破晓……

妈妈承受了一个女同胞极难承受的艰险，精心护理"雷神爷"，终于使"雷神爷"死而复生。

在"雷神爷"康复归队那天，他紧紧攥着我妈妈的手说："有恩不报非君子，我雷神爷走遍天涯海角，也忘不了你这女中豪杰！"

这真是生死之交！没有妈妈，你"雷神爷"能活到今天当军长吗？要知道，我是妈妈唯一的儿子，尽管你"雷神爷"摆出副"铁面包公"的架势，可妈妈在最关键的时刻求你点事，难道你真会不帮忙吗？再说，我本来就是军机关里的人，军机关也要参战，调我回去并不是啥出大格的事吆！只要你"雷神爷"说一句"这是工作需要"，那就名正言顺了！

想到这些，我忙给妈妈写了封信，火速发出。

我们在阵地上度过了春节。这时，各连的干部配备进行了较大的调整。我们九连的副连长调到团司令部侦察股任参谋去了。曾发牢骚说自己是"鸡肋"的炮排排长靳开来，被任命为副连长……

一个星期又熬过去了。我估计妈妈已收到我的信，我盼着妈妈快写信给"雷神爷"！

战前的训练已停止，各连都在反复检查携带的装备，开始养精蓄锐了。

迟了！我调回军部的事看来是办迟了！

二月十四日晚上（后来才知道，此时距十七日凌晨发起进攻，只有五十小时），师里组织排以上干部看内参电影《巴顿》。

看完电影，已是夜里十一点了。师参谋长通过扩音器大声宣布，说军长正忙着最后审定我们师的作战方案，让大家静坐等待，一会儿军长要来讲话。

"呵，我们的巴顿要来讲话了！"不知是谁这样小声喊了一句。

我知道，在座的好多人看完《巴顿》后，是很容易把军长跟巴顿将军联想在一起的。

少顷，人们探头探脑地说军长来了。我一瞧，正是"雷神爷"驾到！

雷军长身高顶多有一米七〇出头，是个干练的瘦老头儿，绝没有巴顿将军的块头。但他却比巴顿更令他的同僚和部属敬畏。他平时走路也按"每步七十五厘米"的"操典"进行，腰板笔直，目光平视，一举一动都显出军人的英武和豪迈、将军的自信和威严。

他捷步登上土台子，师参谋长忙把麦克风给他左右矫正了一下。

军长用目光环视了一下这设在山间的露天会场，那俯瞰尘寰的架势告诉人们，他，他统帅的这个军，永远是天下无敌的！

这时，只见他脱下军帽，砰地朝桌子上一甩，震得麦克风动了一下。

仅此一甩帽，会场便骤然沉寂。静得像无波的湖水，连片树叶儿落下也会听得见。

在我们军里，谁没听说过雷军长"甩帽"的轶事啊！

那是一九六七年"一月风暴"席卷神州之后，军机关所在地C市的左派要夺市委的大权，中央"文革"小组顾问康生亲自打电话给军里，让军方支持C市左派夺权，并指出军里可派一名主管干部，任C市"三结合"红色新政权的第一把手。在此之前，军里派出的支左观察小组已把得来的情况报告过军长，军长已知道参加夺权的那位造反派头头，是个偷鸡摸狗的人物；而准备参加"三结合"的那位革命老干部，则是军长早就一见就烦的"滑头派"……

军长主持召开军党委会，把军帽猛地朝桌上一甩："不怕罢官者，跟我坐在这里开会！对那帮乌合之众要夺市委的大权，我雷某决不支持！怕丢乌纱帽者，请出去！请到红色新政权中去坐第一把交椅！"……

甩帽的后果：他丢了军长的职位，被押进了学习班。

C市左派夺权后搞得实在太不像话。一年之后，连中央"文革"也不喜欢他们了。军长这才从禁闭式的学习班回到军里。但是，军长的职位早有人占了，他便成了个无行政职务的军党委常委。接着，林彪抓什么"华野山头"，他又一次在军党委会上甩帽，为陈老总评功摆好……

根据军党委会议记录，十年中军长曾甩过四次军帽。对于甩帽的后果，有几句顺口溜作了描述："军长甩军帽，每甩必不妙，不是蹲班房，就是进干校。"

眼前，这"雷神爷"为何又甩帽？人们目瞪口呆！

只见他在台上来回踱了两步又站定，双手叉腰，怒气难抑。

终于，炸雷般的喊声从麦克风里传出："骂娘！我雷某今晚要骂娘！"

谁也不晓得军长为啥这般狂怒，谁也不知道军长要骂谁的娘！

他狂吼起来："奶奶娘！知道吗？我的大炮就要万炮轰鸣，我的装甲车就要隆隆开进！我的千军万马就要去杀敌！就要去拼命！就要去流血！可刚才，有那么个神通广大的贵妇人，她竟有本事从几千里之外，把电话要到我这前沿指挥所！此刻，我指挥所的电话，分分秒秒，千金难买！可那贵妇人来电话干啥？她来电话是让我给她儿子开后门，让我关照关照她儿子！奶奶娘，什么贵妇人，一个贱骨头！她真是狗胆包天！她儿子何许人也？此人原是我们军机关宣传处的干事，眼下就在你们师某连当指导员！……"

顿时，我脑袋嗡地像炸开一样！军长开口骂的是我妈妈，没点名痛斥的就是我啊！

骂声不绝于耳："……奶奶娘！走后门，她竟敢走到我这流血牺牲的战场上！我在电话上把她臭骂了一顿！我雷某不管她是天老爷的夫人，还是地老爷的太太，走后门，谁敢把后门走到我这流血牺牲的战场上，没二话，我雷某要让她儿子第一个扛上炸药包，去炸碉堡！去炸碉堡！……"

排山倒海的掌声淹没了"雷神爷"的痛骂，撼天动地的掌声长达数分钟不息……

军长又讲了些啥，我一句也听不清了。

那一阵更比一阵狂热的掌声，送给我的是嘲笑！是耻辱！是鞭笞！

……

我差点晕了过去。我不知是梁三喜还是谁把我扶上了卡车，我也不知下车后是怎样躺进连部的帐篷的。

当我从痴呆中渐渐缓过来，我放声大哭。

"哭啥，哭顶个屁用！"梁三喜愤慨地说，"不像话，你母亲实在太不像话！她走后门的胆子太大了！"

我仍不停地哭。梁三喜劝慰我说："谁都会犯错误，只要你能认识到不对，就好。仗还没打，战场上有改正错误的机会。"

眼泪哭干了，我又处于痴呆的状态中。

天将破晓了，一片议论声又传进帐篷："军长骂得好，那娘儿们死不要脸！"

"战场上谁敢后退，就一枪先崩了他！"

是谁们在这样说呵，声音嘈杂我听不真。

"奶奶的！说一千，道一万，打起仗来还得靠咱这些庄户孙！"是靳开来在大声咋呼，"小伙子们，到时候我这乡下佬给你们头前开路，你们尽管跟在我屁股后头冲！死怕啥，咱死也死个痛快！"

"哼，连里出了个王连举，咱都跟着丢人！"啊，那又尖又嫩的童音告诉我，说这话的是不满十七岁的司号员金小柱！我下连后，小金敬我这指导员曾像敬神一般！可自打我拿到调令那天起，他常噘着小嘴儿朝我翻白眼啊……

"别看咱段雨国不咋的，报效祖国也愿流点血！咱决不当可耻的逃兵！"啊，连"艺术细胞"段雨国也神气起来了……

我麻木的神经在清醒，我滚滚的热血在沸腾！奇耻大辱，大辱奇耻，如毒蛇之齿，撕咬着我的心！

我乃七尺汉子，我乃堂堂男儿！我乃父母所生，我乃血肉之躯！我出生在炮火连天的沂蒙战场上，我赵蒙生身上不乏勇士的基因！我晓得脸皮非地皮，我知道人间有廉耻！我，我要捍卫人的起码尊严！我要捍卫将军后代的起码尊严！

我取出一张洁白的纸，一骨碌爬起来冲出帐篷。

我面对司号员小金："给我吹紧急集合号！"

小金惊呆了，不知所措。

"给我紧急集合！"

梁三喜跟过来轻声对小金说："吹号。"

面对全连百余之众，我狂呼："从现在起，谁敢再说我赵蒙生贪生怕死，我和他刺刀见红！是英雄还是狗熊，战场上见！"

说罢，我猛一口咬破中指，在洁白的纸上，噌！噌！噌！用鲜血写下了三个惊叹号——"！！！"

说到这，赵蒙生两手捂着脸，把头伏在腿上，双肩在颤动。我知道，他已陷进万分自责的痛苦中。

咔的一声响，又一盘磁带转完了。过了会儿，我才轻轻取出录好的磁带，又装进一盘。

良久，赵蒙生才抬起头来，放缓了声调，继续对我讲下去……

六

我们团受领的任务是打穿插，即在战幕拉开之后，全团在师进攻的正面上，兵分数路从敌前沿防线的空隙间猛插过去，揳入纵深断敌退路，在保证大部队全歼第一道防线之敌的同时，为后续部队进逼敌第二道防线取得支撑点。

我们三营任团尖刀营，九连受命为营尖刀连。这就使我们九连一下在全团乃至全师——居于钢刀之刃、匕首之尖的位置上！

上级交给我们九连的具体任务是：在战幕拉开的当天，火速急插，务必于当天下午六时抵达敌364高地前沿，于次日攻占敌364高地，并死死扼守该高地。

从地图上看，由无名高地和主峰两个山包组成的364高地，距我边境线直线距离有四十余华里。位于通往越南重镇A市的公路左侧，是敌阻击我南取A市的重要支撑点。

据情报得知：364高地上有敌一个加强连扼守，阵地前设有竹签、铁丝网，布有地雷，高地上有敌炮阵地，多梯次的堑壕和明碉暗堡……

是军长要实践他第一个让我炸碉堡的诺言，还是因九连是全团军事训练的先行连，才使这最艰巨的任务一下便落到我们九连的头上？（全营各连曾为争当尖刀连纷纷求战，而营、团两级几乎是毫无争议地便拍板定了我们九连，并说是军长点头让九连先上。）对于这些，我不愿去琢磨了。

　　全连上下都为当上了尖刀连而自豪，但大家更明白：摆在我们九连面前的，将是一场很难想象的恶仗！

　　按照步兵打仗前的惯例：全连一律推成了锃亮的光头，一是为肉搏时不致被敌揪住头发，二是为头部负伤时便于救治。

　　炊事班竭尽全力为全连改善生活，并宣布在国内吃的最后一顿饭将是海米、猪肉、韭菜馅的三鲜水饺。我发现，即使每月拿六元津贴的战士，会抽烟的也大都夹起了带过滤嘴的高级香烟。连从来都抽劣等旱烟末的梁三喜，竟也破例买了两盒"红塔山"。靳开来对我已明显表示友好，他不知从哪里买来两瓶精装的"五粮液"，硬拉我和其他连、排干部一起醮一口……

　　人之常情呵，这一切都在告诉我，大家都想到将去决一死战，都想到这次将会流血牺牲。而在告别人生之前，要最后体味一下生活赐予人的芳香！

　　连里已决定一排为尖刀排。党支部再次开会，商定连干谁带尖刀排。

　　团里搞新闻报道的高干事列席了我们的支委会。当上级把尖刀连的重任交给我们连之后，他便来到连里搜集求战书和豪言壮语。显然，一旦我们九连打出威风，那将是他重点报道的对象。

　　支委们刚刚坐下，靳开来便站起来说："这个会根本不需要再开嘛！查查我军历史上的战例，副连长带尖刀排，已是不成条文的章程！既然战前上级开恩提我为副连长，给了我个首先去死的官衔，那我靳开来就得知恩必报！放心，我会在副连长的位置上死出个样子来！"

　　高干事没有往他的小本上记，这些牢骚话显然毫无闪光之处。

　　我沉痛表示："执行军长有让我第一个炸碉堡的指示吧！这尖刀排，我来带！"

　　"指导员，你……"梁三喜严肃地望着我，"咋又提起那件事？尖刀排，哪能让你带！"

靳开来接上道："指导员，我靳开来已觉出你是个有种的人！已过去的事我不提了，也不准你再提起！从现在起，我们将患难相依，生死与共！指导员是连队的中枢神经，要死，第一个也轮不到你！"

他的话充满真诚的感情，我眼里一阵发热。

梁三喜刚提出要带尖刀排，就被靳开来大声喝住："连长，少啰唆，要带尖刀排，比起我靳开来，你绝对没有资格！"

我和高干事都一愣。

靳开来接上对梁三喜道："当然，讲指挥能力，我靳开来从心里服你；论军事素质，你也比我靳开来高一筹！我说的资格是：我靳开来兄弟四个，死我一个，我老父老母还有仨儿子去养老送终，祖坟上断不了香火。可你梁三喜，你家大哥为革命死得早，二哥为他人死得惨，惨啊！就凭这，不到万不得已，你梁三喜得活下来！"他转脸对我和高干事，"你们不知道连长家的事……咳！我这个人，就愿意把话说得白一些，尽管说白了的话怪难听。"

我心里沉甸甸的。下连这么久了，我竟对连长的身世一无所知！看来，连长家中不知遇到过啥样的不幸。而眼下我们已来不及去聊那些事了。

靳开来擦了擦发湿的眼睛："连长，我说句掏心话，全连谁'光荣'（前线战士把'光荣'作为牺牲的代名词）了，我都不会过分伤心，为国捐躯，打仗死的嘛！唯独你，如果有个万一……你那白发老母亲，还有韩玉秀怎么办……咳！小韩该是早已经生了，可你还不知她生的是男是女啊！"

梁三喜摆了摆手，声音有些颤抖："副连长，别说那些了！"

我眼里阵阵发潮。怪我，都怪我这不称职的指导员，使连长早该休假却没休成！

"行了。别开马拉松会了。顺理成章，带尖刀排的事，听我的。"靳开来拍板定了音。

接着，我们又进一步设想行动后可能遇到的难题，议论着对付困难的办法。

散会时，靳开来对高干事笑了笑："喂，笔杆子！一旦我靳开来'光荣'了，你可得在报纸上吹吹咱呀！"说着，他拍了拍左胸的口袋，"瞧，我写了一小本豪言壮语，就在这口袋里，字字句句闪金光！伙计，怕就怕到时候我踏上地雷，把小本本也炸飞了，那可就……"

梁三喜："副连长！你……"

靳开来："开个玩笑嘛！高干事又不是外人，怕啥？"

……

一切都准备好了，但一切又是何等仓促。

二月十六日下午，从济南部队和北京部队调到我们团一大批战斗骨干，都是班长以下的士兵。团里照顾我们这尖刀连，一下分给我们十五名。显然，他们是从各兄弟部队风尘仆仆刚刚赶到前线。抱歉的是，我们既没有时间组织全连欢迎他们，甚至连他们的名字都来不及登记，就三三两两地把他们分到各班，让他们和大家一起去吃"三鲜水饺"去了！

夜幕降临，我们全连伏在红河岸边待命。

战斗打响前，最大权威者莫过于表的指针。人们越是对它迟缓的步伐感到焦急，它越是不肯改变它那不慌不忙的节奏。当它的时、分、秒针一起叠在十二点上时，正是十七日凌晨。

骤然，一声炮响，牵来万声惊雷，千百门大炮昂首齐吼！顿时，天在摇，地在颤，如同八级地震一般！长空赤丸如流星，远处烈焰在升腾，整个暗夜变成了一片深红色。瑰丽的夜幕下，数不清的橡皮舟和冲锋舟载着千军万马，穿梭往返，飞越红河……

此时，一种中华民族神圣不可侮的情感在我心中油然而生，我更感到自己愧为炎黄子孙！

全连在焦急的等待中迎来了破晓。早晨七时半，冲锋舟把我们送到红河彼岸。

刚过河，就看到从前沿抬下来的烈士和伤员，连里几个感情脆弱的战士掉泪了。

靳开来不知从哪里搞来一把傣家大刀。他把银灼灼的大刀当空一抡："掉啥泪？哭个球！把哭留给吃饱了中国大米的狗崽子们！看我们不揍得他们鬼哭狼嚎!"说罢,他转脸对为我们九连带路的华侨说:"老哥,你在身后给我指路,一排,跟我来!"

尖刀排沿两山间的峡谷朝前插去。梁三喜和我率领大家急速跟进。

刚插进不多远,便遇上一群被我正面攻击部队打散的敌兵。他们用平射的高射机枪、枪榴弹、冲锋枪,三面朝我连射击。

"卧倒!"梁三喜一把将我摁倒,厉声下达命令,"三排,占领射击位置,打!"

梁三喜手中的冲锋枪打响了。少顷,三排的轻、重机枪一齐咕咕咕叫起来。

我刚端枪瞄准敌人,梁三喜转脸对我喊道:"我带三排留下掩护,你带大家尽快甩开敌人!"

"我留下!"说着,我射出一串子弹。

"执行预定方案,少废话,快!"

梁三喜的话是不容反驳的!我的指挥能力,怎能同他相比啊!

我带二排和炮排匍匐前进躲过敌射界,纵身跃起,紧紧尾随尖刀排上前急插……

十时许,梁三喜才率三排跟了上来。他用袖子抹了抹满脸的硝烟和汗水,沉痛地告诉我,有两名战士牺牲了,一名战士负了重伤。烈士遗体和伤号已交给负责收容任务的副指导员……

越南北部山区,草深林密,路少坡陡。杯口粗的竹子紧紧挤在一块儿,砍不断,推不倒,硬是像道道天然屏障。芭茅草、飞机草高达两米以上。草丛中夹着杂木,杂木中盘着带刺的长藤。节令才临近"雨水",这里的气温竟高达三十四五度。这一切,都给我们急速穿插的尖刀连带来不可想象的困难。

我们心急火燎地沿无路可寻的山沟插进,只见尖刀排在前面停住了。跟上去一看,面前是三米多宽、两米多高的木薯林,钻过去无空隙,爬上去又经受不住人。靳开来手持傣家大刀,左右横飞,为全连砍通道路……

这时,营长在报话机中呼叫,问我们九连的位置,梁三喜忙展开地图,现地对照。一个扛着八二无后坐力炮的战士凑过来,瞧了几眼地图，一下用手在地图上指点说："在这儿，错不了，这就是我们九连的位置。"

梁三喜点了点头，看了看眼前这位昨天下午刚补进我连的战士，便对着报话机向营长报告了九连所处的位置。

报话机中传来营长焦急的声音："太慢！太慢！加快速度！要加快速度！"

"是！"梁三喜回答营长后，站定身对全连命令道，"把背包、多余的衣服，统统扔掉！尖刀排继续头前开路，二、三排和连部的同志，协助炮排携带弹药！"

战士们立即照办了。梁三喜的决定无疑是十分正确的。步兵排每人负重六十多斤，炮排每人负重九十多斤，要加快穿插速度，是得扔掉一些不急需的玩意儿才行呵！

当这一切办完之后，梁三喜问眼前那位识图能力极强的战士："你，是从哪个部队调来的？"

"北京部队。"

"叫啥名字？"

"嘿，说名字一时也记不准。我们刚补进来的十五名同志里就我自己是从北京部队来的。干脆，就叫我'北京'好了。"

这自称"北京"的战士，稍高的个头，长得挺秀气，浓眉下的眼睛一闪一眨，热情、深邃、奔放，显得煞是机灵聪敏。

"那好，你就跟在我身边行军。"梁三喜说。显然，他已觉得身边极需这位很有一套的战士。

我们加快了穿插速度。在通过一道山梁时，又两次遇到小股敌人的阻击。仍是由梁三喜率三排断后掩护，我们很快就甩开了敌人，拼死拼活地往前插……

营长不时地在报话机中询问我们的位置，每次都嫌我们行动迟缓。

下午三时许，营长又一次呼叫我们。战士"北京"又很快在地图上找到了我们的位置。

梁三喜向营长报告后，报话机里的营长火了："师、团首长对你们行动迟缓极不满意！极不满意！如不按时抵达指定位置，事后要执行战场纪律！执行战场纪律！！喊赵蒙生过来对话。"

梁三喜移动了一下，我蹲到报话机边。

"赵蒙生！赵蒙生！你战前的表现你清楚！刚才军长在报话机中向我询问过你的表现！你要当心，要当心！政治鼓动要抓紧，要抓紧！不然，战后你跳进黄河洗不清，洗不清！……"

我的头皮又飕飕发麻。梁三喜推开我。

"营长同志，政治鼓动很重要，很重要！但是我们没空多啰唆！有啥指示，你快说！"

"梁三喜，你别嘴硬！战场纪律，对谁都是无情的！"

营长的喊话停止了。从尖刀排位置折回身来的靳开来，牢骚开了："娘的！让他们执行战场纪律好了！枪毙，把我们全枪毙！他们就知道用尺子量地图，可我们走的是直线距离吗？让他们来瞧瞧，这山，是人爬的吗？问问他们，路，哪里有人走的路！……"

"副连长，少牢骚！"梁三喜额角上的青筋一鼓一跳地蠕动着。

靳开来不吱声了。

梁三喜厉声对战士们命令："武器弹药携带好，每人留下两顿饭的干粮，另外是水壶，水壶绝对不能丢！其余的，统统扔掉！"

……

没有亲身经历这场战争的人，压根儿想象不出我们这尖刀连在穿插途中的窘迫之状。为争取按时抵达指定地点，我们冒着酷热在亚热带高山密林中穿行，上山豁出命去爬，下山干脆坐下连滑加滚，一个个衣服全扯碎了，身上青一块、紫一块……

太阳沉下去了，四周影影绰绰，我已辨不出东西南北。腿早已不打弯了，我跟着大家死死地往前蹿。当听见梁三喜说已到达指定位置时，我一头栽倒了。

梁三喜架起我做惯性运动。我定了下神，见全连绝大部分战士也都倒在了地上。

梁三喜边架扶着我边命令："都起来，互相协助，活动一下。"他突然松开我，轻声呼唤，"小——金，小金！"

我一看，只见司号员小金栽倒在面前的草丛中。

梁三喜晃动着小金："小金！金小柱……"

听不见小金的声音。

我和梁三喜忙把小金身上的装备卸了下来：冲锋枪、子弹带、十二枚手榴弹、飘着红缨穗的军号、两包压缩饼干、水壶。另外，还有沉重的四发八二无后坐力炮弹——显然，这是他在穿插途中，遵照连长的指示，从炮排战友身上，背到了他的背上……

梁三喜坐下把小金扶起，让小金倚在他怀中。他取过小金的水壶晃了下，听见有点响声，便将水壶对上小金的嘴："小金，醒醒，喝点水……"

小金嘴唇紧闭，毫无反应。

我忙给小金做人工呼吸，但无济于事。

我用手一摸，小金的心脏已停止了跳动！

梁三喜眼中涌出滴滴泪珠。他用毛巾擦拭着小金脸上的泥垢和汗渍。小金那长长的睫毛垂了下来，胖乎乎的两腮上，各有一个浅浅的小酒窝……

他还没来得及为全连进攻吹响冲锋号，他没能杀敌立功，就这样安详地睡去了，永远地睡去了。

事后，我反复想过，如果小金不给炮排背那四发炮弹，他也许不会……也许因为他太年轻，也许他的心脏或身体的某个部位本来有点小毛病，使他承受不了如此剧烈的穿插。啊，这位不满十七岁的士兵是累死在战场上的！

此刻，我抚摸着他那圆鼓鼓的手，抽泣着。我下连后，就是这双手，曾天天早晨给我打好洗脸水，把牙膏都给我挤在牙刷上；就是这双手，曾给我一次次地洗军装；也是这双手，在那"十公里全副武装越野"时，将摔倒的我扶了起来……我年龄几乎比他大一倍，可我……小金呀，原谅我吧，我不会是个永远都不称职的指导员，更不会成为"王连举"！

战争期间，时间是以分秒计算的。当我们到达364高地前沿时，已是晚上八点零二分。比上级指定的到达时间，误了一百二十二分钟！

然而，我们九连是问心无愧的。

七

梁三喜命令各班检查了装备，武器弹药没有丢损。只是大部分战士已把水壶和干粮全扔在穿插途中了。他让各排把仅有的干粮和水集中起来分配。吃了一顿半饥不饱的共产式的"大锅饭"之后，全连基本上粮尽水绝了。

我的水壶和干粮也在穿插途中扔掉了。梁三喜塞给我半包压缩饼干我没接，我瞒他说自己还有吃的。他把小金留下的水壶硬是塞给了我。我怎忍心喝小金留下的水啊！我把那半壶水连同小金为炮排背来的四发炮弹，一起交给了炮排……

夜，黑得像看不到边、窥不见底的深潭。

山崖下的灌木丛中，梁三喜召集各班、排长围拢在一起，研究下一步的行动。他在暗夜中铺开地图，借着圆珠手电笔那圆圆的光点，用手点了点由无名高地和主峰两个山包组成的364高地。接着，他让那位带路的华侨，谈一谈364高地敌人设防的情况。

我们的向导，是位三十四五岁的庄稼汉。穿插途中，我们派两位体格最棒的战士空手拉扯着他，才使他和我们一起赶到目的地。他是在越南当局反华、排华时蒙难回国的，他原来的家离这364高地不远。但遗憾的是，他对敌军事方面的布防所知甚少。他仅告诉我们，从一九七四年春开始，就看到有越南鬼子在前面的两个山包上构筑碉堡和工事。别的，他啥也不知道了……

面对敌人苦心经营的364高地，大家思忖着。

梁三喜已把战士"北京"视为连里的"高参"。此时，他对挨在他身边的"北京"说："'北京'同志，先谈谈你的想法吧。"

"那好。我先谈点不成熟的设想，以便抛砖引玉。"战士"北京"说，"我连现已脱离大部队，孤军揳入敌腹。在缺乏强有力炮火支援的情况下，要攻占面前的两个山头，谈何容易！敌人居高临下，以逸待劳，颇有'一夫当关，万夫莫开'之势。这就决定了我们的打法，切莫强攻，必须巧取。"

"说得很有道理。"梁三喜催促，"继续说下去。"

"现在我连已断粮缺水，一时又不能补充，行动必须迅速。趁敌尚未察觉我们，我建议战斗不应在明日，而宜在今夜展开。先拉开一个小小的战斗序幕。"

"序幕？"梁三喜问。

战士"北京"接上说："对。孙子云，'知己知彼，百战不殆。'这小小的序幕是：一、先设法破坏敌阵地前沿的雷区，撕开一道豁口，以便全连接敌；二、以步兵排实施火力佯攻，引敌暴露火力点的位置；三、我炮排和步兵排的爆破组，借暗夜接近敌火力点。在隐蔽好自己的前提下，离敌火力点愈近愈佳。这样，待明晨拂晓，便可以迅雷不及掩耳之势，夺下无名高地，取得立足点。然后，才有可能考虑下一步。"

想不到这年轻的战士"北京"，竟对兵家之事如此谙熟，我颇有些折服了。

大家小声议了一阵，一致认为战士"北京"的设想，切实可行。

这时，"北京"又说："入伍后，我一直在步兵连八二无后坐力炮班当战士。在北京部队时，我参加过几次师里组织的山地进攻实弹演习。要讲摧毁敌火力点，'八二无'堪称一绝。它最大射程一千米，绝就绝在进行肩炮直瞄发射时，我们可以把炮口当刺刀！山地作战，每块岩石下都可隐蔽自己。我打过多次百米内肩炮射击，根本不需瞄准，其准确程度如同把枪口直指敌人的肚皮，百发百中。眼下，我们是山地攻坚，如果采用远射程射击，倘若一炮打不准，敌碉堡里的机枪饶不了冲锋的步兵战友！我看，四〇火箭筒也定要在百米，甚至是五十米、三十米的距离上发射，做到弹无虚发。可别小瞧越南鬼子，他们打了多年的仗，拼起来都是些亡命徒！因此，我们非得冒风险，下绝法子治他们不可！"

梁三喜说："'北京'同志说得十分有理。'八二无'和四〇火箭筒发射时要近些，再近些！必须做到一炮摧毁一个敌碉堡！不然，后果大家都清楚。一排长，行动还是从你们尖刀排开始，你们先用成捆的手榴弹，引爆敌人的地雷……"

靳开来急不可待："娘的！说干就干！先来十捆手雷，每捆十枚！"

梁三喜按住要行动的靳开来，又周密地进行了具体分工。

末了，梁三喜对我说："指导员，战斗要提前打响，按说应该报告营里。可在敌人鼻子底下用报话机呼叫，那就等于把我们的行动报告给了敌人。你看怎么办？"

我当即说："不必报告了。两座山头反正得我们去攻，早攻下来总比晚拿下来好！"

战士"北京"说："指导员说得极是。将在外，君命可有所不受。"

行动开始了。

靳开来率尖刀排把一捆捆手榴弹甩往雷区。随着手榴弹的爆炸，引来阵阵地雷的爆炸声……

迎着爆炸后呛人的梯恩梯味儿，全连在炸开的豁口上，迅速、安全地爬过了雷区。

这时，实施火力佯攻的三排，轻、重机枪早已一齐响起来。无名高地上敌各处的火力点喷吐出火舌。霎时间，山上山下一片枪声……

我默数着敌火力点，对梁三喜说："十二个，有十二个敌火力点。"

"不，还多，最少是十三个。"

按打响前的分工，梁三喜和我各带炮排的两个班和步兵排组成的爆破组，从无名高地左右两侧朝前运动，去潜伏到敌人的碉堡下。

靳开来和我一起行动。有他在，我心里坦然多了。此时，他这炮排排长出身的副连长，手握着火箭筒，身背着火箭弹，跃跃欲试要去炸碉堡了。

三排的轻重机枪打打停停，各处的敌碉堡不时喷吐出火舌，为人们指引着行动的目标……

我正向前爬着，靳开来扯扯我的衣服，悄声对我说："别慌，你跟在我后面！"

近了，不时喷出火舌的碉堡，离我们越来越近了……

午夜时分，无名高地上完全静了下来。

啾儿，啾儿……唧唧，唧唧……纺织娘、金钟儿、蛐蛐儿，还有一些不知名的虫儿，轻轻奏起了小夜曲。

我和靳开来偎依在山岩下的茅草丛中。

他是个不甘寂寞的人。他贴着我的耳根问："指导员，你，在想啥？"

"我……没想啥。"

他突然冒出一句："你，没想你老婆吗？"

"这种时候，我可顾不上想她了。"

"你老婆肯定很漂亮吧？洋味的？"

"带点洋味。不过，还是土气点的厚道。"

过了会儿，他又悄声自言自语："我那小男孩四岁了，长得跟我一个熊样。下月六号是他的生日。咳……真想能抱过他亲他几口。"

我们开始闭目养神。这时，我才觉出，被汗水多次浇透的军装已硬似铁甲，双腿沉得像两根木橼一样不能打弯，周身热辣辣地胀痛。

叮铃铃……头顶上传来电话铃声，接着是"咿里哇啦"的喊叫声。噢，是敌堡里的敌人打电话。我神经一收缩，身上的疲惫感顿然消失了。

置身于敌人的碉堡之下，我才深深地感到，这里已绝对没有啥将军后代和农民儿子的区分了。我们将用同样的血肉之躯，去承受雷，去承受火，去扑向死神，去战胜死神，一起去用热血为祖国写下捷报！

八

乳白色的晨雾像纱幔一样轻轻飘散，东方显出了朦胧的光亮。三颗红色信号弹腾空而起，梁三喜发出了冲锋的信号！

这时，卧在我身边的靳开来早已跃起身，他倚在岩石一侧，肩扛四〇火箭筒，眨眼间便扣响了扳机。但闻轰的一声巨响，敌碉堡刚喷出一缕火舌，便腾空飞上了天！

几乎是同时，离我有三十余米远的战士"北京"也肩起"八二无"，只见他身子一动，肩后便喷出长长的火龙①。

"指导员，隐蔽！"随着靳开来的喊声，我忙卧倒在岩石下。被炸碎的敌碉堡的水泥块儿，像雨一般唰唰落在四周。

一声声巨响接二连三地传来，无名高地上腾起一股股硝烟气浪。显然，从左侧接敌的梁三喜他们，也进展顺利……

---

① 八二无后坐力炮发射时两头喷火，从后面喷出的火柱长达二十五米。

靳开来和战士"北京"朝前跃进，我率火力掩护组迅速占领了有利地形。这时，无名高地顶端右侧，又有两个碉堡喷出火舌……

"打！"我趴在轻机枪后扫射着，掩护组一齐压制敌火力，把敌人的火力引过来了。

靳开来和"北京"各扛着自己的家伙，分别绕到敌堡一侧，真是炮口当刺刀，他们离敌堡都只有五十米左右的样子。只听两声巨响，又见两个敌堡飞上了天！

声声巨响过后，我们纷纷跃起身，饿虎扑食般冲上了无名高地。这时，从左侧出击的梁三喜他们也扑过来了。

扼守在堑壕中的敌人想负隅顽抗，我们劈头盖脸便是一顿猛扫，既来不及喊啥"诺松空叶"（缴枪不杀），也来不及呼啥"宗堆宽洪毒兵"（我们宽待俘虏），当敌人还没明白过来咋回事时，便死的死、窜的窜了……

战斗进行得如此干净利落，前后只用了十多分钟！梁三喜激动地拍着战士"北京"的肩说："行！真不愧是从北京送来的战斗骨干！战后，我们首先为你请功！"说罢，他大声命令大家，"赶快清理阵地，进入堑壕，防敌反冲锋！"

大家立即进入敌人遗弃的堑壕，做好战斗准备。

我当时万万没想到，战斗从这时起便进入了极其残酷的时刻。事后，我们才清楚，仅这无名高地上就驻有敌军一个加强连，而主峰上则是敌人的营部和一个120迫击炮排。

眼下，主峰上的敌人把一发发炮弹倾泻到无名高地上。炮弹呼啸着，在我们占领的堑壕周围炸开。浓密的烟雾，像一团团偌大的黑纱，遮住了太阳，遮住了蓝天，罩在我们头顶上。泥土、石块、敌人丢弃的枪支，合着炮弹片的尖叫声，狂飞乱迸……

每当炮击过后，敌人便从三面发起冲锋。

由于我们取得了立足点，敌人的头两次反扑被我们压下去了。但是，连里已有八名同志牺牲，十一名同志负了伤。

敌人又一次极为疯狂地炮击之后，第三次反扑开始了。

我和靳开来每人抱着一挺轻机枪，带领一排扼守在阵地西侧。这时，三十余名敌人在他们的火力掩护下，喊着、叫着，分梯次向我们扑来。

我们向敌猛烈扫射。因敌三次反扑的时间相隔太短，不大一会儿，我们的枪管都打红了，不能继续射击了。

"快，拿手榴弹来！多，要多！"靳开来把帽子一丢，亮出了光头。

幸好，敌人丢弃的阵地上，到处是成箱的弹药和横七竖八的枪支，而且全是中国制造。我忙搬过一箱手榴弹，递给靳开来几枚。

"拧开盖，全给我拧开盖！"靳开来吼叫着，顺手便甩出了几枚手榴弹，"换枪，都快换枪！"

眼前有靳开来这样的勇士，懦夫也会壮起胆来！是的，越怕死越不灵，与其窝窝囊囊地死，倒不如痛痛快快地拼！我把手榴弹盖一个个拧开，靳开来两手左右开弓，把手榴弹嗖嗖甩向敌群。战士们抓紧时机换了枪……

敌人射来的子弹暴雨般在我们面前倾泻，蝗虫般在我们身边乱跳。有几个战士又倒在堑壕边牺牲了。每分钟内，我们都承受着上百次中弹的危险！

……战争，这就是战争！它把人生的经历如此紧张而剧烈地压缩在一起了：胜利与失败、希望与失望、亢奋与悲恸，瞬间的生与死……这一切，有人兴许活上十年、五十年，不见得全部经历到，而战争中的几天，甚至几小时、几分钟之内，士兵们便将这些全部体味了！

阵地前又留下一片横倒竖歪的敌尸，敌人的第三次反扑，又被我们打退了。

主峰上的敌人已停止炮击，战场沉寂下来。

我和靳开来走至堑壕中间地段，碰上了梁三喜，见他左臂上缠着绷带，便知他在刚才打退敌人反扑时挂花了。我和靳开来忙察看他的伤口，他抬起左臂摇了摇："还不碍事，子弹从肉上划了一下，没伤着骨头。"

战士们把烈士遗体一个个安放在堑壕里。初步统计，全连伤亡已接近三分之一……

没有人再流泪了。是的，当看惯了战友流血时，血不能动人了！当看惯了生命突然离开战友时，活下来的人便没有悲伤了！只有一个念头，复仇！

这时，梁三喜见三班战士段雨国倚在三班长怀中，便问："怎么，小段也负伤了？"

"没有。"三班长说，"他晕过去了，渴的。嗨，小段也算不简单，拂晓进攻时，他只身炸了一个敌碉堡。"

"看不出这小子也算有种！"靳开来不无夸奖地说。

我们坐了下来。梁三喜把他的半壶水递给三班长："快，全给他喝下去。"

三班长不接，梁三喜火了："战场上，少给我婆婆妈妈的！"

三班长把水壶里的水慢慢倒进段雨国的嘴里。过了会儿，段雨国苏醒了。

三班长对小段说："这是连长的水，全连就他这半壶水了！"

段雨国慢慢睁开眼，望着梁三喜。他的嘴嚅动着，泪水顺着脸颊淌下来……

我们尝到了上甘岭上的那种滋味。

在敌人反扑的间隙，梁三喜已两次派出战士在这无名高地周围到处找水，找吃的。别处均没发现有水，就敌人营房旁边有口井，但是，经过卫生员化验，井中已放上毒了。敌人已撤离的营房里，大米倒不少，一麻袋一麻袋的，麻袋上全印着"中国粮"的字样。可没有水，要大米有啥用啊！

时已中午，赤日当头，烤得我们连喘气都感到困难了。

三班长望了望我和梁三喜，嗫嚅地说："山脚下……有一片甘蔗地……"

靳开来像是没听见三班长的话，朝我伸出手："指导员还有烟吗？娘的，我的烟昨天穿插时跑丢了！"

我摇了摇头。出发前我带着两条烟，穿插时被我扔掉了。

梁三喜掏出他的"红塔山"，一看，还剩两支。他递给靳开来一支，将另一支折一半给了我。

靳开来点起烟，贪婪地吸了两口："指导员，是否让我去搞点'战斗力'回来？"

我当然知道他说的"战斗力"是什么，便站起来说："让我带几个战士去吧，搞它一大捆来!"

靳开来站起来把我按下："还用你去! 你当指导员的能有这个话，我就高兴! 这犯错误的事，我哪能让你们当正职的去干! 反正我靳开来没有政治头脑已经出名了，如果不死在这战场上，回国后宁愿背个处分回老家!"

战前，上级曾严厉地三令五申：进入越南后，要像在国内那样，坚决执行三大纪律八项注意，不准动越南老乡的一针一线。违者，要加倍严肃处理。

靳开来又牢骚开了："自己的老百姓勒紧了裤腰带，却白白送给人家二百个亿! 今天，奶奶的，我不信二百个亿就换不了一捆甘蔗。"说罢，他转脸对三班长，"带上三班，跟我走!"

靳开来跃出堑壕，带三班走了。

我和梁三喜有气无力地在堑壕里走着，察看各班、各排的情况。全连又有三个伤号，因流血过多和缺水牺牲了。活下来的同志们个个口干舌燥，偎依在烈日下的堑壕里，连说话的劲都没有了……

渴得要命。水，在这种情况下，不也可以说是战斗力的重要组成部分吗?

梁三喜也坚持不住了，他和我坐下来。他倚在堑壕边上，长吁了口气。

猛然间，从高地右下方传来轰的一声响，我和梁三喜认为是主峰上的敌人又要进行炮击前的试射，忙一下站起来，让战士们进入射击位置，做好击退敌人反扑的准备。可等了会儿，却不见一点儿动静。

这时，三班长扛着一大捆甘蔗，跑进堑壕："不，不好了! 我们回来的路上，副连长踩响了地雷! 他……他干啥事都非得他走在前头不行，他……"三班长放声哭了。

不大会儿，三班的战士们把靳开来抬到堑壕边沿，我和梁三喜忙上前把靳开来接进堑壕里。

他躺在地上，左脚被炸掉了，浑身到处是伤。我们忙为他包扎。

他极度痛苦地翻了下身，把我们推开："不，不用包扎了……我，不行了。让……让大家吃……甘蔗吧……"

"副连长，你……"梁三喜一头扑在靳开来身上，抽泣起来。

靳开来用手抓摸着梁三喜的肩："连长，你……多保重！我……死了也没事，还有他们弟兄三个……"

"副连长……"我呜咽着。

靳开来侧脸望着我："指导员，我……是个粗人，说话冲，你……多原谅……"

"副连长……"我哭出声来了。

他吃力地用手指了指他左胸的上衣口袋："指导员，帮我拿……拿出来，不是什么豪言壮语，是……是全家福……"

我脑中倏地闪过他跟高干事说过的话，忙将手伸进他的口袋，拿出一看，是一张照片。照片上有他、他的妻子和一个四岁左右的小男孩……

我含泪忙把照片拿到他眼前，他用颤抖的手接过照片："我……要去了，让我最后再……再看一眼……"

赵蒙生哽咽着，讲不下去了。

过了会儿，他擦了擦泪对我说："副连长靳开来就是这样牺牲的。现在想起他来，使我揪心难过的并不全在于他的死。"

段雨国插话："回国后评功评模，指导员多次向团里为副连长请功。但是，副连长连个三等功也没能立上！"

赵蒙生接上说："如果按个人取得的战果评的话，我们副连长绝对可以评为战斗英雄！如果他口袋里果真有一小本豪言壮语，那就更能宣扬出去！可当我们如实把他在战场上的英勇表现写成材料报到团里，团里有人说：'靳开来此人，思想境界一贯不高，是个牢骚大王。战前提他当副连长，他说让他去送死！再说，他是为一捆甘蔗死的，严重地破坏了三大纪律八项注意且不说，死得不值得嘛！'"

"值得，他死得完全值得！"段雨国嚷起来，"是人都会有缺点，他发牢骚也不是没缘由的！不管别人怎么说，副连长在我们九连的心目中，永远是大义凛然的英雄！没有他搞来的那捆甘蔗，我们当时都渴晕了，我们能攻上364高地主峰吗？"

我们仨人都沉默了。

过了一大阵子，赵蒙生长叹了口气，接下去讲述这场未完的战斗。

九

战斗愈来愈残酷了。

当我们每人把分到的两根甘蔗刚刚嚼完，主峰上的敌人居高临下，又一次向我们实施炮击。这次炮击比前几次更疯狂，更凶狠，炮击持续了长达半小时之久。无名高地上，我们作为依托和立足点的堑壕，前后左右，到处弹坑累累。扑面的硝烟使我们睁不开眼，浓重的梯恩梯味儿呛得我们喘不出气。

炮击刚停，主峰半山腰的两个敌堡，用平射的高射机枪、轻重机枪，向我们这无名高地扫射……

显然，敌人是要从南面反扑了！

"三排，压制敌火力！"梁三喜大声喊道。

我们刚从堑壕里探出头，便见一群敌人已爬上堑壕前的陡崖，离我们只有十几米了！

"打！"梁三喜边喊边端起轻机枪，对着敌群猛扫！全速奋起向偷袭过来的敌群开火，瞬间，阵地前的敌人便被我们打得如同王八偷西瓜，滚的滚，爬的爬……

这群敌人是从主峰上下来的。他们趁炮击时我们无法观察，便越过主峰和无名高地间的凹部，偷袭到我们的阵地前沿。真险啊，如果我们稍迟几秒钟发现他们，他们就扑进我们的堑壕里来了！

当敌人的反扑又被我们打退后，敌我双方又平静下来。

这时，报务员跑到梁三喜跟前，说营长在报话机中呼叫九连。

梁三喜极其简要地向营长报告了我们攻下无名高地的经过。营长在报话机中告诉我们：营指挥所和营所属另外三个连队，离我们这无名高地直线距离还有十公里左右。预定的穿插计划因战局发展被打乱，他们已不能按预定方案按时到达预定位置了。眼下，三个连队正分头扼守山口要道，阻截从第一线溃逃下来的敌兵，保证大部队全歼逃敌。因此，他们一时腾不出兵力来支援我们。营长还收回了他昨天对我们的批评，并传达了师、团首长对我们九连的嘉奖令，说我们昨天的穿插速度是相当惊人的！……

是的，当他们也在我们昨天的穿插路上走一走时，他们便会晓得我们九连为啥误了一百二十二分钟！

"困难，你们有啥困难吗?"营长问。

"伤亡已超过三分之一，断粮断水！"梁三喜喊道，"水，主要是缺水！"

"坚持，你们想办法坚持！要坚持到明天头午，我们才能上去！"稍停，营长喊道，"团首长指示，如果攻下主峰有困难，你们就坚守在无名高地上，等我们上去再说！"

"不行，我们不能在这无名高地上坚持！要死，也只有到主峰上去死！"

"怎么? 你是梁三喜还是靳开来，牢骚不轻呀！"

"报告营长，靳开来已经牺牲，我是梁三喜！"梁三喜脸色铁青，"主峰上有敌人的迫击炮阵地，一个劲地朝我们头上打炮，如果在这无名高地上坚持到明天头午，九连必将全连覆没！"

……

跟营长通罢电话，梁三喜对我说："指导员，召开个党员会吧。"

我忙通知党员开会。这时，一些不是党员的战士，也纷纷把他们早写好的火线入党申请书递到我手上，问我可不可以列席参加党员会。我眼里一热，忙说："可以，绝对可以！"

此时要求入党，绝不是去领取一张谋取私利的通行证，而是准备向党献出一腔热血！

梁三喜对围拢过来的党员、非党员说："我们不能再被动挨炮了，要主动出击！我提议组成党员突击队，去拿下面前的主峰，去占领敌炮阵地！"

战士"北京"接上说："连长的话极有道理。看来主峰上敌兵力并不多，他们主要是靠炮来杀伤我们。只有站在敌炮阵地上，我们九连才能有点安全感。"

梁三喜望了望众人，宣布了两道命令，任命战前刚提升的炮排排长为代理副连长，任命战士"北京"为代理炮排排长。

说罢，他问我："来不及碰头商量了。指导员，你看怎样？"

我连连点头同意。眼下让谁升官，既不需升官者为自己"走后门"，更不需有人为升官者当说客，说文了叫"受命于危难之际"，说白了便是斩开来的话，给你个带头去死的差事！

战士"北京"对梁三喜说："连长，这种时候我是不会说虚的。说实话，让我指挥一个炮排，我还是颇能胜任的。不过，我用'八二无'去炸敌碉堡还有点绝招，因此，我觉得让我作为一名炮手去行动，更能见成效。"

梁三喜一听有理，点头同意了"北京"的要求。

以党、团员为主的突击队组成了。

梁三喜当即决定：由新任命的代理副连长和他带队，分头从主峰左右侧去攻占主峰。他让我和三排留下扼守无名高地，掩护他们出击……

"连长，你的胳臂已负过伤了！"我吼了起来，"如果你觉得我赵蒙生还有种，这突击队由我来带！"

"少废话！你有没有种，战场上大家不都看到了吗！"梁三喜的眼里射出不容分说的光，"可讲指挥能力，你还不过关！行了，趁敌还未炮击，要分秒必争！"他转脸对战士"北京"一挥手，"带足炮弹，你和弹药手们先是顺坡滑下去，速度越快越好！"

无名高地和主峰间是个"U"形，我阵地面前的坡崖坡陡七十多度，而坡崖的上半部又完全暴露在主峰之敌的射界下。当战士"北京"抱着"八二无"炮身，和弹药手们急速从坡崖上滑下去时，主峰半山腰的两个敌碉堡，便开始不停地封锁扫射……

"三排，压制吸引敌火力！"梁三喜命令。

三排对准敌碉堡开火，但狡猾的敌人并不理会，仍不时地朝我面前的坡崖实施拦阻扫射……

要通过这完全暴露在敌射界之下的坡崖，谈何容易啊！

梁三喜皱起眉头。稍停，他对突击队员们大声喊道："看着点！都按我的样子办！"

说罢，只见他把一挺轻机枪抱在怀中，趁敌射击间隙，飞身跃出堑壕，猛地朝山下滚进，滚进……

我惊呆了！一个基层指挥员在战斗最紧要的关头，他把忠诚、勇敢和智慧所包含的全部内容变为沉着，继而从沉着中又产生出这果断而不惜赴汤蹈火的行动！

他成功了。

突击队员们学着他的样子，瞅准敌射击间隙，一个个先后噌噌跃出堑壕，滚进，急速朝坡崖下滚进……

过了会儿，敌人停止扫射。无名高地上安静无事，我心中越发不安。我问自己："你不是立誓要血洗自己的耻辱吗？那你为啥不像梁三喜那样去冲锋？！"

敌人又开始拦阻扫射了。我抓过冲锋枪抱在怀中，对三排喊道："你们坚守，我过去！"

我大步跨出堑壕，横身倒在坡崖上，拼命往山下滚进……

我当时想的是：都是爹娘生的，连长梁三喜是人，我也是人，他能去做的事，我这当指导员的也应照着去做，才算称职！

也怪，滚到山间，除了感到周身麻木外，竟觉不得疼。

主峰上下全是一人多高的芭茅草，一接近它，便躲过了敌人的射界。我火速爬着赶上了梁三喜他们。梁三喜见我来了，也没责怪我。

三排仍不时向敌人射击，敌人也不断还击。我们在草丛中攀缘而上，去接近敌堡……

爬了一大阵子，猫起腰便看见敌堡了。

战士"北京"对梁三喜说："连长，距离最多有五十米。放心，绝对不用打第二炮，干吧！"

梁三喜点头同意。

战士"北京"当即把炮弹装进炮膛。少顷，他肩起"八二无"炮身，噌地站起来，勾动了扳机！然而，没见炮口喷火！

战士"北京"一下卧倒在地。敌人的子弹嗖嗖从我们头顶上飞过……

"怎么？是臭弹？"梁三喜问。

"嗯。是发臭弹。""北京"说着，忙把臭弹退出炮膛。弹药手赶忙又递给他一发炮弹，他又将炮弹装进了炮膛。

稍停，他又肩起炮，猛地站起身，又一次勾响了扳机，却又一次没见炮口喷火！

哒哒哒哒……敌人一串子弹射来，战士"北京"一头栽倒在地上！

"'北京'！'北京'同志……"我和梁三喜同声呼唤着。

一切都发生在瞬息之间！

战士"北京"倒在血泊中，身上七处中弹。中的是平射过来的高射机枪子弹，处处伤口大如酒盅，喷出股股热血……

啊，倒下了，一个多么优秀的士兵又倒下了！他连哼一声也没来得及，眨眼间便告别了人生！他二十出头正年轻，芬芳的生活正向他招手！他是那样机敏果敢，他是多么富有才华！昨天晚上，他还以将军般的运筹帷幄，为我们攻打无名高地献出了令人折服的战斗方案！可此刻，他竟这样倒下了！他从北京部队奔赴前线补到我们连，到眼下才刚刚两天，我们还不知道他叫啥名字啊！五十米的距离上，他不瞄准也绝对有把握一炮一个敌碉堡。可臭弹，该死的两发臭弹！

梁三喜怒对爬到眼前的弹药手："他的死，你要负责任！"

弹药手沉下头不吱声。我知道，梁三喜这是由极度悲恸产生的激怒，而激怒又变为这无谓的埋怨！在同生共死的战场上，有哪位弹药手愿意出现臭弹啊！

"怎么两发都是臭弹？咳！"

"早晨打无名高地时，就已出现过一发臭弹。"弹药手伤心地回答梁三喜，"为啥是臭弹，你看看弹身上的标号就晓得……"

梁三喜从战士"北京"身下的血泊中双手摸过血染的炮身，将那发臭弹退出膛看了一眼，递给了我。我一看，只见弹身上印着：一九七四年四月出厂。

弹药手嘟囔说："批林批孔的年月里出的东西，还能有好玩意儿！那阵儿，到处都停工停产搞大批判，军工厂的工人也都不上班……"

啊，我心里一阵冷飕飕！那令人不寒而栗的动乱年月，不仅给人们造成了程度不同的精神创伤，还生产出这样的臭弹！如今臭弹造成的恶果，竟让我们在这生死攸关的战场上来吞食！

"奶奶的！"梁三喜气得像靳开来那样骂娘了，"要是再为了争权夺利，今天你搞他，明天他整你，甚至连死了两千多年的孔老二也拉出来批，我们就没个好！不用敌人打咱们，自己就把自己搞垮了台！"

这时，山左侧传来一声令人振奋的巨响，不用问，那是新上任的代理副连长带着战友们，把敌碉堡炸掉了！

我们上面敌堡中的枪又急骤地响起来，一串串子弹从我们头顶上掠过……

梁三喜问弹药手："还有几发炮弹？"

弹药手说："还有九发。有六发是一九七四年四月出厂的。"

"真他娘的见鬼！扔了，把那六发全给我扔掉！"梁三喜气极了，厉声对弹药手说，"你动作快点，给我拿发好弹来！"

梁三喜将战士"北京"身边那发从炮膛中退下来的臭弹愤然甩出老远！他接过弹药手递过来的炮弹，一下装进了炮膛。

梁三喜肩起炮身。说时迟，那时快，他猛地站起来，眨眼间便见炮口喷火！炮弹轰地炸开，敌碉堡被炸得粉碎……

碎石泥尘还在唰唰下落，我们便跃起身，迎着硝烟气浪向前扑去！

上来了！上来了！从左右两侧出击的突击队员，还有从主峰正面待机冲锋的步兵一排，一齐呐喊着，冲上了山顶！

我们，终于站在了364高地主峰上！

"注意搜索残敌！"梁三喜命令说。

我放眼望去，山顶上敌堑壕里一片狼藉，空无一人。位于山顶右侧的炮阵地上，有十几门横倒竖歪的120迫击炮，遍地是待发的炮弹，还有那一箱箱未开封的炮弹箱摆在周围……这时，我才更觉出梁三喜判断的准确，决策的正确！如果不攻占这炮阵地，我们坚守在无名高地上是会全连覆没的！

山顶上到处是巉岩怪石。我们沿着堑壕南边向西搜索。

段雨国兴冲冲地来到我和梁三喜身边："连长，指导员，胜利啦，我们终于胜利啦！这次战斗，能写个很好的电影剧本！"

我望着段雨国那副乐样儿，真没想到他也攻上了主峰！

"隐——蔽！"只听身后的梁三喜大喊一声，接着我便被他猛踹了一脚，我一头跌进堑壕里！跟着传来哒哒哒一阵枪响……

当我从堑壕里抬头看时，啊！梁三喜——我们的连长倒下了！

我不顾一切地扑过去。

"连长！连长！"我一腚坐在地下，把他扶在我怀中……

他微微睁开眼，右手紧紧攥着左胸上的口袋，有气无力地对我说："这里……有我……一张欠账单……"

一句话没说完，他的头便歪倒在我的胳臂弯上，身子慢慢地沉了下去，他攥在左胸上的手也松开了……

我一看，子弹打在他左胸上，打在了人体最要害的部位，打在了他的心脏旁！他的脸转眼间就变得蜡黄蜡黄……

"连长！连长！"战士们围过来，哭喊着。

"连——长！"段雨国扑到梁三喜身上号啕起来，"连长！怪我……都怪我呀……"

梦，这该是场梦吧？战斗就要结束了，梁三喜怎么会这样离开我们！当理智告诉我，这一切已在瞬息间千真万确地发生了时，我紧紧抱着梁三喜，疯了似的哭喊着……

讲到这儿，赵蒙生两手攥成拳捶打着头，泪涌如注。他已完全置身于当时的场景中了。

我用手擦着不知啥时流下的泪，为梁三喜的死感到极为惋惜和沉痛。

过了良久，赵蒙生才抬起泪脸，喃喃地对我说："子弹，是一个躲在岩石后面的敌人射过来的。显然，梁三喜最先发现了敌人，如果他不踹我那一脚的话，他完全来得及躲开敌人，可是为了我，他……"

段雨国内疚地哽咽说："怪我，都怪我啊！怪我当时让胜利冲昏了头脑，才使指导员光顾了跟我说话，才使连长他……"

停了会儿，赵蒙生接上说："痛哭过后，我想起梁三喜临终前没说完的那句话，我从那热血喷涌的弹洞旁边，从他那左胸的口袋里，发现了这……"赵蒙生说着，从一本硬皮日记本里，拿出一片纸，用瑟瑟发抖的手递给我，"你……你看看……"

我接过一看，这是一张血染的纸条。这纸条是三十二开笔记本纸的小半页，四指见方。烈士的笔锋刚劲，字迹虽被血浸染过，但依然清晰可辨。只见上面写着：

我的欠账单
借：本连司务长120元
借：本团刘参谋70元
借：团后勤王处长40元
借：营孙副政教50元
　……

　　梁三喜烈士留下的这张欠账单上，密密麻麻写着十七位同志的名字，欠账总额是六百二十元。

　　我顿感头皮麻飕飕的！眼下，我虽还不知梁三喜为啥欠了这么多的账，但我已悟出，为啥赵蒙生在前面的讲述中，一再讲到梁三喜抽的是黑乎乎的旱烟末，连块手表也没有，用的牙刷只剩"八撮毛"……

　　赵蒙生叹息了一声，对我说："三年多来，这血染的欠账单一直像沂蒙山中那古老的碾盘一样，重压在我的心上。每每看到它，我便百感交集。我常常这样想，梁三喜临终前那句没说完的话是：'这里有我一张欠账单，我欠的账还没偿还，还没偿还啊……'"

　　我们又陷入沉默中。

　　过了会儿，我问："那么，最后战斗是怎样结束的？"

　　赵蒙生仍在擦泪，没有回答我。

　　段雨国说："当时，一串子弹射来之后，我见连长倒在地上，我误认为连长是就地卧倒隐蔽。我抬头一望，见前面岩石上有个黑影，一晃便不见了。我跑过去一看，也没见敌人在哪里。这时，又过来几位战士，我们一齐搜索，才发现岩石右下侧有个洞口。我返回身来想报告连长时，见连长已牺牲在指导员的怀中。我扑上去就哭起来……当我含泪告诉指导员敌人已钻洞，指导员疯了般地站起来，喊着要手榴弹……"

　　赵蒙生摆手制止段雨国："算了，算了！不必讲那些了！"

　　"实事求是嘛！总得让如实记录这个故事的作者同志，对这场战斗有个大概的了解。"段雨国接上对我说，"……指导员把十几枚手榴弹捆在一起，谁也拽不住他，他像疯了一样跑到洞口边，一下就钻进洞去。过了会儿，我们先是听到一阵枪声，接着是闷雷般的巨响。当时大家心想，指导员肯定牺牲了。我们打着手电，一个个钻进洞中，先把指导员抬了出来，见他额角上流着血，臀部也负了伤，他人事不省。接着，我们呼啦啦拖出九具敌尸，洞中的九名敌人，全让指导员那捆手榴弹给报销了！……"

"行了，别塑造我的形象了！"赵蒙生内疚地说，"比比梁三喜、靳开来、战士'北京'、司号员小金，我算个啥！我不过是让军长和战友们骂上战场的懦夫而已！如果说我还没有愧为炎黄子孙，那是烈士们用热血净化了我的灵魂。"停了停，他望着我，"不过，使我的心灵受到更大更剧烈震动的事情，还不是在战场上，而是在打完仗之后发生的。那石头人听了也会为之动情的故事，我当时万万想不到，你现在也绝对猜不到。让我给您继续讲下去吧——"

十

我们九连就打了这一仗。

当我抱着手榴弹闯进敌洞时，洞内漆黑啥也看不见。我贴着洞壁朝前摸，摸进十几米，才听见里面有动静。敌人显然也听到我进来了，射来一串子弹，却没有打中我。我便将一捆手榴弹拉了弦，扔了过去。之后，我就啥也不知道了。

后来，是代理副连长带领大家，像掏老鼠洞一样又掏了两个敌洞，又炸死了十三个敌人，战斗便胜利结束了。

我是被自己甩出去的那捆手榴弹炸晕的，伤得并不重。这时，我们营的七连奉命赶到364高地，接替了我们九连。

我先是被送到师战地医院，接着又转到国内。十几天后，我的伤就痊愈了。

整个部队班师回国，凯旋门前是人海鲜花，颂歌盈耳；庆功宴上是玉液琼浆，醇香扑鼻。当活下来的我重新体味生活的美好和芳香时，一想起连里殉国的英烈们，我的心情便分外沉重。

部队展开了评功活动。军里决定报请军区，授予我们九连为"能攻善守穿插连"的荣誉称号。经过群众评议，我们九连党支部决定报请上级党委，分别授予梁三喜、靳开来，还有不知姓名的战士"北京"为战斗英雄称号……

对梁三喜和"北京"同志，团里没有争议。对靳开来，不管我们党支部怎样坚持，却连个三等功也不批！这时，有人竟提议授予我英雄称号，说我在战斗最困难的时刻，第一个只身闯进敌洞炸死九个敌人，称得上什么"模范指导员"！

我被刺眼的镁光灯和接踵来访的记者包围了。

记者们对我好像尤其感兴趣，连我的名字也具有特别的诱惑力。有位记者说我当年出生在沂蒙战场上，现在又在战场上立了功，很值得宣传。他以抢新闻的架势找到我，对我进行单独采访。并说他已想好了一篇通讯的题目：正题——将门生虎子，副题——记革命家庭熏陶下成长起来的英雄赵蒙生。他让我围绕着这个题目提供材料。我当即把我参战前后的情况如实给他说了一遍，一下打乱了他的构思。但他仍坚持要宣扬我，并说了一大套理由：什么报道要有针对性啦，用材料要去芜取精啦，因此不需面面俱到，要以正面表扬为主……

我坚决拒绝了他："要写，就真真实实地写，别做'客里空'式的文章！"

是的，战争刚刚打罢，烈士尸骨未寒，我怎敢用烈士的鲜血来粉饰打扮自己！

评功活动完结后，接着进行烈士善后工作。我们连在全团是伤亡最大的连队。团里派出专门的工作组，来帮助我们做这项工作。

烈士善后工作进行得极为顺利。烈士的亲属们深知亲人是为国捐躯，个个深明大义，没有谁向我们提出过任何超出规定的要求。他们最关心的是亲人怎样牺牲的。我向他们一一讲述烈士的功绩，并把授给烈士的军功章捧献给他们……

但是，当我面对靳开来的妻子和那四岁的小男孩时，我为难了。我向烈士的遗妻和幼子，讲述了副连长怎样带尖刀排为全连开路，怎样炸毁了两个敌碉堡，又怎样坚守无名高地消灭敌人。当然，我省去了副连长带人去搞甘蔗的事，我只说副连长在阵地前找水踩响了地雷……

当靳开来的遗妻抬起泪眼望着我，对这位来自河南禹县一个公社社办棉油厂的合同工，我已无言安慰。所有烈士亲人都有一枚授予烈士的军功章（大部分是三等功），唯独她没有……

我拭泪把我的一等功军功章双手捧给她："收下吧，这是我们九连授给一等功臣靳开来烈士的勋章！"

这位憨厚纯朴的女合同工，双手接过军功章捧在胸前凝望着。过了会儿，她才把这军功章连同靳开来烈士留下的那张全家福一起包进手帕，小心翼翼地珍藏起来。

她带着那四岁的小男孩，不声不响地离开了连队。

谢天谢地，她并不晓得连队是无权决定给谁记功的（哪怕是记三等功）！我默默祝愿，祝愿那枚军功章能使她在巨恸中获得一丝慰藉，也企望那四岁的孩童在晓明世事之后，能为父辈留给他的军功章而感到自豪！

烈士亲属们都一一返回了，唯独不见梁三喜和"北京"同志的亲属来队。团政治处已给山东省民政部门发了电报和函件，请他们尽快通知梁三喜烈士的亲属来队。战士"北京"的真实姓名，在部队回国后我们通过查找对号，得知他叫薛凯华。参战前一天从兄弟军区火速赶来的那批战斗骨干，团军务股存有一份花名册。当时把他们急匆匆分到各连后，几乎所有的连队都没有来得及登记他们的姓名。因此，全团有好几个连队都出现了烈士牺牲时不知其姓名的事情……

团、师、军三级党委，决定重点宣传梁三喜的英雄事迹。让我们连多方搜集梁三喜烈士的遗物、照片、豪言壮语以及有宣传价值的家信等等，以便送到军区举办的英雄事迹展览会上展出。

当我着手组织搞这项工作时，确实作难了。

梁三喜的遗物，除了一件一次没穿过的军大衣外，就是两套破旧的军装。团里派人把两套旧军装取走了，因那打着补丁的军装，足能说明烈士生前身先士卒，带领全连摸爬滚打练硬功。团里听说梁三喜有支"八撮毛"的牙刷，又派人来连寻找，因那"八撮毛"的牙刷，足能说明烈士生前崇尚俭朴。然而，很可惜，在那拼死拼活的穿插途中，梁三喜已把牙刷、牙缸全扔在异国的土地上了……

至于照片，我们到处搜集，也没能找到梁三喜生前的留影。最后，我们从师干部科那里，从干部履历表中，才找到一张梁三喜的二时免冠照。这为画家给烈士画像，提供了唯一的依据……

我是多么悔恨自己啊！我曾身为摄影干事，下连后还带着一架我私人所有的"YASHIKA"照相机，却未能为梁三喜摄下一张照片！

至于梁三喜写下的豪言壮语和信件，我们也一无所获。梁三喜是高中二年级肄业入伍的，按说他应该写下很闪光的文字。但是，我们只找到一本他平时训练用的备课笔记本，全是些军事术语，毫不能展现烈士的思想境界……

参战前后，他在戎马倥偬中为我们留下的，就是那张血染的欠账单！

这天，我把欠账单拿到团政治处，想让团领导们看一下。然而，无独有偶。团政治处的同志告诉我，这样的欠账单并不罕见。在全团牺牲的排、连干部中，有不少烈士欠着账。五连牺牲了四个干部，竟有三个欠账的。这些欠账的烈士，全是清一色从农村入伍的。他们欠账的数额不等，其中，梁三喜欠账的数额最多。

看来，我对从农村入伍的排、连干部，以及那些土里土气的士兵们的喜怒哀乐，还是多么不知内情啊！

时间又过去了几天，仍不见梁三喜烈士的母亲及妻子来队。我多次催团政治处打听联系。这天，政治处来电话告诉我，他们已数次给山东省民政部门去过长途电话，查问的结果是：梁三喜烈士的母亲梁大娘、妻子韩玉秀，她们抱着个刚出生三个多月的女孩，起程离家已十多天了。

啊，十多天了？乘汽车、坐火车，再乘汽车……我掰着指头算行程，她们祖孙三代早该赶到连队来了呀！莫不是路上出了啥事？那可就……

我后悔自己工作不细，恨当初为啥不建议团政治处，让连里派人赶往山东沂蒙山，去接她们祖孙三代来连队……

我们连驻地不远有公共汽车停车点，我派人到停车点接了几次没接到，我更是忧心忡忡，日夜不安……

这天中午，师里的丰田牌轿车开进连里。我一看，是妈妈来了！

我忙把妈妈迎进宿舍里，给她倒了杯水："妈……今天刚赶来？"我不知说啥好。

"咳！坐飞机，乘火车，师里派车在车站接到我，我到师里坐了一会儿，就来了。"

我与妈妈相对而视，沉默无语。

妈妈比我临下九连回家休假见她时，明显消瘦了。她脸上失去了往常那乐悠悠的神采，眼圈周围有些发乌。

"你……怎么不给妈写信？"

"回国后事情太多。"

"你……你知道妈这些日子是怎样熬过来的呀！"妈妈眼泪汪汪，"妈是从报纸上……看到你们九连……妈才知道你没……"

我无言对答。

"那天晚上，妈要了三个多小时的电话，才……才好不容易要到'雷神爷'。谁知，竟挨了他一顿……臭骂，打那儿，妈就夜夜做噩梦，一会儿梦见'雷神爷'用手枪指着你，让你去……去炸碉堡，一会儿又梦见你满脸是血，呼唤着妈妈……"妈妈抹着泪，"妈知道在那种时候打电话也不应该。可'雷神爷'他……他也太不讲情面了！妈是快往六十岁上数的人了，生来也不是怕死鬼！可妈就你这么一个儿子呀，要死，妈宁愿替你去死！"妈妈伤心地抽泣起来。

我该说啥呀？我没有资格责怪亲爱的妈妈！

妈妈的老家在皖北。早年间外祖父一家一贫如洗，妈妈八岁上就卖给了地主当丫头。一九三八年，国民党政府为躲过日寇南逃，炸开了花园口黄河大堤，造成了豫东、皖北骇人听闻的黄泛。咆哮的洪水使外祖父一家全部丧生。妈妈当时十六岁，她是抱着地主家一只洗衣的木盆，才大难未死！当年秋，她只身流浪到沂蒙山投身革命，后来当过团卫生队的卫生员、护士长，"地下医院"的指导员，师卫生科科长……再后来她随大军打济南，战淮海，长驱南下……妈妈参加过上百次战斗，满满一手帕勋章闪耀着她光辉的历程。她那九死一生的传奇经历，能写一部比砖头还厚的书啊！……

而我，只不过刚刚参加了一次战斗！

我感到心中燥热难挨，便摘下了军帽。

"天！这……这是怎的？"妈妈发现了我额角上的伤疤，"是……是枪伤？"

"不是。是被手榴弹片儿划了一下。"

"天呀！一点点……只差那么一点点就……"妈妈的声音在打抖，"疼，还疼吗？"

我摇了摇头。

望着不时拭泪的妈妈，我心中像打翻了五味瓶。妈妈是那样宠我，疼我，爱我，到眼下还把我当成小伢儿一般！我也曾为有这样的妈妈，感到无比自豪、幸福、温暖！可眼下，妈妈的一举一动，竟使我有种说不出的滋味。就连戴在妈妈手腕上那块"欧米茄"坤表和那熠熠生辉的表链，过去我觉得那样受看，眼下却觉得有些刺眼了。

"蒙生呀，咱不穿军装往回调啦，省得央这个，求那个！"妈妈擦干泪说，"血，你也为祖国流了，问心，咱也无愧了！边境线上看来还安稳不了，干脆就脱了军装转业吧！"

我摇了摇头。

妈妈吃惊地望着我："怎么？你……"

"……"我不知该如何回答妈妈。

此时，我只是觉得：母爱是神圣的，也是自私的！

十一

我妈妈来队的第二天傍晚。

我正和妈妈一起在宿舍里吃晚饭，段雨国急匆匆地闯进来："指导员，快，连长的一家来队了！"

我扔下碗筷，赶忙跟着段雨国来到接待烈士亲属住的房子里。

战士们正你出他进地忙乎着。见我进来，梁大娘和韩玉秀站了起来。床上睡着那刚出生三个多月的女娃。

段雨国对梁大娘说："大娘，这是我们指导员！"

老人直朝我点头："唔，唔。让你们操心了……"

梁大娘看上去年近七十岁了，穿一身自织自染的土布衣裳，褂子上几处打着补丁。老人高高的个儿，背驼了，鬓发完全苍白，面孔干瘦瘦的，前额、眼角、鼻翼，全镶满了密密麻麻的皱纹。像是曾患过眼疾，老人的眼角红红的，眼窝深深塌陷，流露出善良、衰弱，接近迟钝的柔光，里面像藏着许多苦涩的东西。如果是在别的地方偶然遇上，我怎会相信这就是连长的母亲啊！

我连忙双手扶着老人："大娘，您快坐下吧。"

我把大娘扶到床沿坐下，转脸对韩玉秀："小韩，您也坐下。"

玉秀刚坐下，床上的孩子醒了，哇哇直哭。玉秀忙转过身去给孩子喂奶，轻声哄着还啥事不知的孩子："盼盼，好闺女！莫哭，莫哭……"

"大娘，听说你们上路十几天了。怎么才到……"

没待我说完，段雨国贴着我的耳朵告诉我，大娘她们下了火车，是步行赶来连队的！

"啥？"我心里打了个寒噤。

从火车站到连队驻地一百六十多华里，难道这祖孙三代是翻山越岭，一步一步挪来的？这时，我发现大娘和玉秀的鞋上、裤脚上全沾满了南国殷红色的泥巴。昨天刚落过一场雨，路该是多难走哇！

段雨国对梁大娘说："大娘，下了火车站不远就是汽车站，汽车能直接开到我们连的山脚下。怎么？你们没打听着有长途汽车站？"

玉秀小声说："打听着了。"

大娘接过话："庄稼人走点路，不碍事。"

"你们在路上走了几天呀？"段雨国又问。

"四天带一过晌。"玉秀边给孩子喂奶边说，"要不是老打听路，走得兴许还快些。"

我忙给段雨国递个眼色，不让他再问了。

在邀请烈士亲属来队时，团里已寄去了足够用的路费。这祖孙三代下了火车步行而来，是将路费用在别的事上了，还是为了省出几块钱？！梁三喜留下的那六百二十元的欠账单，足以使我晓得梁大娘一家的日子过得该是有多难……

炊事班长带着几个战士，端着刚出锅的面条和四碟儿菜走进来。他们把面条盛进碗里，让大娘和玉秀坐到桌前吃饭。

这时，大娘从床上摸过一个包干粮的包袱。包袱是用做蚊帐用的那种纱布缝的，沾满了旅途上的尘埃。大娘解开快空了的包袱，我一看，里面包着的是些黑乎乎的碎片儿，还有几个咸萝卜头。大娘用手抓着那些碎片儿，朝面条碗里放……

炊事班长上前抓住大娘的手："大娘！别吃这烂瓜干做的煎饼了！瞧，都挤成碎渣渣了……"

"带在路上吃没吃完。孩子，吃了不疼撒了疼，用汤泡泡还能吃。"大娘说着，又把那煎饼渣儿往碗里捧……

我眼里湿了。此时，只有此时，我才真正明白，梁三喜生前为啥因我扔掉那一个半馒头而大动肝火啊！

……

大娘和玉秀安歇后，我打电话报告团政治处值班室，说梁三喜烈士一家已来到连队。

接电话的是搞报道的高干事。他告诉我，一个月前，团政治处已给梁大娘和韩玉秀去过两次信，让她们来队时一定带上梁三喜生前的照片和写的家信。高干事让我务必抓紧时间问一问照片和家信带来了没有。因为军区举办的"英雄事迹展览会"即将开馆展出，梁三喜烈士的照片和遗物都太少，军、师政治部已多次来电话催问此事……

次日早饭后，我又去看望大娘和玉秀。

屋内已坐着几位战士和几位班、排长。玉秀去年（一九七八年）三月间曾来过连队，他们跟她早就认识。

玉秀显得很是年轻，中上等的个儿，身段很匀称。脸面的确跟靳开来生前说的一样，酷似在《霓虹灯下的哨兵》中扮演春妮的陶玉玲。秀长的眉眼，细白的面皮，要不是挂着哀思和泪痕的话，她一定会给人留下一种特别温柔和恬静的印象。她上身穿件月白布褂，下身是青黑色的布裤，褂边和裤脚都用白线镶起边儿，鞋上还裱了两绺白布（后来我才知道，她是按古老的沂蒙风俗，为丈夫服重孝）……

见我进屋，她站起来点了点头，脸上闪出一丝笑容，算是打招呼。然而，那丝笑就像在暴风雨中开放的鲜花一样，转眼便凋谢了，令人格外伤感。

大家都默默地抽烟，好像都不知该对烈士的老母和遗妻说啥才好。

昨天晚上，我已对全连讲过，关于梁三喜留下"欠账单"的事，谁要是有意无意地透露给烈士亲属知道，没二话，都要受处分！大家含泪拥护我定的"土法令"……

此时，我琢磨着该怎样把话题引出来。我想应该先向大娘和玉秀介绍连长在战场上的英雄壮举，然后再问及照片和家信的事。但一看见床上躺着的那才三个多月的女娃和低头不语的玉秀，我的心就隐隐绞痛。

如果不是我下到九连搞"曲线调动"，上级派别的指导员来九连的话，梁三喜怎会休不成假啊！那样即使他在战场上牺牲了，他与妻子不也能最后见一面吗？再说，战场上梁三喜如果不是为了救我，他也不会……

"秀哪，队伍上不是打信说要三喜的照片啥的。"大娘对玉秀说，"你还不赶紧找出来。"

玉秀忙站起身，从床上拿过个蓝底上印着白点点的布包袱，从衣服里面找出半截旧信封递给我："指导员，别的没有啥。他就留下过这两张照片。一张是他五岁时照的，一张是他参军后照的。"

我接过半截信封，先摸出一张照片，一看是梁三喜的二吋免冠照，这和从他的干部履历表中找到的照片，无疑是一个底版。

当我取出第二张照片看时，那变得发黄的照片使我一怔：照片上有位三十五六岁的农家妇女，墨黑的头发，绾着发髻，慈祥的笑脸，健康丰满。在她的怀前，偎依着两个一般大的小男孩。照片上方有行字：

大猫、小猫和母亲合影留念　1953年5月于上海

"啊！"我像触了电一样惊叫一声。这照片我不也有一张吗？就夹在我上高小时用的那本相册里……

我脑子嗡嗡响，转身对着梁大娘："大娘，这照片上……"

大娘探过身来，用手指着照片："这边这个孩子叫大猫，就是俺那三喜。那边那个孩子叫小猫，是队伍上的孩子。这照片，是大娘俺有一年到上海去送小猫时，抱着两个孩子照的……"

霎时，我觉得眼前一阵发黑，周身像处在飘悠悠的云端里！啊，命运之神，你安排过芸芸众生多少幕悲欢离合啊……

在我十几岁之前，妈妈不止一次对我讲过：那是一九四七年夏，国民党向山东沂蒙山区发动了重点进攻。孟良崮战役之后，为彻底粉碎敌人的进攻，我主力部队外线出击去了。

这时，我出生了。妈妈生下我第三天，患了"摆子病"（沂蒙土话，即疟疾），一点奶水也没有，我饿得哇哇直哭。地方政府派人把妈妈和我送到蒙山①脚下的一个山村里。村中有位妇救会长，是当时鲁中军区的"支前模范"。她也生了个小男孩，那男孩比我大十天。就这样，那位妇救会长用两个奶头喂着两个孩子。为躲过还乡团的搜查，她把她的孩子取名大猫，叫我是小猫，说大猫小猫是她生的一对双胞胎……

妈妈也曾多次对我说过，那妇救会长待人可好啦，有奶水先尽我这小猫喱，宁肯让大猫饿得哭。妈妈在那妇救会长家中过了满月，治好了"摆子病"，接着又随军南下了……

直到我将近六岁时，那妇救会长才把我送到上海，送到爸妈身旁。当那妇救会长带着大猫悄悄走了之后，有十几天的时间，我天天哭着找娘，哭着找大猫哥哥……

"指导员，你……"

"指导员，你怎么啦？"

恍惚中，我听见战友们在喊叫我。

"大娘！"我呐喊了一声，扑进了梁大娘怀中。

大娘轻轻推开我："孩子，你……你这是咋啦？"

"大娘，我……我就是那个小猫！"

"啥？"大娘一下放开我，用手擦擦红红的眼角，望望我，摇了摇头，"不，不会……吧。"

"是！大娘，我真是那个小猫！"我哭喊着。

---

① 沂蒙山是由沂山和蒙山两道纵横几百里的山脉组成的。

"你……你真格是当年赵司令的孩子?"

"嗯。打孟良崮时,他是纵队司令员。"

"你妈姓吴?叫……"

"嗯。她名叫吴爽。"

大娘又愣了会儿,当我又伏进她怀中时,她用手抚摸着我的头,喃喃地说:"梦,这不是梦吧……"

我伏在梁大娘怀中,心潮翻涌:啊,梁大娘,养育我成人的母亲!呵,梁三喜,我的大猫哥!我们原本都不是什么龙身玉体,我们原本分不出高低贵贱!我们是吃一个娘的奶水长大的,本是同根生啊!……

十二

这意外的重逢,使我的心灵受到多么剧烈的震动,是可想而知的。

当我拿着那颜色变得发黄的照片让妈妈看时,她也蓦然惊呆了。

妈妈让我领她来到梁大娘一家住的房子里。

梁大娘慢慢站起来,和妈妈对望着。显然,她俩谁也很难认出谁了!

一九五三年五月,当梁大娘把我送交爸妈身边后,头几年我们两家还常常有书信往来。逢年过节,妈妈总忘不了给梁大娘家寄些钱。我家也常常收到梁大娘从沂蒙山寄来的红枣、核桃、花生等土特产。后来,妈妈给梁大娘家写信逐年减少。"十年动乱"开始以后,更是世态炎凉,人情如纸,两家从此便音讯杳然,互不来往了……

"梁嫂,您……"颇具"外交才华"的妈妈,此刻竟笨口结舌了。

"老吴,果真是老吴不成?"梁大娘满脸皱纹绽出了笑容,"当年,你管俺叫梁嫂,让俺喊你爽妹子,是吧?"

"是。"妈妈应着。

"老吴!"梁大娘上前挪动了两步,用枣树皮般的双手,激动地抚摸着我妈妈的两只膀臂,"前些年那么乱腾,你能好胳臂好腿地活过来,不易哪!那帮奸臣,天打五雷轰的奸臣,可把你们整苦了哇……"

妈妈无言以对。

梁大娘上下打量着我妈妈:"一晃眼快三十年没见了。嗯,你没显老，没显老呀。赵司令（她称的是我爸爸当年的职务），他也好吧?"

"嗯。好。"妈妈点头应着。往常，每当别人说起爸爸挨斗的事，妈妈可总是滔滔不绝呀。

"只要你和老赵都好，俺和村里人也就放心啦。"梁大娘叹口气，"咳！刚乱腾那阵，有人到俺那里调查你和老赵，问你们是不是投过敌，俺当场就没给他们好颜色！沂蒙山人嘴是笨些，可不会昧着良心说话呀。在俺那一块儿，谁不知你和赵司令！好人，你们是天底下难寻的好人啊。打天下那阵，你们流过多少血哪……咳……咳……"梁大娘撩起衣襟擦了擦眼睛。

"梁嫂……您，坐下吧。"妈妈扶着梁大娘坐下。

我和玉秀也坐了下来。

此时，我看出妈妈的神情是极其复杂的，梁大娘对我们越是无怨言，我和妈妈越觉得不是味。

妈妈望着梁大娘："梁嫂，您一家也都……"

"这不，俺一家子都来了。"梁大娘心平气静地说，"这坐着的是儿媳妇玉秀，那睡着的是孙女盼盼。"

沉默。

"咳——"梁大娘长叹一声，对我妈妈说，"俺那老大你没见过他，可你知道他。他小名叫铁蛋，当儿童团长时起大号叫大喜。大喜八岁就给咱八路跑交通，十二岁叫汉奸抓了去……"

梁大娘不朝下说了。

这时，我想起童年时，妈妈曾给我绘声绘色地讲述过那铁蛋送信的故事。

铁蛋八岁就当小交通员，送过上百次信，没出一次差错，老交通和首长们常夸铁蛋机灵。铁蛋十二岁那年，一次送情报让汉奸发现了。当铁蛋把纸条儿搓成团吞进肚里时，让汉奸抓住了。鬼子逼铁蛋的口供，汉奸用锤子把铁蛋满口的牙一个个全敲掉了，铁蛋没吐一点风声。鬼子把刺刀戳在铁蛋的鼻尖上，说再不开口就挑死他。铁蛋挺着啥也没说，被鬼子用刺刀活活地挑死了……

啊，沂蒙山的母亲！你不仅用小米和乳汁养育了革命，你还把自己的亲骨肉一个个交给了民族，交给了国家，交给了战争啊！

半晌，妈妈又问梁大娘："梁嫂，您不是还有个比蒙生他们大两岁的儿子，叫……叫栓……"

"你说俺那栓牢呀，他大号叫二喜。"梁大娘转脸对玉秀，"秀儿，二喜他是哪一年没的？"

"一九六七年'反逆流'的时候，二喜哥他……"

"这流那流俺说不上来，反正是那年夏天。那阵沂蒙山中老虎拉碾，一下子乱了套！老干部一个个都挨批挨斗，越是庄户人觉得好的老干部，越是没个好。你要不跟他们反啥流，他们就把你往死里搋！庄户人看不过，便护着老干部，成群结队地沿着沂河往南奔，躲进了大南边的马陵山①……

"一天深夜，当年在俺家住过的张县长躲进俺家来了。家里哪能藏住他，二喜便护着他连夜走了。他俩白天藏，夜里赶，一块儿上了马陵山……

"没多久，从济南府用大卡车拉来了'棒子队'，说是要剿灭'上了马陵山的土匪'②。那'棒子队'多得看不到头，望不见尾。那架势，比蒋该死当年重点打咱沂蒙山半点也不差，甩了手榴弹，动了机关枪，也放了大炮。二喜是让人家用炮打死的。听说那一炮就打死了十多个庄稼汉，就地挖坑埋了。到现今，连二喜的尸首也不知埋在哪里……

"唉，不细说了。过去了，这些都过去了。唉……"

也许梁大娘的眼泪在早年间已经流尽，也许是因二喜的惨死已时隔十余年，老人轻声慢语讲这些事时，丝毫不像诉说她自己的命运，而像在讲述古老的天方夜谭。

---

① 马陵山位于鲁南和苏北交界处。
② 1967年，篡夺了山东大权的第一把手在全省发动了所谓"反逆流"运动，首先把黑手插进了临沂地区。一大批干部和群众被逼上了马陵山。当权者便把这些干部和群众诬蔑为"马陵山游击队土匪集团"，下令从山东各地抽调了大批武装起来的"棒子队"，开进了沂蒙山区。当权者提出的行动纲领是：不打则已，打则必歼。据1978年12月2日《大众日报》载，当时临沂地区有四万多人被抓捕、关押，惨遭毒打，其中有五百多人被打死，有九千多人被打伤致残。当地驻军因不支持"反逆流"，有两千多名指战员也横遭毒打，有的被活活打死，有的被打伤致残。革命老根据地沂蒙山受到空前的浩劫，成为"十年动乱"中山东有名的"重灾区"。

妈妈用手帕擦了擦泪汪汪的眼。过了会儿，她声音发颤地对梁大娘说："难道梁大哥他，他也是在……动乱中……"

"你说三喜他爹呀。他是在杀树挖坑那一年……"

玉秀轻声打断婆婆的话："是批林批孔，不是杀树挖坑。"

"不管是咋说法，反正是'割尾巴'杀枣树那年春天，三喜他爹才得的气臌症。"梁大娘转脸对我妈妈说，"老吴，蒙生离开俺枣花峪时还小，记不得事。你知道俺枣花峪为啥叫枣花峪，就是仗着枣树多。光村南半山坡上那枣林子，就有两千三百多棵枣树呀。每逢枣花开时，喘口气都是香喷喷的。那片枣林子是俺村的命根子，当家的打油买盐指望它，大闺女小媳妇扯块花布也指望它呀……

"老吴，你知道，俺家三喜他爹推着小车往淮海运军粮时，腿上挨过蒋该死的炮弹片儿。办初级社后，他别的重活儿干不了，就一直在村南半山坡上看枣林子。那片枣林子，大炼钢铁时被伐了一些炼了铁，但还没有挖坑刨根。后来又栽上了枣苗，那片枣林子越长越喜人了……

"可到了杀树挖坑那年，上面派来了'割尾巴'小分队，硬逼着俺们伐了枣树修大寨田。眼看着枣树一棵棵被伐倒，三喜他爹心疼地趴在地上嗷嗷大哭。山上有棵最老的枣树，是蒋匪军当年上山伐木修工事时漏下的，村里人都叫它'老头树'。三喜他爹搂着那棵'老头树'，说啥也不让人家伐，说他宁可跟'老头树'一块儿遭斧头。结果，人家一脚把他蹬了个大轱辘子，他滚到一边就爬不起来了。他当场气晕了……

"左邻右舍用门板把他抬回家，打那儿他就得了气臌症。天天躺在炕上，噗——噗——，一口一口，不停地朝外捯气儿……

"转年夏天，一场大雷暴雨下来，全村老少修了一年的那大寨田，被大雨冲了个溜溜光。泥土全随着雨水流进了沂河，别说再回过头来栽枣树，山坡上连棵草也不爱长了……

"这事，村里人谁也没敢告诉三喜他爹。他躺在炕上一个劲地捯气儿。他一病就是两年多，可把在队伍上的三喜拽拉苦了。三喜一心想把他爹的病治好，一次次邮钱来，让我给他爹去抓药。那阵，三喜跟玉秀还没成亲。可多亏了玉秀忙里忙外地跑呀。洋药吃了又吃中药，熬了多少中药，玉秀最清楚不过了。到头来，钱花够了，三喜他爹也咽了气……"

啊，直到眼下，我才明白，梁三喜为啥会留下那六百二十元血染的欠账单！

停了会儿，梁大娘对我妈妈说："三喜他爹临死那阵还叨念，说杀枣树那当口，如果赵司令在就好了。按赵司令那脾气，准会给那帮人一顿匣子枪不可。"

我和妈妈都没作声。即使我爸爸当时在场，他又有啥法子呢？我清楚，这些年来，我爸爸也说过不少违心话，办过不少违心事啊！他当年那带棱角的"脾气"，早已在"大风大浪"中磨平了。像雷军长那样一次次敢"甩帽"的战将，毕竟是少见的啊！

"老吴，一见面，俺不该给你提这些陈芝麻烂谷子的事，让你听了也伤心。"梁大娘望着我妈妈，"好啦，现在好啦！听说是毛主席过世时留下话要抓奸臣，托他老人家的洪福，共产党总算把奸臣抓起来了，一个个都抓起来了！往后，庄户人又有盼头，有盼头啦！"

这时，睡着的盼盼醒了，哭了起来。

玉秀忙起身把盼盼抱在怀里，给盼盼喂奶，盼盼仍不停地哭。

妈妈忙站起来："怎啦，别是孩子生病吧？"

"不是生病。"玉秀说着，用手轻轻拍着怀中的盼盼，"好闺女，莫哭，莫哭……"

梁大娘说："是缺奶水。玉秀满月不久，就听到了三喜的事。打那儿，奶水就不够孩子吃了。"

……

妈妈和梁大娘一家见面后，又看了梁三喜留下的欠账单，她难受得直掉泪。让我脱军装转业的事，她再没提起过。

对梁大娘一家，我和妈妈商量该怎样帮助她们。妈妈这次来，身上没带几个钱，因我一直想调回去，手头上也没有存款。

这天下午，炊事班长要到团后勤跟卡车进城拉菜，我便将我的"YASHIKA"照相机交给他，让他想法到委托商店里卖掉。我还让他以连队的名义先从团后勤借一千元现金，我有急用。

妈妈一再嘱咐炊事班长："呃，别忘了，买十袋奶粉，买四瓶橘子汁，再买个奶锅、奶瓶。"

……

　　新建的烈士陵园就在我们九连驻地的山腰间。梁大娘一家来队的第三天上午，我和连里的同志们，陪梁大娘祖孙三代去瞻仰了梁三喜烈士的墓。她们婆媳俩像所有的烈士亲属来队时一样，只是默默地站在亲人的墓前，没有当着我们的面流一滴眼泪。所不同的是，梁大娘和怀抱着盼盼的玉秀，像举行仪式那样，围着梁三喜的坟，左转了七圈，右转了七圈。后来，我才明白，那是她们按沂蒙山古老的祭俗，给亲人"圆坟"……

　　两天后，炊事班长回来了。他把从团后勤借来的一千元现金和买来的奶粉等物全交给了我。加上手头上还有的一点钱，我留出六百二十元准备为梁三喜烈士还账，又凑够五百元，准备交给梁大娘。

　　我和妈妈又来到梁大娘一家住的屋子里。

　　妈妈拿过一袋奶粉拆开，给玉秀讲着奶粉和水的比例应是多少。然后，她往奶锅里倒一点奶粉，开始调制。弄好后，她将奶装进奶瓶，试了试冷热是否合适，便抱起盼盼，给盼盼喂奶。

　　盼盼大口大口地咂奶……

　　梁大娘站在旁边，乐了："在家时听他们年轻人说城里有这玩意儿，俺还不信哩。啧啧，这玩意儿是好……啧啧，人可真有本事，造的那奶头跟真的一样……啧啧，是好，是好……"

　　不大会儿，盼盼便咂饱了。妈妈把盼盼放在床上。盼盼睁着乌亮亮的眼睛望着我们，咧开小嘴，甜甜地笑了……

　　梁大娘更乐了，转脸对玉秀："秀哪，这下可不愁了，不愁了！"

　　此时，梁大娘愈是高兴，我愈是心酸。毋庸讳言，现代文明离梁大娘她们，还是何等遥远啊！

　　过了会儿，我把那五百元钱拿出来，放在大娘面前："大娘，这点钱，请您收下。"

　　"孩子，这……这可使不得！"梁大娘用那枣树皮样的手拿起钱，"使不得，这可使不得！"她硬是把钱塞回我的口袋里。

　　我三次把钱掏出，梁大娘十分执拗地又三次把钱塞还给我。

　　"梁嫂……"妈妈伤心地说，"您如果……还看得起我和蒙生，您就……把钱收下吧！"

"老吴呀，这你可就把话说远了！"梁大娘忙说，"你给盼盼买来了这么多奶粉，这就帮了俺的大忙了，哪好再花你们的钱。庄户人过日子好说，俺手头上还行，还行。不缺钱。"

当我和妈妈离开这屋时，我又把那五百元钱放在了床上。

玉秀火急地追出屋来："指导员，不行，这可不行。不但俺婆婆不依，俺也不能收。快，您拿着……真的，俺还有钱，有钱。"

我回到自己的屋里，有种说不出的难受。

妈妈讷讷自语："山里人，山里人的脾气哪……"

啊，山里人！难道我们不都是从山沟沟里出来的吗？我们的军队，是在山沟里成长壮大；人民的政权，是从山沟里走进高楼。山沟里养育出我们的一切啊！

前些年我曾一度把拜金主义当作《圣经》。此时，我才深深感到，人世间总还有比金钱和权势更珍贵的东西，值得我加倍去珍爱，孜孜去追求。

极度内疚中，我看了看另外那准备为梁三喜还账的六百二十元，我心中掠过一丝慰藉。然而，这慰藉很快又变为更难言状的悔恨。

是的，梁三喜烈士欠下的钱，我有财力悄悄替他偿还。可我和妈妈欠沂蒙山人民的感情之债，则是任何金钱珠宝所不能偿还的呀！

十三

这天下午，高干事骑着自行车来到连里。

一见面，他车子还没放稳，就很激动地对我说："大有文章可做，大有文章可做呀！"

丈二和尚摸不着头脑，我不知他为何如此兴奋。

"战士'北京'的亲属找到了！"

"在哪里？"我急问，"薛凯华的亲属来队了？"

"你先猜猜，我们的英雄战士'北京'，也就是薛凯华烈士……"高干事非常神秘地望着我，"你猜他的爸爸是谁？"

我摇头不知。

"雷军长！薛凯华是雷军长的儿子！"

"啊！"我大为震惊。过了会儿，我有些不解地问："凯华咋姓薛？"

"军长的老伴姓薛呀，凯华是姓母亲的姓！"高干事滔滔不绝地说，"我听军里一位干事说，军长有四个女儿，只有凯华一个儿子。军长的大女儿和凯华姓薛，另外三个女儿姓雷。军长的大女儿姓薛，是因为战争年代，军长的家乡曾多次遭敌人的血腥屠杀，凡是军属都在劫难逃，所以他的大女儿便随了外祖父家的姓氏。至于凯华为啥姓薛，听说是因为军长对他唯一的儿子管教极严，当儿子上学取大名时，军长问儿子是喜欢爸爸还是喜欢妈妈，儿子毫不含糊地说喜欢妈妈。军长哈哈大笑了一阵，说：'那好，像你大姐一样，你也跟你妈姓吧！'于是，便给儿子取名薛凯华……"说到这儿，高干事突然问我，"呃，军长到你们连来了。怎么，你还没见到他？"

"没有。"

"这就怪了。"高干事愣了会儿，"军长乘吉普车先到的团里，他离开团时说要到你们九连来，我是跟在他的吉普车后头，一个劲地蹬车赶来的！"

我一听，忙和高干事走出屋，围着营区转了一圈，既没见有吉普车，也没见军长的影子。

回到连部，高干事这才顾上蘸湿了毛巾，擦了擦满脸的汗。

"听说军长早就得知凯华牺牲了，但直到眼下，他还没把儿子牺牲的消息写信告诉老伴。"稍停，高干事接着对我说，"凯华同志留下了一纸遗书，遗书是师里烈士收容队在埋葬他的遗体时，从他的上衣口袋里发现的。因遗书上署名只有'凯华'两字，当时谁也没想到他是军长的儿子。遗书原件现已在军长手里，这里有师宣传科的打印件。"说着，高干事拉开采访用的小皮夹，把一纸遗书递给我，"你看看吧，一纸遗书才华横溢，内涵相当深，相当深！"

我接过薛凯华的遗书，急切地读下去。

亲爱的爸爸：

　　我从北京部队赶赴前线，与您匆匆一见，未及细述。儿知道，爸爸战前的时间，可谓分秒千金也。

遵爸爸所嘱，我已来到这担任穿插任务的九连。等待我们九连的将是一场啥样的恶仗，现在不管对您还是对我们九连来说，都还是个"×"。

去年冬，爸爸在《军事学术》上读到我写的两篇千字短文，来信对我倍加鼓励，并夸我有可能是个将才。不，亲爱的爸爸，您的凯华不瞒您说，我不但想当未来的将军，更想成为未来的元帅！

嗬，您二十一岁的凯华口气多大呀！不管此乃"野心"也罢，雄心也好，反正我极推崇闻名世界的这一兵家格言："不想成为将军的士兵不是好士兵。"诚然，绝非所有的士兵都能成为将军和元帅的。举目当今世界，眼花缭乱的现代物质文明，对我们这一代骄子有何等的诱惑力呀！但是，我的信条是：花前月下没有将军的摇篮，卿卿我我中产生不出元帅的气质；恋栈北京的士兵，则不可能成为未来的元帅！未来的元帅应出自深悉士兵含义的士兵，应来自血与火的战场！基于此种认识，我才请求离开京都，奔赴前线，来做一场"未来元帅之梦"。

亲爱的爸爸，您去年推荐我读的几部外国军事论著，我大都早已读过。爸爸年已五十有七，尚能潜心研究外军，儿感到可钦可佩。爸爸在写给我的信中云："一介武夫，是不可能胜任未来战争的！"此语出自爸爸笔下，儿感到尤为振奋！有人把军人视为头脑最简单的人，错了，大错特错了！且不说张翼德的丈八蛇矛和关云长的青龙偃月刀，即便小米加步枪的时代也一去不返了！现代科学技术日新月异，世界列强又把科学尖端首先运用于军事。小小地球，日行八万里，转速何等惊人！现代战争，向我们的元帅和士兵，提出了多少全新的课题！如果我们的双脚虽已踏上波音747的舷梯，但大脑却安睡在当年的战马背上，那是多么危险呀！前些年儒家多遭劫难，但我却企望，我们的元帅和将军，个个都能集虎将之雄风和儒家之文采于一身!

亲爱的爸爸,写到这里,我不能不对我的父辈们怀有隐隐怜心。当新中国的礼炮鸣响之时,你们正值中年,如果从那时,你们便以攻克敌堡的精神去攻占军事科学高峰,那么,现在的你们则完全会是另一番风采!然而,一场场政治运动的角逐,一次次"大风大浪"的旋涡,既卷走了你们宝贵的年华,也冲走了中华民族多少物质的和精神的财富啊!更有甚者,有人乱中谋私利,把人民交付的权力当作美酒啜饮,那就更令人可悲可叹了!

爸爸,我知道,用牢骚去对待昨天是无济于事的。那么,让你们老一代带领我们新一代,赶紧去抢救明天吧!

亲爱的爸爸,马上就要集合了,您戎马生涯大半生,打仗意味着什么,毋庸儿赘言。如果战场上我作为一名士兵而献身,当然不需举国为我这"未来的元帅"举行葬礼。不过,能头枕祖国的巍巍青山,身盖南疆殷红的泥土,我虽死而无憾,也无愧于华夏之后代、黄帝之子孙了。

此次战争胜券稳操,凯旋指日可待。

祝爸爸健康长寿!

您的爱子:凯华敬上

1979年2月16日下午四时

爸爸:参战前连里包的"三鲜"水饺,眼下尚未出锅,容我再赘几笔:假如我在战斗中牺牲,望爸爸缓一些日子再把我牺牲的消息告诉我最亲爱的妈妈。如果说爸爸那种"棍棒底下出孝子"的严厉父爱不会使儿沦为纨绔子弟的话,那么,妈妈的拳拳慈母之情,则使儿备觉人间的温暖。此时,一想起妈妈,儿就泪湿信笺,在爸爸蒙难之时,是妈妈带我闯过了生活的险关驿站!妈妈的心脏不太好,她实在承受不了更多的压力了。

另:妈妈曾多次让我改为父姓,一旦我牺牲,儿愿遵从母命。望爸爸转告组织。

　　再：当爸爸站在我墓前的时候，我望爸爸切莫为儿脱帽哀悼，只要爸爸对着儿的墓默默望几眼，儿则足矣！这是因为，爸爸脱帽容易使儿想起爸爸"甩帽"。"十年"中，爸爸每次"甩帽"都横遭大祸！儿在九泉之下，祝愿爸爸永远发扬"甩帽"精神，但儿却惧怕那常常惹爸爸"甩帽"的年月会卷土重来！不过，谁要再想给中华民族酝酿悲剧，历史已不答应，十亿人民也决不会答应。看来，我的担心又是多余的。

　　　　　　　　　　　　　　　　　　　　　儿：凯华又及

　　一纸遗书，令我荡气回肠！

　　"赵指导员，你……"高干事见我热泪滴滴，有些不解。

　　我并非感情脆弱，我在战场上目睹了凯华的大智大勇，此时捧读他的遗书所产生的激动，是局外人根本不能体会的呀！

　　屋外传来吉普车响。我和高干事出屋一看，正是军长坐的吉普车，却不见军长在车中。司机告诉我们，军长从团里又到了营里看了看，他现在已到烈士陵园去了，一会儿就到连里来。

　　我和高干事沿着新修起的路，直奔山腰间新建的烈士陵园。

　　只见军长站在写有"薛凯华烈士之墓"的石碑前，默默为薛凯华致哀。许是遵照儿子的遗言，他没有脱帽。过了会儿，他后退一步，庄重地抬起右手，为长眠的儿子致军礼。良久，他才把右手缓缓垂下……

　　我和高干事轻轻走过去，只见军长老泪横流，大滴大滴的泪珠洒落在他的胸前……

　　"遵照凯华的遗愿，你们给团政治处写份报告，把凯华的姓……改过来吧。"军长声音嘶哑地对我说，"另外，我拜托你们，给凯华换一块墓碑，把'薛'字改为'雷'字……"

　　我擦了擦泪眼，连连点头应着。

　　这时，高干事打开照相机，要为军长在烈士墓前拍照，被军长挥手制止了。

　　"你，是团里的报道干事？"

"是！"高干事立正回答。

"宣传凯华一定要实事求是。"

"是。"

"不要在凯华改随父姓这事上做文章，报道中还是称他为薛凯华。"

"是。"

"凯华就是凯华，文章中不要出现我的名字，半点都不要借凯华来吹捧我。"

"是。"

"关于九连副连长靳开来没有立功的问题，请你给我搞份调查报告。"

"是。"

"十天之内寄给我。"

"是。"

"战场上，靳开来打得不错嘛。"

"是。"

"你俩先回去吧，"军长对我们说，"我在这里再停一会儿……"

我和高干事离开了烈士陵园。当我俩走出十几步回头望时，只见军长低头蹲在凯华的墓前，一手按着石碑，浑身瑟瑟颤抖。当我们转身朝山下走时，隐隐约约听见军长在抽泣……

十四

我把凯华是军长之子的事告诉了妈妈，妈妈先是愕然，后是叹息，半晌没说一句话。

我从妈妈住的屋里走出来，站在营区外的路旁等候军长。不大会儿，军长从山上下来了。

军长先看望了梁大娘一家，才来到连部坐下。他让我向他汇报了梁大娘一家的遭遇，并看了梁三喜留下的欠账单。他指示让我抽空多跟梁大娘和韩玉秀唠唠家常，连里要尽量帮助梁大娘一家解决些具体困难，有些长期需要解决的问题，可通过部队组织反映给地方政府……

开晚饭时，军长亲自去把梁大娘一家请到连部里，陪着梁大娘一家吃饭。军长让我喊我妈妈一块儿来就餐，但妈妈推说她身体不舒服，没来……

吃过饭，军长让我带他到我妈妈住的屋里。

"吴大姐，大驾光临，有失远迎呀！"军长进门便嚷道，"不过，我知道你吴大姐是有意躲开我！"

半倚在床上的妈妈忙坐起来，朝军长点了点头。

"我这次到九连来，一是想在凯华的墓前站站，但主要还是想见见你这吴大姐！不过，有言在先，我老雷可不是来负荆请罪的！"军长说罢，坐了下来。

妈妈尴尬无语。

"吴大姐，老实对你说，我老雷早有思想准备。准备打完仗后，你哭着来跟我算账，跟我来要儿子！"军长点起一支烟，重重地抽了一口，"蒙生虽没死在战场上，但也是九死一生嘛！"

"老雷，您别……"

"不。你听我把话说完。不错，我在电话上臭骂了你一通，我那是忍无可忍！你可以恨我'雷神爷'不近人情，但我老雷至今不悔！吴大姐哪，你的胆量可真不小呀！你出面打电话，你为啥不让我那指挥千军万马的老首长跟我打交道？他可以给我下指示，让我执行嘛！但是，我谅他不会，也谅他不敢！那种时候，你竟敢占用我前沿指挥所的电话，托我办那种事，你……你，你就没想想其中的利害关系吗？"军长激动地用手指咚咚敲打着桌面。压了压火，他接上说："要是时间后退三十几年，如果我'雷神爷'托你吴大姐办那军人最忌讳的事，你会咋办？骂我一通，扇我两耳刮子，那是轻的！给我一粒枪子，算我活该！当年是个啥样情景？'母亲叫儿打东洋，妻子送郎上战场'啊！那首歌，还是你吴大姐一句一拍教我唱会的，唱得热血沸腾嘛！"

"老雷，您别说了……"妈妈啜泣起来。

"不。我今晚的话多着呢！你这次来，我满足你的要求。我老雷没有忘记我当年说过的话：有恩不报非君子！没有你吴大姐把我从死尸堆里背出来，我'雷神爷'能活到今天当军长吗？"军长一下拧死烟蒂，站了起来，"行呀！只要蒙生本人也同意，你这遭来可以把他领回去！穿着军装回去可以，脱掉军装回去也行！我老雷办事图干脆，这次，我签字！我画圈！"

"老雷……"妈妈哭出声来了。

"但是，签字画圈之后，我的吴大姐呀，我老雷得让你扪心问一问！那么办了，是报你的恩呢，还是把你往泥坑里推呢？那么办了，死去的烈士会不会答应？养育我们的人民能不能答应？别的不说，单说四三年秋在沂蒙山的那场突围战，我带的那个营是整整四百人哪！可一仗下来，当吴大姐你把我从死尸堆里背回来后，活下来的有多少？只有四十三个幸存者，刚过十分之一呀……"

军长的声音沙哑了。他掏出手帕擦了擦发湿的眼睛，又坐了下来。他又点起一支烟，轻轻地喷吐着。

妈妈不停地拭泪，军长看看她，放缓了声调："在延安整风的时候，我们曾学过郭老写的《甲申三百年祭》。那时候体会还不深。现在回过头来看，打天下，坐天下，居功骄傲，贪安逸，图享受，会毁掉一切的！前些年我靠边站，得空啃了几本古书，我反复诵读过杜牧的《阿房宫赋》，杜牧就秦王朝的灭亡，发出这样的感叹：'秦人不暇自哀，而后人哀之。后人哀之而不鉴之，亦使后人而复哀后人也。'我们党作为工人阶级的先锋队，当然不可与历代农民起义相提并论。不过，两千多年封建特权的劣根性，资产阶级腐朽发霉的毒菌，在我们党内还是很有些市场呵！我们还有没有'倒退'之虞呢？是否还要让我们的后人来'哀'我们呢？这完全取决于我们自己！"军长抽了口烟，看看我，"经过'十年动乱'后，现在有人指责青年一代'看破了红尘'。那么，我们这些老家伙中有没有所谓'看破红尘'的？依仗权势，胡作非为，互开后门，损公肥己……发展下去，不得了哇！老百姓有句土话，叫作上梁不正下梁歪。我们这些老家伙不做出样子来，咋去教育青年一代？蒙生现在是功臣了，我不好再批评他。他过去之所以那样，固然有他自己的原因，可吴大姐呀，难道你这当妈妈的就没有责任吗？"

妈妈含泪点了点头。

军长望着我妈妈："你八岁卖给地主当丫头，我七岁就给东家放牛。现在给青年人忆苦思甜，怕是起不到明显作用了。但我们这些老家伙常想想过去的苦，那还是很有好处的。'忘记过去，就意味着背叛'，列宁算是把话说到家了！"军长弹了弹烟灰，又吸了口烟，"六五年我到北京开会时，和陈老总进行过一次长谈。当谈到我们当年在山东时，陈老总意味深长地说，在他进棺材之前，他忘不了山东父老！当然，我们的陈老总不单是指山东父老，他指的是人民！要说报恩，我们要一辈子报答人民的大恩大德，而不是把我们当成人民的救世主！革命，是人民用小米喂大的；胜利，是人民用小车推出来的呀！"

一弯月儿在窗棂上探出头来，投进点点银辉。屋内，静极了。

"今天见到梁大娘，别提我心里是啥滋味儿。"军长深沉地说，"吴大姐，你的蒙生是吃着梁大娘的奶长大的。可你看看梁大娘穿的那身衣裳，你再看看梁三喜留下的那欠账单，你就不难想象出，她们还过着啥样的日子啊……"

军长的眼里闪着泪光，妈妈也在抹泪。

"不错。吴大姐，'十年动乱'中，你我这些老家伙都吃过苦，挨过整。可我要说，受苦受难最厉害的不是我们，是梁大娘那样的老百姓！不必隐讳，就是我在蹲班房时，我吃的用的也比梁大娘她们好得多，甚至可以说没法比。……咳！"军长喟然长叹一声，"我那凯华十五岁时和他四姐一起，到延安延川县插队，住在我当年的一个老房东家里。七七年春那阵我还没复职，我专程去延川县看望我那老房东。谁会相信呀，老房东全家八口人，却只有五个吃饭的碗，他们连吃饭的黑碗都买不全。当时，我……延安，那更是养育革命的圣地啊！"

"老雷，别……别说了……"

"我……不说了。说起来我真想大哭一场！前些年老百姓身上的肉早已不多，可'尾巴'倒不少，一个劲地割，割，割！自己'出有车，食有鱼'，过得舒舒服服的，咋就不睁眼看看老百姓？别说党性了，问问我们的良心何在！革命，共产党因为穷才革命。治穷，本是共产党人的天职呵……"

屋内的空气又凝结了，气氛沉重得像铅块，压得我透不过气来。

我轻声对军长说："这次打仗，我们团里有许多烈士留下了欠账单，他们都是从农村入伍的。"

"这件事情，我们是要向中央报告的。"军长说，"极'左'路线，可把老百姓害苦了。"

过了五六分钟，军长的情绪才平静下来。这时，他问起我们九连的战斗情况，我一一作了汇报，并向他重点介绍了梁三喜和靳开来参战前后的表现……

军长听罢又站起来："这真是位卑未敢忘忧国！像梁三喜他们，尽管'十年动乱'给他们留下了难言的苦楚，但当祖国需要他们的时候，他们一个个都以身许国！"军长激动地挥着右手，"我们的民族是伟大的，这就是伟大之所在！我们的事业是有希望的，这就是希望之所在！鲁迅说'唯有民魂是值得宝贵的'，梁三喜他们，真正称得上是我们的民族之魂！"过了会儿，军长又坐下来。他看了看表，"不早了，夜深了。"

他又简单地问起凯华牺牲时的情况，我回答了他。但那两发臭弹的事，我却压根没敢告诉他。我不忍心让这位虎将再怒发冲冠地"甩帽"了。

这时，炊事班长推门进来，慌慌张张地对我说："指导员，韩玉秀不见了！"

我一听，急忙奔出屋。见梁大娘站在院子里，我问她是咋回事，她说她打了个盹，拉开灯睁眼一看，就不见玉秀了……

边境线上时有越寇的特工队员潜进来活动。我顿时慌得六神无主。战士们也都起来了，我忙带大家在营区周围寻找，也没见玉秀在哪里。

"玉秀她，会不会到三喜的坟上去了。"梁大娘对我说，"自打听到三喜没了，玉秀怕俺伤心，她没敢当俺的面哭过……"

我忙带着几个战士赶到烈士陵园。

一钩弯月斜挂中天。当我们离梁三喜的坟还有十几米远时，见一个人趴在坟上。无疑，那是玉秀。我让大家停下来。

山崖下，竹林中，草丛里，传来虫儿的声声低吟，却听不见玉秀的哭声。

过了一大会儿，我们才轻轻走近梁三喜的坟前，只见玉秀把头伏在坟上，周身战栗着，在无声地悲泣……

"小韩，您……哭吧，哭出声来吧……"我呜咽着说，"那样，您会好受些……"

玉秀闻声缓缓从坟上爬起来："指导员，没……没啥，俺觉得在屋里闷……闷得慌……"她抬起袖子擦了擦泪光莹莹的脸，"没啥。俺和婆婆快该回家了，俺……俺想来坟上看看……"

满天星斗像泪人的眼睛，一闪一眨。苍穹下的一切，在我面前全模糊了。

十五

次日，军长离开连队到军区开会去了。临行前他又一再嘱咐，让我们好好关照梁大娘一家。

梁大娘和韩玉秀在连里又住了一个星期，便说啥也待不住了，非要回去不可。我知道是无法挽留她们了。再说，住在连里，举目便是烈士新坟，这对她们也无疑是精神的折磨。我想，一切留待今后从长计议吧，让她们早些回去，或许还好些。团里也同意我的想法。

梁大娘一家第二天早饭后就要离开连队了。

当天下午，团政治处主任来到连里，一是来为梁大娘一家送行，二是要代表部队组织，问一下梁大娘家有哪些具体困难。因为，对于像梁三喜烈士这样不够随军条件的直系亲属及子女，抚恤的事需部队和地方政府联系商量。据我们了解，在农村中，对家中有劳力的烈士父母，一般是可照顾可不照顾；对烈士的爱人及子女，按各地生活水准不同，有的每月照顾五元，有的每月照顾八元……情况不等。团里想把梁大娘一家无依无靠的情况，充分向地方政府反映一下，以取得民政部门对梁大娘一家特殊的照顾。

梁三喜烈士没有给他的亲人留下什么遗产。他的两套破旧军装被作为有展览价值的遗物征集之后，团后勤又补发了两套新军装。再就是他生前用塑料袋精心保管的那件军大衣。

我拿着那件军大衣和两套新军装，准备交给韩玉秀。

当我和政治处主任走至梁大娘一家住的房前时，玉秀正坐在水龙头下洗床单和军衣。这些天，不管我和战士们怎样劝阻，玉秀不是帮炊事班洗笼屉布，就是替战士们拆洗被子，一刻也不闲着。

"小韩，快别洗了。"我对玉秀说，"快进屋来，主任代表组织，要跟您和大娘谈谈。"

玉秀不声不响地站起来擦擦手，跟我和主任进了屋。

我把那两套新军装和塑料袋里的军大衣，放在玉秀的床上："小韩，这是连长留下的……"

玉秀用手一触那盛军大衣的塑料袋，"啊！"地尖叫一声，扭头跑出屋去。

我忙跟出来："小韩，您……怎么啦？"

玉秀满脸泪花，两手插在洗衣盆里，用劲搓揉着盆中的衣服。

"小韩……您？主任要跟您谈谈。"

她上嘴唇紧咬着下嘴唇，没有回答我。

"蒙生啊，你让她洗吧。"屋内的梁大娘对我说，"俺早就跟同志们唠叨过，玉秀要干活儿，你们谁也别拦挡她。她啥时也闲不住的，让她闲着她心里更不好受。洗吧，让她洗吧。明日她想给同志们洗，也洗不成了……"

从玉秀身上，我看到了中国女性忍辱负重、值得大书特书的传统美德！可此时，梁三喜留下的军大衣为何引起她那般伤痛，我困惑不解……

"蒙生，别喊她了。有啥话，你们就跟俺说吧。"梁大娘又说道。

我和主任面对梁大娘坐了下来。

主任把组织上的意图，一一给梁大娘讲了。

大娘摇了摇头："没难处，没啥难处。"

我和主任再三询问，大娘仍是摇头："真的，没啥难处。如今有盼头了，庄户日子好说。"

面对憨厚而执拗的老人，我和主任无话可说了。

过了会儿，梁大娘望着我和主任："有件事，大娘想请你们帮俺说说。"

"大娘，您说吧。"主任打开小本，郑重地准备记下来。

"咳！"梁大娘叹了口气，"说起来，俺梁家真是祖上三辈烧过高香，才摊上玉秀那样的好媳妇呀！你们都见了，要模样她有模样，要针线她有针线。家里的事她拿得起，外面的活儿她拢得下。她脾气好，性子温，三村五疃都夸俺命好有福……"大娘撩起衣襟擦了擦眼，"可一说起玉秀，大娘心里就难受，俺这当婆婆的对不起她呀！她过门前，三喜他爹病了两年多，俺手头上紧……她过门时，别说给她做衣服，俺连……连块布头都没扯给她，她就嫁到俺梁家来了……"

梁大娘难受得说不下去了。

停了阵，梁大娘又断断续续地说："……去年入冬俺病了，病了一个多月。俺本想打封信让三喜回去一趟，可玉秀怕误了三喜的工作，说来回还得破费，就没给三喜打信说俺病了。那阵玉秀快生了，是她拖着那重身子，到处给俺寻方取药，端着碗一口一口喂俺吃饭……又擦屎又端尿的……唉，大娘这辈子没有闺女，就是亲生的闺女又会怎样，也……也比不上她呀！眼下，媳妇待俺越是好，大娘俺心里越是难受……"

梁大娘不停地用衣襟擦着眼角，我心里涌起阵阵痛楚。良久，她抬起头来看着我和主任："玉秀她今年才二十四岁，大娘俺不信老封建那一套。再说，三喜也留下过话，让玉秀她……可就是有些话，俺这当婆婆的不好跟媳妇说。你们在外边的同志，懂的道理多，你们帮俺劝劝玉秀，让她早……早寻个人家吧……"

"娘！您……"玉秀一下闯进屋，双膝扑通跪在婆婆面前，猛地用手捂住婆婆的嘴，哭喊着，"娘！您别……别说……俺伺候您老一辈子！"

梁大娘紧紧抱着儿媳："秀哪，那话……当娘的早晚要……跟你说，娘想过，还是……还是早说了好……"

"娘！……"玉秀又用手捂着婆婆的嘴，把头紧紧贴在婆婆怀里，放声哭着。

"秀，哭吧……把憋在肚里的眼泪全……全哭出来吧……"梁大娘也流泪了，她抚摸着儿媳的头发，"哭出来心里就好受了……"

玉秀戛然止住哭声，抽泣起来。

主任已转过脸去不忍目睹，他手中的记事本和笔不知啥时落在了地上。我用双手捂着脸，只觉得泪水顺着指缝流了下来……

……

高山下的花环

炊事班长三天前便得知梁大娘一家要回去，他借跟团后勤的卡车进城拉菜的机会，买回了连队过节也难吃到的海米、海参、木耳、冰冻对虾等，准备做一餐为梁大娘一家送行的饭。

是的，世上任何山珍海味，珍馐佳肴，大娘和玉秀都有权利享用，也应该让她们尝一尝！

翌日晨。团里派来吉普车，要把梁大娘一家直接送到火车站。

营首长来了。我妈妈也过来了。各班还选派了一个代表，和大娘一家一起就餐。

桌子上摆着二十多盘子菜。炊事班长说"起脚饺子图吉利"，还包了不少水饺。

我妈妈替玉秀抱着盼盼，用奶瓶给盼盼喂奶。

我们不停地把各种菜夹到大娘和玉秀碗里，让大娘和玉秀多吃点菜。但是，夹进碗里的各种菜都冒出了尖，大娘和玉秀却没动一下筷子……

在场的人谁心里都明白，这桌菜并不是供大家享用的，其作用只不过是借劝饭让菜，来掩饰大家心中的伤感罢了。

在大家一再劝让下，大娘只吃了两个饺子，喝了几口饺子汤。玉秀只吃了一个饺子，喝了一口汤，便说她早晨吃不下饭，她不饿，她饱了。

战士们已陆陆续续来到连部，要为大娘一家送行。昨晚，我已给大家讲过，在大娘一家离开连队时，让大家把眼泪忍住……

这时，段雨国竟第一个忍不住抹起泪来。他一抹泪，好多战士也忍不住掉泪了。

梁大娘站起来："莫哭，都莫哭……庄稼人种地，也得流几碗汗擦破点皮，打江山保江山，哪有不流血的呀！三喜他为国家死的，他死得值得……"

大娘这一说，段雨国更是哭出声来，战士们也都跟着哽咽起来。有人捅了段雨国一下，他止住了哭。大家也意识到不该在这种时候，当着大娘和玉秀的面流泪。

屋内静了下来。

"秀哪，时辰不早了。别麻烦同志们了，咱该走了。"停了停，大娘对玉秀说，"秀，你把那把剪子拿过来。"

玉秀从蓝底上印着白点点的布包袱里，拿出做衣服用的一把剪子，递给了梁大娘。

大娘撩起衣襟。这时，我们发现，大娘衣襟的左下角里面缝进了东西，鼓鼓囊囊的。大娘拿起剪子，几下便铰开了衣襟的缝……

我们不知大娘要干啥，都静静地望着。

只见大娘用瘦骨嶙峋的手，从衣襟缝里掏出一叠崭新的人民币，放在了桌上！

我们一看，那全是十元一张的厚厚一叠人民币，中间系着一绺火红的绸布条儿。

接着，又见大娘从衣襟缝隙里，摸出一叠发旧的人民币，也全是十元一张的……

大娘这是要干啥？我惊愕了！大娘身上有这么多钱，可她们祖孙三代下了火车竟舍不得买汽车票，一步步挪了一百六十多里！

大娘看看我，指着桌上的两叠钱说："那是五百五十块，这是七十块。"

这时，玉秀递给我一张纸条："指导员，这纸条留给您，托您给俺办办吧。"

我接过纸条一看，是梁三喜留给她们的欠账单！这纸条和那血染的纸条是一样的纸，原是一张纸撕开的各一半……

顿时，我的头皮飕飕发麻！

梁大娘心平气静地说："三喜欠下六百二十块的账，留下话让俺和玉秀还上。秀哪，你把三喜留下的那封信，也交给蒙生他们吧。"

玉秀把一封信递给了我。

啊，我们在此时，终于见到了梁三喜烈士的遗书！遗书如下：

玉秀：

　　你好！娘的身子骨也很壮实吧？

　　昨天收到你的来信，内情尽知。因你的信是从部队留守处转到这里的，所以从你写信那天到眼下，已过去一个月的时间了。

　　你来信说你很快就要生了。那么，我们的小宝贝眼下该是快出满月啦。我遥遥祝福，祝福你和孩子都平安无事！娘看到她的小孙子（小孙女）呱呱问世，准是乐得合不拢嘴了。

秀，从去年六月开始，我每次给你写信都说我很快就回家休假，你也天天盼着我回去。然而，由于种种原因，眼下新的一年又过去一个月了，我并没能回去。尽管你在来信时对我没有丝毫的抱怨，但我从心里觉得，我实在对不起你！

一个月前，我给你去信时说我们连要外出执行任务，别的没跟你多说。现在我告诉你，我们连离开原来的驻地，坐火车赶到这云南边防线来了。来到一看，越南鬼子实在欺人太甚，常常入侵我领土，时时残杀我边民！我们国家"十年动乱"刚结束，实在腾不出人力、物力来打仗，但这一仗非打不可了！别说我们这些当兵的，就是普通老百姓来这里看看也会觉得，如再不干越南小霸一家伙，我们作为中国人的脸是会没处放的！

当你接到这封信时，我们就已经杀上自卫反击的战场了！

秀，咱俩出生在同一个山村枣花峪，你比我小八岁，虽说不上青梅竹马，可也是互相看着长大的。自咱俩建立关系和结婚以来，只红过一次脸。你当然会清楚地记得，那是去年三月你来连队后的一天夜里。我跟你开了个玩笑，说我说不定哪一天会上战场，会被一颗子弹打死的。想不到这话惹恼了你，你用拳头捶着我的胸膛，说我"真狠""真坏"！之后，你哭了，哭得是那样伤心。我苦苦劝你，你问我以后还说不说那样的话，我说不说了，你才止住了泪。你说："两口子，谁也不能先死，要死，就一块儿死！"秀，我知道你爱我爱得那样无私，那样纯真，那样深沉！

但是，军人毕竟是战争的产儿，没有战争就不会有军人！秀，现在我可不是跟你开玩笑了，我不得不告诉你，这极有可能是我写给你的最后一封信了！

秀，咱俩结婚快三年了。连我回家结婚那次休假在内，我休过两次假，你来过一次连队。我们生活在一起的时间，总共还不到九十天！去年你来连队要回去的最后一个晚上，你悄悄抹了一夜泪（眼下看来，那很可能是我们最后一次见面和最后一次在一起了）。我知道你是那样舍不得离开我，我也很想让你多住些天。但你既挂着咱娘一个人在家不行，又惦着农活儿忙，还是起程了。当你泪汪汪一步三回头地上了车，我当时心里也说不出地难受。艰苦并不等于痛苦，平时连队干部的最大苦衷，莫过于夫妻遥遥相盼，长期分居两地呀！我当时想过，干脆转业回老家算了，咱不图在部队上多拿那点钱，那点钱还不如你来我往扔在路上的多！家中日子虽苦，咱们苦在一处，不是比啥都好吗？但转念一想，如果都不愿长期在连队干，那咋行？兵总得有人带，国门总得有人守，江山总得有人保啊！

秀，我赤条条来到这个人世间，吸吮着山村母亲的奶汁长大成人。如果从经济地位来说，我这"土包子"连长同他人站在一起，实在够"寒碜"人的了！但我却常常觉得我比他人更幸福，我是生活中的幸运儿！之所以有这样的感觉，那是因为有了你，我亲爱的秀！每当听到战友们夸奖和赞美你时，我心里就甜丝丝的。又岂止是甜丝丝的，你，是我莫大的自豪和骄傲！但是，每当想起你，阵阵酸楚也常常涌上我的心头。一是因为我家的那些遭遇，更是因为咱的家乡还太贫穷，你跟上我，没过过一天宽裕日子呀！尽管我是被人们称为"大军官"的人，又是个月薪六十元的连职干部，可我却没能给你买过一件衣服，更别说什么像样的料子和尼龙了。然而，你却常常安慰我："有身衣裳穿着就行了，比上不足，比下咱还有余呢！"……秀，此时想起这一切，我真不知该怎样感谢你，我只能说，你对我，你对俺梁家的高恩厚德，我在九泉之下也绝不会忘记的！

头一次给你写这么长的信，但仍觉话还没有说尽。营里通知我去开会，回来抽空再接上给你写。

玉秀，如果我在战场上牺牲，下面的话便是我的遗嘱：

当我死后，你和娘作为老革命根据地的人民，深信你们是不会给组织和同志们添麻烦的。娘只有我这么一个儿子了，她本人也曾为革命做出过贡献，一旦我牺牲，政府是会妥善安排和照顾她的。她的晚年生活是会有保障的。望你们按政府的条文规定，享受烈士遗属的待遇即可。切切不能向组织提出半点额外的要求！人穷志不能短。再说我们的国家也不富，我们应多想想国家的难处！尽管"十年动乱"中，有不少人利用职权浑水摸鱼已捞满了腰包（现在也还有人那么干），但我们绝不能学那种人，那种人的良心是叫狗吃了！做人如果连起码的爱国心都没有，那就不配为人！

秀，你去年来连队时知道，我当时还欠着近八百元的账，现在还欠着六百二十元（欠账单写在另一张纸条上，随信寄给你）。我原想三四年内紧紧手，就能把账全还上，往后咱们的日子就好过多了。可一旦我牺牲，原来的打算就落空了。不过，不要紧。按照规定，战士、干部牺牲后，政府会发给一笔抚恤金，战士是五百元，连、排职干部是五百五十元。这样，当你从民政部门拿到五百五十元的抚恤金后，还差七十元就好说了。你和娘把家中喂的那头猪提前卖掉吧。总之，你和娘在来部队时，一定要把我欠的账一次还清。借给我钱的同志们大都是我知心的领导和战友，他们的家境也都不是很宽裕。如果欠账单的名单中，有哪位同志也牺牲了，望你务必托连里的同志将钱转交给他的亲属。人死账不能死。切记！切记！

秀，还有一桩比还账更至关紧要的事，更望你一定遵照我的话办。这些天，我反复想过，我们上战场拼命流血为的啥？是为了祖国人民生活得更美好！在人民之中，天经地义也应该包括你——我心爱的妻子！秀，你年方二十四岁，正值芳龄。我死后，不但希望你坚强地活下去，更盼望你美美满满地去生活！咱那一带文化也是比较落后的，但你是个初中生，望你敢于蔑视那什么"忠臣不事二主，烈女不嫁二夫"的封建遗训，盼你毅然冲破旧的世俗观念，一旦遇上合适的同志，即从速改嫁！咱娘是个明白人，我想她绝不会也不应该在这种事上阻拦你！切记！切记！不然，我在九泉之下是不会瞑目的！

秀，我除了给你留下一纸欠账单外，没有任何遗产留给你。

几身军装，摸爬滚打全破旧了。唯有一件新大衣，发下两年来我还一次没穿过，我放在一个塑料袋里装着。我牺牲后，连里的同志是会将那件军大衣交给你的。那么，那件崭新的军大衣，就作为我送给你未来丈夫的礼物吧！

秀，我们连是全训连队，听说将担任最艰巨的战斗任务。别了，完全有可能是要永别了！

你来信让我给孩子起名儿，我想，不论你生的是男是女，就管他（她）叫盼盼吧！

是的，"四人帮"被粉碎了，党的三中全会也开过了，我们已经看到了未来美好的曙光，我们有盼头了，庄户人的日子也有盼头了！

秀，算着你现在已出了月子，我才敢将这封信发走。望你替我多亲亲他（她）吧，我那未见面的小盼盼！

顺致

军礼！

三喜

1979年1月28日

捧读遗书，我泪涌如注，我怎么也忍不住，我号啕起来……

我用瑟瑟发颤的手拿起那五百五十元抚恤金，对梁大娘哭喊着："大娘，我的好大娘！您……这抚恤金，不能……不能啊……"

屋内一片呜咽声。在场的人都已完全明白，是一桩啥样的事发生了！

战士段雨国大声哭着跑出去将他的袖珍收音机拿来，又一把撸下他手腕上的电子表，砰地按在桌子上："连长欠的钱，我们还！"

"我们还！"

"我们还！"

"我们还！"

……泪眼中，我早已分不清这是谁，那是谁，只见一块块手表，一把又一把人民币，全堆在了我面前的桌子上……

当一片撕心裂肺的哭声渐渐沉下来，我嗓音发哽地哀求梁大娘：

"大娘，我是……吃着您的奶长大的……三喜哥欠的钱，您就……让我还吧……"

梁大娘用手背抹了抹眼睛，苍老的声音嘶哑了："……孩子们，你们的好意，俺和玉秀……领了，全都领了！可三喜留下的话，俺这当娘的不能违……不然，三喜他在九泉之下，也闭不上眼……"

不管大家怎样哭劝，大娘说死者的话是绝对不能违的！她和玉秀把那六百二十元钱放下，上了车……

我妈妈已哭得昏厥过去，不能陪梁大娘一家上火车站了。战士们把东倒西歪的我，扶进了吉普车内……

走了！从沂蒙山来的祖孙三代人，就这样走了！

啊，这就是我们的人民，我们的上帝！

尾　声

赵蒙生讲述的往事，已深深把我打动了。

我们啜泣着，谁也不再说话。

良久的沉默过后，赵蒙生擦了擦发红的泪眼，声音发涩地对我说："就是因为那些，三年多来，我一直把梁大娘视为亲娘。我每月领到薪金后的第一桩事，便是给梁大娘写一封问安的家信，并汇去三十元钱。自然，我是有条件一次给大娘汇去上百元，甚至几百元的，但我没有那样做。我知道梁大娘并不稀罕别人的钱，我之所以这样，是为了让大娘得到些精神上的安慰，让她老人家时时知道，边防线上还有一个她当年用奶汁喂大的儿子，还月月没忘了向她老人家尽一点点孝心呀！可眼下，大娘她……"赵蒙生拿起放在桌上的那一千二百元的汇款单，用手拍了下头，"为啥？大娘为啥把钱全给我退回来了？难道大娘一家的生活，真的不需要点添补吗？不是，不是啊……"

段雨国望着我，轻声说："去年春天，我那阵还在九连当文书，连里推选我当代表，让我和教导员一起，专程去沂蒙山看望过梁大娘一家。由于实行了生产责任制，经济政策放宽了，梁大娘一家不再为吃犯愁了，穿得也比过去好些。但是，我和教导员也都看到了，大娘家铺的炕席，竟有十几处补着蓝布补丁。大娘和玉秀，连个新炕席都舍不得花钱买呀！"

"为啥？这到底是为啥？"赵蒙生面对汇款单，又大声自问，"难道大娘是不宽恕我这不肖子孙吗？不会，不会的！再说，这三年多来，我没有啥事瞒着过大娘呀……"

"那是绝对不会的！"书记段雨国对赵蒙生说罢，转脸对我说，"李干事，你回山东后快去采访梁大娘吧，梁大娘真是有颗菩萨般的慈母心啊！去年春上，我和教导员去看望她老人家时，甭提大娘对我们有多好啦。吃，她怕我们吃不好；睡，她怕我们睡不宁。顿顿尽力给我们做好吃的，还悄悄把那下蛋的母鸡也宰了两只！不然，我和教导员还会多住两天的，怕再住下去把大娘累垮了，我们才不敢多停留。"

赵蒙生对段雨国说："小段，你再帮我琢磨琢磨，大娘她为啥把钱全给退回来啊？"

段雨国长长的睫毛忽闪了两下："前几天，我读过一篇小说。小说中的主人公说过：'接受施舍会使人变得卑微，被人怜悯是最痛苦的事情。'梁大娘和韩玉秀是很有骨气的人，会不会……"

"啥？"赵蒙生霍地站起来，一把抓住段雨国胸前的衣扣，"你这小知识分子，你说的啥？你……你……"

面对骤然狂怒的教导员，段雨国结结巴巴地说："教导员，我……我……"

赵蒙生放开段雨国，满脸火辣猩红："施舍？怜悯？别说我小小赵蒙生，我要放声问，谁，谁有权力施舍梁大娘？谁，谁有资格怜悯梁大娘？天经地义，她早就应该过上好日子，顺理成章，她有权利也有资格享受幸福的晚年！"

说罢，他一下坐在椅子上，两手按着额头，又痛苦地沉默了。

段雨国低下头，自责地说："教导员，我……我说错了。"

吃晚饭的时间早过了。这时，通信员进来送给赵蒙生几份报刊和一封信，催我们去吃饭。

赵蒙生拆开信看了会儿，把信递给我："您，看看这封信吧。"

信是赵蒙生的母亲吴爽同志寄来的。大意是：柳岚这次超假，确系患病。柳岚患的是急性肺炎，已住院二十天，绝不是通过关系开啥病假条欺骗组织。这，她当妈妈的愿以老党员的党性来证实。信中说柳岚现已病愈，近几天便可归队。但说柳岚的思想问题仍很严重，一心想脱军装回城市。当妈妈的希望赵蒙生不要光是吹胡子瞪眼，要多做柳岚的思想工作。吴爽同志在信中还写道，她已办了离休手续，近些天她准备起程到沂蒙山，去看望梁大娘一家……

见我看完信，赵蒙生说："去年夏天，柳岚从军医大学毕业时，一心想分配到爸妈身边。我和她进行了反复的思想交锋，甚至闹到要离婚的地步，她才不情愿地来到这边防前哨。在这件事上，我妈妈还是起了好作用的，她提前把柳岚要回城市的后门全堵死了。我对柳岚的态度，也许有些过火。别说她，就是我本人又怎样呢？我也毕竟是生活在现实中的人啊！三年多来，在脱不脱军装转业回城的问题上，我也动摇过，彷徨过。但是，一想起牺牲的烈士们，一想起梁大娘一家，我就感到无地自容。不过，要让柳岚也住这里待下去，看来是难，难哪！"

我在营部住了一夜。九连的营房离营部只有一溪之隔。第二天，赵蒙生带我来到九连。

头午，我召开了个座谈会。过午，全连停课采集花卉，我也参加了。明天是清明节，九连要用鲜花扎成花环，敬献到烈士墓前。

云南边陲，四季花事不败。清明前后，又是花事最盛的时节。山上山下，路旁溪边，到处是花儿绽蕾舒萼。风里飘着幽香，空气里含着甜汁。傍晚时分，采集花卉的战士们汇集到溪边来了。

晚霞映照着从深山中流来的一泓清溪，溪中溢红流彩。大家坐在溪旁，用火红的攀枝、洁白的山茶、金黄的云槐、天蓝的杜鹃，还有一束束颜色各异的野花，扎成一个个五彩缤纷、群芳荟萃的花环。然后，大家把扎好的花环立在溪中，将一串串珍珠般的溪水，洒落在花环上……

段雨国从营部跑过来，对赵蒙生说："教导员，梁大娘来信了！信我已看了，那汇款单的事……干脆，让李干事先看看吧！"

我接过信，读起来：

蒙生：

你身体好，同志们的身体也都好吧！

每次给你回信，都是玉秀写。这次因为大娘要说到她的事，就让俺村小学的孙老师给俺写这封信。

前两天，大娘托人到邮局把你三年多来汇给俺的钱给你寄回去了，总共一千二百元，你收到了吧？蒙生，俺村老少没有不夸你的，说你心眼好，一直没忘了你大娘。大娘把钱给你寄回去，你可别多心呀。

一是因为大娘家的日子，现在是确实好过了。公家每月发给俺、玉秀、盼盼每人五元钱，合起来就是十五元。加上现在搞责任田，大娘一家三口包的地，收的也不少。村里有拥军优属小组，你大娘家包的地，都是种时先种，收时先收，不等俺和玉秀动手，他们就抢着给干了。老解放区，有这么个传统。现在你大娘不但不欠钱了，左邻右舍急着用钱时，还常常从你大娘这里拿几块呢！

二是前线上一直还不安稳，你们风里雨里站岗放哨，多么不容易啊！三喜当连长回家时对俺说过，连里有不少战士有困难，家里遇上啥病呀灾的，有的战士就犯难。可三喜那时手头上紧巴，拿不出钱来帮他们救急。所以大娘掂量来掂量去，还是把你三年多来寄来的这一大笔钱给你寄回去。万一哪个战士家遇上难处，你把这些钱铺排在他们身上，让他们安心保国，大娘觉得更合适。

蒙生，往后你可千万别再给大娘寄钱了。你心里有你这个大娘，大娘俺就觉得啥也有了。

另外，去年大娘打信跟你要柳岚的相片，你寄来了。大娘一瞧她那俊眉俊眼的模样，就喜得受不了，你来信说她在前线不安心，你说她的那些话，大娘俺不依你！你可别虎二呱唧地老训她。女人家比不上你们男子汉，夜里你可别让她去站岗！别说她是城里长大的，连俺玉秀都说，让她在那深山老林里住，她夜里都害怕。这些，你可得依着大娘的话去办！

再就是，这些日子大娘遇上了顶欢喜的事，玉秀的事已有着落，见眉目了。俺村里有个民办教师小陈，两年前他父母都过世了。小陈还没成家，他和俺玉秀是同岁。小陈心眼实，人长得也受看，配俺玉秀正合适。村里人撮合着要把玉秀许给小陈，小陈挺愿意，还说要上门来养俺的老。可就是玉秀心里还总惦念着三喜，一直不点头。也算巧了，你妈最近来信说她退休了，就要来看俺，俺本不想让你妈来回破费，但眼下俺盼着你妈来。她来了让她开导开导玉秀。只要你妈一来，大娘俺不管玉秀她点不点头，由俺和你妈给她做主，立时就欢欢喜喜地把她的婚事办了。

到那时，你大娘这辈子就啥心事也没有了，没有了……

……

朝阳，头顶着一抹橄榄色的云冠，露出了慈祥的笑脸，霞光给青山绿水披上了斑斓的彩衣。

赵蒙生带领着九连全体同志和我，抬着一个个用鲜花编织成的花环，徐徐来到烈士陵园。

大家把花环一个个敬献在烈士墓前。

松柏掩映的烈士陵园里，到处有人工精心培育的花丛。在梁三喜烈士的墓前，是一簇叶茂花盛的美人蕉。硕大的绿叶之上，挑起束束俏丽的花穗，晨露在花穗上滚动，如点点珠玉闪光……

和梁三喜烈士的墓碑并排着的是：九连副连长靳开来烈士的墓碑、八二无后坐炮班战士雷凯华烈士的墓碑、不满十七岁的司号员金小柱烈士的墓碑……

默立在这百花吐芳的烈士墓前，我蓦然间觉得：人世间最瑰丽的宝石，最夺目的色彩，都在这巍巍青山下集中了。

……

《十月》1982年6期

敬告作者

为了保护有关作者的合法权益，我社曾多方联系本套书所涉及作者以便洽谈版权事宜。但遗憾的是，由于种种原因，截至本书付梓，仍未能与少数作者取得联系。现谨对尚未取得联系的作者表示歉意，并请有关作者或著作权人见书后，尽快致函作家出版社，以便及时奉寄样书和稿酬。

通信单位：作家出版社有限公司

通信地址：北京市朝阳区农展馆南里10号

邮政编码：100125

联系电话（传真）：010-65925260

图书在版编目（CIP）数据

新中国文学经典丛书·精选本　中篇小说（卷二）/
孟繁华主编. -- 北京：作家出版社，2023.3
　　ISBN 978-7-5212-2182-4

　　Ⅰ. ①新… Ⅱ. ①孟… Ⅲ. ①中国文学 - 当代文学 -
作品综合集 ②中篇小说 - 小说集 - 中国 - 当代 Ⅳ. ①I217.1
②I247.5

中国国家版本馆CIP数据核字（2023）第020035号

新中国文学经典丛书·精选本　中篇小说（卷二）

总　策　划：吴义勤　路英勇
主　　　编：孟繁华
出版统筹：汉　睿
责任编辑：向　萍
装帧设计：天行云翼·宋晓亮
出版发行：作家出版社有限公司
社　　　址：北京农展馆南里10号　　　邮　　　编：100125
电话传真：86-10-65067186（发行中心及邮购部）
　　　　　　86-10-65004079（总编室）
E-mail:zuojia@zuojia.net.cn
http://www.zuojiachubanshe.com
印　　　刷：唐山嘉德印刷有限公司
成品尺寸：152×230
字　　　数：380千
印　　　张：25.5
版　　　次：2023年3月第1版
印　　　次：2023年3月第1次印刷
ISBN 978-7-5212-2182-4
定　　　价：60.00元